世界「民族」全史

宇山卓栄
Uyama Takuei

衝突と融合の人類5000年史

Whole history of world peoples

日本実業出版社

はじめに

最近の流行りのポリティカル・コレクトネスやキャンセル・カルチャーの影響で、どの書籍も出版社も、「民族」の問題に正面から斬り込もうとしません。「民族」を扱うことがタブーとなってしまっている風潮があります。

しかし、世界を見渡すとウクライナ紛争、アメリカやヨーロッパの移民問題、BLM（ブラック・ライブズ・マター）運動、中華民族統一を掲げ台湾併合を狙う中国など、「民族」に起因する問題ばかりです。われわれは本当に「民族」について触れなくてよいのでしょうか。タブーのまま、口を閉ざしていればよいのでしょうか。

「民族」、彼らの祖先はどこからやって来て、どのように暮らし、どんな子孫を残し、いま、われわれの目の前にいるのか。われわれが「民族」のルーツを知れば、われわれの彼らに対する見方や付き合い方も大きく変わります。

最新の遺伝子解析の研究成果などにより、従来の通説とされた多くの学説が覆されており、「民族」の新しい事実や史実に迫ることができるようになっています。語られざる「民族」の血統・血脈が明らかになっているのです。

たとえば、日本人がどこからやって来たのか。日本人は中国人や韓国人と遺伝子的にどう異なるのか。台湾人は中国人と同じ中華民族なのか。ロシア人やウクライナ人、中央アジア人はどのような人々と混血し、今日に至っているのか。イギリスやフランスを建国した人々は今日でも、残存しているのか。アメリカ大陸先住民族はどこからどのように移住したのか。こうしたことが解明されています。

「すべての人類は黒人からはじまった」という説がベストセラー『サピエンス全史』でも紹介されていますが、昨今、この説に対する疑問も提起されています。

次々と更新される「民族」の血統・血脈とその歴史の歩み。世界では、こうした新しい事実やトピックがフォローされているのに、日本では、それらをタブー視するばかりで、どの出版社もメディアも扱わず、ましてや学校や教科書などでも触れられることがありません。

国家や社会よりも先に、「民族」が存在します。歴史は「民族」という原初的な単位によってはじめて真相が見えてくるのであり、こうした巨視的な文脈のなかで、「現在」もまた浮かび上がってきます。その意味で、「民族」を知ることは、いまを生きるわれわれにとって必須の教養といえます。

「民族」とは何か。本書では、世界のすべての「民族」の歩みとルーツが1冊でわかるよう、最新の歴史研究や科学の成果を踏まえて記しました。秘められた禁忌に対してもメスを入れ、それぞれの「民族」が歩んだ歴史の深層に迫っていきます。

二〇二二年一二月

宇山卓栄

世界「民族」全史——衝突と融合の人類5000年史◉もくじ

第3部 アメリカ、オセアニア、アフリカ

ブックデザイン／萩原睦（志岐デザイン事務所）
本文ＤＴＰ／一企画

第1部

アジア、中東

序文解説

人種と民族のマトリックス

❖民族とは何か

インド人は「黒い白人」といわれることがありますが、この形容はある意味で真実を表わしています。肌の色が白いか黒いかだけでは、民族のカテゴリーを分類することはできません。インド人はヨーロッパ人などと同じコーカソイド人種に分類され、ヨーロッパ人と民族の遺伝子上の同質性や近似性を持っています。

「白人」「黒人」「黄人」という言い方がありますが、これらは学術的表現ではありません。単なる外見の皮膚の色を比べた印象だけの分類です。インド人やアラブ人をこの3種のカテゴリーの中のどれに入れればよいかと問われれば、答えに窮するでしょう。

学術的には、人種は図01-1のように、コーカソイド、モンゴロイド、ネグロイド、オーストラロイドの4つに分類されます。「コーカソイド」というと、日本では一般的に白人というイメージがありますが、コーカソイドの分布範囲は広く、アラブ人なども含み、いわゆる白人

図01-1｜４大人種の区分

コーカソイド……ヨーロッパ人、インド人、イラン人、アラブ人など

モンゴロイド……中国人、朝鮮人、モンゴル人、日本人、東南アジア人など

ネグロイド……サハラ以南のアフリカ人

オーストラロイド……オーストラリアのアボリジニ、ニューギニア人

というわけではないのです。

人種はＤＮＡなどの遺伝学的、生物学的な特徴によって導き出されたカテゴリーで、それに対し、民族は言語・文化・慣習などの社会的な特徴によって導き出されたカテゴリーです。

民族を考察する際、言語・文化・慣習の中でも、特に言語が重要な要素となります。それぞれの民族が使用する言語とその形成過程を追うことにより、民族のルーツを探ることができます。似た言語を使う複数の民族が共通の祖先から派生したものであると捉え、そこから、血縁関係や民族の血統についても遡及的に想定することができます。

「アルタイ語族」や「インド・ヨーロッパ語族」の「〜語族（〜語系ともいう）」とは、同一の祖先から分かれ出たと考えられる言語のグループのことです。「語族」は各民族が使用する言語系統を示し、民族を言語により把握しようとする分類化手段です。

本書では、「語族」という言語グループを用いる民族集団を「語派」という表記で表現します。「語族」は厳密には、言語グループのみを指し、それを用いる話者集団まで含みません（しかし実際には、含

図01-2｜言語による民族の分類

西ユーラシアの主な語派（人種：コーカソイド）

インド・ヨーロッパ語派　ヨーロッパ人、小アジア人、イラン人、インド人

セム語派　アラブ人、イラク人、エジプト人、北アフリカ人、ユダヤ人

東ユーラシアの主な語派（人種：モンゴロイド）

アルタイ語派　モンゴル人、満州人、トルコ人
（日本人をアルタイ語派に入れるかどうかは諸説あり）

シナ・チベット語派　中国人、チベット人、ミャンマー人

オーストロネシア語派　台湾人、東南アジアの島嶼部

オーストロアジア語派　東南アジアのインドシナ半島

その他

アフリカ諸語派（人種：ネグロイド）

オーストラリア諸語派（人種：オーストラロイド）

アメリカ諸語派（人種：アメリカ大陸先住民族＝モンゴロイド）

めて使用されることが多い）。話者集団まで含ませる広義的な意味合いを持たせるには、「語派」という表記がより適切だと考えられます。

語派の分類については、様々な捉え方・学説があり、未だ定まっていない部分もありますが、それらを大まかに集約すると、図01-2のようになります。

西ユーラシアでは、インド・ヨーロッパ語派とセム語派の2つに大別できます。インド・ヨーロッパ語派はもともと黒海やカスピ海の北方地域におり、紀元前2000年頃以降、寒冷化を避け大移動し、イランやヨー

ロッパ、インドへ拡散します。ヨーロッパ方面の寒冷地域に入った集団はメラニン色素が減少し、肌が白化し、インド方面の温暖地域に入った集団はメラニン色素が増加し、肌が黒化していきます。

セム語派は主に中東アラブ人を指します。この中には、ユダヤ人も含まれます。パレスチナやシナイ半島に分布していたユダヤ人は、もともとアラブ人と密接なつながりを持ち、アラブ人と同系の民族とされます。ユダヤ人の容貌として、白人のイメージが強いかもしれませんが、それはローマ帝国の時代以降、ユダヤ人がヨーロッパ各地に移住し、白人と混血を繰り返した結果であり、ユダヤ人の原形的な容貌はアラブ人に近いのです。

ハム語派とされるエジプト人をセム語派の中に含めるかどうかは諸説ありますが、近年では、ハム語派がセム語派に対し、独立した一語派を形成し得るほどの独自性を持っているとはいえないとする見方が有力です。いずれにしても、ハム語派はアラブ人と近接関係にあることは事実です。セムやハムの名は『旧約聖書』の「創世記」で登場する同名の二人の兄弟に由来しています。

東ユーラシアの主な語派としては、アルタイ語派、シナ・チベット語派、オーストロネシア語派、オーストロアジア語派の4グループに大別できます。「オーストロ（Austro）」というのは「南の」という意味です。

ただし、これらのグループに属さないとされる民族諸派も多くあります。日本人なども、その代表例です。

❖「国民」ではなく、「民族」の歴史こそ重要

「日本人」という言い方は日本国の国民を指すと同時に、日本民族を指します。一般的には後者の民族的な意味合いのほうが強いでしょう。

では、「アメリカ人」はどうでしょうか。「アメリカ人」はアメリカ合衆国の国民を指しますが、アメリカ民族を指しません。そもそも、アメリカ民族なるものは存在しません。「アメリカ人」というのは国民としての特徴によって分類されるカテゴリーであり、民族としてのカテゴリーではありません。アメリカ人は様々な民族の混合集団であるからです。

同じ「〜人」という言い方でも、日本人という言い方には、民族的同一性を前提にする性格が強く反映され、アメリカ人という言い方には、国民的同一性を前提にする性格が強く反映されています。「〜人」という言い方は、その集団が形成された歴史的背景によって、そのニュアンス、条件・定義が大きく異なります。

「国民」は国家に所属する構成員を指し、国家が定める法や制度などの外的特徴を共有しています。国民であることは民族的出自や宗教的信念を問いません。

本書では、民族やその特性を解説しながら、国民ではなく、民族の歴史を読み解いていきます。したがって、本書で、「〜人」と表現した場合、その原初的な民族集団から派生した血脈

全体を指します。そして、さらにそれらを細分化しながら、考察していきます。
「民族」は言語・文化・慣習などの社会的な特徴によって導き出されますが、それらが同一であれば、同一民族になるのでしょうか。仮に、白人や黒人が日本語を完璧に身に付け、文化や慣習においても日本人と同化すれば、彼らは「日本民族」になれるのでしょうか。

いかに、白人や黒人が日本人に同化したとしても、やはり「日本民族」ではありません。民族が異なるということ、つまり、血脈や血統が異なるということが大きな事実として横たわっているからです。「民族」は血脈や血統という前提が大きく入り込んだ概念として知覚されているのです。

国家における国民の中には、様々な民族が集います。本書では、各国における主要な民族や歴史的に大きな役割を果たした民族を取り上げ、考察していますが、決して悪意をもって、それ以外の多民族（つまり、国民としての集合体）を排除しようとしているのではありません。

また、今日の国別の単位に分けられないような民族をも、遡及的に見ていきます。国家以前に、民族というものがあります。民族は最も原初的な社会単位です。

アジア人がどこからやって来て、彼らがどのようにして、中国人、朝鮮人、日本人になったのか。白人がどこからやって来て、彼らがどのようにして、ドイツ人、フランス人、イギリス人になったのか。

こうした民族としてのルーツを学校の歴史でも教えず、われわれはほとんど知りません。日本は基本的に単一民族の歴史を歩んできた国民国家であるために、世界が経験したような民族対立もありませんでした。

しかし、歴史とは、様々な民族が経験した衝突と融合の軌跡であるといえます。日本では、そのようなことを語ることはタブーとされ、口を閉ざしていれば、それで済んだのです。現在、日本人は国際社会の中で、このような問題に否応なしに晒(さら)され、それを避けて通ることはできなくなっています。

世界の民族は多様な民族と混血したこともあり、その反動のゆえ、民族の血統・血脈を意識することを常態化させてきました。

たとえば、フランス人はフランク人の血統・血脈を引いていることを正統の証として、「フランク」を国名にしました。彼らは民族の血統・血脈について、教えられるまでもなく、感覚的に認知しています。そして、その「感覚」には、秘められた禁忌のイメージがどことなく付きまとっています。

民族の「血の記憶」、それぞれの民族が触れられたくないものもあるでしょうが、本書は、そのような秘められた禁忌に対し、徹底的にメスを入れるべく、世界の民族の歴史とその全貌を明らかにすることを目的にしています。

われわれは見ただけで、それぞれの民族をおおよそ判別できます。彼らの顔付きもそうですが、何よりも醸し出す雰囲気が異なります。

その民族が持っている独特の雰囲気というのは歴史によって培われ、各人の遺伝子に刻まれたものです。こうした「雰囲気」を決定づけるものは何か。その正体をつかみ、彼らが民族として歩んだ歴史の深層に迫ります。

学校の歴史教育などでは、こうした禁忌を避けるため、意図的に「民族」を教えず、「国民」という表象にのみ依拠して思考する習慣を身に付けさせます。われわれは知らずしらずのうちに、隠微な混濁の中に真の歴史を置き去りにしているのです。

❖「Y染色体ハプログループ」とは何か

民族のルーツをたどるために、言語が有効であることを述べました。そして、今日、最も有効なツールが遺伝子解析です。最近の遺伝子解析の研究成果により、民族について多くのことが明らかになっています。

前述のように、語派という民族の言語上の区分がありますが、各民族の遺伝子解析の結果、語派のルーツと遺伝子のルーツが一致して推移していることが判明しており、民族のルーツにさらなる確かな根拠を与える要因になっています。

遺伝子解析として、各民族におけるY染色体ハプログループの頻度を観察する方法があります。「ハプロ（haplo）」とは、「半数体の遺伝子型（haploid genotype）」のことです。人間の遺伝子の染色体は、女性の場合、X染色体が2本あり、男性の場合は、X染色体とY染色体が1本

図01-3｜主要なY染色体ハプログループと民族の関係（モンゴロイド）

Y染色体ハプログループO
- O2 ……中国人、朝鮮人
- O1b……オーストロアジア語派
- O1a……オーストロネシア語派

Y染色体ハプログループC2……アルタイ語派

Y染色体ハプログループD……チベット人、日本人

Y染色体ハプログループN……ウラル語派

Y染色体ハプログループQ……アメリカ先住民族

ずつ計2本あります。いずれも、染色体は2本でワンセットになります。

男性のY染色体のみを取り出して分析すること、つまり、ワンセットのうちの1本を取り出すことから、「半数体の遺伝子型」となり、「Y染色体ハプロ」という呼び方になります。そして、共通のY染色体ハプロを持つ集合がY染色体ハプログループです。

ちなみに、Y染色体は男性から男性へと受け継がれる男系継承の遺伝子です。女系の遺伝子はミトコンドリアDNAであり、これが分析に使われることもあります。

たとえば、征服民族に支配された民族は男系祖先をたどると、現地民族とは異なる遺伝子になってしまいますが、女系のミトコンドリアDNAであれば、征服民族を排した形で、現地民族の遺伝子をたどることができます。いずれにせよ、一般的には男系のY染色体が使われることが多いといえます。

Y染色体ハプログループはそれぞれの民族に対応する特徴的な型があります。図01-3にも

あるように、中国人、朝鮮人はY染色体ハプログループO2が最も高頻度に観察されるのに対し、日本人はY染色体ハプログループDが最も高頻度に観察されます。これは、われわれ日本人が、中国人や朝鮮人と民族の血統・系譜の上で異なる存在であることを示しています。

Y染色体ハプログループC2はアルタイ語派に特徴的であり、モンゴル系民族やツングース系民族に、高頻度に観察されます。しかし、アルタイ語派の中でも、トルコ系民族のほとんどには、C2は低頻度にしか観察されません（カザフ人などの一部のトルコ系民族は例外的に高頻度）。これはトルコ人が中世に、西部へ大移動し、新しいコロニーを形成した際、現地民族と混血し、遺伝子が新たに書き替わったことを示します。

Y染色体ハプログループNはウラル語派に特徴的な遺伝子です。ウラル語派はウラル山脈の西側を原住地とし、後に西走し、ヨーロッパにも居住した民族で、ハンガリー人、フィンランド人、ブルガール人、バルト三国人などが挙げられます。

Y染色体ハプログループQはアメリカ先住民族に特徴的です。Qは中東に由来し、氷河期の約3万～2万年前に、中央アジアやアルタイ山脈付近やシベリアに拡がり、ベーリング海峡を渡り、アメリカ大陸全体に拡がります。

モンゴロイド以外の民族のY染色体ハプログループの関係は次ページ図01-4のようになります。Y染色体ハプログループRはコーカソイドに特徴的で、その系統の中でも、R1aが多数派で、ロシア人を含む東ヨーロッパ人、イラン人、インド人、中央アジア人などに高頻度に観

図01-4｜主要なY染色体ハプログループと民族の関係（モンゴロイド以外）

Y染色体ハプログループR

R1a……東ヨーロッパ人、イラン人、インド人、中央アジア人

R1b……西ヨーロッパ人、ケルト人、バスク人

Y染色体ハプログループI……北欧人、バルカン半島人

Y染色体ハプログループE

E1b1a……西南アフリカ人（ニジェール・コンゴ語派）

E1b1b……北東アフリカ人（アフロ・アジア語派）

Y染色体ハプログループG……コーカサス人

Y染色体ハプログループH……インドのドラヴィダ人

Y染色体ハプログループJ……アラブ人

Y染色体ハプログループC1b2、MS、K……オーストラロイド

察されます。R1bは西ヨーロッパ人に高頻度に観察されます。Y染色体ハプログループIは白人特有の金髪碧眼と深い相関性のある遺伝子です。

Y染色体ハプログループEはアフリカ人に特徴的であり、ネグロイドに高頻度に観察されます。さらに、EはE1b1aとE1b1bに分けられます。同じE系統でも、E1b1bのアフロ・アジア語派は人種的には必ずしもネグロイドに属するとはいえず、むしろ、アラブ人の血統を濃く受け継いでいることもあり、コーカソイドに属するといえます。

Y染色体ハプログループGはインド・ヨーロッパ語派の最も古い基層をなす遺伝子で、コーカサス地方の

ジョージア人（コーカサス人）に高頻度に観察されます。

Y染色体ハプログループHはインドのドラヴィダ人に最も高頻度に観察されます。ドラヴィダ人はインドの先住民族ですが、彼らがアジア系のモンゴロイドに属するかどうか議論のあるところで、遺伝子の独自性を考慮すれば、モンゴロイドに属さないと考えることもできます。

Y染色体ハプログループJはアラブ人に特徴的で、今日、トルコ共和国のトルコ人などにもこの遺伝子が及び、高頻度に観察されます。

このように、民族を特徴づけるY染色体ハプログループを分析することにより、民族の血統や系譜がどのような関係を持っているかを遡及的に把握することができます。

第1章 日本、台湾、チベットなど

SECTION 1 日本人

縄文人と弥生人に分断はない、解明される「原日本人」

❖教科書の巧妙な印象操作

近年、遺伝子学の発達によって、われわれ日本人のルーツが明らかになるとともに、それまで有力視されていた学説が覆されています。

学校教育で、われわれは古代日本における縄文時代と弥生時代の区分を最初に習います。稲作がなかった時代が縄文時代、稲作が導入された時代が弥生時代であるという区分概念ととももに、半島から渡来人がやって来て、弥生時代が拓かれたということを叩き込まれるのです。

そして、教科書や資料集の図版では、縄文人の顔と弥生人の顔の対比がビジュアルで示されます。太眉で目が大きく、厚唇で濃い南方系の顔が縄文人。細眉、一重瞼の細い目、薄唇で薄い北方系の顔が弥生人。しかし、この区分にはまったく根拠はなく、巧妙な印象操作を誘発するものでしかありません。

日本全国の縄文人骨の遺伝子を詳細に分析すると、縄文人が共通の単一民族の基層を持っていたのではなく、北方系から南方系まで、すでに雑多な民族の混合型であったことがわかってきています。

教科書や一般の概説書では、「二重構造説」というものが解説されます。この説では、南方からやって来た縄文時代の人々（前述の顔の濃い人々）を「原日本人」と規定し、弥生時代に北方系の人々（前述の顔の薄い人々）が朝鮮半島から日本に大量にやって来て、南方系の「原日本人」と混血をして、渡来系弥生人が誕生したとされます。

一方、渡来人は沖縄や北海道（アイヌ民族領域とされる）へはほとんど入らなかったため、これらの地域では、南方系の先住日本人の血統が保たれます。このように、日本人には「原日本人」と弥生人の2つの系列があるとされることから、「二重構造説」と呼ばれるのです。この説は1990年代に定説となっていきます。

「原日本人」の血統を残す沖縄と北海道の人々、つまり、琉球人とアイヌ民族は遺伝子上の近似性があるとされ、これが「二重構造説」の大きな論拠とされてきました。2012年の国立遺伝学研究所や東京大学の研究でも、両者は近似性があるという結果が出ています。

しかし、よくよくその調査の内容を見ると、遺伝子を提供した者がアイヌ民族である保証などはなく、遺伝子サンプル自体に問題があったといわざるを得ません。サンプルの対象となったのは「北海道日高地方の平取町に居住していたアイヌ系の人々から提供を受けた血液から抽出したDNAサンプル」といった説明がなされ、提供者の平取町の居住者がアイヌ民族であるということを前提にしていますが、彼らがアイヌ民族であるという証拠があるのかは不明です。普通の日本人の遺伝子を拾っている可能性が高いでしょう（アイヌについては後段で詳述）。

一方、二重構造説に懐疑的な立場から最新の研究成果を数多く上げている国立科学博物館の篠田謙一副館長によると、「二重構造説では、アイヌ民族と沖縄の人々の近縁性を指摘していますが、両者のハプログループは大きく異なっていることもわかっています」とのこと（2019年）。つまり、遺伝子サンプルの採取の仕方、近似基準の取り方によって、結果が大きく異なるということが示されています。

いずれにしても、一般に流布している「アイヌ民族・琉球人近似説」は極めて怪しいものであることは間違いなく、それを論拠にしている「二重構造説」もまた、信用するに値しない破綻した説といえるでしょう。

❖渡来人を持ち上げようとする意図

「二重構造説」は、縄文時代末期から弥生時代に渡来人が大量にやって来たということを前提にしていますが、そもそも、どのくらい大量だったのか、はっきりとしたことはわかっていません。それにもかかわらず、「二重構造説」は北方系の渡来人が先住日本人を急激かつ大規模に変化させたと主張しています。さらには、この急激な変化が縄文時代の狩猟採集の生活を弥生時代の稲作生活に構造転換させた証拠であると説明され、朝鮮半島からの渡来人が稲作などの文明をもたらし、弥生の文明開花が可能になったのだという理屈が導き出されます。このように「二重構造説」はそもそも虚偽に満ちており、渡来人を持ち上げようとする何らかの意図が背後にあるのではないかとさえ疑いたくなります。

すでに縄文時代から、あらゆる系統の民族が漸次的に日本にやって来て、漸次的に多民族間の混血が進み、日本人が形成されていったと見るのが実態に即した捉え方です。特定の地域の特定の民族が日本人を劇的に変えたというような動的な変化などなかったことが最新の遺伝子研究からわかってきているのです。

民族の劇的な変化には、征服や戦争が必然的に伴います。大規模な陰惨な殺し合いがなければ、民族が別の型の民族へと上書きされることなどありません。日本では、縄文末期から弥生にかけて、そうした大規模な戦争が行なわれた形跡は見つかっていません。殺人用武器や兵器なども見つかっていません（中国などでは、頻繁に発掘される）。

かつて、弥生人の人骨が面長で、縄文人の人骨が丸顔であるとする発掘調査が報告されたことがありましたが、これも実は、部分的なサンプルだけを意図的に抽出したものに過ぎません。全体の人骨を俯瞰すれば、弥生が面長で、縄文が丸顔などという定型的な区分ができないことは明らかであり、特定の時期に民族が入れ替わったことはないとわかります。文明的にも、縄文時代末期の紀元前1000年頃に、稲作文化が漸次的に普及していき、弥生時代にそれが確立したのであり、その社会的変化と移行は長期におよぶ緩やかで静的なものでした。

縄文時代末期に、北方系の渡来人がやって来たということ自体は否定できません。彼らが日本に移住し、日本人や日本社会に同化していったことは間違いありませんが、それは「二重構造説」が言うような、急進的かつ大量なものではなく、日本の古代社会を根底から覆すようなものではなかったということを強調せねばなりません。

「二重構造説」が言う分断的な現象などなく、むしろ、「辺境残存説」とでも言うべき重層的な現象こそが実態に即していたと考えられます。日本の縄文人の遺伝子や文化が本州よりも、沖縄と北海道などの辺境で維持されやすかったというのは当然のことであり、前述の沖縄と北海道の人々（アイヌ民族ではなく、日本人）の遺伝子が近接しているという調査結果はこうした現象を反映したもので、アイヌ民族をも巻き込んだ「二重構造説」の誇大主張を補強するものではありません。

❖アイヌ民族は先住民族ではない

２０１９年、アイヌ民族を「先住民族」と初めて明記したアイヌ新法が成立しました。この法案には、アイヌ民族差別の禁止、観光や産業の振興を支援する交付金制度の創設などの事項が盛り込まれています。アイヌ民族は文字を持ちませんでしたが、日本語と異なる独自の言語を持っていました。ラッコやトナカイ、シシャモというのは、日本語になっているアイヌ語です。ちなみに、「アイヌ」とは「人間」という意味です。

アイヌ新法で、アイヌ民族は日本の「先住民族」と規定されましたが、そう言い切れる証拠はどこにもありません。アイヌ民族がいつ、樺太から南下して北海道にやって来たのか、詳しいことはわかっていないのです。文献資料で見られるアイヌ民族の記述はいまから約８００年前の13世紀のことです。この時期までに、アイヌ民族が北海道で定着し、独自のアイヌ文化を保持していたことは間違いないのですが、彼らがいつやって来たのかは不明です。13世紀に突然、大挙してやって来たのか、それ以前にも徐々に住み着いていたのか、わかっていません。

北海道に人が住みはじめたのはいまから約2万年以上前のことです。これらの古代人は日本本土にも見られる縄文人であり、アイヌ民族ではありません。前述の「二重構造説」などは北海道にいた縄文人とアイヌ民族を同一視していますが、今日の遺伝子解析から両者はまったく別の民族であることがわかっています。また、北海道では、縄文遺跡が多数発見されています

図1-1｜遺伝子上の関連性

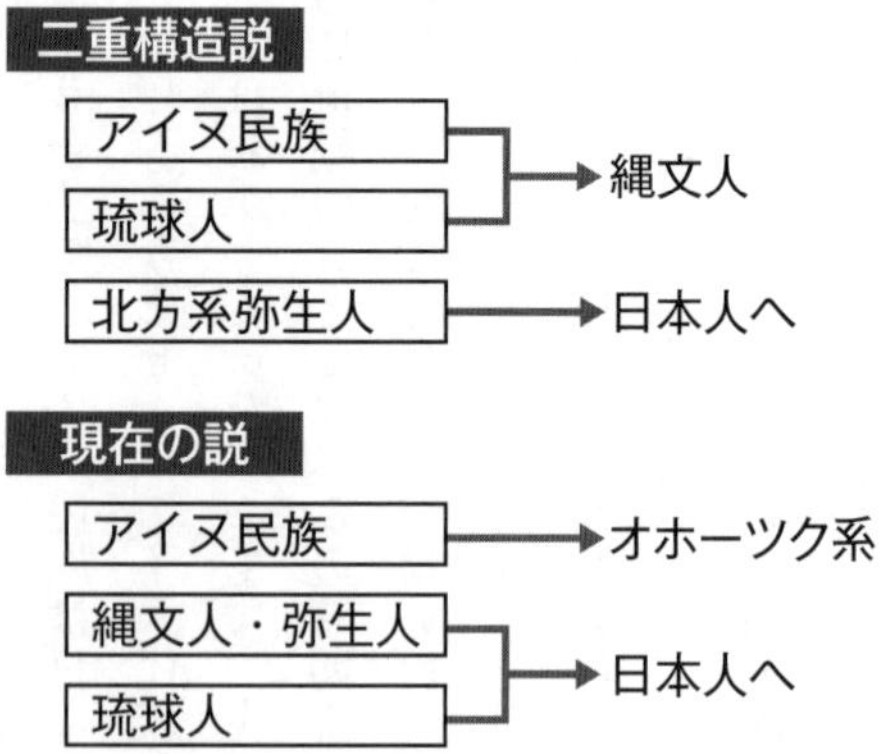

二重構造説

アイヌ民族	→縄文人
琉球人	→縄文人
北方系弥生人	→日本人へ

現在の説

アイヌ民族	→オホーツク系
縄文人・弥生人	→日本人へ
琉球人	→日本人へ

が、これらはアイヌ民族の文化様式とはまったく異なるものです。

アイヌ民族が縄文人よりも先に北海道に住んでいたことを示す人骨や遺跡などは一切ありません。その意味で、単純にアイヌ民族が「先住民族」であるとは決して言えないのです。証拠がないにもかかわらず、アイヌ民族が北海道の「先住民族」であるかのようなイメージを学校教育などで押し付け、挙げ句の果てには、政治的な都合でアイヌ民族を「先住民族」と法に明記するなど、歴史の改竄と言わざるを得ません。

アイヌ民族はシベリアのオホーツク人と遺伝子上、近接関係にあることがわかっています。オホーツク人とは樺太北部やアムール川下流域を原住地とした狩猟・漁猟民で、ニヴフ人という少数民族を直接の共通祖先とすると考えられています。また、オホーツク人はアジア系民族ですが、隣接していたツングース系民族やモンゴル系民族とは別系統の民族です。

アイヌ民族はもともと、言語や文化において、オホーツク人とは異なる存在でしたが、彼らと混血同化していき、アイヌ民族の純粋な血統は失われます。アイヌ民族が北海道にやって来た時も、日本人と混血同化していき、もはや「これがアイヌ民族である」と言えるような人はどこにも存在しません。つまり、アイヌ新法という法律で保護すべきアイヌ民族などすでにいないのです。

日本語は文法や語彙において、アイヌ語と部分的に類似性を持ちますが、全体として言語上の系統的関連性は乏しいとされています。しかし、一部の学者は両言語が同一の系統にあると主張しています。かつて哲学者の梅原猛は、日本語の多くの部分がアイヌ語を基礎に発展したと述べましたが、ほとんど根拠はありません。

❖日本語は北方系言語か南方系言語か

日本人がどこからやって来て、どのように形成されたのかを知るうえで、遺伝子研究のほかに重要なのが日本語の言語ルーツを追うことです。似た言語を使う複数の民族は共通の祖先から派生したものと考えられます。この言語と民族の相関関係を分析することで、民族の血縁関係について遡及的に想定することができます。

アジア東部の民族の語派として、アルタイ語派、シナ・チベット語派、オーストロネシア語派、オーストロアジア語派の4グループに大別できます。

この4グループのうち、日本語はアルタイ語派に近いという説が有力ですが、この説には、様々な異論があり、最終的に日本語がどの系統に属するのかは不明です。

図1-2｜アジア東部の主な語派

語派	
アルタイ語派	モンゴル人、満州人、トルコ人
シナ・チベット語派	中国人、チベット人、ミャンマー人
オーストロネシア語派	台湾、東南アジアの島嶼部
オーストロアジア語派	東南アジアのインドシナ半島

日本語は文法、音韻、語彙などでアルタイ語族との共通的な特徴が最も多いとされますが、同時に、オーストロアジア語族やオーストロネシア語族との共通性も多く指摘されており、研究者によっては、日本語はアルタイ語族よりも、それらの語族との共通性を強く持つとさえ考えられているのです。また、日本語はアルタイ語族と、オーストロアジア語族・オーストロネシア語族の混成型であるとも指摘されています。

日本語がアルタイ語族とオーストロアジア語族・オーストロネシア語族のどちらに近いかという議論は日本人の民族の系統が北方遊牧民に近いか、南方の東南アジア系に近いかという議論にも直結します。いずれにしても、これらの語族から日本語は影響を受けていることは間違いなく、その意味では、日本人がもともと北方系と南方系の混合民族であったこととも符号します。さらに、これらの語族を基礎に、中国語などのシナ・チベット語族の影響も日本語にあった（流入混合説）という指摘もあり、言語とともに、日本人の民族的な混血の複層性もうかがえます。

ロシア系アメリカ人の言語学者アレキサンダー・ボビンは、日本語の中でも、稲作関連の語彙にオーストロアジア語族との多くの共通性が見られると指摘しています。ボビンは、このオーストロアジア語族が中国南部にいた人々の言語であると述べています。つまり、ボビンの説は長江流域にいた人々が稲作文化を日本に持ち込んだという歴史に符合します。ただし、語彙の語源などの類似が本当に言語的な同一性を持つかどうかについては議論のあるところです。

ところで、日本の古代稲の遺伝子分析によって、稲作は朝鮮半島を経由することなく、長江流域から直接、日本に伝来したことがわかっています。大阪や奈良で見つかった弥生時代後期の紀元前3世紀頃のコメのDNA分析を行なったところ、その種の遺伝子型（RM1-a、RM1-b、RM1-cの3種類）は朝鮮半島には存在しないもので、長江流域の種であることが判明しました。「弥生の渡来人」なるものが朝鮮半島経由で、日本に稲作を伝え、弥生時代の文明開化につながったなどという従来の説は何の根拠もありません。

❖日本語と朝鮮語は同一の系列にあるのか

アルタイ語派はモンゴル語系（モンゴル人）、ツングース語系（満州人）、チュルク語系（トルコ人）の3つの系列に分けられます。この3つのうち、日本語は具体的にどの系列に近いとされているのでしょうか。多くの学者がツングース語系との類似を指摘しています。

高句麗は朝鮮半島北部や満州に建国されたツングース系の古代国家で、この高句麗で使われていた語彙のいくつかや形容詞の形態が日本語に類似しているとされます。しかし、語彙の抽出方法などが学者によって異なり、全体として一致した見解があるわけではありません。

また、日本語は朝鮮半島の南西部に建国された同じくツングース系の古代国家の百済で使われていた言語に共通性があったのではないかという指摘もあります。古代において、日本は任那日本府を中心に朝鮮半島南西部を統治しており、百済と日本は緊密な関係であったという事実に照らしても、日本語と百済語には多くの共通性があったと考えることもできます。

ただし、高句麗や百済で使われていた言語の実態は不明であり、朝鮮の歴史書『三国史記』に記された地名や人名などから、その言語が類推されているに過ぎません。これらの言語の実態がわからないにもかかわらず、日本語がこれらの言語に類似していたかどうかを判断することは、根拠が弱過ぎるという批判もあります。

また、日本語と朝鮮語はツングース系言語を共通の祖語にして発展した同一の系統に属する言語とする見解もあります。日本語と朝鮮語は多くの文法的な類似性があります。

1910年の日韓併合後、日本の学者が朝鮮統治を推進するために「日鮮同祖論」を唱えますが、この論でも、日本語と朝鮮語が同じ系統であると指摘されています。このようなイデオロギーに基づいた見解のみならず、今日の欧米の学者からも両言語の同祖論が提唱されており、たとえば、前述のボビンなどもこうした説を唱える代表的な学者として知られています。

一方、両言語は類似しない語彙も非常に多く、類似しているとされる語彙も単なるどちらか一方の借用に過ぎないとも考えられており、同祖論を疑問視する指摘も多くあります。日本語との関係は別として、朝鮮語と古代の高句麗語などのツングース系言語の類似性は強くあったのではないかと想定されます。朝鮮半島には、ツングース系満州人（女真族）が大量に移住し、高麗（918年成立）や李氏朝鮮（1392年成立）などの統一王朝においても、彼らが支配者階級として君臨してきた歴史的な事実があり、朝鮮語はツングース系言語そのものであるとさえいえるでしょう。

ちなみに、日本人と韓国人の遺伝子的な結び付きがあるかどうかを調査したところ、HLA（ヒト白血球型抗原）の分析の結果、両者の遺伝的同質性が低いという結論が出ています。一方で、韓国人は中国人、モンゴル人、そして特に満州人との遺伝的同質性が高いという結果も出ています。こうした民族の血に関わる分析からも、朝鮮語はツングース系言語に近く（あるいは同一）、日本語は朝鮮語やツングース系言語からは遠いと類推することも可能です。ただし、民族の遺伝子の関係と民族の言語の関係が必ずしも一致するものではありません。

このほか、アルタイ語族という括り方自体がそもそも間違っていると指摘する学者もいます。モンゴル語系、ツングース語系、チュルク語系の3つの系列に必ずしも類似性を見出すことができず、まして、これらの言語に日本語を含めるかどうかという議論自体に、意味がないとされているのです。

SECTION 2

台湾人

中国人なのか、マレー・ポリネシア系なのか

❖「化外の地」とされた台湾

「台湾」の名称は一般的に、清王朝の康熙帝が1683年、台湾を征服して以降、使われるようになったとされますが、それよりも前の17世紀前半の明王朝末期には、すでに使われています。明の崇禎帝時代の官吏で詩人であった何喬遠の著作集『鏡山先生全集』では、「台灣」の表記が見られます。

台湾の原住民族は現在の台南市を「ダイワン」と呼んでいました。「タイワン」の音はこの「ダイワン」から来ているという説が有力視されています。1624年、オランダが台南を占領し、ゼーランディア城を築き、台湾統治の拠点としました。この時から、台湾は中国でも「ダイワン」と呼ばれ、「台員」「大員」「大円」「台灣」などの字が当てられるようになったのです。そして、清の康熙帝が台湾征服後、これらの表記を「台灣」で統一します。

このほかにも、「タイワン」の音は、原住民族の言葉の「タイファン（Tai-Vaong）」（「海に近い

土地」という意味）や「タユワン（Tayouan）」（「来訪者」という意味）から由来しているとする説もあります。

台湾は「フォルモサ（Formosa）」、漢字で「美麗島」という別称があります。これは、16世紀半ば、沖から台湾島を見たポルトガル船の航海士がポルトガル語で「イーリャ・フォルモーザ（Ilha Formosa）」（「美しい島」という意味）と呼んだことに由来しています。

かつて中国王朝が台湾の存在を認識し、明確に記述しはじめたのは三国時代です。陳寿の『三国志』などの史書で、台湾は「夷州」と呼ばれました。しかし、三国時代以降、「夷州」について注意を払われることはなく、中華から遠く離れた蛮族の住む「化外の地」とされ、放置されていました。中国の諸王朝は台湾を領有しようとはしませんでした。密林がうっそうと茂る台湾島に領有の価値を見出さなかったのです。

14世紀後半の明王朝初期の時代、沖縄と台湾はまとめて「琉球」と呼ばれました。これは沖縄から台湾までの広範囲を含む琉球・澎湖諸島の島嶼全体を指す言い方でした。当時、東の海上の地理が正確に把握されておらず、沖縄と台湾の区別がつかず、広範囲をまとめて「琉球」と呼んだのです。少なくとも、台湾が中国の領域の一部という考え方は古代・中世の中国王朝にはありませんでした。

17世紀、明王朝後期になり、ようやく台湾について知られるようになります。1617年に、張燮（ちょうしょう）によって著された『東西洋考』で、台湾は「東蕃」と呼ばれています。「蕃」とは未開の異民族や異境を意味します。これはオランダが台南を占領する7年前のことです。同時期、日本で徳川幕府が成立すると台湾支配を画策し、１６０９年には肥前日野江藩主の有馬晴信が、１６１６年には長崎代官の村山等安が台湾に軍勢を派遣しましたが、失敗しました。

１６４４年、明王朝が民衆の反乱で滅亡し、満州人の王朝の清が中国に進出します。これに対し、明の残存勢力は「反清復明」を掲げ、清に抵抗しました。明の遺臣の鄭成功は清への反攻の拠点を確保するため、台湾を支配していたオランダを駆逐し、１６６２年に同地を占領します。台湾が漢民族により支配されたのは、この時がはじめてです。

鄭成功の死後も、その子らが20年間にわたり、台湾を本拠にして清に抵抗しましたが、ついに清の康熙帝によって、鄭政権は攻め滅ぼされました。清は福建省の統治下に台湾を編入します。台湾は清に編入された後、対岸の福建省や広東省からの移民が増え、発展しました。

❖霧社事件、先住民族と日本統治

移住者の増加がありながらも、清王朝は歴代王朝と同様に、台湾を「化外の地」として扱い、ほとんど開発に力を入れませんでした。それどころか、本土からの人口流出を防ぐため、移住を制限しました。しかし、制限の効果はなく、移住者は増え続けます。

清が台湾の地政学的重要性を認識したのは19世紀末になってからです。列強の進出に対抗して国防を強化するため、それまで、福建省の一部であった台湾を１８８５年に分離させて台湾省とし、軍事基地の整備などをはじめます。

19世紀の後半、イギリスやフランスが台湾の沿岸を支配しますが、最終的に1894年、清は日清戦争に敗北し、翌95年、下関条約で、台湾を大日本帝国に割譲します。

下関市に日清講和記念館があります。下関条約は関門海峡を臨む春帆楼で締結されました。春帆楼はふぐ料理が有名な旅館で、今日でも営業を続けている老舗です。この春帆楼の敷地内に、下関条約を記念して1937年に記念館が建てられました。講和会議に使われた部屋を再現し、テーブル・椅子などの調度品や資料を展示しています。下関市が管理しています。

近年、多くの台湾人がここを見学に訪れています。下関条約で、台湾は日本の領土となりましたが、台湾人たちは清の圧政から解放された、この条約を高く評価し、自国の歴史のはじまりの重要な一歩と位置づけているのです。

下関における講和交渉の際、清の全権大使の李鴻章は、日本が台湾の割譲を求めたことに関して、「台湾は化外の地、日本はすぐに台湾の劣悪さに気づくことになる」と述べています。

李鴻章の言う通り、当時、清王朝の統治は台湾にほとんど及んでおらず、荒廃したまま放置されていました。それでも、日本は道路や鉄道、学校や病院を建設するなど社会インフラを整備し、台湾の近代化を推進しました。台湾は急速に経済成長し、人口も急増します。当時、建設された旧台湾総督府庁舎は今日でも総統府として使われています。

一方、日本支配に対する抵抗もありました。日本は先住民族の土地を無主地として国有化し、そこに砂糖きび畑や製糖工場をつくりました。先住民族のうちの1つセデック族は1930年、台湾中部の霧社で反乱を起こし、130人以上の日本人が殺害されます（霧社事件）。総督府は軍を出動させ、1000名以上の反乱軍を殺害しました。また、追い込まれた反乱軍の200名以上が集団自決しました。陰惨極まる事件に発展しながらも、総督府は最終的に反乱を鎮圧しました。

❖台湾の先住民族

もともと台湾の先住民族はフィリピン、インドネシア、マレーシアの民族と同系のオーストロネシア語派に属する民族で、遺伝子上も近接していることが判明しています。

アミ族など東部平原に住む一部の部族を除き、彼らは台湾の中東部の山岳密林地帯に住んでおり、複数の部族社会を形成していました。山に住む人という意味の「高山族」とも呼ばれていました。今日の台湾でも、山岳地域に先住民族の血統を強く残す部族が残っており、独自の習俗と言語文化を持っています。彼らは米や粟をつくる農耕生活を主に続けていますが、牧畜や狩猟も行ないます。

これらの部族に属する人々は約50万人いるとされ、台湾の総人口の約2％を占めます。しかし、中国人との混血やその子孫、また部族の村を去って都市住民と化した人々を含めると、もっと数は増えるでしょう。アミ族、パイワン族、タイヤル族、ブヌン族、そして、前述の霧社事件を起こしたセデック族などの16の先住民族がいるとされます。しかし、これは台湾政府が正式に認定した数で、これに含まれていない少数部族も多くあります。

それぞれの部族が独自の言語を持っているため、部族間同士で意思疎通はできませんが、彼らにも義務教育が課され、公用語の中華民国語を話すことができます。また、年配者は一般の台湾人と同様に、日本統治時代に日本語教育を受けたため、日本語を話すことができます。

図2-1｜台湾の主な先住民族の分布

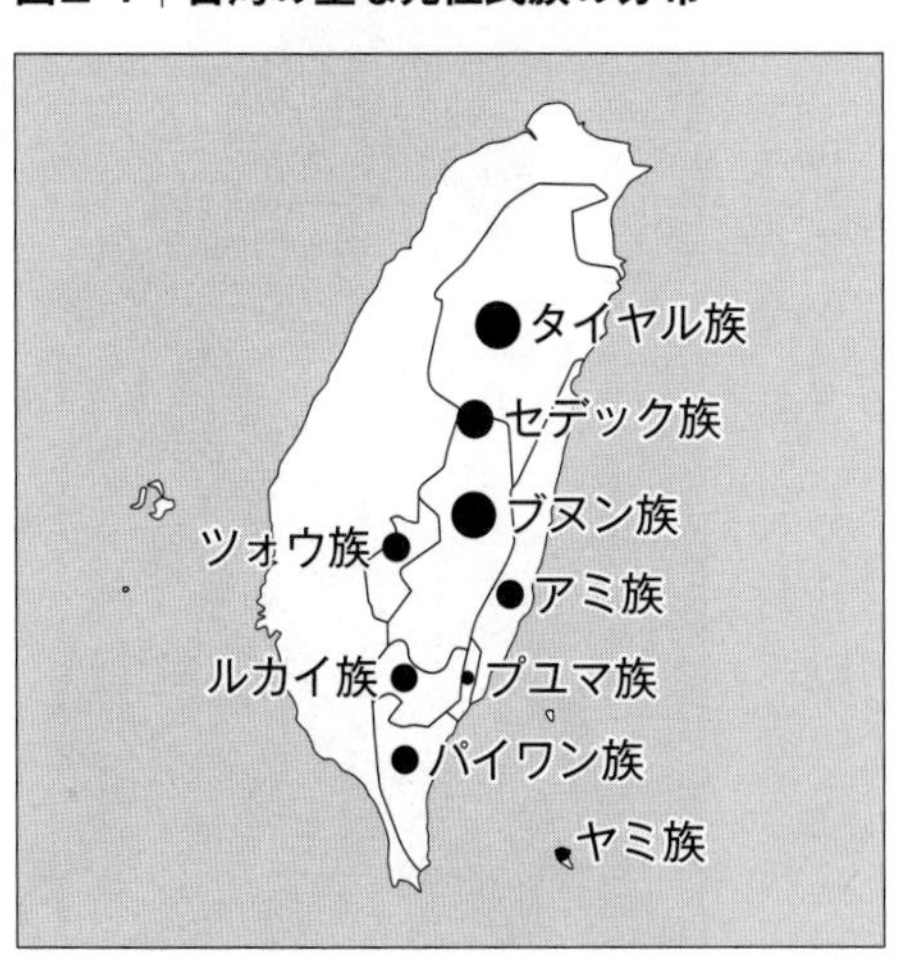

台湾の先住民族がオーストロネシア語派で、南方の東南アジア島嶼部から渡ってきたと一般的には考えられていますが、逆に台湾の先住民族が東南アジア島嶼部に渡り、拡大したとする説も今日では有力視されています。5000年以上前に、新石器文化が台湾からはじまった形跡があり、その後、東南アジア島嶼部で新石器文化がはじまっていることから、台湾に源流があると見られているのです。しかし、未だ、はっきりとしたことはわかっていません。

台湾の先住民族には、「出草（しゅっそう）」と呼ばれる首狩りの風習がありました。草むらに隠れ、敵対者を襲撃して、その首を狩るのですが、この「出

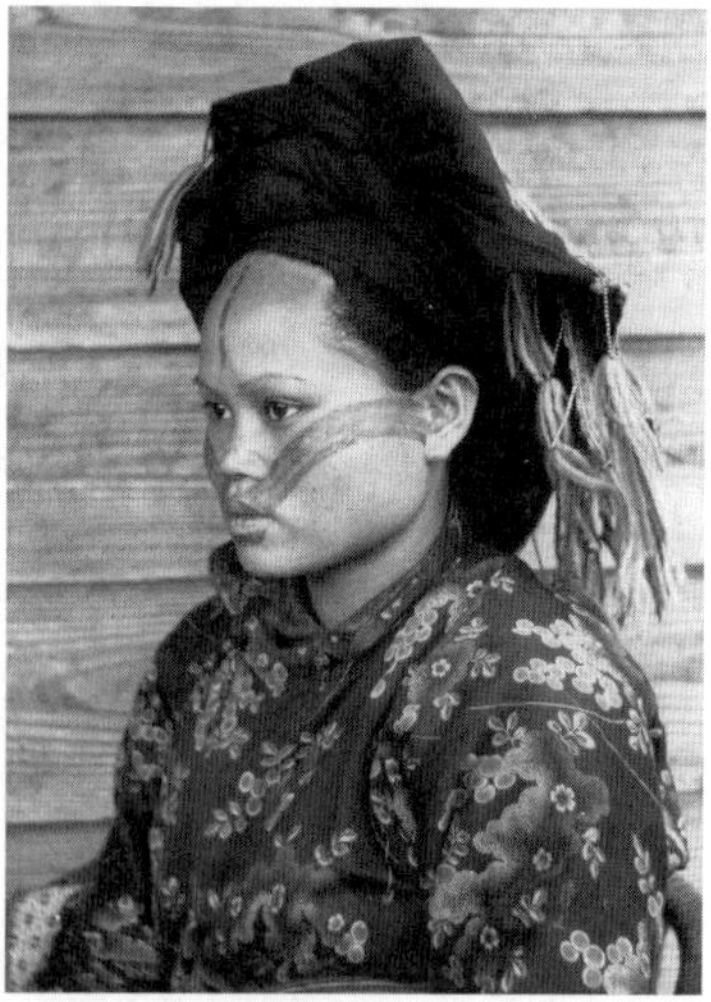

人類学者・鳥居龍蔵が撮影したタイヤル族の女性

草」が強調されるあまり、先住民族が野蛮であるとのイメージが先行しますが、彼らは非常に穏和で、自然と協調した質素な暮らしを営んでおり、争いや摩擦も引き起こしていません。

台湾に行けば、気軽に先住民族の文化に触れることもできます。台北から東南方28キロメートル離れたところにタイヤル族が多く住むウーライ（烏来）という山岳の温泉観光地があります。「ウーライ」とはタイヤル族の言葉で「温泉」を意味します。

文化交流施設等で、タイヤル族の踊りや歌に触れることができ、通りには、山菜、川えび、アワ餅、竹筒飯などのタイヤル族の伝統料理が店頭に並べられています。これらは中華料理とは異なる料理で、石焼きや蒸し焼きにした食材に塩で味付けするだけの原始的な料理です。

東部の花蓮県では、先住民族の中で最大の数を擁するアミ族が多く生活する「花蓮の阿美文化村」があり、彼らの文化にも触れることができます。

先住民族が舞踏の際に着る鮮やかな色彩の民族衣装はインドネシアなど東南アジア島嶼部の民族衣装のデザインに近く、祭や儀式なども東南アジアのものと共通点が多くあることが指摘されています。

❖台湾人と中国人の民族上の遺伝子

清が1683年、台湾を併合して以降、多くの中国人が台湾へ移住しました。特に、対岸の福建省からの移住者が多く、その子孫たちは福佬（ホーロー）人と呼ばれます。今日でも、台湾で話されている中国語はこの福佬人の話す福佬語です。

中国人は台湾の先住民族を実力で僻地に追いやり、また、中国文化に半ば強制的に取り込みました。中国人と先住民族との混血も進み、移住中国人の子孫たちは今日、8割以上が先住民族のDNAを持っているという調査もあります。

保守派の日本人論者を中心に、台湾人は中国人ではないと主張されています。彼らは、台湾に渡った中国人の大半が、何らかの形で先住民族と混血したことを根拠に、「台湾人は中国人ではなく、マレー・ポリネシア系（オーストロネシア系）の原住民の子孫である」と言います。

保守派は、17世紀の後半以降、中国大陸から台湾に渡った中国人は先住民族の中に消えたと主張しています。なぜなら、彼らは男ばかりで家族の帯同を許されておらず、その一部が先住民族の女性との混血児をもうけた場合、中国人の血は2分の1となり、さらに、その子が先住民族との間で子をもうけた場合、中国人の血は4分の1となり、さらに、その子が子をもうけると8分の1、以下同様に16分の1、32分の1というように幾何級数的に減少していき、中国人の血は原住民の中に消えていくと説明されるのです。

まず、中国大陸から台湾に渡った中国人が男ばかりで家族の帯同を許されていないというようなことは根拠がなく、史料にも記されておらず、事実とはいえません。

台湾人の学者の中にも、台湾人は血統上、中国人ではないと主張する人がいます。沈建德・元中興大副教授などがその代表です。統計学を専門とする沈建德氏は著書『台湾常識』や『台湾血統』の中で、清王朝に征服される以前の1661年の台湾の人口は約60万人であり、19世紀初頭に約190万人となったと指摘しています。150年で3倍以上に人口が増えたのは大量の中国人移民があったからだと一般的に解されているものの、沈建德氏によれば、この程度の人口増加は大陸からの人口流入がなくても、台湾内の先住民族が自律的に人口増加した結果と見なすことができるとのことです。

沈建德氏は大陸から渡来した中国人の多くが台湾の風土病に罹患して死に、中国人はそれを恐れ、実際には、ほとんど台湾にやって来てはいないと主張します。それにもかかわらず、18世紀以降、台湾が社会的にも文化的にも急速に中国化されていくのは、台湾で課せられる税金が中国人に対してのほうが、先住民族に対してよりも安かったため、先住民族は競って中国人になろうとしたからだと沈建德氏は説明します。偽系図を買って漢民族の名家を装った先住民族も多く、中国風の3字名を名乗ることを許されたといいます。

しかし、税金が中国人に対してのほうが安かったというのは、どの史料にも書かれておらず、そもそも、多くの先住民族は実質的に、清王朝の支配に服属しておらず、税金を払っていなかったと考えられています。山岳部では特に、先住民族は侵入者の首狩り「出草」を行なっていたことからも、このことが容易に推察されます。

中国人の血は先住民族の中に消えたとする説や、先住民族の血統の本流が一般の台湾人に受け継がれているという説が本当ならば、先住民族と一般台湾人との遺伝子上の一致・近接が見られなければなりません。オーストロネシア語派の台湾先住民族はハプログループO1aが高頻度で検出されます。これに対し、一般の台湾人はハプログループO2が高頻度で検出されます。O2はシナ・チベット語派などの中国人に高頻度で検出されます。

遺伝子の構成上、今日の一般的台湾人は先住民族とは異なり、中国人とほぼ同じなのです。つまり、台湾人は中国人ではないとする説は否定されます。また、一般の台湾人において、父系に先住民族の遺伝子、母系に中国人の遺伝子が認められるケースが少なからず発見されており、このことからも、中国大陸から台湾に渡った中国人が男ばかりだったという説は否定されるのです。男女ともに家族ぐるみで移住していたというのが実態です。

やはり、清王朝の台湾征服の17世紀後半以降、多くの中国人が大陸から台湾にやって来て、台湾を中国化したとする一般の通説が正しいといえるでしょう。

日本の保守派が中国に政治的に対抗するために、台湾人は中国人とは異なる民族であるという願望を持つ気持ちはよくわかります。彼らがこうした説に飛び付く気持ちもよくわかります。

しかし、そうしたわれわれの政治的な都合とは裏腹に、残念ながら、台湾人は中国人と民族的に近接であるという不都合な真実が存在します。

温和な台湾人は中国人と気質や性格が異なり、日本人に近いという心象をわれわれは持ちますが、それは単なる心象に過ぎないのです。

ただし、いかに台湾人が中国人と同じ民族であったとしても、台湾は日本の重要な安全保障上の盟友であることに変わりはなく、「1つの中国」を掲げる中国政府の台湾併合の野望については注視し、共闘していかなくてはならないでしょう。

❖本省人と外省人の対立が生んだ「李登輝現象」

中国人の同化政策によって、18世紀には、先住民族の部族社会の多くが消滅していきます。こうした歴史もあり、現在、台湾政府は先住民族や彼らの文化・風習の保護支援に積極的に取り組んでいます。

今日、中国系台湾人は本省人と外省人に区別されます。1945年、日本が降伏し、台湾が蔣介石の率いる中華民国（首都：南京）に編入された時、それまで台湾に居住していた人は本省人、それ以降、中国から台湾に移住してきた人は外省人とされます。今日、本省人と外省人の割合はおおよそ8対2程度の割合です。

中華民国軍が台湾に進駐し、本省人を支配します。軍は婦女暴行や強盗などの狼藉を働き、公職を独占し、恐怖政治を敷きます。蔣介石は中華民国軍の横暴を黙認しています。そして、遂に1947年2月28日、怒った本省人が蜂起し、二・二八事件が起きます。蔣介石は反乱を武力で鎮圧し、数万人を処刑しました。

1949年、蔣介石ら国民党が毛沢東ら共産党に国共内戦で敗れ、台湾に移住し、直接統治をはじめます。この時、国民党とともにやって来た移住民とその子孫が外省人の主流です。彼らは長期戒厳令を敷き、公職を独占し、本省人を搾取します。しかし、本省人も特に商工業者を中心に、本土の共産党政権を警戒していたため、共産主義者から自分たちの身を守るためには、外省人の国民党政権（中華民国政府）を支持するしかなかったのです。

蔣介石・国民党政権はアメリカの支援を得て、開発独裁を行ない、台湾の高度経済成長を達成し、本省人の不満を何とか減ずることができました。

1975年、蔣介石が死去すると子の蔣経国が政権を引き継ぎます。蔣経国は独裁体制を続けることには限界があると感じ、戒厳令を解除し、民主化を容認します。

蔣経国に見出され、副総統に上り詰めた李登輝が1988年、蔣経国の死後、総統に就任します。李登輝は民主化を容認しながらも、自分に反対する政敵を排除し、国民党政権の基盤を強固にします。李登輝は本省人出身で、本省人の政治進出を積極的に支援しながらも、旧権力者の外省人の利益も保全するようバランスを取りました。

外交においても、親米・親日路線をとり、中台を対等な2国関係とする「二国論」を提起しながらも、中国との民間交流を進め、中国との将来の統一を中国側に示唆するなど、台湾の複雑な政治環境に適応した多元政治を追求しました。李登輝の多元政治の手法は、よくいえば臨機応変、悪くいえば日和見主義でした。しかし李登輝のようなリアリストがいなければ、台湾はこの時期に大混乱に陥っていたでしょう。

日本では、李登輝は親日派で、台湾の主権を守るために、強硬に中国と戦った正義の指導者というイメージがありますが、そのような単純な見方では捉え切れない権謀術数に長けた政治家だったのです。

李登輝は台湾の民主化を推し進め、1996年には総統の直接選挙が実施されます。李登輝はこの選挙で総統に選出されます。2000年の総統選挙には出馬せず、民進党の陳水扁が総統に選出され、政権交代が実現しました。李登輝は2020年7月に死去しています。

本省人の多くが民進党を支持し、外省人の多くが国民党を支持したというかつての構図はありましたが、近年ではねじれ現象も顕著に見られます。外省人は本質的に中国共産党を敵視する考え方を持っているため、国民党の中国への融和的な姿勢に反発し、民進党支持に回り、逆に、本省人には、中国共産党への敵対意識が希薄な者が特に商工業者に少なからずおり、民進党の中国への強硬姿勢に反発し、国民党支持に回る人がいます。

いずれにしても、若い人々の間で「自分は台湾人であって中国人ではない」と考える国民意識を明確に持つ人々が増大しており、今日の蔡英文政権はこうした人々に支えられています。

SECTION 3

チベット人

「大チベット民族」の広大な文明圏

❖チベット人はいつ、なぜ中国に服属したのか

中国の清王朝の全盛時代を築いた乾隆帝は対外遠征を積極的に行ない、版図を拡げます。そして、モンゴル人居住地域のジュンガル部、ウイグル人居住地域のタリム盆地・ジュンガル盆地を征服します。これらの地は「新しい土地」を意味する「新疆（しんきょう）」と呼ばれるようになります。

この時以来、ウイグル人は中国に服属しました。チベット人の中国服属もこの頃です。乾隆帝の祖父であった康熙帝はモンゴルの有力部族ジュンガルと戦い、ジュンガルが支配していたチベットからもジュンガルを排斥し、チベット支配をはじめます。

乾隆帝は1755年、ジュンガルを完全に征伐し、タリム盆地一帯を制圧し、ここにいたイスラム勢力のウイグル人も支配します。つまり、乾隆帝の時代に、チベット人、ウイグル人などの周辺民族への清朝支配も確立するのです。

清王朝はウイグル人やチベット人に一定の寛大な自治を認めます。信教の自由も認められま

した。イスラム教やチベット仏教などの宗教を核として、彼らの社会文化は清王朝の支配下にあっても、守られ続けました。

1911年、辛亥革命が勃発し、清王朝が崩壊すると、チベット人やウイグル人は中国（中華民国）から独立しようと試みます。孫文ら中華民国は「1つの中国」というスローガンを掲げ、独立を認めませんでしたが、中国内部の混乱の中で事実上、独立勢力となっていました。

1949年、毛沢東らが中華人民共和国を建国すると、人民解放軍がチベットやウイグルへ侵入します。中国は抵抗するチベット人を大量虐殺し、チベットを制圧。一方的に接収しました。その暴虐に耐えかねたチベット人は1959年、ラサで反乱を起こします（チベット動乱）。しかし中国軍に鎮圧され、反乱に加わったチベット人の多くが投獄され殺されました。

今日、中国はチベットやウイグルなど、民族や宗教などの文明の異なる地域を何の根拠もなく支配しています。中国語が強制され、チベット語やウイグル語を教えることは制限され、民族のアイデンティティを学ぶこともできません。行政や経済を取り仕切っているのは中国人であるため、中国語ができないと就職もできません。チベット人やウイグル人の民族文化や言語、宗教に苛烈な弾圧が加えられています。中国のやっていることは文明の絶滅政策です。

ウイグルやチベットだけでなく、中国の支配が及ぶべきではない独立文明圏は図3-1のように、南モンゴルや雲南の少数民族などにも及ぶのです。雲南の少数民族はチベット系としての独自の風習や言語、仏教文化を持ち、ウイグルやチベットと同様に、儒教などの中華文明には属しませんでした。

チベット人は中国領域内のチベット自治区や青海省だけに居住しているのではありません。雲南における少数民族をはじめ甘粛省、四川省にも広範なチベット族自治州が存在し、チベット人たちが暮らしています。ちなみに、寧夏回族自治区の回族はイスラム教徒で、民族的には、トルコ人、イラン人などで、彼らは主に、13世紀の元王朝の時代に中国へやって来た移民の子孫とされます。

図3-1｜中国支配が及ぶべきではない独立文明圏

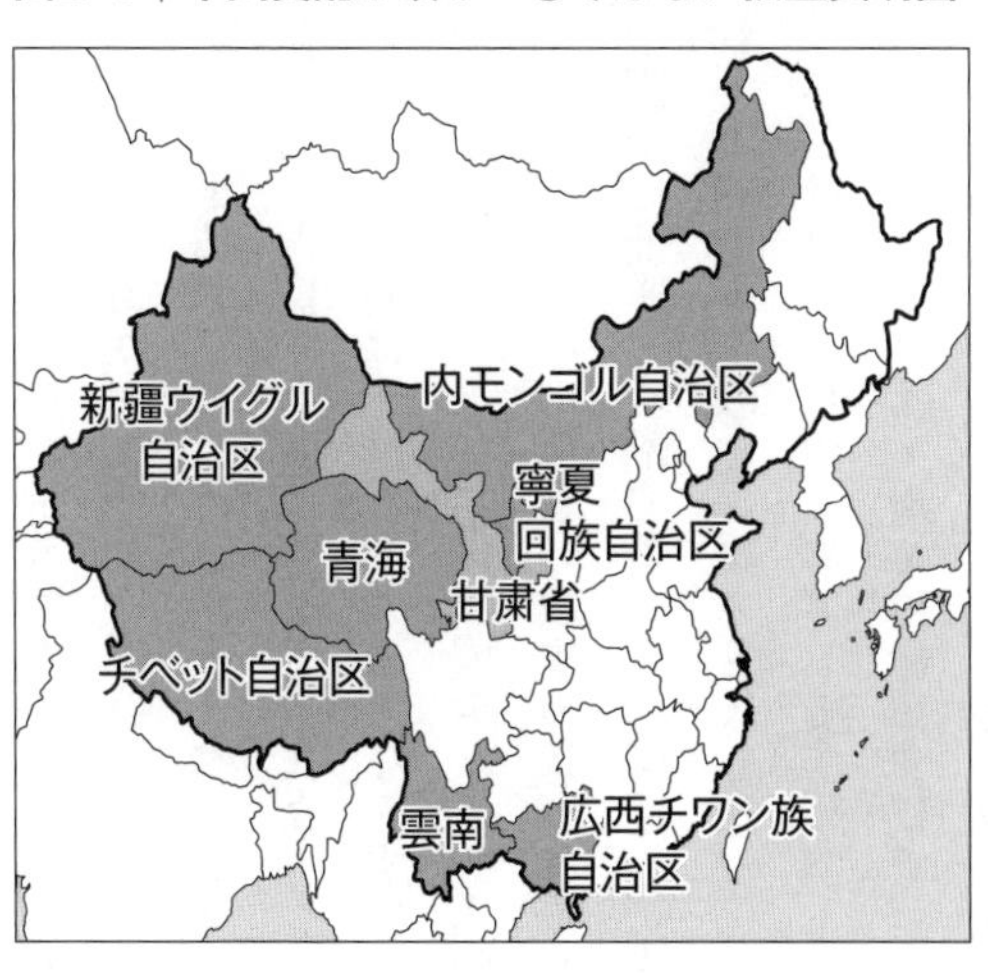

シナ・チベット語族という根拠なきカテゴリー

チベット人は中国国内のみにとどまらず、広範囲に分布しています。ブータン人もチベット人です。ブータンはチベット仏教を歴史的に国教と定めているチベット民族国家です。ネパール北部やインド東北部の一部においても、チベット人の血統を濃く受け継ぐ人がいます。ミャンマー人もチベット人の血統を濃く受け継いでいます。タイ人やラオス人にもチベット人の血統は受け継がれています。

チベット人が「少数民族」などと形容されることがありますが、これは中国の政治事情に考慮した表現であり、まったく実態とは異なります。チベット人はアジアの中でも、チベット語やチベット仏教をはじめとするチベット文明とともに、広範囲の分布を成す民族です。それは「大チベット民族」と呼ぶべきものです。

チベット文明はチベット人のみならず、モンゴル人にも及んでいます。モンゴル国や南モンゴル（中国領内モンゴル自治区）のモンゴル人のほとんどはチベット仏教を信仰しています。

13世紀、チベット仏教の教主パスパはモンゴル帝国の形成に助力します。モンゴルがチベットや雲南を征服・支配することを支援し、代わりに、パスパはモンゴル帝国の国師として迎えられ、チベット仏教を保護させました。「パスパ」は「パクパ」とも発音され、「聖者」を意味し、本名はロテ・ギャンツェンです。

パスパはフビライ・ハンの命を受けて、チベット語を基にモンゴルの公用文字パスパ文字をつくったことでも知られます。モンゴル文字はウイグル文字（トルコ系の文字）から派生していますが、パスパ文字の影響をも残しています。パスパは中国をはじめとするモンゴル帝国全体の宗教指導権を握りました。パスパの影響でモンゴル人のチベット仏教信奉が定着し、それが今日まで続いています。現在、中国政府は南モンゴル人のチベット仏教信仰にも弾圧を加え、モンゴル文字の使用とともに制限しています。

言語的に、漢民族の中国語のシナ語族とチベット語のチベット・ビルマ語族の2つのグループは、シナ・チベット語族という大きなカテゴリーで一括りにされることが一般的です。しかし、2000年代に入ってからの研究では、シナ語族とチベット・ビルマ語族とは紀元前4000年頃に分かれており、それぞれ別の言語として発展したとされます。

シナ語族とチベット・ビルマ語族が同じカテゴリーに入れられるのは、両者の祖語が同じと推定されていたからです。しかし、実際には、共通祖語があったと判定できる明確な材料はありません。その限りにおいて、シナ・チベット語族という従来の枠組みではなく、シナ語族とチベット・ビルマ語族という異なる2つの系統を新たに区分しなければなりません。

チベット人は民族の遺伝子上も、漢民族とは大きく異なります。チベット人には、Y染色体ハプログループDタイプが高頻度に観察されますが、漢民族には、ほとんど観察されません。

一方、日本人には、このタイプが高頻度に観察されることから、チベット人は遺伝子的には日本人に近いといえます。このY染色体ハプログループD系統は東アジアにおいて、最古層のモンゴロイドを特徴づける遺伝子とされます。中国人などに特徴的なハプログループO系統が東アジアを席巻するなかで、日本やチベットなどの周辺領域に、この古層のD系統が残存しやすかったと考えられています。

❖知られざる雲南のチベット人

中国西南部に位置する雲南省はベトナム、ラオス、ミャンマー、チベットに囲まれた地域で、諸民族が交錯する地域です。省都は昆明です。雲南は中国と東南アジア、さらにインドをつなぐ、交易の要衝として繁栄しました。

ウイグルやチベット自治区は中国の圧政と戦っていますが、雲南のチベット人は中国に対して、抵抗していないのでしょうか。雲南などのチベット人は古来、仏教信仰を穏健な形で維持したため、宗教対立や摩擦が中国との間で、特に発生しませんでした。先鋭的な独立運動が表面化したこともありません。しかし、文化的にも民族的にも中国と異なる彼らが中国による支配を強いられてきたことに屈辱を感じていないのかと言われれば、そうではありません。ウイグルやチベットのように、対立が顕在化していないだけで、対立がないわけではありません。

雲南省の人口は約4000万人。イ族、ペー族、ナシ族、ハニ族など29（支流も入れるともっと多い）の部族があり、その多くがチベット系です。中国で最も少数民族が多い省です。雲南省の総人口の約3割を少数民族が占めると中国の国家統計局が示していますが、漢民族と少数民族の混血まで含めると、ほぼすべての雲南省の人が少数民族と言ってよいでしょう。

雲南のチベット人は仏教に基づく統一王朝を7世紀後半に建国します。この王朝は南詔と呼ばれ、支配者層はペー（白）族です。南詔の仏教は中国からもたらされた大乗仏教がベースにあり、チベット仏教的な密教様式の性格が非常に強いことも特徴です。崖に仏を刻みつける石窟寺院が多く、そこにはチベット文字も彫られています。

南詔は当時の中国の唐王朝と激しく戦いました。8世紀にチベット人の吐蕃と同盟し、唐軍を打ち破ります。吐蕃は現在のチベット自治区の領域を中心にしていた強大なチベット国家で、チベット人の本家本流の勢力です。この吐蕃と同じチベット系の南詔が連携するのは自然なことでした。755年、唐で安史の乱が起こった時、南詔は四川省南部に攻め入ります。779年には吐蕃・南詔連合軍が成都を包囲しました。成都の攻略はできませんでしたが、南詔の威勢は強まります。

一時期、南詔は同族の吐蕃を裏切り、唐と同盟を結び、吐蕃の領地で世界遺産としても有名な麗江を占領します。9世紀には、唐の弱体化の隙をついて成都を襲い、略奪の限りを尽くします。南詔は勢いに乗り、ミャンマー、ラオス、ベトナムにも攻め込み、タイを越え、カンボジアまで到達しています。雲南のチベット人は勇猛果敢で、強大な中国にも屈服しませんでした。859年、南詔王は皇帝を称しています。

図3-2｜8世紀の東アジア

❖独立していた雲南が中国に組み込まれた経緯

937年、ペー族豪族の段思平が南詔に代わって、新たに大理を建国します。大理では、南詔以上に、仏教が保護されました。雲南省の大理市には、崇聖寺三塔など、有名な仏教寺院が多くありますが、これらは大理時代に建立されたものがほとんどです。

南詔が首都にしていた大理市を、大理国も首都にし、国号も「大理」としました。大理石がこの地で多く産出されるため、地域名が石の名称にそのまま使われるようになります。

大理も南詔と同じく王が皇帝を名乗り、中国皇帝に対抗しましたが、1117年、中国の北宋王朝から「雲南節度使大理国王」に冊封され、外交上、中国に対しては「王」の地位に甘んじていました。しかし、雲南は仏教文化を維持し、文化的には中国とは異質でした。もともと雲南は中国の一部ではなく、中国支配圏とは政治的にも文化的にも異なる地域だったのです。

1253年、元王朝のフビライ・ハンが軍を遠征させると、大理は元に降伏します。大理王族の段氏は総管（代理知事）として、元王朝に仕えることを約束させられました。

ベトナムでは、陳王朝が元軍と勇敢に戦い、撃退することに成功していますが、ここが、中国に組み込まれた雲南と、独立を維持した越南（ベトナム）の分岐点でした。ただ、地政学的に、中国に近接していた雲南が、ベトナムのように森林や湿地帯を利用してゲリラ戦を展開できるわけではなく、やはり限界があったと見ることもできます。

『三国志演義』では、諸葛亮が南蛮遠征で、雲南へ進攻する時の様子が描かれます。毒蛇・猛獣・毒沼などがあるジャングルを踏破し、行軍が困難を極めたとありますが、実際には、成都から雲南へ到るルートは山岳地帯で、ジャングルはなく、行軍がそれほど困難ということもありません。それにもかかわらず、こうした描き方をするのは、周辺を未開の地と決めつける中華思想による脚色です。諸葛亮は短期で雲南を制圧しています。「南蛮王」とされる孟獲は「王」ではなく、この地域を束ねていた小豪族で、漢民族でした（母は少数民族出身者であったとされる）。諸葛亮の蜀と連携することで、雲南の統治を託されるようになったというのが現実です。

明王朝の洪武帝が1390年、雲南に遠征軍を派遣した時、大理の段氏一族は明に降伏します。しかし、洪武帝はこの地の銀山を抑えるべく、段氏一族を排除して、明王朝の直轄支配がはじまります。こうして、雲南は中国の一部に完全に組み込まれます。漢民族のこの地への移住とともに、混血も進みます。

現在、雲南では、イ族（彝族）の人口が最も多く、約800万人で、中国政府が公認する56の民族の中で7番目に多いとされます。雲南のかつての支配者層であったペー族は約200万人です。イ族は古来、「夷族」と表記されていましたが、満州人のつくった清王朝の時代に、支配階層の満州人が自分たちも蛮族とされてきた経緯があることから、「夷」の字を避け、同じ音である「彝」の字をあてました。彝は祭に使われる神器を意味します。イ族が用いるイ語には、「彝文字」と呼ばれる独自の表音文字があります。

イ語やペー語などの少数民族言語は中国語の方言のような扱いを受けていますが、独立言語でチベット・ビルマ語族に属します。ペー語（白語）は漢字で表記されますが、いわゆる中国語であるシナ語族ではありません。

SECTION

4

モンゴル人

中国人とロシア人に翻弄された民族の悲劇

❖中国政府「遊牧民の言語は非科学的」

今日、モンゴル民族は南北に分断され、北部は「モンゴル国」、南部は中国領の「内モンゴル自治区」と呼ばれます。モンゴル国の人口は約330万人、内モンゴル自治区の人口は約2500万人です。

この「内モンゴル」という言い方は中国に近い側を「内」と呼び、離れた側を「外」と呼ぶ中国本位の呼び方です。したがって、モンゴル人たちは「南モンゴル」と呼びます。

中国は2020年以降、国際社会がコロナ禍で身動きが取れない間に、南モンゴルへの弾圧を強めています。学校での中国語教育を強制し、モンゴル語やモンゴル文化を教えることは制限され、民族のアイデンティティを学ぶこともできません。行政や経済を取り仕切っているのは中国人であるため、中国語ができないと就職もできないようになっています。中国政府は「遊牧民の言語は非科学的で時代に合わない」などとまったく理不尽な説明をしています。

中国語教育強制に反発し、抗議デモを行なうモンゴル人は逮捕されています。公安当局は、抗議デモに参加した住民の顔写真を張り出し、逮捕に協力をした者には、懸賞金を与えると布告しています。

ウイグルでも同じですが、逮捕者は刑務所から出て来られず、思想教育の名のもと、強制労働を強いられます。刑務所で死亡し、家族が遺体を持ち帰りたいと懇願しても、当局は引き渡しを拒否します。中国政府は中国語教育強制などの強硬政策で、反対者を一気にあぶり出し、一網打尽に彼らを捕らえ、刑務所に送り、民族浄化を行なおうとしているのです。

図4-1 南北モンゴル

さらに恐ろしいのは、そのような民族浄化が、中国人が一体化するための「正しい道」と政権が信じており、罪悪感がまるでないことです。「遊牧民の言語は非科学的」などと言って、モンゴル人に「科学的な言語」を与えて、文明化を支援しているとさえ考えているのです。

中国政府のモンゴル人への弾圧はいまにはじまったことではありません。1966年からはじまる文化大革命では、多くのモンゴル人が残虐非道な方法で虐殺されました。当時の南モンゴルのモンゴル人の人口は150万人程度しかいませんでしたが、数十万人ものモンゴル人が殺されたと見積もられています。一方、中国政府は、モンゴル人の犠牲者の数を約2万7000人としています。

1950年代から今日に至るまで、漢民族の南モンゴルへの移住政策が中国政府によって推進されてきました。中国では、移住が制限されるなど、戸籍が厳正に管理されていますが、内モンゴル自治区の省都フフホト（呼和浩特）への移住は、戸籍取得の要件が緩和され、農村部の漢民族の移住が容易になっています。これは新疆ウイグル自治区の場合と同様です。

ただし、南モンゴルへの満州人なども含む中国人の移住は清王朝時代にすでに進んでおり、混血同化も進んでいました（後段で詳述）。いずれにしても、南モンゴルにおいて、今日、漢民族が人口の80％以上を占めており、モンゴル人はわずか17％の少数民族になっています。ウイグルやチベットと比べても、漢民族による同化が圧倒的に進んでいるのです。

こうした目に見えない民族浄化が確実に進み、このままでは、いずれ、モンゴル問題、チベット問題、ウイグル問題そのものがなくなります。これこそ、中国が狙う「合理的な解決法」です。21世紀の現在において、このような露骨な民族浄化政策が許されるかどうか、国際社会はこの問題に真剣に向き合わなければなりません。

❖ロシアと中国の駆け引き

北モンゴルは1924年、世界史上2番目の社会主義国として、「モンゴル人民共和国」となり、ソ連の過酷な支配を受けました。1991年、ソ連が解体されると、モンゴルは社会主義を放棄し、1992年、「モンゴル国」と改称します。

本来、モンゴル国の南の一部であるはずの南モンゴルが、なぜ中国領になっているのでしょう。そこには中国とロシア、大国同士の思惑に振り回されたモンゴル民族の悲劇があります。

モンゴルは17世紀の後半に、そのほとんどの部族が清王朝の康熙帝に制圧されます。以後、清王朝の長期支配が続きます。

1911年、辛亥革命によって清王朝は崩壊します。この時、北モンゴルのモンゴル人諸侯がロシア帝国の支援を得て、独立国家樹立を宣言します。チベット人活仏のボグド・ハーンが皇帝に担がれました。モンゴル人はチベット仏教を13世紀以来、奉じていたため、チベット仏教の指導者を最高権威者として選出したのです。

この時、未だ南モンゴルは含まれていませんでした。北モンゴルのモンゴル人諸侯たちは南モンゴル勢力とは必ずしも連携していませんでした。清王朝時代の約300年間、南モンゴル藩部は中国化され、南モンゴル人は中国人と混血を繰り返し、中国との親密さを深めました。

一方、北モンゴルはモンゴル高原において、モンゴル人の伝統的な草原の暮らしを維持し、モンゴル人の血統も維持していました。北のモンゴル人は、身近に連帯感を感じることのできる北部勢力のみが先ず結集すべきと考え、南部勢力のことを後回しにしました。しかし、こうした考え方が後に、民族の分断を招く元凶になります。

それでも、1913年に、北モンゴルは南モンゴルの独立派とも連携し、軍を進駐させ、南北統一を模索しました。これに対し、中華民国の臨時大総統の孫文は「1つの中国」というスローガンを示し、モンゴル人などの民族自立を容認しようとはしませんでした。大総統の地位を引き継いだ（奪った）袁世凱も同じ考えでした。

中国との対立を警戒したロシア帝国は北モンゴルに、南モンゴルから軍を撤収するよう指示し、北モンゴルはその指示に従うしかありませんでした。北モンゴルがこれほど簡単に、南モンゴルを事実上、見捨てたのは、中国化が進んでいた南モンゴルに対する同胞意識が希薄であったということが大きな原因としてあります。当時、ロシア帝国は北モンゴルを支援していましたが、バルカン半島における戦争でドイツ・オーストリア勢力と敵対し、対応を迫られており、中国と戦火を交える余裕はなかったため、北モンゴルに自重を強いたのです。

一方、袁世凱の率いる中華民国でも、国内情勢が混乱しており、ロシアと対立する余裕はありませんでした。両者の思惑が一致し、1915年、ロシア帝国と中華民国により、北モンゴルのみの自治を認めるとしたキャフタ協定が締結されました。大国の都合で、モンゴルは南北分裂への道を進むことになるのです。

図4-2 | モンゴルを巡る対立構図

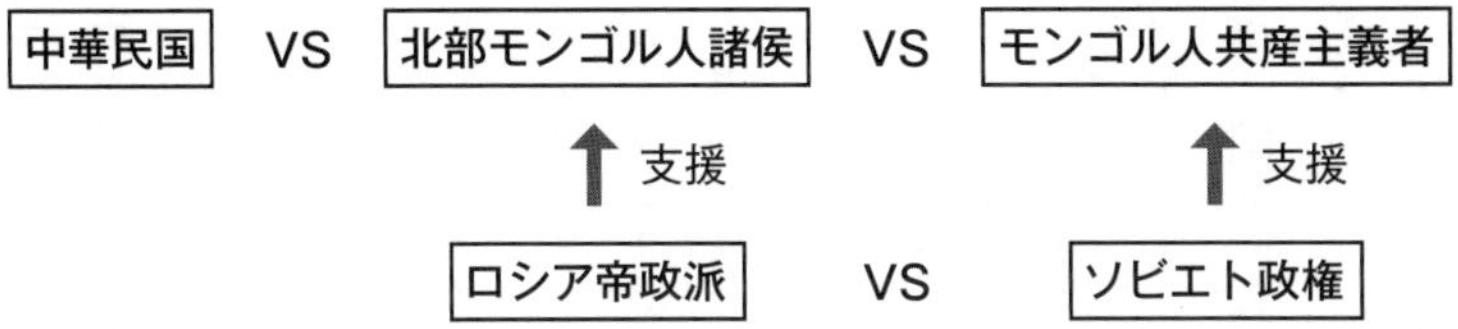

1917年、ロシア革命によってロシア帝国が崩壊すると、中華民国は、キャフタ協定が無効となったと考え、1919年、北モンゴルに侵攻します。北部モンゴル人諸侯はこれに対抗するため、ロシア人貴族で帝政派のロマン・ウンゲルンに接近します。ロマン・ウンゲルンはロシア保守派の軍団を形成し、ソビエト政権と戦っていました。彼らとモンゴル人諸侯との連合軍は中華民国軍を追放することに成功し、ボグド・ハーン政権を復活させました。

しかし、ソビエト政権は北モンゴルに工作活動を仕掛け、共産主義者を拡大させていき、モンゴル人民党を組織させます。北モンゴルはロシア帝政派とソビエト政権の代理戦争の舞台になってしまったのです。

そして、最終的に共産主義者が勝利し、1924年、ソビエト政権の支援により、モンゴル人民共和国が建国されるのです。モンゴル人民共和国はソ連の過酷な支配を受け、民族の英雄チンギス・ハンの名を語ることさえ、許されませんでした。

❖南モンゴル独立の困難さ

こうして、独立から取り残されてしまった南モンゴルですが、中ロで締結された1915年のキャフタ協定を認められないとして、北モンゴルが軍を引き揚げた後も、独立運動を継続したバボージャブという南モンゴルの軍人がいました。

バボージャブは南北モンゴルが統一されなければ、民族の独立にはならないと主張していました。ロシア帝国はバボージャブを反逆分子と見なし、北モンゴルの諸侯に指示し、バボージャブらを討伐する軍を派遣させています。

バボージャブは日本に支援を求め、日本は武器弾薬、大陸浪人や予備役軍人などを送っています。バボージャブは、隣接し敵対していた中華民国軍（実質的には張作霖軍）とも勇敢に戦いますが、1916年、戦死しました。

関東軍が1932年、満州国を建国すると、南モンゴルの諸侯は満州国に帰順するようになり、関東軍の支援で、南モンゴル軍は中華民国軍と戦いました。1939年、日本の後ろ楯により、防共最前線として蒙古聯合自治政府が樹立され、南モンゴルは中国とようやく正式に分離されました。しかし、第二次世界大戦末期の1945年2月のヤルタ会談で、満州や南モンゴルを中華民国に帰属させることがルーズベルトやスターリンによって取り決められ、彼らの独立は失われます。

戦後、国共内戦が起きると、南モンゴル人で共産主義者のウランフ（烏蘭夫）が中国共産党の指令を受けて、南モンゴルで工作活動を行ない、中国共産党勢力を拡大させます。ウランフはこの功績で、1949年の中華人民共和国建国後、内モンゴル自治区の主席となります。

南モンゴル人の独立派は共産主義者たちと戦いましたが、内モンゴルはすでに中国人が圧倒的多数の人口を占め、モンゴル人たちもこれらの中国人たちと密接な関係を持っていたため、必ずしも分離独立を支持しませんでした。そのため、独立派は多勢に無勢、ほとんどまともに抵抗することができなかったのです。この構図は今日に至るまで変わらず、独立派の運動は常にマイノリティであり、日本でもメディアに取り上げられることはほとんどありません。

こうして、南モンゴルは中国に再び従属していき、1966年の文化大革命で中国政府は「内モンゴル人民革命党粛清事件」というモンゴル人不穏分子への大粛清を行ない、数十万人が処刑されます。

独立派への徹底弾圧が今日まで続く一方で、中国政府は内モンゴルを重点的開発地区にしており、巨額の開発資金が投下され、中国域内でも有数の高いGDP成長率を誇るエリアとなっています。急激な経済発展の恩恵により、人々の生活は豊かになり、民族問題や民族文化の抹殺、人権抑圧などの非道が覆い隠されています。

SECTION 5 中国人

漢民族はどのようにハイブリッド化されたのか

❖「シナ」の本当の意味とは

日本人が「シナ」と呼ぶのはダメだというならば、なぜ中国は、欧米が「チャイナ」と呼ぶのに抗議しないのでしょうか。「シナ」も「チャイナ」も同じです。

紀元2世紀前後、インドにおいて、中国はサンスクリット語(梵語)で「チーナ・スターナ(China staana＝「チーナ人の土地」という意味)」と呼ばれていました。6世紀末の隋王朝時代、インドから伝来した経典の中にこの呼び名があり、当時の訳経僧がこれに「支那」という漢字を当てたことから、「支那」という語が中国でも使われるようになります。「チーナ」は初代王朝の秦を語源とするもので、そこから英語の「China（チャイナ）」も派生しました。

本来、「シナ」に差別や蔑称としての意味合いはありません。孫文も「支那」という語を用いていました。「大清帝国」という当時の国号の他に「中国」を言い表わす語は「支那」以外にはなかったからです。「支那」は時間的にも空間的にも広い意味を持ち、各時代の王朝・政権・民族を超えた総称と見なされます。

では、なぜ、この言葉が差別語と捉えられるのでしょうか。中国人によると、われわれ日本人が侮蔑的な意味を込めて、「シナ」を用いているからだといいます。古今東西、外国人を見て、その文化や風習の違いから差別意識を持つ人というのは一定数いるものですが、仮に、日本人がそのような意味合いを持って、「シナ」を用いているとすれば、いつから持ちはじめたのでしょうか。

差別意識を持つかどうかは心の問題なので、それを正確に推し量ることはできませんが、明治維新直後、多くの外国情報が日本に入ってくるなかで、アヘン戦争やアロー戦争に敗退した中国の悲惨な状況について、広く日本人に知られるところとなりました。

たとえば、福沢諭吉は１８６９年、著書『世界国尽』で、当時の中国の清王朝のことを「支那」と明記したうえで、「頃は天保十二年、英吉利国と不和を起し、只一戦に打負て、和睦願ひし償は、洋銀二千一百万、五処の港をうち開き、なおも懲ざる無智の民、理もなきことに兵端を、妄に開く弱兵は、負て戦ひまた負て、今の姿に成行し、その有様ぞ憐なり」と記しています。

福沢は封建社会に閉塞する中国人を「無智の民」と酷評しています。かつての超大国がかくも無惨に、列強諸国に屈服するのはなぜかという日本人の問いに、福沢の論評は的確に答えており、多くの人々が納得したでしょう。

こうしたことにより、「支那」という言葉のマイナスのイメージが日本人に深く浸透していったと考えられるのです。先の日中戦争では、日本のアジア地域への侵略過程で、侵略を正当化する理由の1つとして中国人を劣等視するとともに、「支那」が使われるようになったと一般的に解説されます。しかし、日本人が中国人を劣等視していたかどうかは、繰り返しますが、心の問題なので、明確に「あった」と言い切ることは誰にもできないでしょう。

そして、戦後の1946年、外務省は「今後は理屈を抜きにして先方の嫌がる文字を使はぬようにしたい」との通達を出し、「支那」は用いられなくなります。

しかし、「支那」を使わないとするならば、「南シナ海」や「東シナ海」という表記・呼称についてはどうなるのでしょうか。ちなみに、中国は南シナ海を「南海」と呼び、東シナ海を「東海」と呼んでいます。いずれにしても、相手の嫌がる呼称をわざわざ使う必要もないと思いますので、本書では「中国」という表記を採用しています。

❖「中華」こそ、他民族を蔑む差別語

「中国」は「中華人民共和国」の略称です。「中華人民共和国」の「中華」はいわゆる「中華思想」の「中華」です。

「華」というのは文明のことであり、漢民族は文明の「中」にいる民族、即ち中華であり、周辺の他の民族は文明の「外」にいる夷狄（野蛮人）であるとされます。このように、「中華」という言葉には、他民族を侮蔑する主張が背景にあるため、中華を表わす「中国」という国号を使用することはできないと反発する識者もいます。たしかに、「支那」が差別語というならば、「中国」はそれ以上の差別語でしょう。

そもそも、「中華」を国号に用いるという発想を最初に打ち出したのが革命家の章炳麟（しょうへいりん）でした。章炳麟は1907年、著書『中華民国解』で、清王朝に代わる新しい中国国家を建設する必要性を説き、その国号を「中華民国」にしてはどうかと提案しています。

1911年の辛亥革命で清王朝が倒れ、12年、南京において、孫文を臨時大総統とする政府が成立します。この政府において、新国家の国号を何とするか、様々なアイデアが出されました。中国の伝説の古代王朝である夏王朝の名をとって「大夏」や「華夏」とするものや「支那」などの案が出ましたが、最終的には章炳麟の案である「中華民国」が、孫文の支持もあり、採用されました。さらに、「中華民国」の名を引き継ぐ形で、毛沢東らが「中華人民共和国」と

いう名を考案し、国号としました。

「中華」という言葉は唐の時代に編纂された歴史書『晋書』などにも使われていますが、この言葉を概念として定着させ、一般化させたのは宋王朝の司馬光です。司馬光は歴史家であると同時に、宰相にまで登り詰めた大物政治家でもあり、「中華思想の父」と呼ぶべき人物です。

司馬光が編纂した『資治通鑑』（1084年完成）は全294巻の大歴史書で、編纂のための史局が設置され、朝廷の全面的援助を受けて完成しました。時の皇帝神宗が「為政に資する鑑（かがみ）」と賞して、『資治通鑑』というタイトルになったのです。司馬光は『資治通鑑』の中で、君主と臣下のわきまえるべき分を説く「君臣の別」や、漢民族（華）の周辺異民族（夷）に対する優位を説く「華夷の別」を主張しています。「華夷の別」とともに、文明の「華」の中にいる漢民族が歴史的に果たす使命というのは何かという論説が全面的に展開されます。

高度な文化を擁する漢民族は憐れな周辺蛮族に施しを恵んでやる寛容さも時には必要であるということが記述され、周辺民族をバカにした内容となっており、同時に極端な民族主義を誇張しています。その中で、日本や朝鮮などの東方の国は「東夷」と呼ばれ、周辺の野蛮人の一派に位置付けられています。

南宋時代、朱子学を大成した朱熹は司馬光の『資治通鑑』を称賛し、これをもとに『資治通鑑綱目』を著し、大義名分論を展開して中華思想が儒学の世界観の中に統合されるに至ります。

こうした歴史的背景からも明らかなように、「中華」は漢民族中心主義のことであり、「中華民国」の国号を考案した章炳麟も当初、「中華」を用いることによって、満州人支配の清王朝を打倒し、漢民族の国家回復を目指すことの正統性を打ち出そうとしました。孫文も1905年、中国同盟会を結成した際、有名な三民主義とともに、満州人を駆逐し、漢民族による国家を取り戻すという意味の「駆除韃虜・恢復中華」を綱領として掲げています。章炳麟や孫文ら革命家は1911年の辛亥革命以前、漢民族による単一民族国家を目指していたのです。

しかし、辛亥革命後、中華民国が建国されると、孫文は「漢・満・蒙・回・蔵の五族が1つとなって共和を建設する」などと述べて、中華国家建設の方針を転換します。各民族の自立による領土の分裂が政権の弱体化につながるという現実に直面して、危機感を新たにし、大国意識とともに、多くの夷狄を版図に組み込む方針へと急速に傾斜していったのです。

本来、章炳麟らは単一民族国家の建国を願い、「中華民国」を提唱・建国したにもかかわらず、現実には清王朝と何ら変わらない覇権主義的な民族統治政策が続き、「中華民国」という国号の意味とは裏腹な実態に陥っていくのです。

現在の中国政府も同じですが、「中華人民共和国」という中華国家を標榜するならば、チベット人やウイグル人やモンゴル人らの自立・独立を認めなければなりません。

❖「漢民族の中国」という虚構

漢民族は紀元前5000年頃からはじまる黄河文明の担い手であり、漢字のもととなる甲骨文字を使っていました。この時期、漢民族は中国全域に分布していたのではなく、黄河流域にのみ分布していたに過ぎません。

黄河流域と長江流域とでは、言語や文化の異なる民族が住んでいました。黄河流域のシナ語派の漢民族とは別に、長江流域には、オーストロアジア語派が居住していました。オーストロアジア語派は東南アジアのインドシナ半島系の民族と同じです。気候も大きく異なり、黄河流域は乾燥気候で麦作中心、長江流域は湿潤で稲作中心で、文化風習が異なります。

紀元前2200年頃、長江流域（長江文明）が洪水で衰退した時、黄河流域の勢力に征服されてしまいます。それ以降、黄河文明の影響力が長江流域に及び、この地域のオーストロアジア語派は駆逐されるか、漢民族と混血同化していきます。

長江流域の漢民族化が進み、最終的には、戦国時代の紀元前4世紀、秦によって征服され、長江流域は完全に漢民族のテリトリーに組み入れられることになります。ここで、われわれが一般にイメージする「漢民族の中国」ができあがります。

しかし、その漢民族も常に、異民族の侵略に晒され、多くの時代において、異民族に従属させられていました。

中国の統一王朝で、漢民族がつくった王朝は秦、漢、晋、明の4つしかありません。中国の主要統一王朝は「秦→漢→晋→隋→唐→宋→元→明→清」と9つ続きますが、そのうちの5つが異民族のつくった王朝です。秦、漢、晋、明の4つのうち、秦と晋は短命政権で、わずか漢と明の2つだけが実質的な漢民族の統一政権でした（秦の建国者のルーツはチベット系の羌族であるとする見解もあり）。

漢民族はそのほとんどの時期において、異民族に支配されている亡国の民であり、自分たちの国を自分たちの意志で統治することができなかったのです。その意味において、中国の歴史を動かしていたのは、漢民族ではなく、北方遊牧民であり、彼らこそが中国の歴史の「主要民族」であり、本来、「異民族」という表現をされるべき存在ではないことがわかります。

図5-1にあるように、実は、隋（581年～618年）や唐（618年～907年）も漢民族の王朝ではありません。隋の建国者の楊氏も唐の建国者の李氏も、鮮卑族というモンゴル人の出身です。隋や唐という中国を代表する王朝が漢民族の王朝ではないということに対し、中国人史家の中には、これを否定する見解を持つ人もいますが、日本の中国史家の宮崎市定氏が隋・唐が鮮卑系であると

図5-1｜中国主要統一王朝の民族

王朝	建国者	氏族名	民族	建国時期
秦	始皇帝	趙氏	★漢民族	紀元前3世紀
漢	劉邦	劉氏	★漢民族	紀元前3世紀
晋	司馬炎	司馬氏	★漢民族	3世紀
隋	楊堅	楊氏	モンゴル人鮮卑族	6世紀
唐	李淵	李氏	モンゴル人鮮卑族	7世紀
宋	趙匡胤	趙氏	トルコ人沙陀族	10世紀
元	フビライ	ボルジギン氏	モンゴル人	13世紀
明	朱元璋	朱氏	★漢民族	14世紀
清	ヌルハチ	愛新覚羅氏	満州女真人	17世紀

の見解を戦時中に発表して以降、この見解が世界の学界の定説となっています。いくつかの高校世界史教科書でも、この見解を取り上げています。

また、隋や唐は自分たちが異民族の出自であることを隠そうとしたこともあり、彼らの出自に関する詳細な記録を残していませんが、その系譜から見て、彼らが鮮卑族であることは否定することのできない事実です。

宋王朝もまた、漢民族のつくった王朝ではなく、トルコ人沙陀族のつくった王朝と考えられています。唐王朝が滅んだ後、その混乱の中で、923年、突厥系沙陀族出身の李存勗が後唐を建国します。宋王朝の建国者の趙匡胤ら趙氏一族は後唐の近衛軍の将官や武将でした。トルコ人王朝の後唐の要職にあった趙氏一族もやはり、トルコ人であるとされます。

趙匡胤は自らの出自を隠し、自分は前漢の名臣の趙広漢の末裔であると称し、漢民族であると主張していましたが、根拠はありません。自分が漢民族であると主張することにより、漢民族の共感を得ようとしました。異民族王朝である宋で中華思想が形成されるのも、同じ理屈です。異民族王朝だからこそ、漢民族中心主義を政治的に利用し、政権の求心力を高めようとしたのです。

❖ハイブリッド化民族としての中国人

漢王朝の建国者の劉邦は北方遊牧民の匈奴に敗退し、屈服しました。劉邦は白登山で匈奴軍に取り囲まれた時、命乞いして九死に一生を得ました。漢王朝は大量の貢物とともに一族の娘を人質として匈奴に嫁がせることになります。最初の本格的な統一王朝の漢が北方遊牧民に従属してスタートしたということは、その後の中国王朝の性格を表わす象徴的な出来事でした。

劉邦を屈服させた匈奴はモンゴル系民族とされますが、トルコ系民族とする見方もあります。はっきりとわかっていないことが多いのですが、モンゴル系を中心に、トルコ系も交ざっていたと見るのが実態に近いかと思います。匈奴の支配領域の中心部がモンゴル高原であったことからもそのことがうかがえます。

モンゴル系はモンゴル高原（現在の内モンゴル、モンゴル国、南ロシア）に居住し、トルコ系はその西方のモンゴル高原西部、アルタイ山脈沿いの地帯、カザフ草原、タリム盆地に居住していました。つまり、この地域の遊牧民は東方のモンゴル系、西方のトルコ系に大別できます。匈奴は東方と西方の2つの領域にまたがっていた複合民族国家であり、民族や部族の名を示すものではありません。

匈奴に続き、モンゴル系は古代から中世にかけて、北魏、遼、元を建国します。同じモンゴル系でも部族や居住領域が異なり、考え方も異なります。匈奴はかつてモンゴル高原全体を支配しましたが、東部から鮮卑族が台頭し、南方（現在の内モンゴル）へと追いやられ、最終的には鮮卑族に吸収されます。鮮卑族は内モンゴル東部から満州西部に居住していました。

3世紀の三国時代から中国は戦乱が続き、疲弊していました。このような中国の混乱の隙を

図5-2｜北方遊牧民の分布（紀元前2世紀初頭）

突き、鮮卑族は386年、華北（中国北部）に北魏を建国します。これ以降、華北のモンゴル人王朝と江南（中国南部）の漢民族王朝が並行して存在する南北朝時代となります。これ以降、約2200年の間に、華北を支配し続けた鮮卑族から隋や唐を建国する人物が出て、中国を代表する強大な王朝を形成するのです。

匈奴が中国と直接対立していたのに対して、鮮卑は中国と連携することが多く、中国文化を受け入れていました。こうした伝統もあり、鮮卑が北魏を建国した時、6代目孝文帝が徹底した中国化政策を行ない、モンゴル人の文化・風習を捨て、漢字などの中国文化を取り入れ、中国人との婚姻を進め、わずか100年で、漢民族とモンゴル人は混血しました。

混血により、華北の漢民族はかつての漢民族とは血統の異なる新たなハイブリッドな人種となります。現在の中国政府が主張するような、「人口構成の92%が漢民族」とする根拠はどこにもなく、彼らの多くは実際には、中世の時代に「ハイブリッド化された漢民族（=中国人）」なのです。

前述のように、隋・唐に続く、宋王朝も突厥系沙陀族がつくった異民族王朝とされます。突厥（トルコ人）は隋唐時代、五代十国時代、宋王朝の時代にかけて、その勢力を増大させており、何度も中国に侵入しています。この過程においても、中国人はトルコ人とも混血し、そのハイブリッド化はさらに進みます。

モンゴルの元王朝の支配においても、このようなハイブリッド化はさらに続きます。したがって、明王朝が「漢民族の復興」を掲げた王朝とされますが、それはモンゴル人と戦うためのプロパガンダとして使われたものに過ぎず、実際には、復興すべき「漢民族」などはすでにいなかったのです。清王朝の時代には、ツングース系との混血も加速します。

図5-3｜主要な北方遊牧民

国家	民族系統	部族	最盛期
匈奴	モンゴル系	不明	紀元前2世紀
北魏	モンゴル系	鮮卑	5世紀
突厥	トルコ系	突厥	7~8世紀
遼	モンゴル系	契丹	10~11世紀
金	ツングース系	女真	12世紀
元	モンゴル系	モンゴル部	13世紀
清	ツングース系	女真	17~18世紀

❖中国を支配したモンゴル人の系譜

遼を建国した契丹族は鮮卑族から派生した亜種です。鮮卑族の居住エリアよりも東方の、遼東半島北部を流れる遼河水系上流のシラムレン川流域（現在の内モンゴル自治区東部）に居住していました。

かつて契丹は鮮卑や突厥に従属していましたが、トルコ系の突厥がモンゴル高原を去り、西方へ移動すると急速に勢力を拡大し、10世紀に満州からモンゴル高原にまたがる強大な王朝を建国します。さらに、唐滅亡後の中国の混乱に乗じて、万里の長城の内側の領域である燕雲十六州を獲得しています。また、遼は宋に攻め入り、1004年、澶淵の盟を結び、宋に莫大な貢物を毎年送るよう約束させました。宋は事実上、遼の属国となります。

しかし、遼では中国文化を受容しようとする親中派と契丹の独自風習を守ろうとする保守派との間で派閥争いが続きます。この争いを調停するため、遼は華北の漢民族に対して中国的な「州県制」で統治し、北方の遊牧民族を「部族制」で統治するという二重統治体制を敷き、折衷主義的な妥協策を採用しました。また、文字においても、彼ら独自の文字文化に漢字を取り入れ、折衷主義的な契丹文字を制定しました。

遼は財力の豊富な宋により籠絡され、政権内部の親中派の数が増え続けます。いつの時代にも、カネで国を売る人間が政治の世界にははびこるものです。こうして、遼は腐敗していき、女真族の金により滅ぼされます（女真族についてはSECTION6で詳述）。

ところで、モンゴル人と聞いて、われわれ日本人が連想するのは「蒙古襲来」や「元寇」のフビライ・ハンでしょう。フビライ・ハンも匈奴や鮮卑と同じくモンゴル系ですが、その文化は大きく異なります。フビライ・ハンの祖父はチンギス・ハンです。彼らの出身部族は一般的に「モンゴル部」と表記されますが、これはモンゴルの小部族を包括した表現です。なお、「蒙古」という言葉には、「無知蒙昧で古い」という意味が込められているとされ、漢民族がモンゴル人を侮蔑するために、この漢字を当てた可能性があります。

ラシード・ウッディーンの『集史』によると、「モンゴル部」はアルグン川流域からバイカル湖東部を原住地としていました。チンギス・ハンの祖先はモンゴル高原のど真ん中にいたようなイメージが一般的にありますが、彼らの原住地はモンゴル高原や現在のモンゴル国から北に外れた地で、現在のロシア領シベリアです。地理的にいうならば、彼らは本来、モンゴル人ではなく、シベリア人と表現されるべきです。シベリアには、古来、モンゴル人が広範に分布していたのです。

「モンゴル部」はモンゴル高原に向かって、次第に南下しながら、勢力を広げていき、チンギス・ハンの時代に、モンゴル高原を統一します。

「モンゴル部」は同じモンゴル系でも匈奴、鮮卑、契丹などとは異なり、シベリア方面にあり、中国との接触はほとんどありませんでした。北方遊牧民は非常に合理主義的ですが、チンギスらモンゴル人は特にそうでした。他民族の有能な人材を積極的に登用し、他民族の文化も尊重しました。しかし、モンゴル人は儒教をはじめとする中国文化に偏狭な守旧性を感じ取り、これだけは例外的に認めませんでした。

フビライ・ハンは中国王朝の元を樹立しますが、漢字を受け入れず、チベット文字をもとにチベット人僧侶パスパがつくったパスパ文字を宮廷の公用文書に使いました。

元王朝は人々をモンゴル人、色目人、漢人、南人に分け、官僚など支配階級はモンゴル人と色目人が占めました。色目人とは中央アジアやイラン出身の異民族です。「漢人」とは華北の中国人を指し、「南人」とは南宋の支配下にあった中国人を指します。「南人」は漢民族の血を最も強く受け継ぐ中国人でしたが、最も差別され、排斥されたのです。

また、元王朝は中国的な儒教文化を排除するため、儒教の素養が重要視されていた科挙を停止しています。シベリアにいたモンゴル人は中華文明を客観視することができました。歴史的に中国の影響を受けず、西方の広い世界を見ていたモンゴル人は同じモンゴル系でも、漢民族に感化された鮮卑族とは異なり、中華文明の閉鎖性を最もよく見抜いており、それを徹底的に蔑視したのです。

SECTION 6

満州人

なぜ、「濊」(わい)と呼ばれたのか

❖「臭穢不潔」とされたツングース系民族

満州人はアルタイ語派の中のツングース系に属します。今日、同じアルタイ語派のモンゴル系の人が約330万人、ツングース系が約290万人います(アルタイ語派の9割がトルコ系)。

「ツングース」が何を意味しているのかについては諸説ありますが、一説には「豚を飼育する人」という意味を持つといわれます。ツングース系民族はもともと満州や朝鮮半島北部、サハリン、シベリアに至るまでの広範囲の地域に居住しており、これらの地域は現在のロシアから中国、北朝鮮の領域に及んでいます。しかし、ツングース系言語の話者は今日ではほとんど残っておらず、ロシアに約6万人、中国に約5万人しかいません。

ツングース系民族はその言語グループにより、主に12の部族に分けることができます。ロシアには、エヴェンキ族、エヴェン族、ネギダル族、オロチ族、ウデヘ族、ナーナイ族、オルチャ族、ウイルタ族の8つの部族があり、中国には、ソロン族、ヘジェン族、シベ族、満州族の

4つの部族があります。この12の部族のうちの満州族が、いわゆる満州人のことで、満州の中心部を居住地とし、古来、中国とも最も緊密な関係を持っていました。これらの12の部族は同じツングース系言語を共有していたとはいえ、遠く離れた部族同士では言葉の隔たりは少なからずあり、会話さえもできなかったとされます。ただし、同じ言語体系に属する彼らは同一の祖先を共通に持つと見られます。

また、民族の遺伝子も近接な関係にあり、互いの民族が歴史的に離合集散を繰り返し、混血も進んでいました。満州族などの南のツングース系は漢民族を特徴づける遺伝子系統を濃く受け継ぎ、北のツングース系はロシア人の遺伝子系統を持つといった地域的な差はあります。

満州人（満州族）が17世紀に清王朝を樹立した頃、ツングース系民族の大半が満州人により統合されました。しかし、19世紀になると、ロシアが極東に進出してウラジオストクを建設し、沿海州を支配し、北部のツングース系民族はロシア領域に取り込まれ、南部の中国領域のグループと分断されて、今日に至ります。

古代中国では、ツングース系民族は「濊（わい）」「貊（ばく）」「粛慎（しゅくしん）」と呼ばれていました。「貊」は日本語で「えびす」と訓読みし、蛮族を指します。粛慎は濊や貊よりも北西部にいたツングース系民族です。彼らは「シュシェン」人と自称し、その音に「粛慎」という漢字を当てたのです。

問題は「濊」の字です。濊は『漢書』武帝紀では「薉」、『漢書』食貨志では「穢」と表記され、『三国志』や『後漢書』では「濊」と表記されています。いずれも「穢（けが）れ」を意味していると考えられています。

ひどい呼び名ですが、漢民族は周辺の異民族に対して、このような悪い意味の名を付けることがよくありました。たとえば、匈奴の「匈」は「悪く乱れている」ことを意味する言葉であるので、「匈奴」は「悪い奴ら」というニュアンスになります。周の時代には、モンゴル系の犬戎（けんじゅう）が中国に侵入しましたが、「犬戎」とは「犬のような蛮族（戎）」というニュアンスです。

それにしても、「濊」という名のひどさは際立っています。どうして、こういう名を付けられたのか詳しいことはわかっていませんが、『三国志』や『後漢書』では、ツングース系民族が「臭穢不潔」（極めて臭くて不潔）であったと記されています。彼らは尿で手や顔を洗い、家ではなく穴の中に住んでいました。豚の毛皮を着て、冬には豚の膏（あぶら）を身体に厚く塗って、寒さをしのいでいました。「臭穢不潔」な彼らを「濊」と呼ぶことは漢民族にとって自然なことだったと推測されます。「濊」は「水が溢れているさま」、「穢」は「雑草が生い茂って荒れているさま」を表わすもので、必ずしも「穢れ」を意味するものではないとする見方もありますが、史書に「臭穢不潔」と記されていることからもわかるように、やはり「穢れ」を意味していると考えるのが自然です。

❖ツングース系民族の拡大と抗争

濊や貊は2世紀に、濊貊（わいはく）、沃沮（よくそ）、扶余（ふよ）、高句麗の4部族に分かれます（この他、高夷、東濊など

図6-1｜ツングース系民族と東アジア（2世紀）

の小部族もあり）。

これらの4部族のうち、濊や貊、沃沮は後漢王朝に圧迫され、朝鮮半島方面へと南進します。濊や貊は現在の北朝鮮と韓国にまたがる江原道に分布し、沃沮は北朝鮮の咸鏡道に分布していました。朝鮮半島よりも北側に扶余、高句麗が分布していました。

濊貊、沃沮、高句麗の間で争いが続き、濊貊、沃沮は高句麗に敗退し、最終的に後漢王朝に従属し、消滅していきます。濊貊、沃沮、扶余、高句麗の4部族のうち残ったのは扶余と高句麗の2部族です。この2部族については後段で詳述します。

彼らよりも北側にいたツングース系民族の動きも併せて見ておきます。この地域は外満州とも呼ばれ、今日のロシアの沿海州、都市でいうとウラジオストクからハバロフスクにかけての地域一帯です。もともとこの地域にいたツングース系民族が粛慎で、紀元前6世紀、孔子も彼らの使っていた弓矢について述べています。

粛慎はその後、挹婁（ゆうろう）（1世紀から4世紀）、勿吉（もっきつ）（4世紀から6世紀末）、靺鞨（まっかつ）（6世紀末から7世紀末）と変化していきます。彼らは今日のロシア領のツングース系民族の大半に相当します。

「挹婁」の呼称は弓矢の鏃（やじり）を指す「ヨウロ」を音写したものと考えられています。「勿吉」の呼称は何の音写かわかっていません。「靺鞨」の呼称は「勿吉（もつきつ）」の音写と考えられています。

靺鞨は主に、南の粟末部と北の黒水部の2つの部族に大別することができ、粟末部は後に高句麗遺民とともに、満州の統一国家である渤海を建国します。北の黒水部は女真族の元祖であり、彼らが金王朝や清王朝を建国します。

図6-2｜ツングース系民族の推移

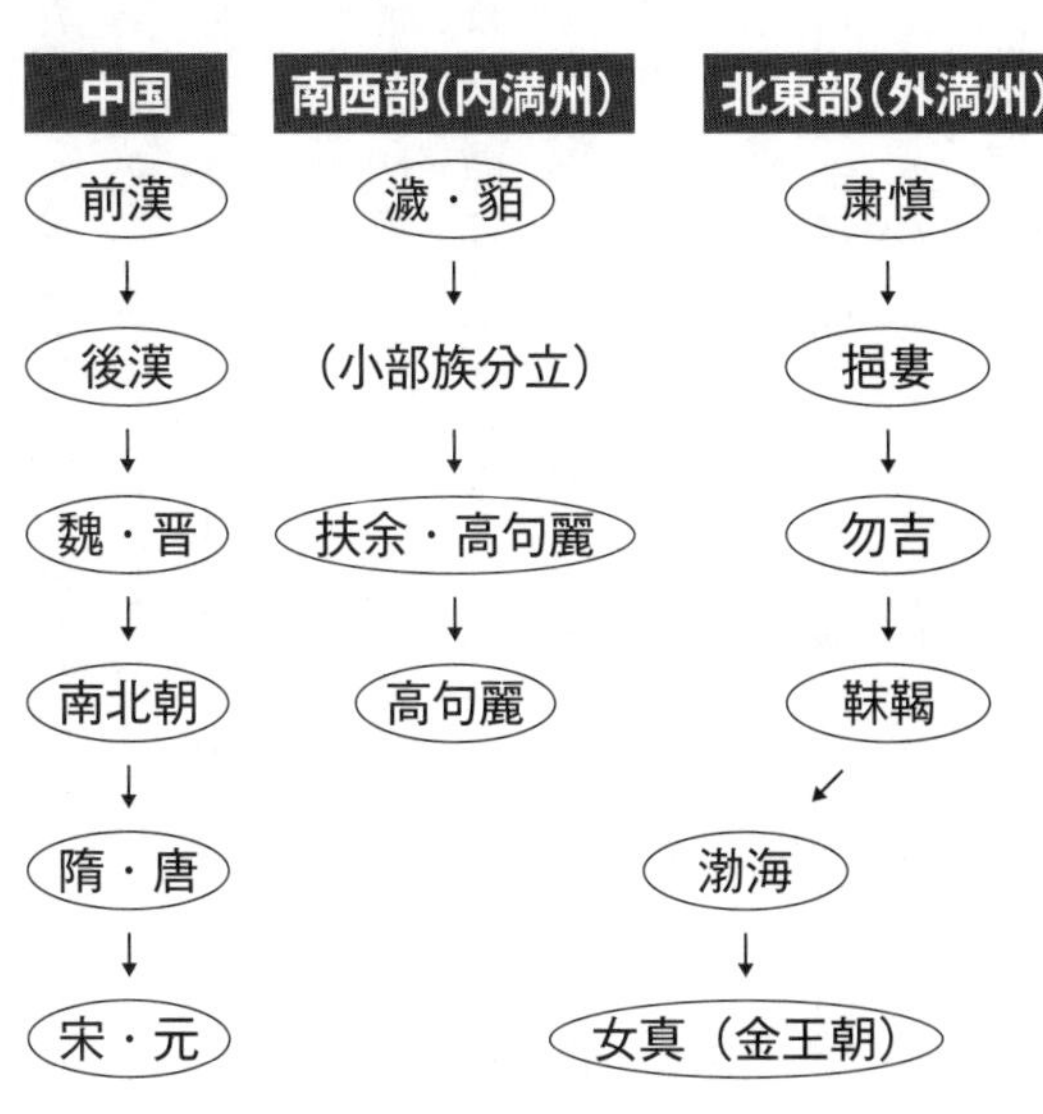

一方、南側（内満州）のツングース系民族の動きについてですが、小部族が分立していた時代を経て、扶余と高句麗が残りました。高句麗は4世紀末から5世紀に強大化し、満州から朝鮮半島北部にかけて広大な版図を形成しました。高句麗の第19代の王・広開土王（好太王）はこの時代の王で、朝鮮半島南部に遠征し、百済を攻めました。百済と同盟を結んで

いた日本(大和朝廷)は軍を朝鮮に派遣し、広開土王と戦います。この戦いについて、有名な「広開土王碑文」に記されています。

朝鮮の歴史書『三国史記』によると、扶余の王族朱蒙(チュモン)が紀元前37年に高句麗を建国したとされますが、史実かどうかはわかっていません。いずれにしても、高句麗は扶余族から派生した勢力であると捉える説が有力です。高句麗の北部に分布していた扶余は4世紀初めには高句麗に支配されます。扶余族から派生した高句麗が逆に扶余族を飲み込む形となったのです。扶余族は南方に逃れ、朝鮮半島南西部に百済を建国します。7世紀の中国の史書『周書(北周書)』や『隋書』では、百済の王族が扶余族出身で、高句麗王族とも血縁関係があったことが記されています。

百済の都は当初、ソウルを流れる漢江(ハンガン)の南の漢城に定められました。その後、高句麗に圧迫されて、475年に南の錦江(クムガン)中流の熊津(ウンジン)(現在の公州)に遷都し、さらに538年に、錦江下流の泗沘(サビ)に遷都しています。泗沘は新羅時代の8世紀半ばに、彼らの民族名を偲び、「扶余」(プヨ)と名付けられて今日に至ります。百済の最後の都の扶余は百済歴史遺跡地区として、2015年に世界遺産に登録されています。

一方、高句麗の北方にいた扶余族の本体は一時期、高句麗に服属していましたが、494年に北東部の同じツングース系の勿吉に滅ぼされます。さらに、勿吉は6世紀半ばに高句麗に滅ぼされます。高句麗や百済の歴史からもわかるように、古代朝鮮半島はツングース系の扶余族によって支配されていました。さらに、扶余族は濊や貊から派生した部族であり、これが朝鮮人のルーツであると言うことができます。

❖満州を巡る中国と韓国の歴史戦

今日、中国と韓国は高句麗や百済の扱いを巡って激しく対立しています。高句麗や百済は中国の歴史に属するのか、朝鮮の歴史に属するのかを論争しているのです。

満州は中国に属し、そこに暮らしていた「原満州人」たちである扶余族も中国に属することになります。また、高句麗の国土の3分の2が現在の中国領です。こうした観点から、中国は高句麗や百済が中国の歴史に属すると主張しています。中国は朝鮮半島への支配を強化する正当性を歴史的な背景から得ようと企んでいるのかもしれません。

中国が国家的に進める満州史研究のプロジェクトは「東北辺疆歴史与現状系列研究工程」と呼ばれるもので、略して「東北工程」とも言い、1997年からはじまっています。韓国は「東北工程」に反発し、高句麗や百済を巡る中国と韓国の論争（「高句麗論争」）となり、2000年代、両国の外交問題にまで発展しました。

日本では、高句麗や百済は朝鮮の歴史に属することを暗黙の了解にしています。その証拠に、日本の学校教育において、これらを朝鮮の歴史というカテゴリーで習いますし、教科書でも朝鮮史として記述されています。そのため、われわれは「高句麗や百済は新羅と同じ朝鮮の王国」

というイメージを強く持っています。

しかし、中国が主張するように、民族の系譜で見てみれば、高句麗や百済は必ずしも、朝鮮史に属するとはいえないのです。高句麗は王族も民もツングース系満州人だったのに対し、百済は王族の始祖だけがツングース系満州人でした。その後の王は現地の韓人と混血し、同化していきます。百済の民の中には、中国の山東半島から移住してきた漢民族もいましたが、そのほとんどは韓人であったと考えられます。高句麗が中国の歴史に属するといえても、百済までもがそれに属するとはいえないのも事実です。

中国の「東北工程」の研究の対象になっているのは高句麗や百済だけではありません。高句麗が唐に滅ぼされた後、渤海が６９８年に建国されます。渤海は広大な領域を支配した満州の統一国家で、日本（平安時代）に、たびたび使節を遣わしたことでも知られています。

建国者は大祚栄（テジョヨン）という人物で、靺鞨族の出身で、『旧唐書』によると、自らを「高句麗の遺民」と称していました。靺鞨族は満州北東部（外満州）にいたツングース系民族で、粛慎の後裔です。高句麗は確かに外満州の靺鞨族をも従えていたため、大祚栄ら靺鞨族が「高句麗の遺民」とされるのは間違いではありません。

韓国は建国者の大祚栄が「高句麗の遺民」である限り、渤海は朝鮮の歴史に属すると主張し、中国と対立しています。２００６年、韓国のＫＢＳテレビ（日本のＮＨＫのような公営放送）は全１３４話にも及ぶ歴史ドラマ『大祚榮（テジョヨン）』を製作・放映し、渤海が朝鮮民族独自の歴史国家であることを国民に教化しようとしました。

しかし、渤海は中国の歴史に属するという捉え方が一般的です。日本の高等学校の世界史の授業でも、渤海は中国の唐王朝の節の中で扱われます。

渤海は国ではなく、唐の領土の一部でした。大祚栄が渤海を建国した当初、唐と対立し戦いましたが、その後、唐に恭順し、713年、「渤海郡王」に封じられます。渤海は唐の「郡」とされ、大祚栄はその「郡」の王となったのです。大祚栄は唐の羈縻（きび）政策により、自治権を与えられた現地首長という立場でした。羈縻政策とは異民族をつなぎ止めて縛ることで、「羈」は馬のおもがい、「縻」は牛の鼻づなで、ともにつなぎ止めることを意味します。

また、大祚栄は子を人質として唐に差し出しています。渤海の「郡」としての扱いは唐の滅亡まで続きます。

大祚栄が「高句麗の遺民」であったとしても、彼が自ら、中国の一部になることを最終的に選択したという事実から見れば、渤海は中国の歴史に属するといえます。

図6-3｜渤海とその勢力範囲（8世紀）

❖満州人の中国支配

靺鞨族は南の粟末部と北の黒水部の2つの部族に大別できますが、渤海を建国したのは粟末部です。黒水部は唐王朝に服属していました。唐が滅びた後も、渤海はしばらく生き残りますが、926年、モンゴル系の契丹（後に遼を建国）によってに滅ぼされます。靺鞨族は部族の分裂状態が続きますが、その中でも、黒水部が次第に力を持ちはじめます。

そして、この黒水部が中国から「女真」と呼ばれるようになります。彼らは金王朝や清王朝を建国したツングース系民族として有名で、彼らがいわゆる「満州族」と呼ばれる部族の中核を成しています。満州族は遡れば、かつての靺鞨族であり、さらに遡れば、勿吉（4世紀から6世紀末）、挹婁（1世紀から4世紀）、最終的には粛慎に行き着きます。

満州族の旧名「女真」とは満州語の「ジュルチン」のことで、「人々」や「民」を意味する言葉とされます。漢民族が満州族に「お前たちは何者だ」と問うたところ、「人々（ジュルチン）だ」と答えたことから、「では、お前たちを女真（ジュルチン）と名付けよう」と言い、10世紀頃、彼らは「女真」と呼ばれるようになりました。

しかし、後の時代、後金王朝のホンタイジは「女真」の民族名を嫌いました。これは漢民族から与えられたもので、自分たちで付けた民族名ではなかったからです。ホンタイジは1635年、民族名を「満洲」に改めさせ、また、女真族王朝の金の後継者という意味をも含む「後金」の国号も改めさせ、翌1636年、中国風の「清」と新たに名付けました。

「満洲」にどういう意味があるのか、はっきりとしたことはわかっていません。女真人は「文殊（マンジュ）菩薩」を崇拝していたことから、「マンジュ」に「満州」の漢字が当てられたとする説などがあります。また、満州人は水に縁起を感じていたため、水を表わす「さんずい」を付けて「満洲」としました。「満洲」はもともと民族名でしたが地名にも使われるようになり、「さんずい」のない「満州」が特に地名として一般的に表記されるようになります。

女真族は1644年、明王朝末期の内乱に乗じて、北京を占領し、中国全土を統一します（清王朝）。清王朝は武力で押さえつけるやり方ではなく、公平な人材登用制を施行し、「満漢偶数官制」と呼ばれる人事制度を採用し、女真族と漢人（中国人）を同数ずつ登用し、漢人知識人を広く懐柔しました。また、清王朝は漢人の儒教文化を尊重しました。

康熙帝、雍正帝、乾隆帝の三代にわたる賢帝の存在も重要です。絶え間ない対外侵略も国内の結束力を固めるうえで有効でした。清王朝による征服はモンゴル、台湾、ウイグル、チベット、ベトナム、ミャンマーにまで及びました。清王朝は多民族国家中国の原型を形成します。

清王朝は「地丁銀（ちていぎん）」と呼ばれる画期的な税制を施行しました。それまで、人間がただ生きて存在しているだけで課税する人頭税というものがありました。これは平民・貧民にも容赦なく課税されました。税金を払うことができない民衆は自分たちが存在していないことにして、戸籍を届け出ません。法的にこの世に存在しない無戸籍者が実際の人口の70%はいたとされます。

清王朝の時代に入り、康熙帝による人口調査（盛世滋生人丁という）が1713年に行なわれました。しかし、人頭税を課せられることを恐れた民衆は逃げ隠れ、人口調査には応じません。

そこで、康熙帝は思い切って、人頭税廃止を宣言しました。異民族王朝の清にとって、どの土地にどれだけの人間がいるか、という正確な人口データを把握できないことは反乱などに対応できないこともあり、致命的でした。

人頭税廃止の宣言により、民衆は人口調査に応じ、戸籍を取得します。その結果、18世紀後半の清王朝時代には統計人口が約5倍に増大し、3億人となります。民衆は人頭税廃止を歓迎したのはもちろんのこと、逃げ隠れせず、堂々と市民生活を送ることができ、庶民の生活も活気づきました。

人頭税廃止による税収減は土地税で補われました。土地税は豊かな土地所有者のみを狙い打ちにするもので、主に漢人豪族から徴収されます。清王朝は漢人豪族の土地の所有権を認め、保証する代わりに、土地税を収めさせます。漢人豪族はこれを歓迎しました。もちろん、土地を持たない平民も税を免れることができ、この税制を歓迎しました。康熙帝の時代にすでにこうした税制の枠組みが決まり、子の雍正帝の時代に地丁銀と命名され、本格稼働します。

地丁銀は異民族の征服王朝ならではの統治システムで漢人豪族などの富裕階級からも歓迎され、平民階級からも歓迎されるという絶妙な政治均衡の上に成り立つものでありました。清王朝はこの地丁銀を統治の根幹として、長期安定の権力構造を築いたのです。

SECTION 7

朝鮮人

ツングース系と混血同化した民族

❖「朝鮮人」は差別語なのか

「朝鮮人」という言い方は差別的なので使わないでいただきたいと、私はある雑誌の編集部から原稿に校正を入れられたことがあります。「朝鮮人」と言わずして何と言うのかとその編集部に尋ねたところ、「韓国人」と言うべきだというのです。1948年以前に韓国などという国はなかったのに、どうして、それを「韓国人」と書くことができるのかと問うと、現在は韓国という国があるのだから、現在や過去に限らず、その名称を使うべきだと強く要請されました。もちろん、私はその雑誌の記事掲載を断りました。

別の雑誌の編集部からも同じ指摘をもらったことがあり、この編集部とは韓国建国以後の話では「韓国人」を使い、それ以前では「朝鮮人」を使ってよいということで折り合いがつきました。どうやら、一部のメディアでは、「朝鮮人」という言葉は禁忌ワードとして認識されているようです。

韓国の人々や北朝鮮の人々を総称する時には、「朝鮮人」という言葉を使います。差別語ではありません。これを差別語と捉える人は「朝鮮人」の言葉に負のイメージを勝手に連想しているだけのことです。「朝鮮人」に負の意味はなく、民族の名を純粋に表わす言葉です。

「朝鮮人」の他に「半島人」という言い方もありますが、こちらは差別とは言わないまでも、何かの隠語のような響きがあるかもしれません。「朝鮮」という地域名があるのに、それをわざわざ「半島」と言い表わそうとする作為を感ぜずにはいられないからです。

朝鮮人自身、歴史的に「朝鮮」の呼称を誇りにしていたようです。李氏王朝は「朝鮮」を「朝陽の鮮やかなるところ」、つまり「東方の地域」と解釈していました。ヨーロッパ人は東方の中東地域を「オリエント（日が昇る方）」と呼びましたが、これとよく似ています。

朝鮮人自身がこのように解釈をして、「朝鮮」を用いていたのですから、「朝鮮」や「朝鮮人」が差別語ということはないのです。現に北朝鮮は「朝鮮民主主義人民共和国」と、国号に「朝鮮」を使っています。中国は「シナ」を使うなと要請しましたが、北朝鮮や韓国が「朝鮮」を使うなと他国に要請したことはありません。

「朝鮮」を最初に言いはじめたのは中国人です。「朝鮮」には、一般的に「朝陽の鮮やかなるところ」という意味があると言われますが、中国人はそのような意味で「朝鮮」を用いたのではありません。楽浪郡付近を流れる川（どの川か不明だが、大同江の可能性あり）は「湿水」、「汕水」、あるいは「潮汕」と呼ばれており、これらの川の読み音が「朝鮮」に転じたとされます。「朝陽の鮮やかなるところ」というのは朝鮮人が勝手にそのように解釈したに過ぎないのです。中国人が「貢物が少ない国」という意味で、「朝貢鮮少」としたことから、「朝鮮」となったという解釈もありますが、これは後付けの理屈でしょう。

「朝鮮」がいつから使われるようになったのか、はっきりとしていませんが、紀元前1世紀初頭、司馬遷によって書かれた『史記』には「朝鮮」という記述が見られ、この頃には、中国では「朝鮮」の呼称がすでに使われていたのです。

しかし、「朝鮮」は中国や朝鮮で一般的に普及した呼称ではありませんでした。この古い呼称に目を付けたのが14世紀末の鄭道伝（チョンドジョン）という人物でした。鄭道伝は李王朝の建国者の李成桂（イソンゲ）の参謀でした。

クーデターによって実権を握った李成桂は、高麗王家を都から追放し、1392年に自ら王位に就きます。李成桂は高麗に代わる新たな王朝名を定めるため、上国と崇める中国の明に使者を送り、王朝名を下賜して欲しいと依頼しました。

その際、「朝鮮」と「和寧」の2つの案を明に提案しています。すでに忘れ去られていた「朝鮮」の呼称を案として持ち出したのが鄭道伝でした。ちなみに「和寧」は李成桂の生地で、現在の北朝鮮東北部の咸鏡南道の金野郡でかつて永興郡と呼ばれていたところを指します。「和寧」は本命案の「朝鮮」に対する当て馬候補の案であったと思われます。結局、明の洪武帝は「朝鮮」を使うよう、沙汰を下しました。

しかし、この時に下された「朝鮮」は国号ではありません。李王朝は明に藩属しており、朝鮮王は明の一諸侯王に過ぎず、その領土も明の帝国の一部に過ぎず、主権を持った国ではなかったからです。「朝鮮」はあくまでも地域を表わす名として、明が下賜したものなのです。

❖朝鮮の歴史は中国人によってはじまった

史書に登場する朝鮮のはじまりは箕子(きし)朝鮮とされます。紀元前12世紀頃、中国人の箕子が建国し、都は王険城（現在の平壌）に置かれました。

『史記』や『漢書』には、箕子が中国の殷王朝の王族で、殷の滅亡後、殷の遺民を率いて、朝鮮に亡命したと記されています。箕子は中国の文化や技術を朝鮮に持ち込み、善政を敷き、朝鮮をよく統治したようです。

朝鮮半島西北部を中心に、紀元前11世紀頃のものと思われる中国様式の出土物が多く出ており、この時代に、中国からの大規模な移民があったことを示しています。こうしたことから、今日の学界では、箕子朝鮮が実在した可能性が高いと見られています。ただし、未だそれを裏付ける史跡が乏しく、実在が確定されているわけではありません。

中世以降、中国文化を崇める朝鮮王朝は箕子を聖人化し、朝鮮の始祖とすることで、中国と一体化し、中国を中心とする「中華文明」の一員になろうとしました。そのため、箕子陵などが盛んに建設され、箕子が各地に祀られました。

しかし、現在の韓国や北朝鮮は一転して、箕子朝鮮を中国側の「作り話」として否定しています。民族意識を高揚させる観点から、中国人起源の箕子朝鮮は都合の悪い存在になったのです。散々、それまで箕子を持ち上げておきながら、実に虫のいい話です。

彼らは代わりに、檀君朝鮮が正式な朝鮮の起源であると主張しています。檀君は天神の子であり、紀元前2333年、平壌城で朝鮮を建国したとされます。この話は『三国遺事』に記述されていますが、『三国遺事』は正史の『三国史記』（1145年完成）からこぼれ落ちた説話集です。

朝鮮人の始祖とされる檀君は民間で信仰されてきた伝説に過ぎませんが、韓国の学校の歴史教科書では、「歴史的事実」と教えられ、箕子朝鮮が「伝説」と教えられます。また、「朝鮮」の呼称を最初に用いたのは壇君であり、朝鮮人はこの時代から自らを「朝鮮」と呼んでおり、壇君以来の古朝鮮の伝統を受け継ぎ、民族の誇りとしなければならない、といったことが教えられます。

箕子朝鮮に続き、紀元前195年頃、衛氏朝鮮が建国されました。都は箕子朝鮮と同じく、王険城（現在の平壌）に置かれました。やはり、この衛氏もまた、中国人です。このように中国人の支配者が続くのは朝鮮人に、国を運営する能力やノウハウがなかったからです。

衛氏朝鮮は燕の出身の武将の衛満によって建国されます。燕は現在の北京を中心とする中国東北部の地域です。劉邦の前漢王朝の成立に伴い、前漢勢力と対立していた燕の人々を、衛満が率いて朝鮮に亡命し、国を建国したのです。

衛満の軍隊は鉄製の武器で武装し、優れた機能と統制を兼ね備えていたので、朝鮮人はほとんど抵抗できませんでした。

箕子朝鮮の実在が未だ確定されていないのに対し、衛氏朝鮮の実在は確定されています。そのため、現在の韓国は中国人起源の箕子朝鮮を否定しても、同じく中国人起源の衛氏朝鮮を否定できず、中国人が古朝鮮を支配していたという実態を結局、覆い隠すことができません。

それでも、かつては衛満が朝鮮人であるという無理矢理な理屈をでっち上げていました。衛満が朝鮮に入った時、髷を結い、朝鮮の服を着ていたことから、衛満を朝鮮人と推定でき、朝鮮人である衛満が中国の燕に滞在し、朝鮮に帰って来て国をつくったと説明されていました。韓国の学校でも、１９９０年代までそのように教えられていました。

❖植民地にするほどの価値もなかった

衛氏朝鮮は紀元前１０８年、前漢の武帝によって滅ぼされます。これにより、朝鮮半島の大部分が中国王朝の支配下に入ることになります。武帝は征服した地を４つに分け、楽浪郡などの漢四郡を設置し、朝鮮を中国の一部に組み込みます。これが中国王朝の朝鮮支配のはじまりとなります。

楽浪郡は平壌に置かれていたと見る説がほぼ確実視されていますが、他の三郡についての史書の記述が乏しく、具体的にどこを指すのか、詳細ははっきりとわかっていません。韓国の学者の一部は、漢四郡が遼東（現在の中国遼寧省）に設置されたもので、朝鮮半島に設置されたものではないと主張しています。あくまで中国の朝鮮支配を否定しようと画策しているのです。

前漢王朝は漢四郡を置き、朝鮮を領土の一部に組み込みました。ただし、それが実質的な支配といえるかどうかは疑問です。この時代、朝鮮は中国の辺境の果ての地で、人口も少なく、貧弱な生産力しかありませんでした。前漢がこのような荒涼とした地域を、あえて予算を投じて統治する必要などなかったでしょう。

図7-1｜前漢武帝時代の中国と朝鮮（紀元前2世紀〜紀元前1世紀）

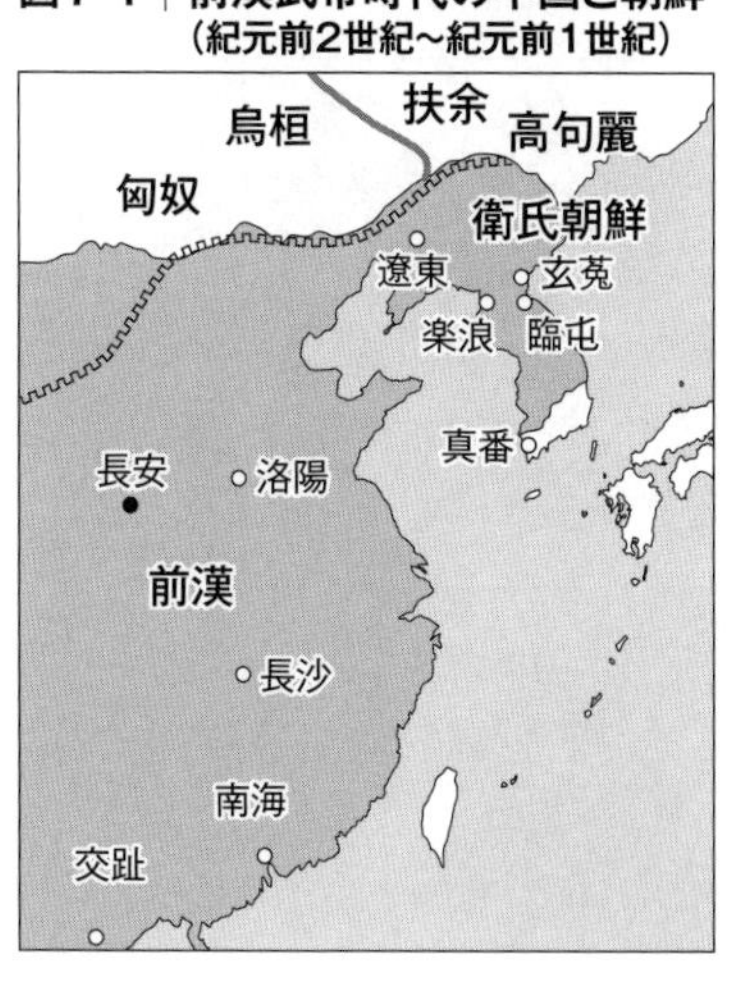

前漢の武帝は北方の匈奴と戦っていました。北の辺境に、強大な異民族が存在したことに付随して、各方面の辺境に、異民族の脅威が存在するかどうかという安全保障上の関心が大いにあったと思われます。

この関心の上に、楽浪郡などの漢四郡が置かれ、それらが統治機能というよりはむしろ、偵察機能を働かせ、辺境の情勢を中央にもたらしていたと考えられます。当時の朝鮮は前漢にとって、植民地にするほどの価値もなかったというのが実情でしょう。後の中国王朝、唐・元・明・清が朝鮮を隷属させて徹底的に搾取しますが、前漢時代の朝鮮は原始的で遅れており、搾取すべきものさえなかったのです。

その証拠に、武帝の死後早くも、紀元前82年に、真番郡と臨屯郡を廃し、紀元前75年に、玄菟郡を西に移し、朝鮮に楽浪郡だけを残します。つまり、朝鮮が統治するに足りる土地ではなかったということを示しています。

中国にとって何の価値がなくても、朝鮮にとって中国との接触は大きな意味がありました。中国の優れた文明が本格的に朝鮮に流入したのは武帝の時代で、特に製鉄技術の流入により、鉄制農工器具を用いるようになり、農業生産が飛躍的に向上しました。中国から養蚕技術も伝わり、商工業品の流通が次第に社会全体の富を蓄積していき、文明を発展させていきます。

生産力の増大とともに、人口も増大し、無数の部族社会が互いに結合・連合し、小国家が形成されていきました。朝鮮南部では、1世紀頃から馬韓、辰韓、弁韓の小国家群が現われます。

図7-2｜3世紀の中国と朝鮮

この3つの地域を総称して、「三韓」と呼ばれます。「韓」には「王」の意味があると解釈されています。朝鮮北部では、ツングース系民族が高句麗を建国します。

3世紀になると、『三国志』でもお馴染みの遼東太守の公孫氏が朝鮮に帯方郡を新たに設置し、部族の首長たちと交易を行ないます。また、三国志時代の戦乱を避けるため、多くの中国人が遼東を経由して、朝鮮へ亡命したと考えられます。公孫氏や中国人移民が中国と朝鮮をつなぐ重要な役割を果たし、中国文明の流入は三国志時代にさらに加速します。

その後、高句麗はたびたび魏王朝の侵攻を受けながらも服属せず、4世紀末に有名な好太王(広開土王)が出て、同時期の中国の混乱の隙を突いて勢力を拡大します。朝鮮の南部で、馬韓は百済に、弁韓は任那に、辰韓は新羅に、それぞれ王国として統一され、発展していきます。

❖ツングース系によって支配された韓人

朝鮮半島には、異なる2つの民族があり、北に住んでいたのが満州人のツングース系民族、南に住んでいたのが韓人です。ソウルの南側を東西に流れる大河、漢江があります。大まかに言うと漢江を境にして、北側がツングース系民族のエリア、南側が韓人のエリアでした。長い歴史の中で、この両者が混血し、朝鮮人となり、今日に至ります。

韓人は朝鮮半島の南部から中部にいた農耕民族で、半島の原住民です。しかし、「韓人」という明確な民族学上のカテゴリーがあるわけではなく、三韓の地に住んでいた人々という意味で慣習的に使われます。ツングース系民族は朝鮮半島の北部にいた狩猟民族で、中国東北地方の満州を原住地とします。ツングース系は中国から朝鮮半島に至るまで広範に分布しており、韓人よりも人口が多く、強大な勢力を誇っていました。

ツングース系民族のエリアには高句麗、韓人のエリアには新羅、任那、百済（王の一族はツングース系）が建国されました。

新羅は６６０年、中国の唐王朝と同盟を結び、百済を滅ぼします。６６３年に、唐と新羅の連合軍は、百済の遺民と百済の同盟国であった日本を白村江の戦いで破ります。その後、唐は高句麗に派兵し、６６８年、平壌を占領して高句麗を滅ぼしました。

新羅は唐と連携し、高句麗を攻め、ツングース系勢力に打撃を与えることに成功しました。その後、新羅は勢力を伸ばし、朝鮮を統一します。韓人のつくった新羅王朝が朝鮮の統一国家のはじまりでした。ただし、新羅は唐の属国の立場でした。属国になることによって手に入れた勝利に過ぎません。

9世紀末、唐の衰退とともに、韓人が建国した新羅も衰退します。そして、ツングース系民族の勢力が再び大きくなります。10世紀、開城（ケソン）（現北朝鮮南部）に本拠を置く豪族の王建（ワンゴン）が新羅末期の反乱軍の中から頭角を現わします。王建は高麗を建国して、新羅を滅ぼし、９３６年、朝鮮を統一しました。

王建一族は中国との海上貿易で富を得た商業豪族で、族譜によると、漢民族ということにな

図7-3｜朝鮮の統一王朝と民族

	時期	支配層	首都
新羅	7〜10世紀	韓人（統一者：文武王）	慶州
高麗	10〜14世紀	ツングース系（建国者：王建）	開城（ケソン）
李氏朝鮮	14〜20世紀	ツングース系（建国者：李成桂）	漢城（ソウル）

っていますが、詳細は不明です。ツングース系であった可能性も排除できません。

王建は富を背景に、北方の女真族をはじめとするツングース系民族を取り込み、強大な軍隊を編成しました。扶余族などの内満州のツングース系民族を中心に、女真族などの外満州のツングース系民族も集まっていました。王建のもと、ツングース系民族は結束し、南方の韓人を屈服させて、朝鮮半島全域を支配します。したがって、高麗はツングース系を支配層とする朝鮮の統一王朝といえます。

朝鮮人のルーツは朝鮮半島の南部の三韓（馬韓・弁韓・辰韓）にいた人々（韓人）とツングース系民族にあります。古代の高句麗時代には、朝鮮半島北部はツングース系扶余族に支配され、中世の高麗時代には、ツングース系女真族もこれに加わります。高麗時代に、韓人とツングース系民族との混血はかなり進んだと考えられます。

さらに李氏朝鮮時代に、両者の混血は決定的になります。李成桂は高麗に続き、1392年、李氏朝鮮を創始します。彼は高麗のツングース系軍閥の頭目であり、その勢力基盤は咸鏡南道（現在の北朝鮮東北部）にありました。李成桂に仕えた李之蘭（イジラン）は女真族の指導者で、李成桂は彼らを取り込むことに成功しています。

李成桂本人の出自について、確たる史料が残っておらず、わからない部分が多いのですが、李成桂の下に集まっていた勢力は女真族をはじめとするツングース系民族の有力者たちであり、李成桂を頂点として、大きな力を持っていたということだけは間違いありません。そのような意味において、李氏朝鮮は高麗と同様にツングース系を支配層とする朝鮮の統一王朝です。

韓国では、李成桂が韓国南西部全羅道の全州李氏を本貫としているとされますが、それは後世の創作であり、李氏朝鮮の創始者の彼を韓人としたい韓国側の都合によるものと見るべきです。李成桂が女真族であった可能性は高いでしょう。

いずれにしても、李成桂の時代に、女真族をはじめとするツングース系民族は李氏朝鮮に大きく取り込まれました。さらに、李氏朝鮮の4代目王の世宗が未だ朝鮮に従属していなかったツングース系民族を征伐し、彼らを取り込んでいきます。

李氏朝鮮は1392年から1910年まで500年以上も続く統一王朝ですが、この長い年月の中で韓人とツングース系民族は混血を繰り返し、同化し、現在の朝鮮人となっていきます。

❖地政学で見る朝鮮民族

遺伝子の解析により、韓国人はツングース系民族と遺伝子上、近似関係にあることが証明されていますが、この結果は実際の歴史の推移と一致します。また、中国人もツングース系民族との遺伝子的近似性が証明されており、この結果もやはり、清王朝のような女真族王朝が250年以上も中国を支配し、混血同化が進んだという歴史の推移に一致するものです。朝鮮人と中国人はツングース系民族を介して、近似した民族となったのです。

朝鮮人のルーツを北方ツングース系のエヴェンキ族とする見解がありますが、これは1つの可能性であって、確実であるかどうかはわかりません。エヴェンキ族の顔立ちなどの容姿、また、トーテムポールを建立し、祈祷する風習などが朝鮮人に似ているとされます。

もともとエヴェンキ族は外満州からシベリアにかけて居住していましたが、13世紀頃に南下し、朝鮮半島にもやって来たとされます。エヴェンキ族が女真族と混血し、女真族によって、血統や風習が朝鮮にもたらされた可能性も考えられます。そもそも、エヴェンキ族と女真族を区別することができないかもしれません。エヴェンキ族は靺鞨族の末裔であり、両者は靺鞨族という同一の祖先を持つからです（靺鞨族についてはSECTION6で詳述）。

韓国では、南西部の全羅道の出身者は政財界で少なからず冷遇され、出世しにくいという傾向があります。韓国の大統領で全羅道出身者は金大中（キム・デジュン）のみです。

全羅道が冷遇されるもともとの理由は10世紀の高麗時代に遡ります。王建によって高麗が建国されて以降、朝鮮半島では、ツングース系民族と韓人の混血がかなり進みますが、一方で、支配者層のツングース系民族による韓人への差別冷遇も続きました。

王建が朝鮮を統一する前、後三国時代（892年〜936年）と呼ばれる戦乱の時代が続きました。王建率いる高麗（ツングース系勢力）に対し、新羅（韓人勢力）と後百済（韓人勢力）が対立していました。

新羅はいち早く王建に降伏しますが、後百済は最後まで抵抗しました。後百済は今日の全羅道の全州市や光州市に拠点を持つ王国でした。後百済は強勢を誇り、一時、王建を追い詰めましたが、最終的に王建が後百済を倒し、朝鮮を統一します。

この時、敵国の後百済の人々は高麗によって奴隷民に貶められ、全羅道は搾取の対象となったのです。同じ韓人の王国でも、新羅は前王朝を形成した国家であり、王都慶州を中心に先進的な地域でもあったため、高麗も新羅の人々には敬意を払いました。しかし、後百済の人々に対しては容赦しませんでした。

旧百済の全羅道の地域は搾取され続け、政権への大きな恨みが蓄積します。韓人とツングース系という民族の違いも、その恨みに輪をかけました。時に恨みが爆発し、反乱を起こすこともありましたが、徹底的に弾圧されました。

弾圧は高麗時代のみならず、次の李氏朝鮮時代にも続きます。長い歴史の中で差別の構造が定着化し、今日でも、それは完全に解消されることなく、残っているのです。反体制的な性格の強い全羅道の光州市は1980年、民主化を求め、大規模な暴動を起こしています。軍がこれを鎮圧し、多くの死傷者を出しました（光州事件）。

李氏朝鮮の都は漢城（ハンソン＝ソウルのこと）に置かれます。4世紀、百済が建国された時、最初に首都とされたのも漢城でした。しかし、この時の首都拠点は漢江南岸でした。ソウルから南東に25キロ離れた南漢山城がこれに当たるのではないかと考えられています。

百済の王族はツングース系ですが、国民は韓人で、国全体として、韓人に基盤を置く政権でした。そのため、漢江を越えて、北に首都を置くことはできませんでした。地政学上、漢江を防衛線として、百済はツングース系民族と対峙していました。百済は5世紀に高句麗の侵攻を受け、熊津（ウンジン）（忠清南道公州市）に遷都、さらに6世紀に泗沘（サビ）（忠清南道扶餘郡）へ遷都しています。

図7-4｜朝鮮王朝の首都

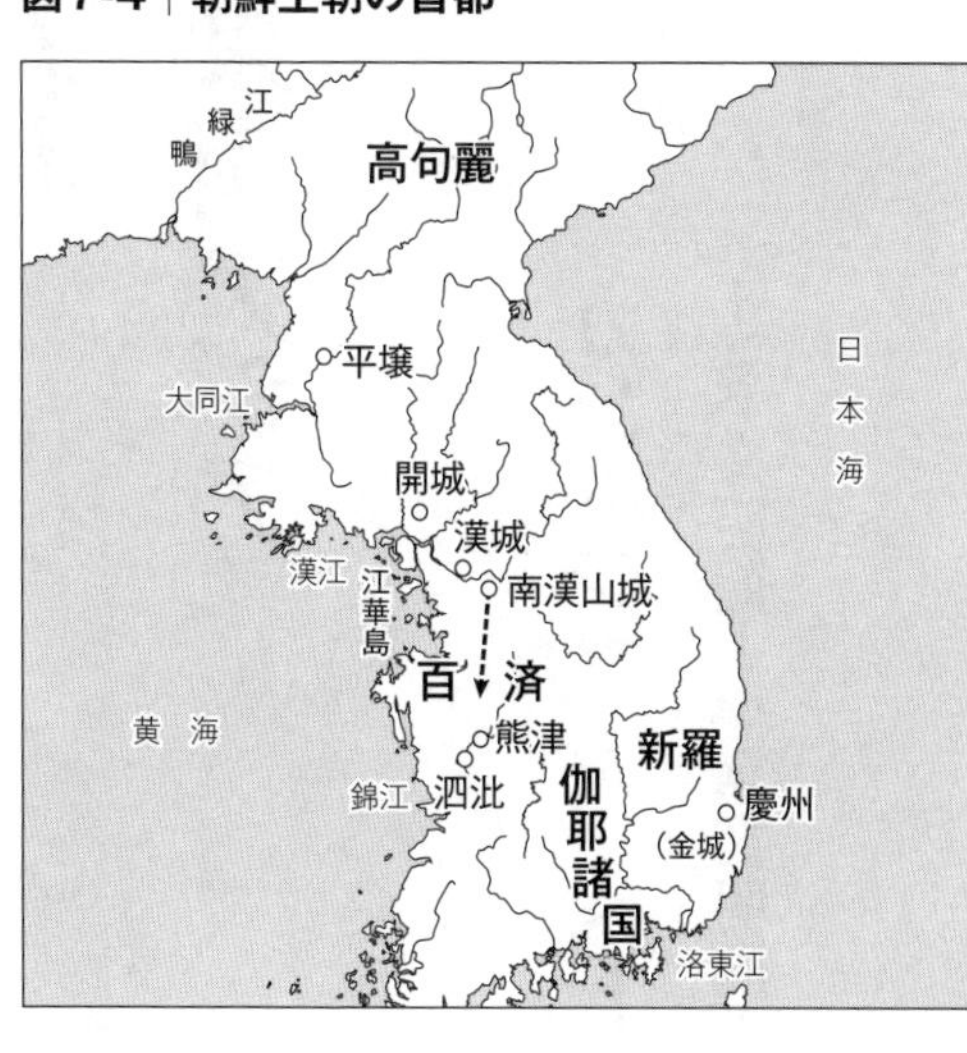

一方、ツングース系政権である李氏朝鮮はその逆で、漢江の北に拠点を置きます。現在の首都ソウルの中心が漢江北岸にあるのはそのためです。ちなみに、同じツングース系王朝の高麗は首都をソウルの北の開城（ケソン）に置いています。

ただし、李氏朝鮮の時代には、前述のように、ツングース系民族と韓人の混血が朝鮮半島全域で進み、両者の区別はほとんど意識されなくなっていました。

SECTION 8

カンボジア人、ベトナム人
インド文明圏と中華文明圏の狭間で

❖インドシナ半島の先住民族クメール人

今日、インドシナ半島の民族のほとんどが外来民族です。タイ人やベトナム人は中国人化された民族であり、ミャンマー人はチベット人や中国人の混血です。そのような中でも、クメール人（カンボジア人）だけが比較的、純粋な血統を維持している民族といえます。

クメール人はインドシナ半島にもともといた先住民族で、中世まで半島全域に分布していましたが、中国方面からの外来民族に侵食され、今日のカンボジアの領域を中心とする範囲に狭められていきます。

「クメール」とは、パーリ語で「全能者」を意味します。パーリ語は古代インドの俗語です。ちなみに、サンスクリット語は古代インドの文語・雅語です。また、「カンボジア」の国号は聖人カンブに子孫を意味する「ジャ」を付けた「カンブジャ」に由来します。

カンボジアでは、クメール人が全人口の85％以上を占め、チャム族（後段で詳述）などの少数民族が約5％います。そのほか、ベトナム人や中国人がいます。

クメール人はオーストロアジア語派に属します。オーストロアジア語派はインドシナ半島のみならず、古代には中国南部にまで分布していました。オーストロアジア語派の源郷は長江流域と見なされ、彼らは稲作の普及とともにインドシナ半島に広く拡散していきます。

しかし、今日、東南アジアでオーストロアジア語派を形成する民族は主にクメール人のみで、その他に少数民族が散在していますが、全体では、小さなグループとなっています。「オーストロ（Austro）」は「南」を意味するラテン語に由来しています。

ベトナム人は民族の血統では、中国人に近似しています。しかし、彼らの言語であるベトナム語はオーストロアジア語族に分類されます。つまり、このことは、ベトナム人がもともとクメール人と同じオーストロアジア語派の民族系統であったものの、歴史的に中国人との混血が進み、民族の血統が変わってしまったということを意味します。

図8-1｜東南アジア人の民族区分概要

チベット・ビルマ語派……ミャンマー人

オーストロアジア語派……クメール人（カンボジア人）

オーストロネシア語派……マレー人、インドネシア人

中国系……タイ人（言語はタイ・カダイ語族）
ラオス人（言語はタイ・カダイ語族）
ベトナム人（言語はオーストロアジア語族）

インドシナ半島の「インドシナ」はインドとシナ（中国）の中間にあることから、このように名付けられました。ちなみに、インドネシアの「ネシア（nesia）」は「諸島」を意味するギリシア語由来の接尾語です。ヨーロッパ人が「インドの向こうの島々」という意味から、このように名付けました。

インドシナ半島部には、原住民であるオーストロアジア語派とチベット・ビルマ語派、そして、中国系の3つのグループがあります。

Y染色体ハプログループO1bはオーストロアジア語派に由来すると考えられています。オーストロアジア語派はこのO1bが高頻度に観察されるのに対し、中国人はハプログループO2が高頻度に見られるという違いがあります。

日本人の場合、O1bが約30％に対し、O2は約15％で、このことからも、われわれは中国人よりもオーストロアジア語派に近いということがわかります。

しかし、中国人もハプログループO1bを持ちます。北部に行けば行くほど、O1bが低頻度になり、南部に行けば行くほど、O1bが高頻度になります。かつて、長江流域に分布してい

図8-2｜東南アジア人の遺伝子系統

Y染色体ハプログループ O1b……オーストロアジア語派に由来

Y染色体ハプログループ O1a……オーストロネシア語派に由来

Y染色体ハプログループ O2……中国人に由来

たオーストロアジア語派の血統を、中国南部人が受け継いでいるからです。

また、Y染色体ハプログループO1a系統は台湾の先住民族や東南アジアの島嶼部の人々に高頻度に観察されるため、オーストロネシア語派に由来すると考えられています。

❖扶南人とチャム人の連帯が中国化を退けた

扶南国は東南アジアで初めての統一国家で、メコン川下流域（カンボジア南部やベトナム南部）を領域としていました。扶南国は1世紀から7世紀にかけて栄えたヒンドゥー教の国家でした。「扶南」は中国から付けられた名称で、彼ら自身が自らを何と呼んでいたのかはわかっていません。扶南国を構成していた民族は、かつてクメール人と考えられていましたが、今日、マレー系のオーストロネシア語派であったとする説が有力です。扶南国がその後、クメール人勢力と激しく戦うことからも、互いに民族の系統が異なっていたと考えるのが自然であり、また、扶南はマレー半島やインドネシア島嶼部の海洋民族とも交易をしており、彼らとの血縁関係が強く、あるいは移住などにより、その血統を濃く受け継いだということができます。

扶南国は中国とインドをつなぐ海洋交易によって栄え、外港オケオが賑わっていました。そして、ヒンドゥー教などのインド文化を受容し、多くのインド人を官僚として採用し、サンスクリット語を法律用語として使うなど、東南アジアで最も早くインド化された先進地域でした。

一方、北方のベトナムでは、中国化が進んでいました。紀元前3世紀、秦の始皇帝が南海郡を置いて、北ベトナムを支配します。紀元前111年、漢の武帝が交趾郡など南海9郡を置き、この地を直轄領とします。ベトナム北部は中国王朝の支配を直接受け、漢字文化圏に属し、儒教などの中国精神文化も導入しました。

このように、インドシナ半島において、北部の中華文明圏と南部のインド文明圏との拮抗がありました。そして、その中間地点に位置していたのがベトナム中部です。北と南、どちらの文明圏がベトナム中部を制するかによって、その後の趨勢を決する情勢でした。

ベトナム中南部に居住していた民族は主にチャム人です。チャム人は北部ベトナム人（ほぼ中国系）とは異なり、オーストロネシア語派で、南部の扶南人と同じ民族の系列です。チャム人たちはもともと北部のベトナム人と同じく、中国の支配を受け、中華文明の影響を受けていました。しかし、チャム人は後漢時代の192年に独立し、自らの王国を形成し、その王国を「チャンパー王国」と名付けます。

中国はこの時代、三国志の動乱の時代に入り、ベトナムにまで支配が及びませんでした。その時代の混乱の隙を突いて、チャム人が分離していったのです。チャム人たちの中国への服属は武力によって強いられたものに過ぎず、その証拠に独立後、チャム人は一切の中華文明を排斥しています。チャンパー王国は中国の史書に、「瞻波」「占婆」「林邑」「環王」「占城」と記されています。

チャム人の中国からの独立に対し、南部の扶南国は積極的に支援や協力をしました。扶南国の人々とチャム人は同系統の民族であり、親近性が強く、両者の移住や混血も頻繁であったことでしょう。また、扶南国としては、北方の中華文明圏を脅威と捉え、その異文化侵食を跳ね返すにも、中部のチャム人の分離独立が戦略的に必要でした。扶南国はチャンパー王国に、自らも受容した高度なインド文化を伝え、ヒンドゥー教が一気に広まることになります。密林に暮らす人々の精神世界にヒンドゥー教の多神教的世界観は馴染みやすく、チャム人は4世紀までにヒンドゥー化されていき、ヒンドゥー教が文化連帯の共通項になります。

ミーソン聖域の神殿（2018年、著者撮影）

ベトナム中部の世界遺産都市ホイアンの西方約40キ

図8-3｜インドシナの文明闘争

ロメートルのところに、ミーソン聖域と呼ばれる世界遺産に登録されているヒンドゥー教寺院の遺跡群があります。この遺跡群を建設したのがチャム人です。4世紀後半から、神殿の建造がはじまり、7世紀から13世紀にかけて大規模な神殿がつくられるようになります。そのほとんどがカンボジアのアンコール・ワット遺跡群より古い時代のものです。神殿は複雑な造形の上に精緻なレリーフ等の装飾を施され、アンコール・ワット遺跡群に劣らない高度な技術力を示しています。

　こうして、インドシナ半島で、扶南人やチャム人により、中国の侵食は食い止められていきます。古代のインドシナ半島は中華文明とインド文明の激しい文明闘争の舞台でした。

❖クメール人のアンコール・ワット

扶南人とチャム人はヒンドゥー教などのインド文明の受容により、武力侵略的な中華文明に対抗しました。多神教のヒンドゥー教は多元的な価値を包容する文化的な寛容性を有していたのに対し、中華文明は儒教に代表されるような身分秩序を厳格に強制しながら、官僚的な社会統制を敷きました。中華文明はいわば「力の文明」であったのです。素朴で牧歌的な原初生活を営んでいた東南アジア人にとって、中華文明は受け入れ難いものでした。

扶南人とチャム人は大いに繁栄しましたが、インドシナ半島の中央部に広く居住するオーストロアジア語派のクメール人に敗退し、衰亡します。6世紀に、カンボジア北部で、クメール人の国家である真臘（しんろう）が台頭し、カンボジア南部の扶南国と激しく戦い、６２８年、真臘のイシャーナヴァルマン1世が扶南国を滅ぼします。商業国家の扶南は軍備を疎かにし、国家が団結しておらず、北方の農耕勢力の団結に屈することになったのです。

チャンパー王国のミーソン聖域の碑文には、扶南国の滅亡が記されています。チャンパー王国にとって、文化的に宗主的な地位にあった扶南の滅亡はショックを伴う大きな出来事でした。しかし、クメール人は扶南国のヒンドゥー教文化をそのまま継承します。扶南の国家は滅ぼされましたが、そのインド的文化はクメール人により受け継がれ、さらに発展していきます。

9世紀、真臘が発展し、アンコール王朝（クメール帝国）が形成されていきます。アンコール王朝は強大で、中央集権的な統治体制が敷かれました。

12世紀前半の王スールヤヴァルマン2世は、東はベトナムのチャンパー、西はタイやミャンマーと戦い、クメール王朝の版図を拡げます。彼の時代に、インドシナ半島の大半がクメール王朝の領土となり、クメール人の全盛時代を形成します。スールヤヴァルマン2世は莫大な富を得て、アンコール・ワット（「都の寺」の意味）を造営します。王はチャンパー王国の首都ヴィジャヤを攻略した時のチャム人との戦いをアンコール・ワットの壁画に彫らせました。今日でも、アンコール・ワットの大回廊で、この壁画を見ることができます。

チャム人はアンコール王朝に服属しますが、その後、チャンパー王国を復興します。チャンパー王国は後にベトナム人の黎朝により、１４７１年に滅亡させられます。チャンパー王国の遺民であるチャム人はベトナム南部の海岸地帯や山岳地帯に移住し、現在でも、少数民族として暮らしており、ヒンドゥー教文化を継承しています。

クメール人は東南アジアの中で、最も勤勉な民族でした。アンコール遺跡群の緻密な建造物の数々がそれを物語っています。アンコール遺跡はタイのアユタヤ遺跡などと比べても、建築の堅牢さ、装飾の繊細さなどの点で優れています。アユタヤ遺跡はレンガ造りの粗雑な建造物に過ぎませんが、アンコール遺跡は石のブロックを一つひとつ丁寧に削り出し、それをアーチ状に組み合わせるなどの極めて手の込んだ高等な技術を用いています。

アンコール・ワット建設には約1万人が35年間に渡り、雇い入れられました。彼ら従事者とその家族に充分な食糧を提供するため、大水田も開発されます。アンコール遺跡群の周辺には貯水地や水路など、当時の高度な水理技術をうかがわせる跡が残っています。豊富な食糧生産は都市人口の増大をもたらし、最盛期には約40万人が王都アンコールで暮らしていたとされます。王は神々の栄光をこの世に現わし、その偉大さを証明するために、巨大寺院を建設したのです。

クメール人はヒンドゥー教を奉じていたため、アンコール・ワットはもともと、ヒンドゥー教寺院でしたが、ジャヤヴァルマン7世の時、仏教寺院となります。ジャヤヴァルマン7世は12世紀から13世紀の初め、アンコール・ワットを中心に王都アンコール・トム（「偉大なる都」の意味）を造営します。アンコール・ワットは19世紀後半、フランス人博物学者アンリ・ムオが「発見」（フランス側の立場での発見）するまで、ジャングルの奥深くで放置されていました。

強大な力を誇ったアンコール王朝でしたが、13世紀、モンゴルの元王朝の侵入を受けて衰退し、15世紀、タイ人（アユタヤ朝）によって、滅ぼされます。

❖ベトナム人、中国との歴史的葛藤

ベトナム人の多くは、もともとクメール人と同じくオーストロアジア語派の一派でしたが、地政学的に中国に近く、また、海に面していたため、中国人の侵入を招きやすく、民族の純血は保たれませんでした。ベトナム北部は、秦の始皇帝以来、中国の王朝の支配を受けたため、漢字文化圏に属することとなり、儒教や科挙制度を取り入れました。また、中国人が多数移住しました。

一方、南部では、前述のように、チャム人のチャンパー王国が中国化を阻止していました。

そのため、今日でも、北部ベトナム人と南部ベトナム人では民族の系統が異なり、顔付きも異なるのを感じることができます。ハノイなどの北の都市では中国人顔が多いのに対し、ホーチミン（サイゴン）などの南の都市は東南アジア人らしい顔付きの人が多いのです。

ベトナム北部は10世紀まで、中国の支配を受けており、中華文明の強い影響下にありました。中国の唐王朝が同世紀に滅亡すると、北部ベトナムでは、独立の動きが強まり、最初の独立王朝の李朝が成立します。しかし、李朝は中国の律令制度などの文化を継承し、漢字が公用語として使われていました。

李朝に続いて、1225年、陳朝が成立します。この時、中国の元王朝がベトナムに侵攻しますが、陳朝王族の武将陳興道（チャン・フン・ダオ）の活躍により、元王朝を三度にわたり、撃退します。陳興道は今日でも、ベトナム民族の誇りとされます。元王朝を撃退したベトナム人は、民族意識が高揚し、漢字を基に、ベトナム人の文字である字喃（チュノム）を作成します。中華文明に支配されてきたベトナム人が独自の民族文化を形成する必要を自覚しはじめました。

しかし、彼らは中華文明圏から完全に脱却できたわけではありません。字喃の創設後も、漢字は使われ続け、科挙やそれに基づく律令制、儒教に基づく精神文化、中国流建築様式などがベトナム人文化の中核であり続けました。中国への朝貢も続けられました。

陳朝の武将であった黎利（レ・ロイ）は中国の明王朝の永楽帝の死後、明軍をベトナムから排除し、1428年、黎朝を建国しますが、儒学（朱子学）を国学と定め、明王朝との関係修復にも努め、中国との関係を深めていきます。

黎利の死後も黎朝は拡大を続け、１４７1年、黎朝は南ベトナムのチャンパー王国を征服します。ここに、南北ベトナムが統一されました。中国系の多い北部人とオーストロネシア語派の多い南部人との混血も進み、新生ベトナム人が誕生します。この時、民族の統一とともに、ベトナム国家の領土的範囲も策定され、今日のベトナムに至ります。

黎朝に続き、１８０２年に建国された阮朝は政権の基盤が脆弱であったため、中国の清王朝を宗主国として認め、保護を受けました。阮朝の時代に、ベトナム人は中国からの独立的地位を失うことになります。結局、ベトナム人は地政学的な近接性から、中国の影響力を排除することはできなかったのです。そして、19世紀以降、ベトナムはフランスによって植民地化されます。

標準的なベトナム人はキン族とも呼ばれ、ベトナムの全人口の約9割を占めます。キン族は漢字で「京族」と書き、ハノイなどの「都市部に住む人」という意味があると考えられます。彼らは中国人と混血したベトナム人です。ムオン族はキン族から派生した同系民族で、西方の山岳部に居住しており、キン族が中国化されたのに比べ、ムオン族は独自の民族性を保っています。その他、中国南方に由来する少数民族ミャオ族やザオ族などをはじめ、山岳部を中心に、50以上の少数民族が分布しています。タイ人やクメール人も居住しており、少数民族の1つに数えられます。

SECTION
9
タイ人、ラオス人
「東洋のユダヤ人」と呼ばれた中国系との混血

❖タイ人はどこからやって来たのか

タイなど東南アジアの国々の街を歩くと、東南アジアらしい肌の色の黒い人と中国人や日本人と変わらないような肌の色の白い人がいます。ベトナムのハノイでは、肌の色の白い人が圧倒的に多く、タイのバンコクでは、肌の色の黒い人の割合が多くなり、カンボジアのプノンペンでは、さらに、その割合が多くなります。

ベトナム北部（紅河デルタ地帯）の人々はほとんどが中国系の血を引いています。そのため、中国人と同様に肌の色が白い人が多いのです。では、タイ人の肌の色の白い人たちも、ベトナム人と同じく、中国系の血を引いているのでしょうか。

タイ人の源流はタイ族にあります。タイ族は言語的にタイ・カダイ語族に属します。タイ・カダイ語族は一般的にオーストロアジア語族に近いとされますが、研究者によっては、シナ・チベット語族に近いとされることもあります。タイ人は遺伝子的には、オーストロアジア語派

図9-1 ｜ 東ユーラシアの主な語派

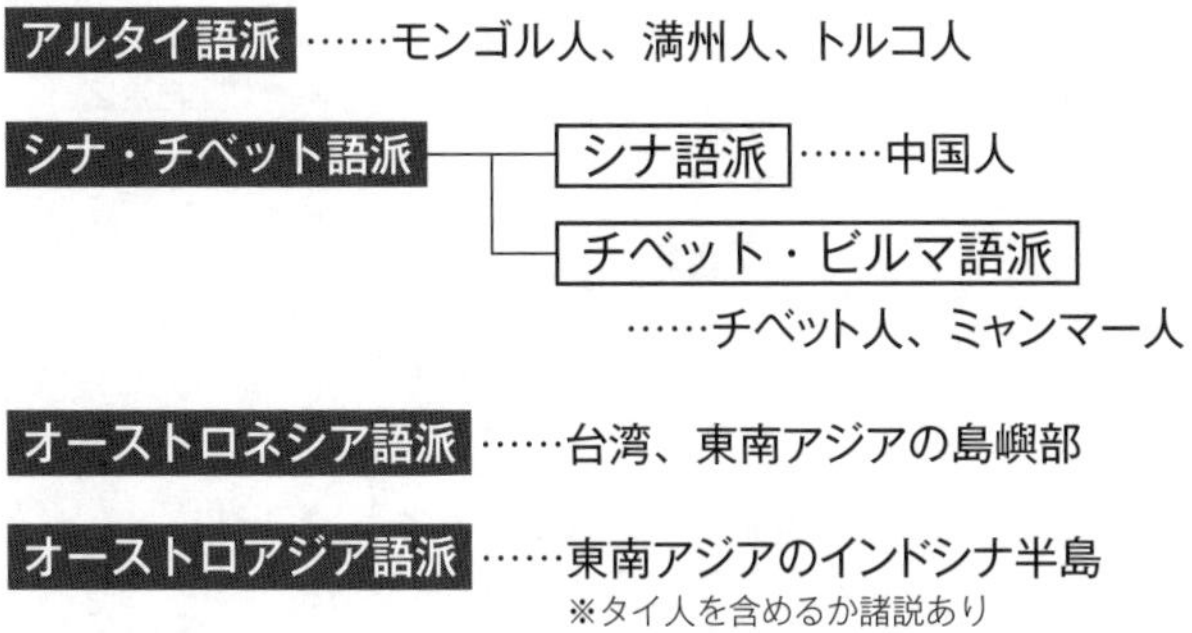

アルタイ語派……モンゴル人、満州人、トルコ人

シナ・チベット語派
- シナ語派……中国人
- チベット・ビルマ語派……チベット人、ミャンマー人

オーストロネシア語派……台湾、東南アジアの島嶼部

オーストロアジア語派……東南アジアのインドシナ半島
※タイ人を含めるか諸説あり

の遺伝子と中国系の遺伝子が同頻度で観察されます。

タイ族はもともとタイにいたわけではありません。タイ族は中国南部の広西チワン族自治区からベトナム北部に分布しており、唐王朝時代の7世紀以降、中国人の進出に追われて、ラオスやタイ方面へ移動したと考えられています。広西チワン族自治区のチワン族が使うチワン語はタイ・カダイ語族に属し、チワン族はタイ族と深い関わりがあります。あるいは、タイ族そのものの子孫と言っても過言ではありません。ちなみに「タイ・カダイ語族」の「カダイ」とは漢字で「仡央」と書き、広西など中国南部地方のことを指します。

チワン族は広西チワン族自治区のみならず、雲南省西部や広東省東部、貴州省南部などの周辺省にも分布し、約2000万人いるとされ（混血も含めるともっと多い）、中国最大の少数民族です。漢字では「壮族」と記されます。チワン族独自の言語や風習を持ちますが、中国人との同化が進み、漢字を用い、宗教も道教を奉じています。遺伝子的に

図9-2｜タイ族の南下

は、オーストロアジア語派の遺伝子と中国系の遺伝子が同頻度で観察され、タイ族と同じ構造です。

7世紀に、ラオス・タイ方面に南下したタイ族はメコン川上流域地帯に部落を形成し、インドシナ半島の原住民クメール人（カンボジア人）の真臘王国に従属します。9世紀、真臘王国はアンコール王朝に発展し、強大化します。タイ族はクメール人に従属し続け、クメール人との混血も進みます。タイ語もクメール語の影響を受け、進化していきます。

メコン川上流域地帯にいたタイ族は8世紀以降、強大化した雲南の南詔（SECTION3参照）の侵攻を受けます。タイ族はチベット系の雲南人とも混血します。さらに、13世紀、モンゴル人の雲南侵入で、雲南人や南方中国人が大量にタイへ南下し、タイ族と混血します。この時、タイ族としての純血はほとんど失われたと考えられます。

しかし、タイ族は雲南人や南方中国人に屈服する形ではなく、彼らを自らの社会に受け入れる形で発展していきました。決して、タイ族としてのアイデンティティを失ったわけではありません。その証拠に、アンコール王朝が13世紀に弱体化すると、タイ族は独立し、タイ北部に最初の王朝となるスコータイ朝を創始します。スコータイ朝の第3代王ラーマ・カムヘンはタイ人の民族意識を高揚させるため、クメール文字を改変して、タイ文字を制定しました。これによって、タイ文字・タイ語を使うタイ人という民族の括りが明確に定まったのです。

❖タイ王室には中国人の血が入っている

ラーマ・カムヘンは元王朝に対抗するため、タイ人の団結を呼び掛けます。モンゴル人に追われ、タイへ逃れてきた雲南人や中国人を積極的に取り込み、彼らはスコータイ朝のもとでタイ人となります。

タイ族は大量の中国系を取り込んでも、決して彼らの民族文化、漢字や儒教を受け入れず、むしろ彼らをタイ文化に同化させました。タイ人の強力な同化力は仏教によるものです。マレーシアやインドネシアなどでは、中国人移民はイスラム教を中心とする現地文化には同化せず、今日に至るまで両者の確執・対立が政治的にも経済的にも続いています。しかし、タイでは、仏教が異民族や異文化の相違を包容していくのです。

雲南人や中国人を受け入れたタイは急速に発展していきます。他方、カンボジア（アンコール朝）とミャンマー（パガン朝）はモンゴルの侵攻を直接被り、衰退していき、相対的にタイの地位が高まりました。

スコータイ朝に続き、14世紀にアユタヤ朝が成立し、タイ人勢力はチャオプラヤー川流域に拡大していきます。アユタヤ朝は海洋交易で繁栄します。今日、タイにいる中国系の大半は広東省の出身者で、アユタヤ朝時代にも多くの広東の中国人がタイに移住しました。

アユタヤ朝は1767年、ミャンマーのコンバウン朝に滅ぼされます。タイ人はミャンマー人に反撃します。この時、タイ人を率いて戦ったのが中国系のタークシン（中国名：鄭信）でした。タークシンの父が広東東部の潮州の出身者で、母がタイ人でした。タークシンは同郷の潮州人を集めて軍団を結成してミャンマー人を撃退し、バンコクに1767年、トンブリー王朝を建設。タイやラオス、カンボジアの一部まで制圧しました。

バンコクの西部にトンブリー地区という一画があります。この地区に、タークシンの王宮が置かれたことに、「トンブリー」の名は由来しています。「トンブリー」とは「金の都」という意味です。ちなみに、「バンコク」とは、タイ語の「バーング」で「水辺の」を意味し、「コーク」はウルシ科の樹木を意味するので、「漆の生い茂る水辺」という意味になります。

トンブリー王朝は実質的には、タイ人の王朝ではなく、タークシンら中国系の王朝でした。このような中国系王朝が成立し得たことは、中国人勢力がタイの中にいかに深く入り込んでいたかを示しています。この時代には、タイ人は完全に中国人と混血していました。「タイ人で中国人の血が入っていない人を探すほうが難しい」といわれる所以です。

タークシンはアユタヤ王朝の血を引いていない中国系であったため、タイ人民衆から王位簒奪者と陰口を叩かれました。そのため、タークシンは精神を病んだとされます。タークシンの武将であったチャクリは人望を失ったタークシン王を追放・処刑します。トンブリー王朝はわずか15年で幕を閉じます。チャクリはラーマ1世として国王に即位し、チャクリ王朝（バンコク朝）を開き、今日のラーマ10世まで続くタイ王室の祖となります。ラーマ1世はアユタヤ朝王族の血を引いているとされます。彼の母は中国人ですが、男系ではアユタヤ王族の子孫であったので、彼の血統は問題にはなりませんでした。一方、タークシンの場合は男系の血統が中国人であったため、問題になったのです。

ラーマ1世の子のラーマ2世の正室の1人が中国人で、この正室の子が王位を継ぎます。つまり、中国人の血がタイ王室には入っているのです。今日、タイの財閥など財界を仕切っているのは中国系です。財界だけではなく、政界もそうです。ピブーン、タノム、チャートチャーイ、チュワン、バンハーン、タクシン、アピシット、インラックら長期政権を率いた首相たちのほとんどが中国系です。歴代閣僚や有力政治家にも、中国系が多くいます。かつて、ラーマ6世（在位1910年～1925年）は中国系を「東洋のユダヤ人」であるとして批判しました。

今日、中国は雲南省→ラオス→タイのルートで鉄道建設を進め、インドシナ半島縦断政策を「一帯一路」の一環として、タイとの経済連携を強めようとしています。このような中国資本の進出に対して、タイ人は一定の警戒心を抱いていますが、中国と強いつながりを持つタイ人がどこまで抵抗できるかは疑問です。

❖もう1つのタイ人、イサーン人

バンコクやパタヤで、肌の色の黒い出稼ぎ労働者に出身地を尋ねると、その多くが「イサーン」と答えます。彼らは「イサーン人」と呼ばれます。イサーンはタイの東北部地域で、タイ全土の3分の1の面積を占め、人口も3分の1を占めます。イサーンは貧しい地域で、言葉やアクセントもタイ標準語とは異なるため、バンコク人などから「田舎者」と差別されます。

イサーン人は純朴で楽天的、バンコク人とは気質が明らかに異なります。「イサーン」の名はカンボジアの真臘王国の王都「イシャーナプラ」に由来するとされます。その由来の通り、イサーンはかつて、真臘王国やアンコール王朝などのクメール人の支配領域でした。

イサーンの西の端に、コラート（ナコーンラーチャシーマ）という街があり、ここから東北へ約60キロメートルのところにピマーイ遺跡という11世紀に建設されたクメール建築の遺跡があります。この遺跡はアンコール・ワットとの共通点を多く持ちます。イサーンにこのような遺跡が存在するのは、もともとこの地がクメール人の領域であったことを示しています。

イサーンの人々の肌の色が黒いのは、オーストロアジア語派のクメール人と混血をしたことが原因の1つです。彼らは顔形もカンボジア人によく似ています。南イサーンには、クメール語を話すクメール系も多くいます。

一方、北イサーンには、ラーオ語（ラオス語）に近い言葉が話されており、民族的にも、ラオス人に近くなります。前述の通り、7世紀に、タイ族はラオス・タイ方面に南下し、メコン川上流域地帯に移住しました。彼らの中で、東に移動した人々がラーオ族となります。「ラーオ」とは「貴い人々」という意味の言葉で、彼らがそのように自称したと考えられます。後に、フランス人がLao（ラーオ）に、複数のsをつけて、Laos（ラオス）としたのです。

図9-3 イサーンの地域

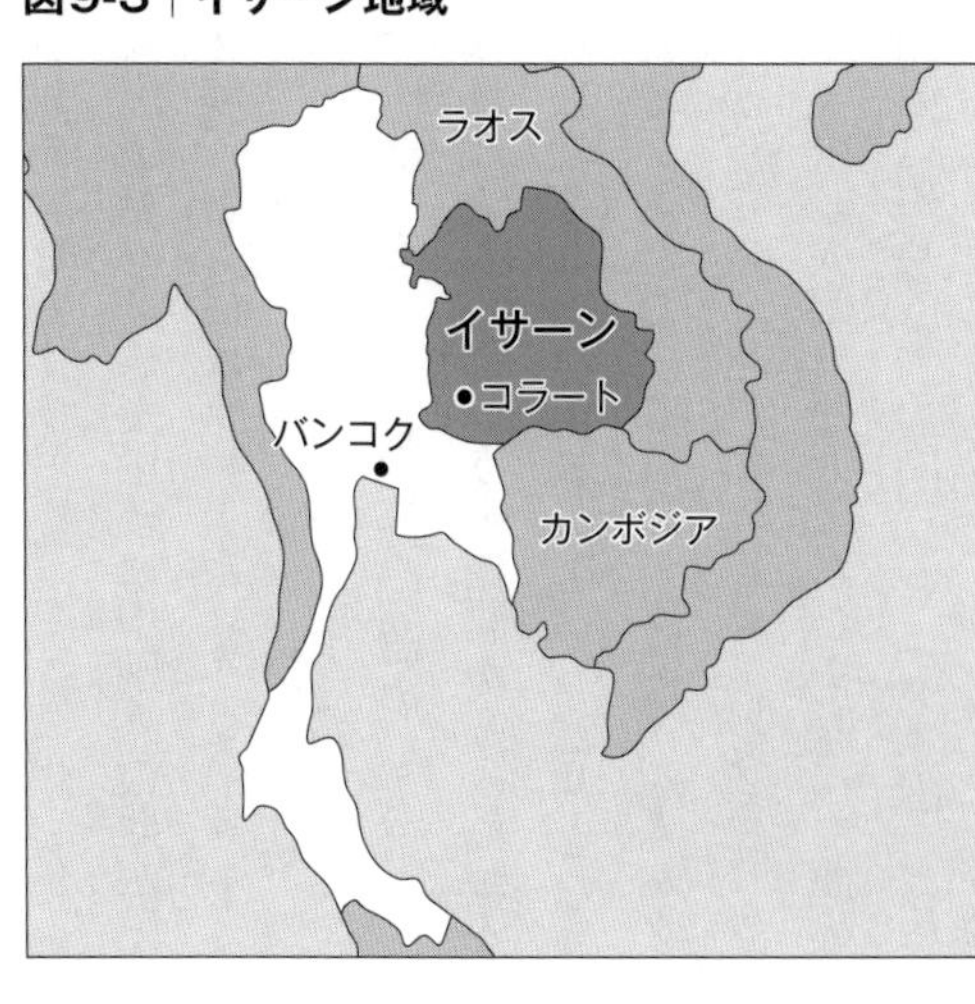

ラーオ族はタイ人と同じく、タイ族を祖とする民族です。ラーオ族もやはり、タイ人と同じく、中国系と混血しますが、ラオスへの中国系の移住者がタイほどには大量ではなかったため、彼らはタイ人以上にタイ族としての血を濃く残していると考えられます。

ラーオ族はイサーン北部に南下・移住し、この地でタイ人と混血しました。イサーン北部のラーオ系やその混血の子孫たちは肌の色は黒くはありません。イサーン人と一括りにしても、北部のラーオ系の血が入っている人々と南部のクメール系の血が入っている人々とは、肌の色や外見が異なります。

タイ人はタイ族を中核に中国人の血が圧倒的に多く入り込み、チベット人、クメール族やラーオ族、さらにはマレー人（オーストロネシア語派）などの血も含む混血民族です。タイ政府によると、「タイ民族」とはタイ国籍を持っているすべての人々のことと定義されています。

「タイ」という言葉は中国語の「大（dai）」が訛って、タイ（thai）となったとされます。「大」の字は「大人」という中国語からもわかるように「立派な」という意味があり、それが転化して「奴隷でない自由人」という意味となります。かつて、タイは「シャム（サイアム）」とも呼ばれていました。これは、クメール人がタイ族のことを「シャン」と呼んでいたことに由来しますが、この「シャン」にどういう意味があったのかはよくわかっていません。また、「シャム」はクメール人が異邦人に対して呼んだ蔑称でもあったので、この呼び名を避け、1939年、当時の首相ピブーンが国号を「タイ国（Thailand）」に定めます。この時、「タイ」は「自由な人々の国」という意味であると説明されました。

❖ラオス人の三区分

ラオス人の多くは7世紀以降、現在のラオスに移住したタイ族の一派です。したがって、タイ人とは同源の祖を持っています。しかし、タイ人が前述の通り、相当数、中国人と混血していくのに対し、ラオス人はタイ人ほどには、中国人と混血しませんでした。中国人は山岳部のラオスを越えて、豊かな平野部のタイに移住したからです。そのような意味でも、ラオス人のほうが「原タイ人」に近いといえます。

ただ、タイ族を祖とするラオス人はラオスの先住民族ではありません。ラオスには、もともとオーストロアジア語派のモン人が住んでいました。モン人はモン・クメール系民族に属し、インドシナ半島の原住民であるクメール人（カンボジア人）に近く、彼らの言語であるモン語もモン・クメール語族という1つのカテゴリーに括られます。

モン人はラオスやタイ北部、ミャンマーに至るまで、広範囲に分布しており、今日では、ラオスやミャンマーに約100万人程度いるとされます。特に、ラオスは人口700万人しかいない中で、モン人の人口が約100万人程度いるというのは少なくない割合です。

ラオス人は低地ラオス人、丘陵地ラオス人、高地ラオス人に大別できます。低地ラオス人は平野部に住む多数派で、タイ族系民族です。タイ族系民族が7世紀以降、ラオスに移住するなかで、少数派で先住民族のモン人が山岳部に追いやられていきます。モン人は仕方なく、山岳の中腹部に住んだため、「丘陵地ラオス人」と呼ばれるのです。

高地ラオス人は山岳部の頂上付近に住みます。彼らは少数派で、チベット・ミャンマー系民族です。18世紀、中国の清王朝の乾隆帝は雲南省やミャンマー方面に侵攻しました。この中国の侵略からラオスに逃れた人々の子孫が高地ラオス人です。その後も20世紀に至るまで、雲南からチベット・ミャンマー系民族がラオスへと逃れます。現在、高地ラオス人はミャンマーの全人口の中でおおよそ1割を占めるとされます。

低地ラオス人、丘陵地ラオス人、高地ラオス人はそれぞれ別の言語を持ちますが、低地ラオス人の言語であるラーオ語が公用語に定められています。ラーオ語はタイ族の言語であるため、タイ語と同一言語系統です。ラーオ語の話者とタイ語の話者は互いに方言の隔たり程度の違いがあるものの、会話をすることができます。

ラオスを歴史的に支配したのはタイ族系民族の低地ラオス人（ラーオ族）です。ラーオ族は14世紀に統一王朝ランサン王国を建国し、16世紀に首都をヴィエンチャンに定め、全盛期を迎えています。しかし、18世紀に王朝が分裂して以降、急速に衰え、タイの支配を受けることになります。タイ人はラオス人を「田舎者」と露骨に蔑視することが続きます。

19世紀、ラオスの王族はタイの支配から逃れようとし、フランスに頼りました。しかし、フランスは実際には、ラオスへの植民地支配を強化していき、1899年、フランス領インドシナに編入します。第二次世界大戦中、日本がフランスを排除しますが、戦後、再びラオスはフランスに支配されます。インドシナ戦争を経て、1953年、フランス・ラオス条約により、ラオスは正式に独立します。

SECTION 10
ミャンマー人
チベット系とオーストロアジア語派の混血、そして少数民族問題

❖ビルマ族はどこからやってきたのか

今日、中国はマラッカ海峡が使えなくなった時に備え、代替ルートとして、ミャンマーのラカイン州にチャウピューという港を建設し、ラカイン州↓マンダレー↓雲南省に至るルートを開発しています。ミャンマー中部の都市マンダレーは中国へと至る要衝の地で、第二次世界大戦中、「援蒋ルート」（米英などが重慶にある蒋介石政権へ支援物資を送ろうとしたルート）の拠点となったことでもよく知られています。

現在、中国系企業がマンダレーの郊外一帯を取り囲むように占拠し、多くの中国人（同市の人口の2割に相当する約20万人）が居住し、事実上、中国の植民都市と化しています。中国のミャンマー進出は着々と進んでいます。

ミャンマー人もタイ人と同じく、中国系の血が多く入り込んでいるのでしょうか。ミャンマーを流れるエーヤワディー川（イラワディ川）の中流には、原住民族のピュー人、下流には、同

図10-1｜ビルマ族の南下

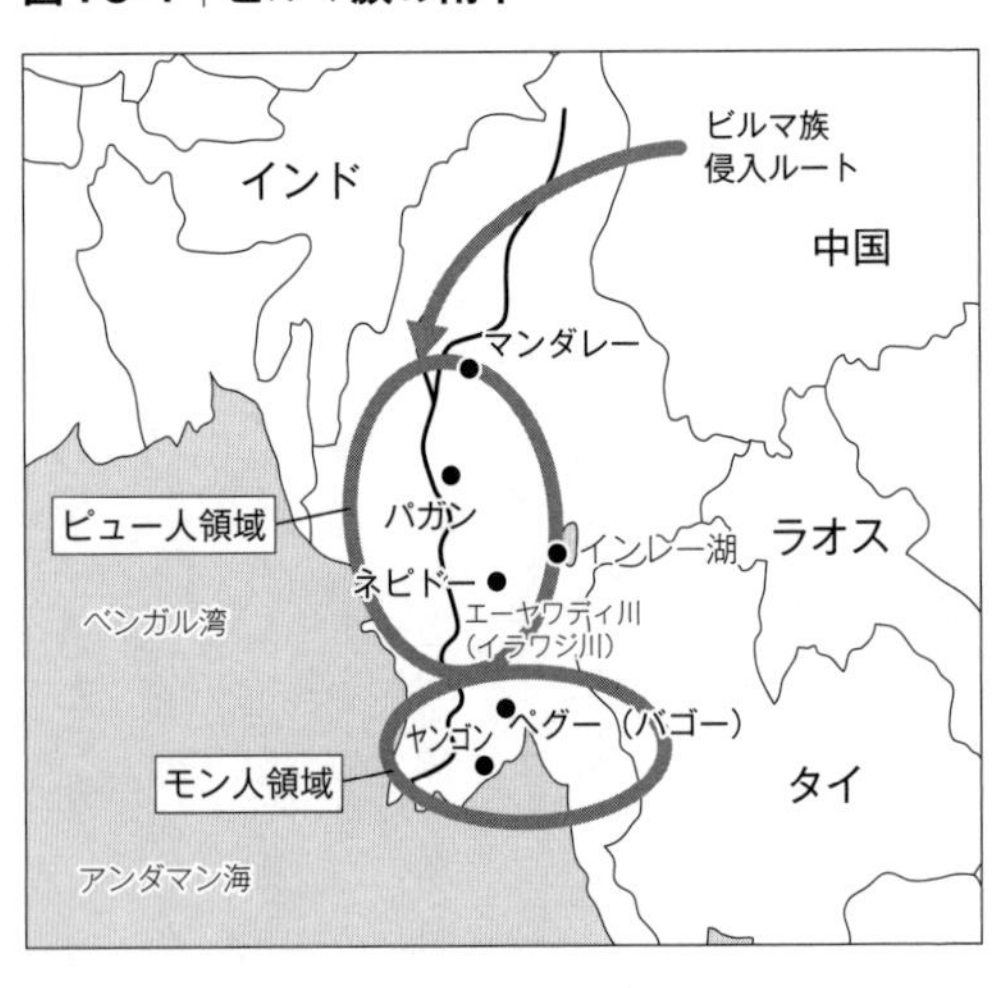

じく原住民族のモン人がいました。

そして、パガン朝などのミャンマー統一王朝を創始するのがビルマ族です。ビルマ族はもともとミャンマーに住んでいたのではありません。ビルマ族の先祖は氐（てい）族というチベット人で、春秋戦国時代から陝西省、甘粛省、青海省一体で遊牧生活を営んでいました。

氐族が歴史の表舞台に登場するのは4世紀の五胡十六国時代で、氐族の苻堅（ふけん）が前秦を建国し、一時、中国北部を統一したことがよく知られています。この時、氐族と漢民族との混血がかなり進んだと思われます。

その後、一部の氐族は雲南へと南下し、南詔（SECTION3参照）を建国したチベット・ビルマ系勢力の一部となります。さらに、氐族は南詔の一部の勢力とともに8世紀～9世紀頃、ミャンマーへ南下し、独自の勢力圏を拡げていきます。彼らがいわゆるビルマ族です。「ビルマ族」と言いながらミャンマーにいた民族ではなく、外来民族であったのです。11世紀、ビルマ族が原住民のピュー人やモン人を従え、統一国家パガン朝を建国します。

このビルマ族が今日、ミャンマーで最も多数派で全人口の約7割を占めます。ビルマ族において、漢民族に特徴的なY染色体ハプログループO2が40%近く、最も高頻度に観察され、その次に、チベット人に特徴的なY染色体ハプログループDが20%近く観察されます。これは、チベット・ビルマ系である彼らが、中国に深く関わりながら、南方のミャンマーにまで拡散してきたという歴史に符号する遺伝子の構成であるといえます。

ちなみに、タイ人はハプログループDが3%近くしか観察されず、チベット人の血統をビルマ族ほどには受け継いでおらず、漢民族に特徴的なハプログループO2の割合が高くなります。

ビルマ族は氏族とほとんど同じ遺伝子構成を持ちますが、氏族と異なり、ビルマ族は、Y染色体ハプログループKが18%近く観察されます。ハプログループKは最も古い層の遺伝子で、インドや中東に由来し、インド人にも高頻度で観察されます。ビルマ族がハプログループKを受け継いでいるのは、隣接地域のインド人との混血も進んだからです。実際に、インド人に容貌が近似するミャンマー人も少なくありません。

ビルマ族はモン語の碑文で、「Mirma（ミルマ）」と呼ばれており、それには「強い」という意味があるとされます。「ミルマ」が転じて「ミャンマー」となります。

「ミャンマー」と「ビルマ」の表記の違いについてですが、古くから、書き言葉（文語）では「ミャンマー」が使われ、話し言葉（口語）では「バマー」が使用されてきました。国際社会で「バマー」を英語化した「Burma（バーマ、ビルマ）」が一般的に使われ、日本でも「ビルマ」が使われてきました。ミャンマーの軍事政権は1989年、国号を文語の「ミャンマー」に統一すると宣言し、それ以降、「ミャンマー」が使われるようになります。

❖パガン遺跡はピュー人の世界観を表わす

ビルマ族が11世紀につくった統一国家パガン朝は「バガン」と表記されることもあります。パガンは「ピューの集落」を意味する「ピュー・ガーマ」に由来します。「ピュー・ガーマ」というもとの意味を踏まえれば、パガンは「バガン」ではなく、「パガン」と表記すべきでしょう。

パガン朝の建国者アノーヤターはピュー人やモン人が信仰していた仏教を保護し、モン文字を改良して、ミャンマー文字としました。また、ピュー人からは高度な建築技術や農業技術を吸収し、壮大なパガン遺跡を建設しました。

パガン遺跡はカンボジアのアンコール・ワット、インドネシアのボロブドゥールとともに、世界三大仏教遺跡の1つに数えられます。約40平方キロメートルもの広大なエリアに、約3000を超えるパゴダ（仏塔）や寺院の遺跡が散らばっています。これほどの大規模な遺跡群でありながら、パゴダの修復方法に問題があったために世界遺産として認められませんでしたが、ようやく2019年に世界遺産に登録されました。

パガン遺跡は未だ、ほとんど観光化されておらず、遺跡が無造作に放置されて、自由に触ったり、進入したりすることができるのが魅力です。

パガンはミャンマーの原住民ピュー人の高度な建築技術によって建設されました。パガンの独特のデザインや世界観はピュー人の世界観そのものを表わしています。

ピュー人は4世紀からイラワディ川（エーヤワディー川）の中流域一帯に、多くの城郭都市を形成しました。インドとの貿易で栄え、中国の史書には「驃（ひょう）」という名で記されています。強勢を誇ったピュー人の勢力でしたが、8世紀に、中国南部の南詔によって攻められ、衰退していきます。

ピュー人の衰退とともに、ビルマ族がミャンマーに南下し、前述のように、ピュー人を支配していきます。ビルマ族は原住民のピュー人の高度な建築技術を基に、大規模な公共事業を推進し、ピュー人を積極的に雇い入れ、懐柔しました。ピュー人はビルマ族の強い政権運営力に依存し、彼らに協力をします。こうして、壮大なパガンの仏教寺院やパゴダが建設されていきます。建設に従事することにより、ピュー人は生活の糧を得ると同時に、信仰心を満たすことができました。ビルマ族は壮大な建築物の建立で強い力を誇示しながら、地域の安定をもたらし、仏教を保護しました。こうしたことから、パガンは外来のビルマ族と原住民のピュー人の融合の産物ということができます。

ピュー人はビルマ族と混血し、同化します。一方、モン人はビルマ族に支配されながらも、独立したコミュニティを保ち、彼らに対抗しますが、18世紀、コンバウン朝に征服されて以降、ビルマ族と混血同化していきます。

ピュー人がすぐにビルマ族と同化したため、また、ピューの言語がチベット・ビルマ系に近いため、ピュー人をチベット系民族と見る説もありますが、ピュー人の、この地域における古代からの土着性や、オーストロアジア語派のモン人との文化の共通点などを考慮すれば、民族的にはオーストロアジア語派に近いと考えられます。ピュー人は古代からインド文化を積極的に受け入れており、その意味では、インド人の血も引いています。いずれにしても、ピュー人がチベット化されるのは、ビルマ族と混血同化していく8世紀〜9世紀以降のことです。

チベット人、中国人、インド人、オーストロアジア語派などの様々な民族の混血が進み、複合民族としてのミャンマー人が形成されます。ミャンマー人は中国とも交易をし、彼らとも混血しましたが、地政学的に、タイ人ほどには中国人との関係性は強くなかったといえます。

❖「ミャンマーの主はミャンマー人である」

パガン朝は約250年間続きましたが、1287年、元王朝のフビライによって滅ぼされます。その後、ミャンマーはタイのアユタヤ朝に支配されますが、16世紀前半、トゥングー朝が成立しました。トゥングー朝はミャンマー南部のペグー（バゴー）を都として栄えますが、1752年、モン人の反乱で滅びます。ミャンマー人は武将のアラウンパヤーの主導で同年、モン人を撃退して政権を奪還し、アラウンパヤーが王となり、コンバウン（アラウンパヤー）朝が創始されます。コンバウン朝は強大化し、アラウンパヤーの子の時代の1767年に400年以上続いたタイのアユタヤ朝を滅ぼします。

この頃、イギリスのインド支配が本格化し、イギリス資本の流入でインド経済が興隆します。隣国のミャンマーにも好景気が波及し、コンバウン朝が急激に強大化しました。しかし、19世紀には、ミャンマーはイギリスによって植民地化されます。イギリスの過酷な植民地支配に対し、ミャンマー人の反英闘争が続きます。イギリスはそれらを武力で制圧しました。

1930年、タキン党が結成され、独立運動を推進していきます。「タキン」とはミャンマー語で「主人」の意味で、「ミャンマーの主はミャンマー人である」というスローガンを掲げていたことから、このように命名されました。このタキン党に、スー・チー女史の父のアウン・サンも加わります。若きアウン・サンは頭角を現し、1938年、同党の指導者となります。

アウン・サンはイギリス当局に追われる身となり、1940年、日本に亡命します。日本名を「面田紋二」と名乗っていました。アウン・サンは日本の支援により、タイのバンコクで、ビルマ独立義勇軍（BIA）を創設します。そして、1942年、日本軍と協力して、イギリス軍をミャンマーから撤退させます。翌年、日本の後押しで、ビルマ国が建国されます。

しかし、アウン・サンは日本の支援に懐疑的で、裏では共産党や民族主義者らと連携し、日本を裏切る計画を立てていました。1944年、インパール作戦の失敗によって、日本が劣勢に追い込まれると、反ファシスト人民自由連合（AFPFL）を結成し、自ら総裁に就任して、反日闘争をはじめます。

アウン・サンは日本からも干渉されることのない、真のミャンマー独立を目指したように見えますが、かつての敵であったイギリス軍に協力しています。アウン・サンは日本に協力した戦犯として裁かれることを恐れていたのです。また、イギリスとの戦後交渉を有利に進めようという意図をもって、協力しましたが、その期待は裏切られます。戦後、イギリスはミャンマーの独立を許さず、植民地支配を続けます。

しかし、イギリスはインドにおける独立闘争の拡大を抑えることができず、苦境に追い込まれていきます。アウン・サンはこれを好機と見て、イギリスと独立の交渉を進めます。イギリスは１９４７年1月に、1年以内の独立をアウン・サンらに約束しました。

その半年後の7月、アウン・サンはウー・ソーの一味によって暗殺されます。ウー・ソーはイギリスにすり寄り、１９４０年、首相になった人物で、その後、日本の攻勢が強まると、日本に協力しています。ウー・ソーがなぜ、アウン・サンを殺さなければならなかったのか、その理由について、はっきりとわかっていません。イギリスが暗殺の黒幕であったとする説など、様々な説があります。

アウン・サンの死去後、ミャンマーの独立運動の機運はますます高まり、イギリスは約束通り、１９４８年1月、ミャンマーの独立を認めました。ミャンマーは独立したものの、共産主義者たちや地方の少数民族が新政権に従わず、抵抗しました。こうした反政府勢力を抑えるためにも、軍部（ミャンマー国軍）の力が強化されました。特に、戦前から独立闘争を続けてきた、かつてのタキン党や反ファシスト人民自由連合（AFPFL）の兵士たちがミャンマー国軍の幹部要職に就き、大きな発言力を持ち、政治にも介入していきます。今日まで続く、ミャンマー国軍の強い権力基盤は独立ミャンマーの発足時からの特徴です。

２０２１年2月1日、ミャンマーで軍部クーデターが起こり、民主化の象徴のアウン・サン・スー・チー国家顧問らが拘束されました。クーデターに抗議する市民たちが大規模なデモを展開するなど、未だ、混乱が収束していません。これまでも、ミャンマー軍部はスー・チー女史を繰り返し拘束し、国際社会からの非難を浴び続けてきましたが、軍部の力が強大になり過ぎ、政権が安定しません。

❖ミャンマーの少数民族

ミャンマーでは、ビルマ族が多数派で全人口の約70％を占めます。そのほか、少数民族として、シャン族が約９％、カレン族が約７％、ラカイン族が約３・５％、モン族が約２％、カチン族が約１・５％と続きます。

シャン族はタイ人のシャム族のことで、シャン州を中心とするタイとの国境地帯に分布します。ミャンマー東南部のタイとの国境地帯に居住するカレン族はビルマ族と近似するチベット・ビルマ系の少数民族です。ビルマ族から分離派生したのか、もともとビルマ族とは独立してい

図10-2｜ミャンマー少数民族の居住する州

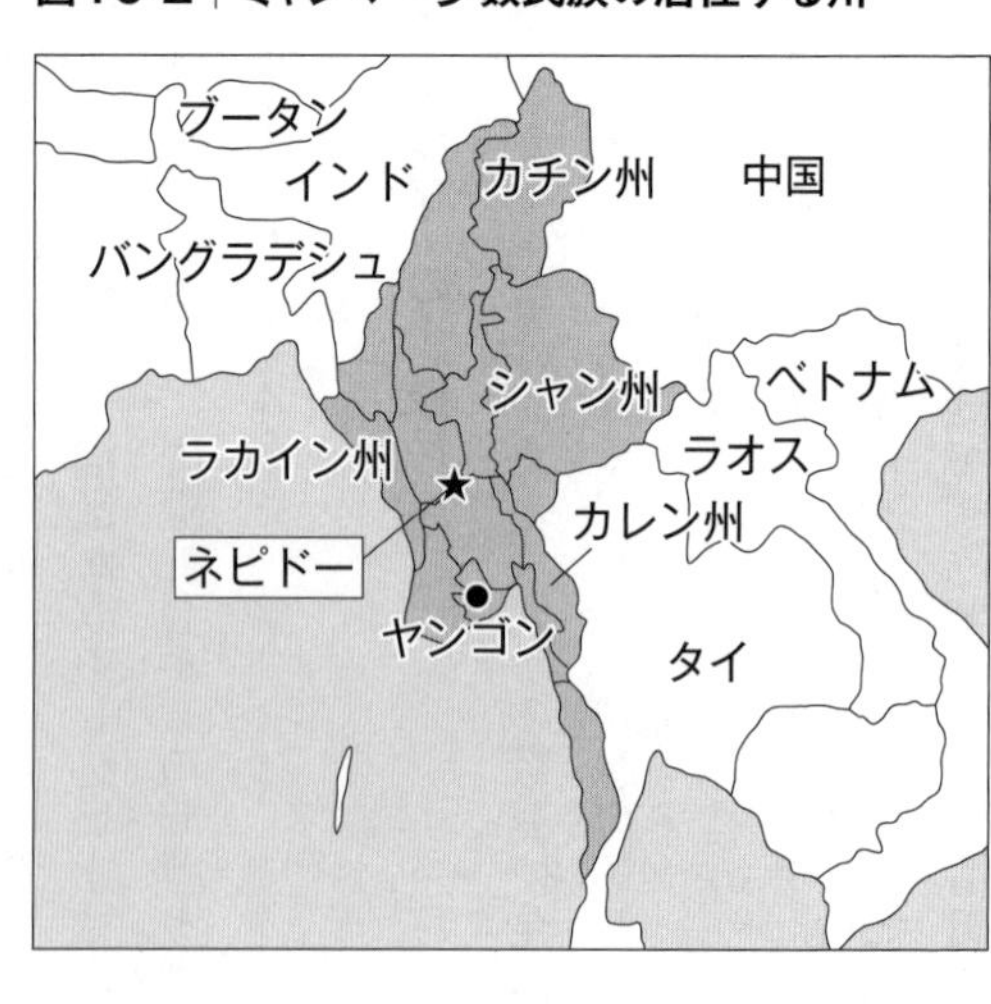

たのか、詳しいことはわかっていませんが、彼らの言語であるカレン語はチベット・ビルマ語族に分類されます。カレン族は、自らの祖先は中国西南部からやって来たと主張しており、ビルマ族と同じく、実際に、そうであったと考えられています。

さらに、カチン族という似たような名を持つ部族もいます。カチン族はミャンマー最北のカチン州に分布しています。やはり、彼らもビルマ族と近似するチベット・ビルマ系で、カレン族と同じく、どのようにビルマ族と分離したのか、詳しくはわかっていません。

これらシャン族、カレン族、カチン族はミャンマー政府に服属せず、2021年2月の軍部クーデター後、ミャンマー政府からの分離独立の動きを強めています。政府軍と軍事衝突もしており、ミャンマー軍は空爆で応酬しています。このような少数民族の独立闘争への対応もまた、軍部の力を強める原因になっています。

モン族はビルマ族に抵抗し続けてきたオーストロアジア語派のモン人の生き残りで、ミャンマー南部に分布し、独自の風習や言語を維持しています。

　ロヒンギャ族の難民問題はコンバウン朝時代の18世紀にルーツがあります。ミャンマー西部のラカイン州には、イスラム教徒でインド系のロヒンギャ族がいました。コンバウン朝は18世紀後半にラカイン州を併合、弾圧を恐れたロヒンギャ族はバングラデシュ方面へ逃れます。19世紀にイギリスが侵攻し、コンバウン朝が滅びると、バングラデシュに逃れたロヒンギャ族がミャンマーのラカイン州に帰りました。この時、ラカイン州の人々とロヒンギャ族が対立します。この対立はイスラム教と仏教の宗教戦争の性格を帯びて激化し、今日に至ります。

　ミャンマー政府はロヒンギャ族をバングラデシュからの移民と見なし、ミャンマー国民と認めていません。2017年の夏、ロヒンギャ族とみられる武装集団が警察施設を襲撃したことをきっかけに、ミャンマー軍が反撃をします。ミャンマー軍によって迫害されたロヒンギャ族、約40万人がバングラデシュに避難し、事態が泥沼化しています。

　国際司法裁判所はロヒンギャに対するジェノサイド（虐殺）が行なわれていると指摘し、ミャンマー政府に対して、それを止めるように要請していますが、ミャンマー政府は「状況が歪められている」として応じていません。

SECTION 11

マレー人、インドネシア人、フィリピン人①

彼らは台湾から拡散したのか

❖マレー人やインドネシア人は台湾からやってきたのか

東南アジアの民族はオーストロアジア語派とオーストロネシア語派の2つの系統に大きく分かれます。オーストロアジア語派はインドシナ半島に分布し、オーストロネシア語派はマレーシア、インドネシア、フィリピンなどの島嶼部に分布しています。

オーストロアジア語派の民族の源流は長江流域にありました。長江流域では、長江文明が形成され、ここから稲作文化が日本にも伝わりました。長江のオーストロアジア語派は起元前2500年頃から、南方にも拡散分布していきます。彼らはメコン川流域に沿って、インドシナ半島全域に拡がり、さらにインド東部のガンジス川流域にも到達します。

その後、中世に、雲南からチベット人や中国人が流入し、ミャンマーを中心とするインドシナ半島西部はシナ・チベット語派の分布地域になり、カンボジアを中心とするインドシナ半島東部がオーストロアジア語派の主な分布地域になります。したがって、オーストロアジア語族に属する言語はカンボジア語とベトナム語です。カンボジアは民族としても、オーストロアジア語派の血統を濃く受け継いでいますが、ベトナム人は中国人の血がかなり入っています。

タイ語やラーオ語（ラオス語）のタイ・カダイ語族をオーストロアジア語族に含めるかどうかは議論のあるところですが、多くの言語学者が本質的にオーストロアジア語族と同質であると指摘しています。少なくとも、タイ語やラーオ語はチベット語族のミャンマー語などとは大きな乖離があります。

一方、島嶼部の勢力であるオーストロネシア語派の分布地域は東南アジアだけでなく、台湾やオセアニア・太平洋の島々、アフリカ東部のマダガスカル島にも及びます。オーストロネシア語派はマレー・ポリネシア語派とも呼ばれます。その分布範囲は極めて広いにもかかわらず、民族的な遺伝子も近接し、それぞれの言語は文法や語彙に多くの共通点が見られ、同一の祖語から派生したことが確実視されています。

オーストロアジア語派の源流と波及拡散については前述の通り、ほぼ解明されているのですが、オーストロネシア語派については、民族の源流がどこにあったのか、はっきりとわかっていません。かつては雲南に起源があるとする説が有力視されていましたが、今日では否定されています。インドネシアのスマトラ島とジャワ島を起源とする説は有力視されており、海洋民族としての地理的条件にも適合しています。起元前２５００年頃、同地域から東南アジア島嶼部全域に拡散していったと考えられています。また、オーストロネシア語派が東方のオセアニアへ拡散したことなども考慮すれば、この地域を起源とすることに説得力もあります。

しかし、1990年代、オーストロネシア語派の祖族は台湾にいたとする説が世界の学会で相次いで発表され、台湾起源説が今日では有力視されています。台湾では、5000年以上前の紀元前3000年頃の新石器文化の遺跡が見つかっており、その後、起元前2500年頃から東南アジア島嶼部で新石器文化がはじまり、また、同時期に、オーストロネシア語派の移動拡散もはじまっています。このことから、台湾にいたオーストロネシア語派の民族が新石器文化を持って、南方に拡散したと見られているのです。

ただし、この説は東南アジア島嶼部で、紀元前3000年頃よりも前の新石器文化の遺跡が見つかっていないことを前提にしています。しかし、東南アジア島嶼部では、先史時代の調査がほとんど進んでいないため、そうした遺跡がこの地域に本当にないのかどうか、判然としないこともあります。

オーストロネシア語の語彙を統計的に調査すると、台湾からフィリピン、そしてインドネシアへ拡散したという言語経路の痕跡を見出すことができるとする研究成果もあり、台湾起源説を補強する材料となっています。

❖オーストロネシア語派の民族的特徴

オーストロネシア語派は3世紀頃、アフリカ東部のマダガスカルへも到達しています。マダガスカル語とマレー語との言語学的な親縁性は非常に強いことが知られており、多くのマダガスカル人の容貌は黒人よりもむしろアジア系に近く、民族遺伝子についても、オーストロネシア語派の遺伝子が高頻度に検出されます。

インドネシアからマダガスカルまで約8000キロメートル離れています。そんな距離をこの時代に航海できるはずがないと思われますが、貿易風によって一定の速度で進み、直接、インド洋を横切り、マダガスカル島まで達した可能性が高いと指摘されています。ちなみに、太平洋の東に浮かぶフィジー島もインドネシアから約8000キロメートル離れていますが、オーストロネシア語派のポリネシア人が紀元前1500年頃に到達しています。

オーストロネシア語派はニューギニアを経て、太平洋地域に拡散します。彼らはメラネシア系とポリネシア系に大別され、メラネシア系はソロモン諸島、バヌアツ、フィジーなどに分布し、ポリネシア系はハワイ諸島、イースター島、サモア、トンガ、ニュージーランドに分布します。

オーストロネシア語派はオーストロアジア語派の領域であるインドシナ半島にも進出しています。1世紀頃、彼らはメコン川下流域（カンボジア南部やベトナム南部）で扶南国を建国し、さらには、ベトナム中南部にも進出し、2世紀にはチャンパー王国を建国します。

扶南国やチャンパー王国はオーストロアジア語派のクメール人（カンボジア人）の真臘と激しく戦います。7世紀に扶南国が真臘に滅ぼされ、12世紀にチャンパー王国はクメール人のアンコール王朝に服属します。

オーストロネシア語派とオーストロアジア語派の身体的特徴について、一概にはいえませんが、オーストロアジア語派は小柄で小太りの体型の人が多く、オーストロネシア語派は頑丈な骨格で大柄な人が多いようです。特に、メラネシア系やポリネシア系などの太平洋地域のオーストロネシア語派は大柄な体格の人が明らかに多いのが特徴です。

両者の文化的な特徴としては、稲作の農耕社会を形成していたことで共通しています。オーストロネシア語派は海洋民族として独自の航海文化や漁業文化を発展させたことにおいて、純粋な農耕民であったオーストロアジア語派とは異なります。

石造りの壮大な宗教伽藍を建設したことでも、両民族は共通しています。オーストロネシア語派はインドネシアのジャワ島にボロブドゥール遺跡（仏教）やプランバナン寺院（ヒンドゥー教）を、ベトナム中部にチャンパー王国のミーソン聖域（ヒンドゥー教）を建設しています。オーストロアジア語派はアンコール王朝のアンコール遺跡群（ヒンドゥー教）を建設しています。

プランバナン寺院、ミーソン聖域、アンコール遺跡群は同じヒンドゥー教ということもあり、共通点が多くあります。つまり、建築文化の上では、オーストロネシア語派とオーストロアジア語派の決定的な相違は見られません。

13世紀以降、タイ人が主導して、クメール人やラーオ人などを含むオーストロアジア語派の仏教化が進められ、一方、14世紀以降、マレーシアやインドネシアにイスラム商人が頻繁に往来するようになり、同地域のイスラム化が進められます。この時代以後、半島部と島嶼部はその宗教の違いに応じて、それぞれ独自の文化や社会を発展させていきます。

オーストロネシア語派は中世の時代、島嶼部において、スマトラ島のシュリーヴィジャヤ王国やジャワ島のシャイレーンドラ王国などの仏教国を形成し、一大勢力となります。

❖文明の力点は南部エリアに集中

昨今、有力視されているオーストロネシア語派の台湾起源説に従うならば、台湾↓フィリピン↓インドネシアという拡散のルートになり、フィリピンが中継地として重要な位置を占めることになります。従来のインドネシア起源説に従うとしても、インドネシア↓フィリピン↓台湾という拡散ルートになり、やはり、フィリピンの中継地としての重要さは変わりません。

しかし、フィリピンには、文明の痕跡がほとんどなく、大航海時代以降のマゼランら探検家の記録によってはじめて、その歴史が明らかになります。それ以前の古代から中世の歴史については、詳しいことがわかっていません。古ジャワ系文字が刻まれた900年頃の日付が記録されているラグナ銅刻板がルソン島の南部で1989年に発見されていますが、この銅刻板はその真贋が疑われています。

フィリピンについての考古学的史料や痕跡が残っていないのは熱帯気候のため、時とともに劣化してなくなってしまったと一般的に説明されるのですが、気候条件は他の東南アジア地域

図11-1｜東南アジア島嶼部とクタイ王国

の遺跡も同じで、それでも各地に遺跡は残っており、文明の痕跡をたどることができます。そもそも、フィリピンの社会・文化は原始的で、最初から文明と呼ぶことのできるものは何もなかったとも考えられます。

フィリピンは7109の島々によって構成され、今日では人口1億人を超える大きな国です（ちなみに、今日のフィリピン人は中国人との混血が多い）。古代や中世においても、人口はそれなりに集積していたはずです。そのフィリピンに、文明の痕跡が何も残っていないことは、歴史学者にとっても、頭を悩ます難問なのです。まして、前述のように、オーストロネシア語派の民族移動の中継の要となる地政学的重要さを考慮すれば、フィリピンに然るべき文明の痕跡があってもいいはずです。

フィリピンで、大航海時代以前の14世紀頃の中国製の陶磁器が多く見つかっており、マレーや中国の商人たちが南沙諸島やパラワン島を経由してフィリピンに来航し、交易していたことがわかっています。南部のミンダナオ島に、マレー人がイスラム教を伝えたのもこの頃です。

フィリピン人はサトウキビ、コメ、椰子、バナナなどを栽培しており、これらの農産品を交易品としていたと考えられます。

1521年、フェルディナンド・マゼランがセブ島に到達して以降、スペインによる植民地化が進み、中国、新大陸、東南アジア、日本をつなぐ交易の中継拠点として発展します。堺の商人の呂宋助左衛門なども、この時代にマニラで交易しました。

フィリピンに、文明社会の痕跡を示す遺跡はありませんが、その南方のボルネオ島（インドネシア語でカリマンタン島）には、遺跡があります。この島の東部で、4世紀後半以降に、インドやジャワとの貿易で栄えたクタイ王国の遺跡が見つかっているのです。クタイ王国はヒンドゥー教国で、遺跡の碑文には、サンスクリット文字が刻まれています。クタイ王国あるいはこの王国の系列の王国は少なくとも14世紀頃まで存続していたことがわかっており、10世紀には中国の宋王朝に朝貢しています。

ボルネオ島に、早期から文明の痕跡があり、近接するフィリピンには痕跡がないということをどのように考えればよいのでしょうか。

オーストロネシア語派の民族分布エリアにおいて、文明の痕跡があるのは、スマトラ島のシュリーヴィジャヤ王国、ジャワ島のシャイレーンドラ王国、ボルネオ島のクタイ王国、ベトナムの扶南国とチャンパー王国などです。フィリピン以北のエリアは台湾を含めて、遺跡などの文明の痕跡がありません。

このように、南部エリアにのみ文明の痕跡が見られるのは、1つの理由として、これらの地域がインド文明の影響を直接に被るエリアであったということが考えられます。

さらに、この地域がオーストロネシア語派の本拠として、文明の力点が置かれ、ここから民族が拡散していったということが考えられます。本拠である南部エリアに、民族の富が集積し、文明や社会を築くことができたと推察できるのです。そして、その富の余剰をもって、北部のフィリピンや台湾などへの入植活動も行なわれます。

インドネシア地域の本流に対し、フィリピンや台湾が支流であると考えるならば、フィリピンや台湾に文明の痕跡がないことも理解できます。支流には、高度な文明を発展させるほどの富の余剰がなかったと考えられるからです。

フィリピンには、ボルネオ島からの移民が中部のパナイ島にやって来て、コミュニティを形成したとする伝承があります。「アティ・アティハンの祝祭」というボルネオ移民の祭りが伝わっており、彼らがビサヤ諸島(パナイ島やセブ島を含むフィリピン中部の島嶼部)の人々の祖先であると信じられています。この伝承はオーストロネシア語派が南方から北方に拡散移住したとする説を補強する材料になります。

こうした考えに立脚するならば、オーストロネシア語派の祖族を台湾に求める台湾起源説は否定され、ジャワ島起源説の方が遥かに実態に即していると見ることができます。

SECTION 12

マレー人、インドネシア人、フィリピン人②

混血民族としてのオーストロネシア語派

❖マレー系の中国人との歴史的混血

マレーシアやインドネシアでは、中国資本の進出が著しく、中国系の企業の売上が経済全体の大半を占めています。インドネシアでは、中国系の店の商品を買わないように呼びかけるなど、イスラム主義の復権とともに、中国の影響力から脱却しようとする運動が盛んです。

マレーシアでも、イスラム主義の復権運動が行なわれ、中国系資本に妥協的な政府に対し、イスラム主義者がマレー系住民の優遇（ブミプトラ）政策を推進するように求めています。

インドネシアもマレーシアも、イスラム主義復権により、多数派のイスラム教徒が団結し、経済を中国系から取り戻そうとしています。

マレーシアでは、全人口の4分の1を占める中国人（華人系）が、大きな影響力を持っています。マレー人が約65％、インド人（印僑）が約8％です。マレー人が約65％とはいえ、彼らは中国人との混血であることが多く、華人社会と密接な関わりを持っている人も少なくありません。「マレー」はサンスクリット語の「ムラユ（Melayu＝山）」に由来するといわれます。

中国の唐王朝や宋王朝の中世の時代から、中国人の海上交易者が漸次、ヴェトナムを経て、マレーシアに移住していましたが、中国の明王朝が１４０５～30年まで行なった鄭和の南海遠征以降、急激に中国人移住者が増加していきます。

ボルネオ島の北西部はブルネイを除きマレーシア領ですが、この地域の２つの州であるサバ州とサラワク州には、ジャングルの奥深いところに、マレー系の純血を保つ部族が複数存在し、伝統的な文化や風習も維持されています。

一方、インドネシアでは、地理的に中国から遠く離れているためか、中国人が約５％しかいませんが、実際には、スマトラ島方面の沿岸マレー人など、混血も含めると、かなりの数の中国系がいると想定されます。インドネシア人は、ジャワ島を中心にスマトラ島にも広く分布する多数派のジャワ人、ジャワ島西部のスンダ人、ジャワ島の東部に

図12-1｜マレーシア領域

あるマドゥラ島を中心とするマドゥラ人などに大別できます。

インドネシア人とマレー人は同じオーストロネシア語派で、遺伝子上も近く、民族的に区別することはできません。しかし、前述の通り、マレー人には、中国人の血が相当入っているため、一般的容貌のイメージとしては、マレー人のほうが中国人に近いということがいえるかもしれません。また、インドネシア人のほうがオーストロネシア語派に特徴的な大柄で頑丈な体格を持つ人が多いのも事実です。

イスラム教に対する帰依は全体的には、マレー人のほうが強いといえます。インドネシアとマレーシアはともにイスラム教国で、インドネシアの人口の約9割がイスラム教徒で、マレーシアは6割以上がイスラム教徒です。しかし、インドネシア人のイスラム信仰はその大多数において、それほど強いものではありません。インドネシアでは、人々が公然と飲酒をする光景をよく目にします。日々の祈りを行なわない人も少なくはありません。

ブルネイはマレー系が大半で、中国人が約10％の割合でいるとされています。

❖マレー人とインドネシア人の同一性

マレー人とインドネシア人はかつて、同一の王族を戴いており、不可分の関係にありました。中国の隋・唐王朝の建国により、中国経済が著しく躍進し、交易などにより、その経済効果がベトナムやマラッカ海域にも及んでいました。

そして、7世紀、シュリーヴィジャヤ王国がスマトラ島で建国されます。シュリーヴィジャヤ王国はマラッカ海峡を支配し、中国や東南アジア、インドを繋ぐ海上交易の中継拠点として発展します。「シュリーヴィジャヤ」とは、古代インドのサンスクリット語で、シュリは「光り輝く」の意味、ヴィジャヤは「勝利」を表わします。

中国の唐王朝の僧、義浄は7世紀後半に、この王国を訪れ、仏教が隆盛していることを『南海寄帰内法伝』で記しています。「この仏逝（シュリーヴィジャヤ）の城下には、僧侶が千余人おり、学問に励み、托鉢を熱心に行なっている。唐の僧でインドに赴いて勉強しようと思う者は、ここに一、二年滞在して、その法式を学んでからインドに向かうのがよい」と述べています。義浄は「シュリーヴィジャヤ」に「室利仏逝」の漢字を当てています。

図12-2 | シュリーヴィジャヤ王国とシャイレーンドラ朝

シュリーヴィジャヤ王国は東方のジャワ島にも勢力を拡大します。シュリーヴィジャヤ王国と血縁関係のある、分派のシャイレーンドラ朝が8世紀にジャワで台頭します。スマトラ島のシュリーヴィジャヤ王国とジャワ島のシャイレーンドラ朝は同じ仏教国として連携しました。「シャイレーンドラ」はサンスクリット語で、シャイラは「山」、インドラは「王」「支配者」を意味しています。

シャイレーンドラ朝はジャワ島を統一して強大化し、仏教支配を確立するため、島中部にボロブドゥール寺院を建設します。ボロブドゥールは世界最大級の石造仏教寺院として知られ、ユネスコの世界遺産にも登録されています。

シャイレーンドラ朝がボロブドゥールのような壮大・壮麗な寺院を建設したのは、仏教の威光をジャワ人に知らしめ、彼らがそれまで信仰していたヒンドゥー教に対抗するためでした。

シャイレーンドラ朝と同族のシュリーヴィジャヤ王国はボロブドゥール建設を積極的に支援したと考えられます。この時期、シルクロードの陸上交易路と並行し、マラッカ海峡を経由する海の道が頻繁に使われ、この地域を支配していたシュリーヴィジャヤ王国は海上交易によってもたらされる莫大な富を得て、これを資金源として、ボロブドゥール寺院が建設されたと考えられます。

「ボロブドゥール」とはサンスクリット語の「僧院」という意味の「バラ（Bara）」と、インドネシア語の「丘」という意味の「ブドゥー（Budur）」が組み合わされ、「僧院の丘」を意味すると解釈されています。ボロブドゥール寺院は火山灰と密林の中に埋もれ、久しく忘れ去られていましたが、１８１４年に、イギリス人のラッフルズとオランダ人技師コルネリウスによって発見され、その一部が発掘されます。

シャイレーンドラ朝は、8世紀後半にインドシナ半島海域にも進出し、当時、真臘と呼ばれていたカンボジアやベトナム南部のチャンパー王国に攻め入りました。

そして、仏教が真臘のクメール人（カンボジア人）に伝えられます。カンボジアに広まった仏教はシャイレーンドラ朝によってもたらされたと見られています。9世紀、クメール人のジャヤヴァルマン2世がシャイレーンドラ朝の勢力をインドシナ半島から排除し、アンコール朝を創始した時、仏教に対抗し、ヒンドゥー教を奉じました。アンコール朝がヒンドゥー教勢力であるのは、シュリーヴィジャヤ王国やシャイレーンドラ朝の仏教勢力に対抗しようとする意志が強くあったことがうかがえます。

中世において、マラッカやスマトラ、ジャワの島嶼部において、シュリーヴィジャヤ王国とシャイレーンドラ朝が連携し、同一勢力を形成していたのであり、その意味で、マレー人やインドネシア人の民族的同一性もまた、強固なものであり、そもそも両者を分離する意識や概念すら、当時、存在していなかったのです。

❖イスラム勢力とヨーロッパ勢力

しかし、9世紀以降、マレー人やインドネシア人の一体性が失われていきます。875年、中国の唐王朝で黄巣の乱が起こり、中国が混乱に陥ると、マラッカ海峡を中継する海上交易の数量も激減します。そのため、シュリーヴィジャヤ王国は収益源を失います。勢力の縮小を余儀なくされ、分派のシャイレーンドラ朝が滅びます。ジャワ島では再び、ヒンドゥー教が勢力を盛り返し、古マタラム王国が形成されます。

この古マタラム王国は16世紀に成立するマタラム王国（イスラム教国）とは違うものです。古マタラム王国は11世紀にクディリ王国に発展し、さらに13世紀にマジャパヒト王国となり、ヒンドゥー教勢力の全盛期を迎えます。このように、マラッカ海域のマレー人とジャワ島のジャワ人は別々の歴史を歩むようになったのです。

シャイレーンドラ朝は滅びましたが、本体のシュリーヴィジャヤ王国はその後も存続します。しかし、13世紀になると、イスラム商人がマラッカに進出し、海上貿易の利益を仏教勢力から奪っていきます。そして、14世紀にシュリーヴィジャヤ王国は消滅します。

シュリーヴィジャヤ王国は1351年、タイでアユタヤ朝が建国されると、その攻撃に晒されます。アユタヤ朝の攻撃から逃れるため、シュリーヴィジャヤ王国の王族はマレー半島に移住します。この時、王族はイスラム教勢力を頼り、イスラム教に改宗します。そして、マレー半島で1402年、新たにマラッカ王国を建国しました。

「マラッカ」という地名の語源についてですが、シュリーヴィジャヤの王族がスマトラ島からマレー半島に逃れた時、「この地の名前は何か」と現地人に聞いた時、現地人が「この木の名前は何か」と問われたと勘違いして、側にあった木の名前である「マラカ（トウダイグサ科コ

図12-3｜東南アジア島嶼部の王朝変遷

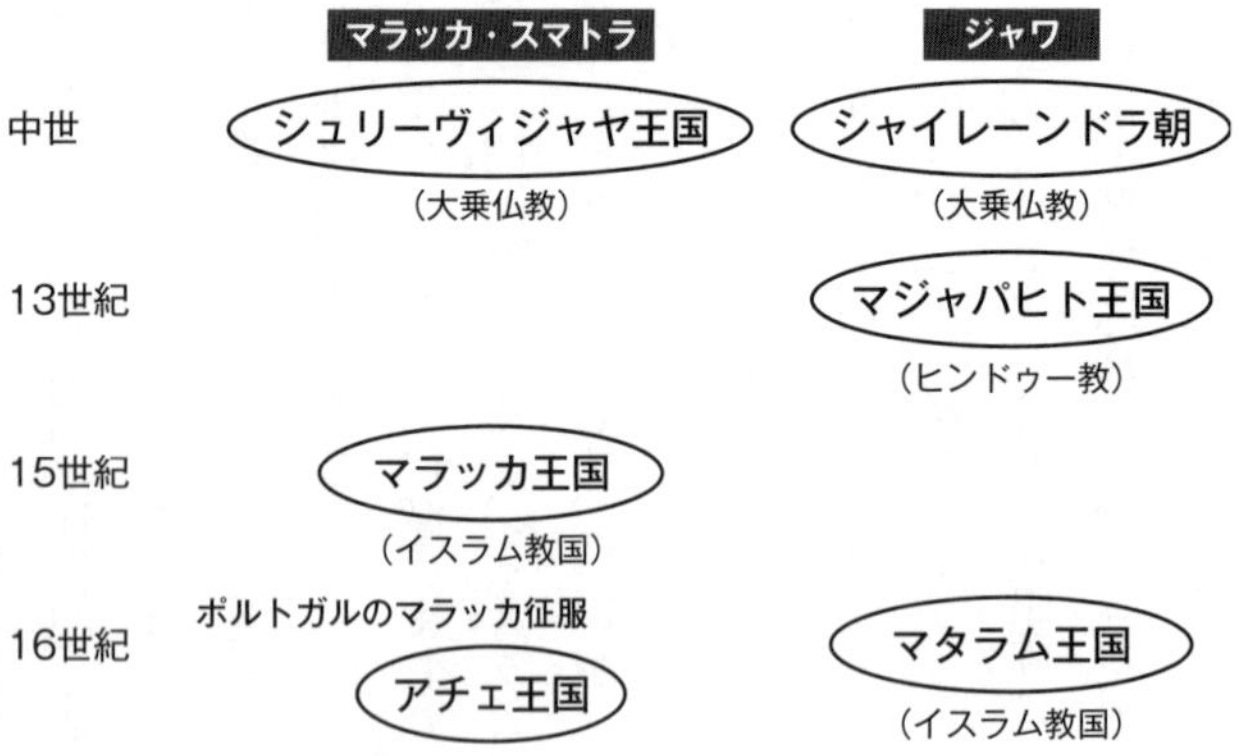

	マラッカ・スマトラ	ジャワ
中世	シュリーヴィジャヤ王国（大乗仏教）	シャイレーンドラ朝（大乗仏教）
13世紀		マジャパヒト王国（ヒンドゥー教）
15世紀	マラッカ王国（イスラム教国）	
16世紀	ポルトガルのマラッカ征服 アチェ王国	マタラム王国（イスラム教国）

ミンソウ属の落葉高木）」と答えました。そして、この地は「マラカ」と名付けられ、王都となります。「マラッカ」は「マラカ」の英語読みです。

マラッカ王国は、東南アジア最初のイスラム国家です。マラッカ王国のイスラム商人はインド・中東イスラム圏と中国の明王朝を中継貿易でつなぎ、莫大な富を蓄積していきます。このイスラム商人たちはアラブ系、イラン系、トルコ系など中東やインドから来航した人々で、彼らが現地の人々を取り込んで、イスラム教勢力を形成していきます。この時代、造船などの航海技術が飛躍的に上がり、イスラム教勢力が海洋進出を活発に展開していました。彼らが交通の要衝、マラッカ海峡を狙い、交易利権を独占しようとしたのは必然でした。

マラッカ王国の成立以降、イスラム商業圏の拡大とともに、マレーシアのみならず、インドネシア、ブルネイ、フィリピン南部などの東南アジアの島嶼部にイスラム化の波が及びます。16世紀後半、ジャワ島でヒンドゥー教国のマジャパヒト王国に代わり、イスラム教国のマタラム王国が建国されます。

マレーシアのマラッカ王国は15世紀後半に最盛期を迎えますが、16世紀以降、ヨーロッパ勢力が進出してきます。1511年、圧倒的な火力を武器にしたポルトガル人によって、マラッカを占領され、マラッカ王国は滅ぼされてしまいます。ポルトガルがマラッカ海峡を制圧したため、イスラム商人やマラッカ王国の残存勢力はスマトラ島に渡り、島の西沿岸域に港をつくり、マラッカ海峡を経由せずに、交易ができるルートを新たに形成します。このルートの開発により、スマトラ島のアチェ王国、バンテン王国が新たに発展します。これらのイスラム教勢力はポルトガルに対抗します。

図12-4｜マラッカ海峡迂回ルート（16世紀後半）

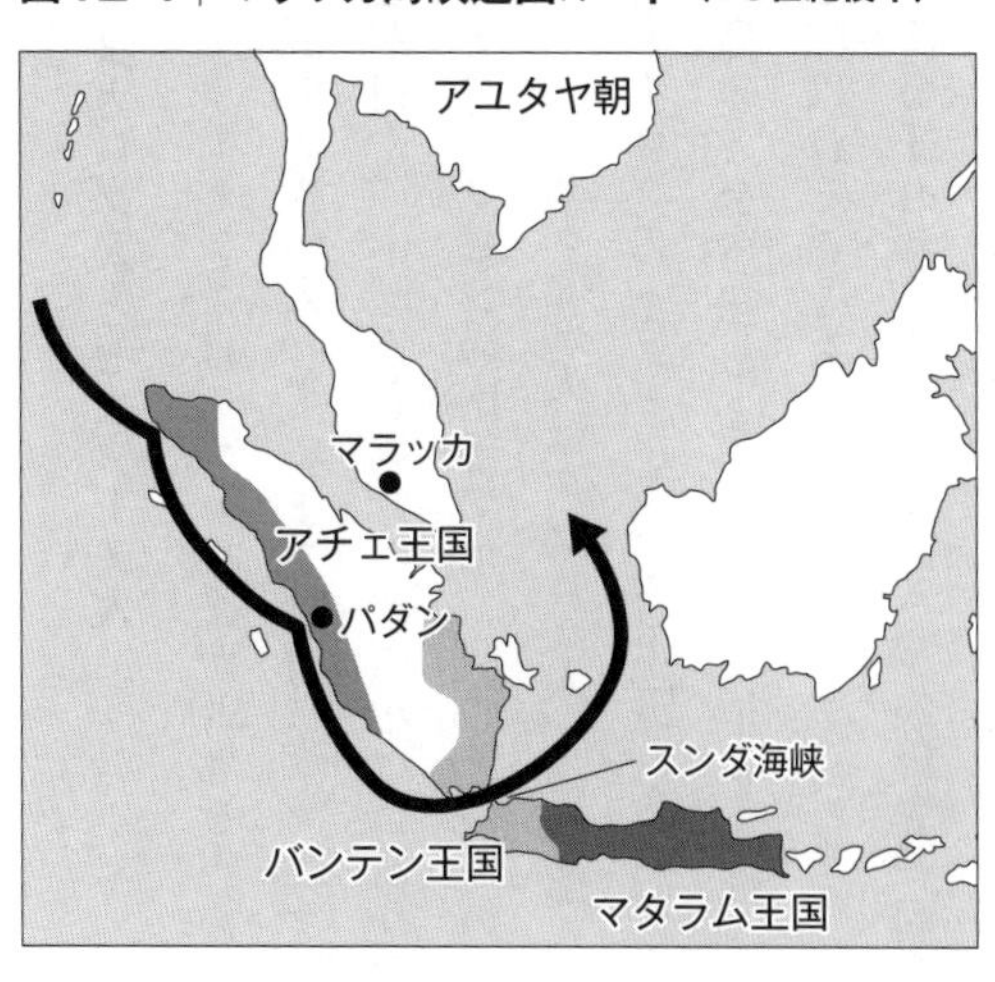

スマトラ島西沿岸部のルート開拓により、スンダ海峡の重要性が増し、富がジャワ島にも波及して、前述のように、16世紀後半、イスラム教国のマタラム王国が誕生します。

しかし、17世紀以降、オランダが進出し、マラッカ、スマトラ島やジャワ島など地域全体を植民地化していきます。

❖タガログ人とセブアーノ人

フィリピンでは、マレー系が90％を占めていると言われますが、これも実際には、中国人との混血が相当入っています。特に、マニラなどフィリピン北部の都市部などにおいては、肌の色が白く、中国人と見分けがつかないような人も多くいます。しかし、セブ島やミンダナオ島などフィリピンの南部では、肌の色の黒いオーストロネシア語派の容貌の特徴が強くなります。

フィリピン北部人はタガログ人、中南部人はセブアーノ人に大別されます。「タガログ」は「タガ・イロッグ（Taga-ilog）」（「川辺の人々」という意味）に由来するとされます。「セブアーノ」は「セブ島の」を意味します。セブアーノ人は、セブ島を含むビサヤ諸島の名をとり、「ビサヤ人」と呼ばれることもあります。

1519年、探検家マゼランが世界一周を試みます。マゼランは南アメリカ大陸南端の海峡を越え、太平洋に出て、フィリピンのセブ島に到達します。マゼランは現地の部族長に殺されましたが、その部下たちが世界一周を成し遂げ、1522年、スペインに帰還しました。

マゼラン一行の帰還者により、フィリピンの存在が知られ、スペインは海軍を派遣し、これを征服します。カルロス1世の皇太子のフェリペの名にちなみ、「フィリピン」と名付けられました。1556年、フェリペがスペイン国王フェリペ2世となり、王国の全盛期を迎えます。フェリペ2世は1571年、フィリピンにマニラを建設し、太平洋地域の拠点とします。

この時期、スペインはメキシコで銀山を発見し、獲得したメキシコ銀をフィリピンのマニラに持ち込み、そこで中国商人と取引をし、中国産の陶磁器や絹織物と交換しました。この貿易はメキシコの太平洋側の港アカプルコを起点にしていたため、「アカプルコ貿易」と呼ばれます。

マニラに銀を求める中国商人が殺到し、マニラはスペインと中国をつなぐ中継貿易の拠点となります。中国商人は14世紀頃からすでにフィリピンと貿易をしていましたが、本格的に貿易をはじめるのは16世紀のアカプルコ貿易からです。この時代以降、中国人のフィリピン北部への移住が増大し、先住民族のマレー系との混血が進みます。

そのため、北部のフィリピン人は、オーストロネシア語派を特徴づけるY染色体ハプログループO1aよりも、中国人に広く見られるハプログループO2が高頻度に観察されます。このことはフィリピン人が民族的に、オーストロネシア語派よりも、中国人に近いということを示します。ただ、これはフィリピン北部人のタガログ人に限ったことであり、中南部のセブアーノ人はオーストロネシア語派に近いといえます。

また、フィリピン人には、碧眼で髪の色の明るい、白人的な容貌を持つ人が一部います。彼らはスペイン人の血を引いていると解説されることがあります。彼らはスペイン植民地時代（16世紀〜1898年の米西戦争）に入植したスペイン人との混血の子孫ということもありますが、アメリカ植民地時代（1898年〜1946年）に入植したアメリカ人との混血の子孫のほうが圧倒的に多いでしょう。

第4章 中東、コーカサス

SECTION 13

イラン人

「イラン」は「アーリア人の国」という意味

❖インド・ヨーロッパ語派とは何か

ナチスは「アーリア人至上主義」を掲げ、アーリア人の優秀な血統を残していくべきだと主張しました。ゲルマン人（＝ドイツ人）はアーリア人の純血が保たれている民族であり、ユダヤ人などの劣等民族と交わってはならないとされたのです。

ナチスは「純粋アーリア人」の容貌の特徴として、白い肌、青い目、金髪といういわゆる白人の特徴（ブロンディズム）を挙げています。これに加えて、ナチスによると、アーリア人は後頭部の湾曲の膨らみが大きいのが特徴で、頭蓋骨の形を測定することによって、アーリア人であるかどうかを区分できるとしていました。

日本人をはじめアジア人は後頭部が扁平であるのに対し、白人は後頭部が出っ張っている傾向があります。ナチスは、ユダヤ人かどうか疑わしい者を「プラメートル」という測定器で頭蓋骨の形状を調べ、後頭部が一定の数値以上に膨らんでいなければ、強制収容所に送りました。

アジアにも、アーリア人がいます。インド人とイラン人がその代表です。「アーリア」というのは「高貴な」という意味であり、ペルシア語（イラン語）では「arriia」、サンスクリット語では「ārya」と表記され、イラン人やインド人が自らの優位を示すために自称した呼び名です。「イラン（アーラン）」は「アーリア人の国」を意味し、その言葉の通り、アーリア人がイランに作った国が「イラン（高貴なる者の国）」です。

アーリア人はもともと黒海やカスピ海の北方地域を原住地としていたと考えられ、紀元前2000年頃以降、寒冷化を避け大移動し、イランやヨーロッパ、インドへ拡散します。彼らは同源の言語的ルーツを持つとされ、彼らの言語はインド・ヨーロッパ語派という一括りのカテゴリーに属します。

インド地域に入ったインド・ヨーロッパ語派は現地民族と混血し、暑い気候によって、肌の色が黒くなり、長い歴史の中で、われわれがイメージするようなインド人となります。中東地域に入ったインド・ヨーロッパ語派はイラン、小アジアに定住し、長い年月をかけて、今日のようにアラブ化されていきます。ヨーロッパ方面に入ったインド・ヨーロッパ語派はギリシアやイタリアなど地中海沿岸を中心に定住し、ヨーロッパ世界を形成します。彼らがいわゆる白人です。

インド人やイラン人、白人がすべて同族であったというのは違和感があるかもしれません。この同族説を最初に主張したのはイギリスの言語学者ウィリアム・ジョーンズでした。ジョーンズが1780年代、インドへ調査に赴いた時、古代インドのサンスクリット語を研究します。ジョーンズは、サンスクリット語が語彙や文法において、ヨーロッパの諸言語と類似していることを発見します。ジョーンズはこれらの類似は単なる偶然ではなく、古代インド人とヨーロッパ人が同体系の母語を有していた証拠であると結論付けました。何らかのかたちで輸入借用された可能性なども考えられますが、今日でも、共通の語彙リストが積み上げられ、また、言語音声や文

図13-1｜インド・ヨーロッパ語派の拡がり

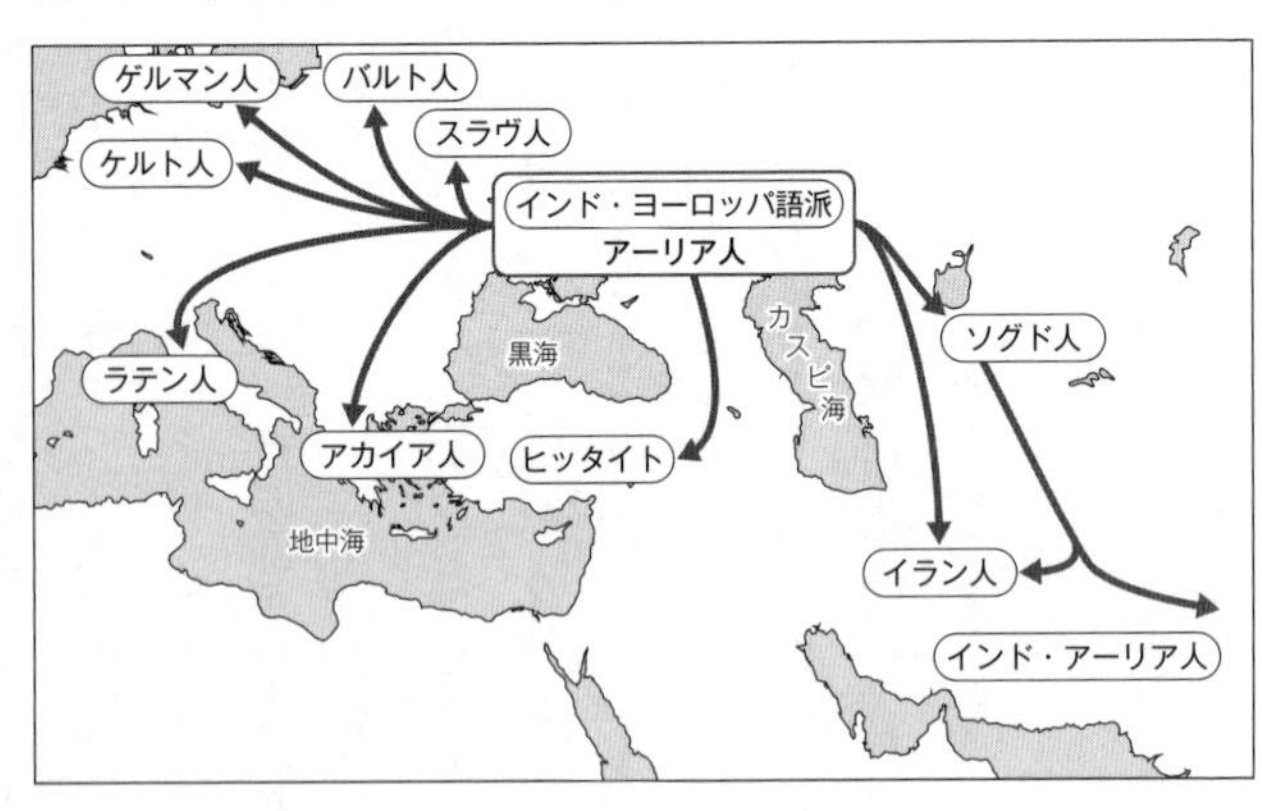

法上の類似性も指摘されるなど、インド・ヨーロッパ語の諸語が同じ母言語から枝分かれしたと見られています。

現在、インド・ヨーロッパ諸語を話す人々は約30億人おり、世界最大の語族の言語です。ヨーロッパからアジア、アメリカやオセアニアにかけて、この語族の系列言語を公用語としている国は100を超えます。

❖「イラン」と「ペルシア」

インド・ヨーロッパ語派の諸民族は「アーリア人」とも呼ばれ、この呼称は古代史の中で使われる古い「歴史用語」であったのですが、19世紀になり、再び盛んに使われるようになります。当時、オリエンタリズム（東方趣味）が流行するなか、「アーリア人」という言葉がその神秘的な響きと相まって、大きな注目を浴び、次第にオカルト的な意味合いを持つようになります。ヨーロッパ諸民族の祖先としてのアーリア人を崇めるという風潮が民族主義者たちの間で強まっていったのです。

20世紀、このオカルト的な意味での「アーリア人」をフルに利用したのがナチスでした。ナチスは、古代において南ロシアからドイツ地域に直接入ったインド・ヨーロッパ語派を他の劣等民族との接触がなく、純血を保っているとして、「純粋アーリア人」としました。

前述の通り、「アーリア」というのは「高貴な」を意味する言葉で、「アーリア人の国」という意味で「イラン」の国名が生まれました。

このように、「イラン」というのは地名を表わすものではなかったため、「ペルシア」という地名を表わす国名が古代から一般的に使われていました。「ペルシア」は「騎馬者」という意味の「パールス（Pârs）」を語源にしており、「騎馬者たちの住む地域」という意味で「ペルシア」という形になったという説や古代ギリシア人が「パールス」を「ペルシス」と発音するようになり、ラテン語で「ペルシア」となったものがイランに逆輸入されて使われるようになったとする説があります。

インド・ヨーロッパ語派は自分たちを「高貴なる者」とし、自分たちの優位性を他民族に対して主張し、中東ではセム語派のアラブ人たちを支配し、インドでは原住民であるドラヴィダ人を支配しました。紀元前15世紀頃、インド・ヨーロッパ語派は当時のハイテクであった鉄器を持って、中東オリエントに侵入します。小アジア（アナトリア半島）からイランにわたり、ヒッタイト王国などの強大な王国を建国し、セム語派の古バビロニア王国を滅ぼします。

その後、中東では、インド・ヨーロッパ語派とセム語派の覇権争いが続きますが、紀元前6世紀頃、インド・ヨーロッパ語派のアケメネス朝が中東オリエントを統一し、大帝国を築き上げ、イラン人の中東地域における最初の長期統一政権となります。その後、3世紀に建国されたササン朝も強大な力を誇り、中東から中央アジア、インド西北部に至るまで支配します。

アケメネス朝やササン朝は「ペルシア」という呼称が一般的に国号として付けられますが、

彼ら自身が名乗っていた正式な国号は「アーリア帝国」、つまり「イラン帝国」でした。

パフレヴィー朝を創始したレザー・シャーは1935年、国号に本来の「イラン」を用いるよう正式に定めました。自らを「高貴なる者」とする誇りを取り戻すことにより、イラン人としての民族意識を高揚させる狙いがありました。1979年のイラン革命により誕生した新しい共和国は「イラン・イスラム共和国」と国号を定め、今日に至ります。

イランの言語はインド・ヨーロッパ語派のインド・イラン語派のカテゴリーに属します。この語派の分布は文字通り、インドとイランに跨がる広範囲なもので、アフガニスタンやパキスタン、キルギス、スリランカを含みます。

❖イラン国家のイラン系民族とトルコ系民族

現在のイラン国家において、イラン系民族がおおよそ7割を占め、その他、トルコ系も2割以上います。

イラン系民族の中には、全人口の約50%を占めるイラン主要民族のペルシア人をはじめとして、パキスタンとの国境沿いに居住するバルチ人、アフガニスタンとの国境沿いに居住するパシュトゥーン人、イラクとの国境沿いに居住するクルド人などがいます。

その他、ロル人はクルド人の分派とされます。ロル人の住む地域は「ロレスターン」と呼ばれます。ロル人は少数民族とはいえ、200万人規模の人口があり、多くの支族を持っています。

カスピ海南岸のタバリスターンには、タバリ語を話すタバリ人が300万人以上います。ラシュト、サーリー、ゴルガーンなどの都市を含むタバリスターンのタバリ人はイラン人の中でも、最もアーリア人的（白人的）な容貌を持っています。タバリスターンと隣接する首都テヘランの間には、アルボルズ山脈が走っています。そのため、タバリスターンは首都地域とは隔絶され、アーリア系としての独自の民族的な血統を維持してきました。タバリ人の中に、タバリスターン西方のマーザンダラーン人などの支族も含みます。

イランにおけるトルコ系民族はその多くがイラン北方のアゼルバイジャン語（トルコ語系）を母語とするため、「アゼリー人」と呼ばれます。アゼリー人はアゼルバイジャンとの国境付近に居住しています。また、トルクメニスタンとの国境付近にいるトルクメン語を話すトルクメン人もいます。彼らの多くはイラン国家に属しながら、ペルシア語を解しません。

その他、ガシュガーイー人はアゼリー人の分派です。ガシュガーイー人の言語はアゼルバイジャン語に近いトルコ語です。ガシュガーイー人は13世紀のモンゴル人襲来から逃れ、イラン南西部にやって来たと伝えられます。

また、トルクメン人の分派であるアフシャール人はイラン北東部のホラーサーン地方を中心に分布しています。18世紀に、中央アジアにおけるトルコ系のウズベク三ハン国と連動して、イラン地域でも、トルクメン人の力が強くなり、1736年、アフシャール人のナーディル・

シャーがペルシア人を屈服させ、アフシャール朝を建国します。今日のアフシャール人はアフシャール朝の支配層であった者の子孫と見られています。

さらに、1796年、同じトルクメン人のアーガー・ムハンマドがアフシャール朝を吸収し、カージャール朝を建国し、イラン全土を統一します。カージャール朝はサファヴィー朝に次ぐ、イラン統一王朝で、1925年、パフレヴィー朝によって滅亡させられるまでの129年間、トルコ系王朝でありながらも、イラン系民族を支配しました。

図13-2｜イラン少数民族の分布

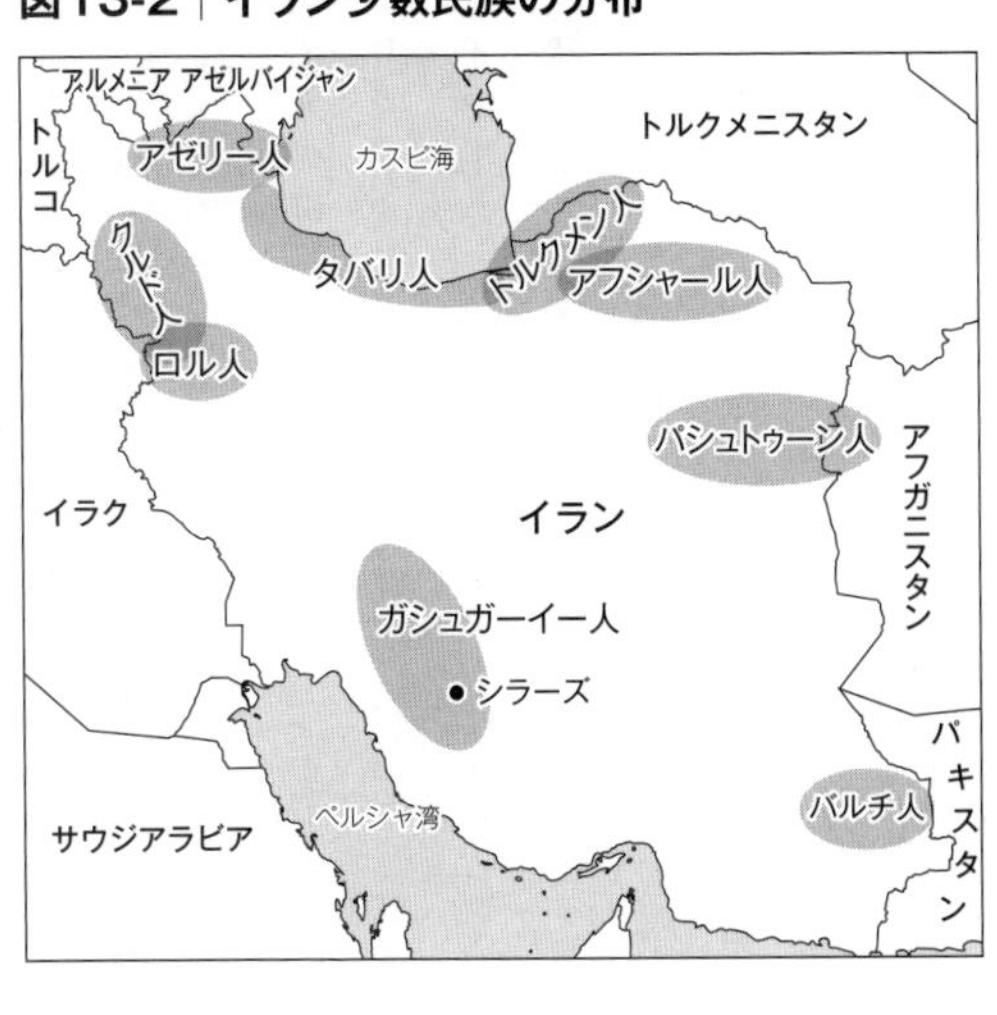

❖なぜ、イラン人はシーア派なのか

イラン国民のほとんどがシーア派十二イマーム派を信奉しており、それが国教とされています。トルコ系のアゼリー人やトルクメン人などにスンナ派を信奉している人が多いですが、シーア派を信奉している人も一定数います。その他、イラン系でありながらも、クルド人はシーア派ではなく、スンナ派を信奉しています。

現在、イスラム世界全体において、スンナ派が多数派であり、シーア派は約10％しかいませんが、イランに限っていえば8割程度の国民がシーア派です。なぜ、イランではシーア派が信奉されているのでしょうか。

ムハンマドの娘ファーティマとその婿のアリーの子孫だけを正統なムハンマドの後継者と認める人々は「シーア・アリー」（アリーの信奉者）、略して「シーア派」と呼ばれるようになります。シーア派はアリーを初代のイマーム（「指導者」の意）とし、アリーとファーティマの子孫だけをイマームと認めます。イマームは神と人間を結びつける指導者であり、預言者ムハンマドの血統によって決まる君主です。

これに対し、スンナ派では、選挙や戦争などにより、実力のある者が選出され、カリフの位に就きます。シーア派は、人間の判断は神の判断には及ばないとして、指導者を恣意的な人間の判断で選ぶべきではないと主張します。また、シーア派は人間の判断で選ばれた指導者は批判されるべき存在であると考えるため、反体制者の拠り所となります。

シーア派が歴史的に、イラン人に受け継がれてきたのは、イラン人が反体制者として、アラブ人など多数派のスンナ派勢力に対抗せねばならなかったためです。実際に、10世紀に台頭したイラン人のブワイフ朝はシーア派を奉じ、スンナ派のアッバース朝に対抗しました。16世紀に台頭した同じくイラン人のサファヴィー朝はスンナ派のオスマン帝国に対抗しました。

ムハンマドの血統を重んじるシーア派は急進的な傾向を強めます。イラン人が主に正統と認めるイマームは初代アリーから12代ムハンマド・ムンタザルまでの系譜です。この系譜に、イマームが12人いたため、「十二イマーム派」と呼ばれます。これ以降、直系の継承者が絶えましたが、イマームは死に絶えたのではなく、人々の前から姿を消し、隠れたのだと考えられています。この「隠れ（幽隠）」のことを「ガイバ」といいます。「ガイバ」の状態にあるイマームは最後の審判の日に、この世に再臨すると信じられています。

シーア派には、十二イマーム派の他にも、イスマーイール派とザイド派があります。イマーム位の継承に対し、各派は見解を異にしています。かつて、イスマーイール派はブワイフ朝（イラン）やファーティマ朝（エジプト）で信奉されていましたが、サファヴィー朝が十二イマーム派を奉じて以降、シーア派のほとんどが十二イマーム派となります。

かつてのイマームたちの家族やその子孫たち、彼らの血筋を引く者がサイイドとされます。「サイイド」はアラビア語で「血筋」を表わす言葉です。

❖世界の危機の震源地

イランでは、ホメイニ師やハメネイ師のようなサイイドが最高指導者として、イマームが再臨する日まで、イマームの統治を代行しています。そのため、最高指導者が国民に選ばれた大統領よりも強大な権限を持ち、国家の最終意思決定者として君臨するのです。大統領は首相の役割を担い、議会や行政を動かします。まさに、シーア派の思想が政治においても実践されており、そうした観点からもイランは宗教国家といえます。

ハメネイ師は黒のターバンを巻いています。普通、ターバンは白ですが、黒ターバンが許されるのはサイイドだけです。ロウハニ前大統領は白のターバンです。

2021年8月に大統領に就任した保守派のエブラヒム・ライシ大統領のターバンは黒です。従って、ライシ大統領はサイイドです。最高指導者のハメネイ師はロウハニ前大統領との関係が良好ではなかったようですが、ライシ大統領はハメネイ師の側近中の側近であるため、意思決定が早くなっているといわれています。

2021年、バイデン大統領のもと、米軍のアフガニスタン撤退があのような恥ずべき結果に終わり、また、イラクでのアメリカ軍駐留の大幅削減により、アメリカの中東におけるプレゼンスの著しい低下が避けられない状況です。2022年のロシアのウクライナ侵攻の際も、アメリカは有効な介入を何一つ行なうことができませんでした。

こうした「力の空白」を埋めようと、ライシ政権の動きが活発化しています。レバノンのヒズボラ、イエメンのフーシ派、パレスチナ自治区ガザの原理主義組織ハマス、イラクのシーア派武装組織「人民動員隊（PMF）」などの反米過激派はイランと連携しながら、その勢いを強めています。一方、イスラエルは2020年8月に、アラブ首長国連邦（UAE）と国交正常化に踏み切り、アラブ諸国の切り崩しに成功し、イランやハマスとの敵対関係を深めています。アメリカのプレゼンス低下のなか、対立の火種が大きくなるばかりです。

バイデン政権はイランの核問題を外交によって解決し、中東問題の打開策としようとしていますが、これは到底、話し合いによって解決できることではありません。

トランプ前大統領は2018年5月、欧米など6か国とイランが結んだイラン核合意（2015年締結）から離脱し、イランに対する経済制裁を再開しました。アメリカは欧州諸国に引き止められたにもかかわらず、離脱しました。当時、トランプ大統領は「妥協の産物として締結されたイラン核合意では、イランの核武装を止めることはできない」と主張しています。

2020年1月に、アメリカはイラン革命防衛隊の精鋭「コッズ部隊」のスレイマニ司令官を軍事作戦により殺害しました。

トランプ政権時代における、アメリカのシリア攻撃、イラン核合意離脱、大使館のエルサレム移転、スレイマニ司令官殺害などは、中東におけるアメリカのプレゼンスを再編・確立するための重要な布石として実行されましたが、バイデン政権に代わり、こうしたアメリカの中東政策が一変し、ますます状況が不安定化しています。

イランは中東で、エジプトの人口約1億人に次ぐ、8000万人を超える人口を擁する大国で、中東最大の要衝です。ウクライナ情勢とともに、イランが世界の危機の震源地となっていることは間違いありません。

SECTION 14

ジョージア人、アルメニア人、アゼルバイジャン人

どの民族に近いのか

❖コーカサス人は白人なのか

コーカサス地方の女性は世界で最も美しい女性の1つとされます。コーカサス地方はヨーロッパ、アジア、中東の結節点であり、地球上で最も多様な民族が集まる「人種のるつぼ」として、様々な民族の混血が存在しています。混血種はそれぞれの民族の長所をよく継承し、美しい容貌を遺伝子的に形成していくとされます。コーカサス地方の女性もやはり、そうした美しさを凝縮した特性を兼ね備えています。

コーカサス地方はコーカサス山脈周辺の国や地域一帯のエリアで、黒海とカスピ海の間に挟まれたアジアとヨーロッパを結ぶ回廊を成す地域です。北にロシア、南にトルコとイランが隣接しています。「コーカサス」は「カフカス」とも発音されます。

コーカサス山脈の南部に、「コーカサス三国」と呼ばれるジョージア（旧名グルジア）、アルメニア、アゼルバイジャンの各共和国があります。コーカサス三国は旧ソ連から独立した共和国

です。コーカサス山脈の北側地域はロシア連邦領となっています。

コーカサス三国の人々はいったい何人なのでしょうか。彼らはロシア白人なのでしょうか。それとも、トルコ人やイラン人に近いのでしょうか。

はっきりとしているのはアゼルバイジャン人です。アゼルバイジャン人の多くはトルコ人です。彼らは「アゼルバイジャン・トルコ人」と呼ばれることもあり、カスピ海を挟んで対岸のトルクメニスタン人とほとんど同じですが、かつてロシア領（帝政時代）、ソ連領だったこともあるため、ロシア人とも混血しています。容貌も中央アジア人と同じです。

彼らの言語であるアゼルバイジャン語はトルコ系諸語に属し、トルコ共和国語やトルクメニスタン語（トルクメン語）に近似しています。主な宗教はイスラム教です。

ジョージア人はコーカサス人が中心です。コーカサス人の容貌はほとんどロシア白人です。そこに若干、イラン人的な容貌が加わることもあります。コーカサス人とロシア人を見た目で区別するのは難しいでしょ

図14-1｜コーカサス地方

う。ちなみに、「コーカソイド」はコーカサス地方を発祥とするインド・ヨーロッパ語派やセム語派の人種区分であり、「コーカサス人」はコーカサス地方固有の現地人を指します。

コーカサス人は民族の遺伝子として、ハプログループG系統が高頻度に観察されるのが特徴です。G系統はインド・ヨーロッパ語派の最も古い遺伝子とされます。G系統はかつて「地中海人種」と呼ばれたギリシア人やイタリア人の一部に、今日でも高頻度に見られますが、ヨーロッパ人のほとんどはハプログループR1aやR1bに上書きされたため、低頻度にしか観察されません。一方、G系統は同じインド・ヨーロッパ語派のイラン人に高頻度に観察されます。

また、コーカサス人はロシア人と同様に、ハプログループR1aも高頻度に観察されます。コーカサス人はジョージア人のみならず、北コーカサス地方（ロシア領）の人々の大部分を含みます。コーカサス人はロシア白人に近いのか、それともイラン人に近いのか、区分することは困難ですが、容貌などを踏まえ、どちらかといえば、ロシア人に近いと考えられます。

コーカサス人は周辺のロシアやイランなどのインド・ヨーロッパ語派の民族と遺伝子上、近接していますが、彼らの言語であるコーカサス語は周辺のインド・ヨーロッパ語系の諸語やトルコ系諸語とは類縁関係がなく、独立言語とされます。このことは、コーカサス人がかつて民族的に独立した地位を有し、何らかの民族から派生した存在ではないことを示します。主な宗教はキリスト教（ジョージア正教）です。スターリンがジョージア出身であったこともよく知られています。

❖「多重多層民族」としてのアルメニア人

アルメニア人はコーカサス人、トルコ人、ロシア人、イラン人などの容貌の全ての要素を含みます。アルメニア人が何人に最も近いかを言うのは困難です。アルメニア人は「コーカサス三国」の民族の中で、最も混血が複雑多様化している民族です。彼らは民族の行き交う十字路にあって、様々な民族の血を複合的に取り込んだ「多重多層民族」であり、それだけに、極めて美しい容貌を持つ人も最も多いのです。

アルメニア語はインド・ヨーロッパ語族に属します。アルメニア文字はギリシア文字から創案され、ペルシア語の影響も強く受けています。彼らの言語もまた、ヨーロッパ語に近いのか、ペルシア語に近いのかを判断するのは困難です。主な宗教はキリスト教（アルメニア正教）です。

アルメニア人は歴史的に自らの国家を持ちませんでした。セルジューク朝やオスマン帝国のトルコ人に支配されたり、イラン人に支配されたり、ロシア帝国に支配されたり、その時代における強者に従属し続けました。従属を嫌ったアルメニア人は故郷を離れ、世界中に離散します。こうしたことから、ユダヤ人のディアスポラ（離散）にたとえられることもあります。世界各地のアルメニア人はアルメニア正教会を中核とした連帯意識を強く持ちながら、交易を活発に行ない、富を蓄えました。アルメニアは301年、世界で最初にキリスト教を国教としています。

図14-2｜ナゴルノ・カラバフ地域

第一次世界大戦がはじまると、オスマン帝国は領土内の多数のアルメニア人をロシアに協力する敵性民族として、迫害します。1915年、アルメニア人虐殺がはじまります。現在、アルメニア政府はこの事件を民族根絶を狙った「ジェノサイド（集団虐殺）」であると主張し、その犠牲者は150万人以上になるとしています。研究機関によっては、数十万人ともされており、はっきりとした犠牲者の数はわかっていません。この事件を巡って、今日でも、アルメニアとトルコとの間で、論争が続いています。

　2020年、アルメニアとアゼルバイジャンの間で、第二次ナゴルノ・カラバフ紛争が起こり、双方が相手国を空爆し、多くの犠牲者が出ました。1922年以降、コーカサス三国はソ連に編入されていましたが、1991年、ソ連の解体によって独立します。

　しかし、それまで、ソ連によって抑えられていた民族対立が表面化し、アルメニアとアゼルバイジャンの間で、ナゴルノ・カラバフ地域の帰属問題が発生します。軍事的な衝突が起き（第一次ナゴルノ・カラバフ紛争）、アルメニアが優勢のまま、周辺地域を含めて実効支配していました。ナゴルノ・カラバフ地域では、アルメニア人が多数派です。

２０２０年、紛争が再燃し、ナゴルノ・カラバフ地域はアゼルバイジャンに奪い返されました。アルメニアは停戦に合意しています。

この十数年、アゼルバイジャンはバクー油田などを持つ産油国として、急激に経済成長しました。アゼルバイジャンは豊かな財政で軍備を増強するなど、アルメニアに大きな差をつけます。２０１８年、アルメニアの民主化で自由主義的な政権が誕生し、新政権は従来の親露路線を修正し、欧米に接近しました。アルメニアとロシアの不和を見越したアゼルバイジャンがトルコの支援を得て、強硬路線に踏み切ったのです。

❖南オセチア紛争

２０２２年、ロシアはウクライナに侵攻しました。ロシアは直近の２００８年にも対外侵攻をしています。南オセチア紛争です。

ジョージア北部に、イラン系民族のオセット人が住んでいます。オセット人は古代イラン民族のスキタイ人やサルマタイ人など、黒海北岸一帯で活動した民族の後裔と考えられています。サルマタイ人の一派であるアラン人が強大化し、コーカサスのイラン系民族を率いたので、彼ら全体が次第に「アラン人」と呼ばれるようになります。中世に、「アラン」が「アス」と呼ばれるようになり、グルジア人がこれを「オウス」と発音したため、そこから「オセット」という呼び方となり、現在に至ります。

ソ連時代、スターリンはオセチア人を分断統治するため、オセチア地方を南北地域に分け、北はロシア共和国、南はグルジア共和国の行政管轄下に置きます。1991年、ソ連邦が解体されると、北オセチア(現人口は約80万人)はロシアに、南オセチア(現人口は約6万人)はグルジアにと、それぞれ別個の国家に属することになり、完全に引き裂かれてしまいます。

南オセチアはグルジアからの分離を求めて独立闘争を展開し、ロシアに協力を求め、接近します。2008年、ロシアが南オセチアへの協力を正式表面したため、グルジアを強く刺激しました。グルジアのサアカシュヴィリ政権は独立の動きを封じるため、南オセチアに軍を派遣します。この時、ロシアのメドベージェフ大統領(当時)は避暑休暇に出ており、プーチン首相(当時)は北京オリンピック開会式に参加していました。グルジアはロシア首脳部の隙を突くつもりでしたが、ロシアはグルジアの侵攻に充分に備えており、ただちにロシア軍が南オセチアに介入し、グルジア軍を駆逐しました。ロシアは南オセチアの独立を一方的に承認しました。

さらに、ロシア軍はその勢いで、グルジアに侵攻し、首都トビリシの近郊にまで迫りました。しかし、ロシアはそれ以上、進撃せず、グルジアと停戦協定を結びます。ロシアは南オセチアを事実上独立させ、親ロシア勢力を形成することができ、成果を上げることができました。

図14-3｜オセチア、チェチェンとその周辺

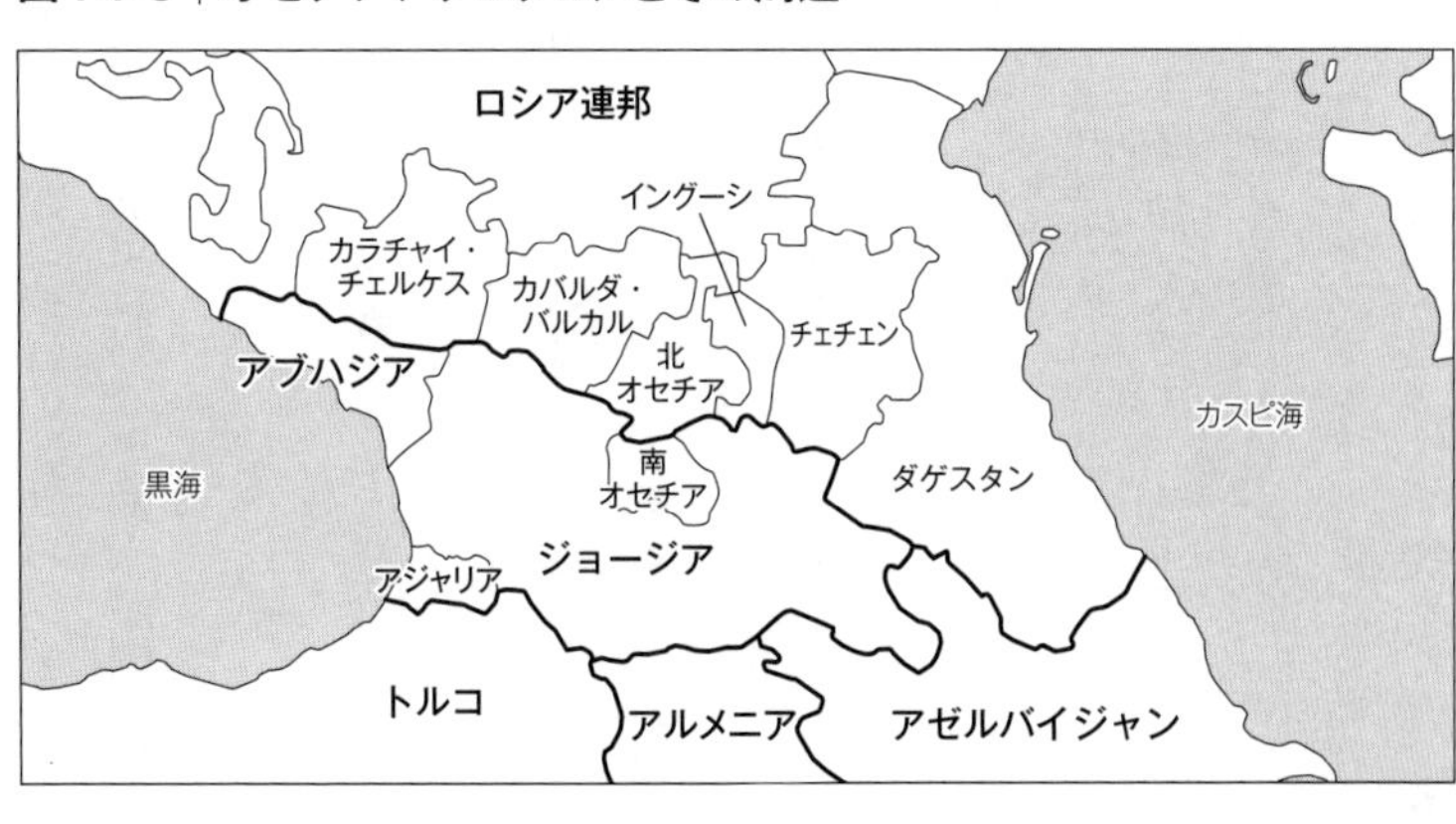

南オセチアを事実上失ったグルジアはロシアと国交断絶し、それまでロシア語読みであった国号の「グルジア」の読み方を変更し、英語読みの「ジョージア」と改めました。

２０２２年のウクライナ侵攻の際、ロシアの指揮者ヴァレリー・ゲルギエフはプーチン大統領に近いという理由で、ヨーロッパ各地での公演を降板させられて、話題となりました。ゲルギエフは南オセチア出身のオセット人です。２００８年、グルジアが南オセチアに軍を派遣した時、サアカシュヴィリ大統領を批判し、ロシアの軍事介入を支持しました。これをきっかけに、ゲルギエフはプーチン大統領と懇意になります。

ロシアはグルジア侵攻の際、南オセチアを独立させたのみならず、グルジアからの分離独立運動を展開していた西方のアブハジアを軍事支援し、独立させています。アブハジアは人口25万人程度で、人口の過半数を占めるアブハジア人はジョージア人と同じコーカサス人ですが、独自のアブハジア語を持ち、言語が異なります。当時、このようなロシアの力による現状変更に対して欧米諸国は批判をしたものの、事実上黙認し、制裁を科そうとはしませんでした。

❖チェチェン紛争

コーカサス地方では、民族紛争が絶えません。地政学的に複雑な山岳地帯において、複数の民族が歴史的に独自の言語や文化を維持し、互いに軋轢を生じさせています。

特に、チェチェン人のロシアに対する独立闘争は最も激しいものとして知られています。チェチェンは現在、ロシア連邦の一部であり、2022年のロシアのウクライナ侵攻でも、チェチェン部隊は率先して、ウクライナを攻撃しました。チェチェン共和国のラムザン・カディロフ首長は「キエフのナチスどもよ。降伏せねば、おまえたちは終わりだ」と言ってウクライナを挑発し、物議を醸しました。カディロフ首長はプーチン大統領に忠誠を誓っています。

チェチェン人は民族的にコーカサス人で、言語はコーカサス諸語のチェチェン語です。人口は約120万人です。チェチェン人は16世紀以来、イスラム教に帰依しています。

18世紀から19世紀にかけて、チェチェン人はロシア帝国の南下拡大に抵抗しましたが、1859年、アレクサンドル2世の時代に、チェチェンをはじめとするコーカサス全域が併合されます。以降、ソ連時代も含め、チェチェン人はロシアに支配されます。

チェチェン人は1990年、ソ連末期の混乱期に西側に隣接するイングーシ人（チェチェン人に近似する民族）とともに、ソ連邦からの独立を宣言します。翌年、チェチェン共和国とイングーシ共和国に分かれます。

しかし、ソ連は彼らの独立を認めませんでした。ソ連崩壊後のロシア連邦政府（エリツィン政権）もチェチェンの独立を認めず、軍事侵攻します（第一次チェチェン紛争）。1995年、ロシア軍がチェチェンの首都グロズヌイを制圧しますが、武装勢力によるゲリラ闘争が続き、翌年、停戦が合意されます。その後も、チェチェンの武装勢力はモスクワで爆弾テロを繰り返しています。また、1999年、武装勢力はイスラム主義を掲げ、同じくイスラム教を信奉する隣国ダゲスタン共和国を併合するため、侵攻しています。

ロシアは武装勢力を放置することができず、1999年、チェチェンに軍事侵攻します（第二次チェチェン紛争）。エリツィンからプーチンに大統領が代わった2000年、ロシアはチェチェンを再びロシア連邦内の自治共和国に戻し、前述のカディロフ首長の父アフマド・カディロフを暫定政府大統領に任命し、チェチェンに親露派政権を形成することに成功しました。アフマドはもともと第一次チェチェン紛争でロシアとの戦いを「ジハード（聖戦）」と位置付けていましたが、紛争終結後、チェチェン人同士で対立し、排斥されていくなかで、本来、敵であったはずのロシアに接近します。アフマドはチェチェンをロシア連邦に帰属させることを約束し、それと引き替えに、ロシアの後ろ楯で、ロシア連邦内チェチェン共和国の初代大統領になったのです。

アフマド・カディロフはいわば、祖国と民族の裏切り者です。その息子で、三代目大統領となったのが息子のラムザン・カディロフ首長です。彼はプーチン大統領に忖度して、「国家に大統領は1人だけ」として、2010年、自ら「大統領」を名乗るのをやめ、「首長」と名乗り、現在に至ります。

2000年、チェチェンがロシア連邦に帰属した後も、独立派の武装勢力はロシアや親露派に対し、テロを繰り返します。プーチン政権も、独立派の要人たちを次々と暗殺し、武装勢力を徹底的に潰したのです。

2009年に、ロシアは一応、掃討作戦を終えます。二度の紛争による死者は10万人〜20万人にのぼると見られています。

SECTION 15

アラブ人①

メソポタミアでの従属とイスラム・アラブ主義

❖セムとイシュマエルの子孫

『旧約聖書』には、アラブ人とユダヤ人の起源について、以下のような記述があります。両民族共通の祖であるアブラハムは奴隷の妾にイシュマエルを生ませます。このイシュマエルの子孫がアラブ民族となったとされます。後に、アブラハムの正妻が生んだイサクの子孫がユダヤ民族となったとされます。

正妻のサラは高齢で出産を諦めていました。そのため、アブラハムはエジプト人奴隷のハガルを妾にして、イシュマエルをもうけました。しかし、神のお告げがあり、サラはイサクを産みました。後にサラはアブラハムにイシュマエル母子を追い出すよう要請し、神も「妻の言う通りにせよ」と告げたので、アブラハムはイシュマエル母子を砂漠へ追放します。

母子は砂漠を放浪し、ザムザムの泉にたどり着いたとされます。この泉はイスラム教の聖都メッカにあるカアバ神殿のすぐ近くの泉であると、イスラム教徒によって信じられています。

この地で、イシュマエルは子孫をなして、彼らがアラブ人となったとされます。

一方、カナン（現在のイスラエルの中心部）の地にいた正妻のサラの子イサクがなした子孫がユダヤ人になったとされます。

『イサクの犠牲』（レンブラント・ハルメンス・ファン・ライン画、1635年、エルミタージュ美術館蔵）
神はアブラハムの信仰を試そうとして、息子のイサクを生け贄に捧げるよう命じた。アブラハムは神に従い、イサクを殺そうとした瞬間、「汝、我を恐れたる者と知れり」と信仰の確かさを神に認められ、神の使いである天使が舞い降りて、アブラハムの手を止めた。

今日のアラブ人国家として、イラク、サウジアラビア、シリア、レバノン、ヨルダン、パレスチナ、そして湾岸諸国のアラブ首長国連邦、オマーン、カタール、クウェート、バーレーン、イエメン、北アフリカ諸国のエジプト、リビア、アルジェリア、チュニジア、モロッコが挙げられます。

アラブ人の遺伝子はY染色体ハプログループJが高頻度に観察されることで特徴づけられます。また、アラブ人はセム語派民族として分類されます。「セム」は『旧約聖書』の「創世紀」の登場人物ノアの長子で、ハム、ヤペテの兄です。「創世紀」によると、セムの子孫が中東地域の民族の始祖となり、ハムがエジプトやエチオピアなどのアフリカ地域の民族の始祖となり、ヤペテが南ロシアや小アジア、ギリシアなどの地域の民族の始祖となります。

「創世記」の伝承により、18世紀ドイツの言語学者がヘブライ語などの言語を分析分類するのに、これらノアの息子の名を採用したため、セム語族（アラビア語）、ハム語族（古代エジプト語）という呼称が一般化したのです。

図15-1｜アダムからアブラハムの系図

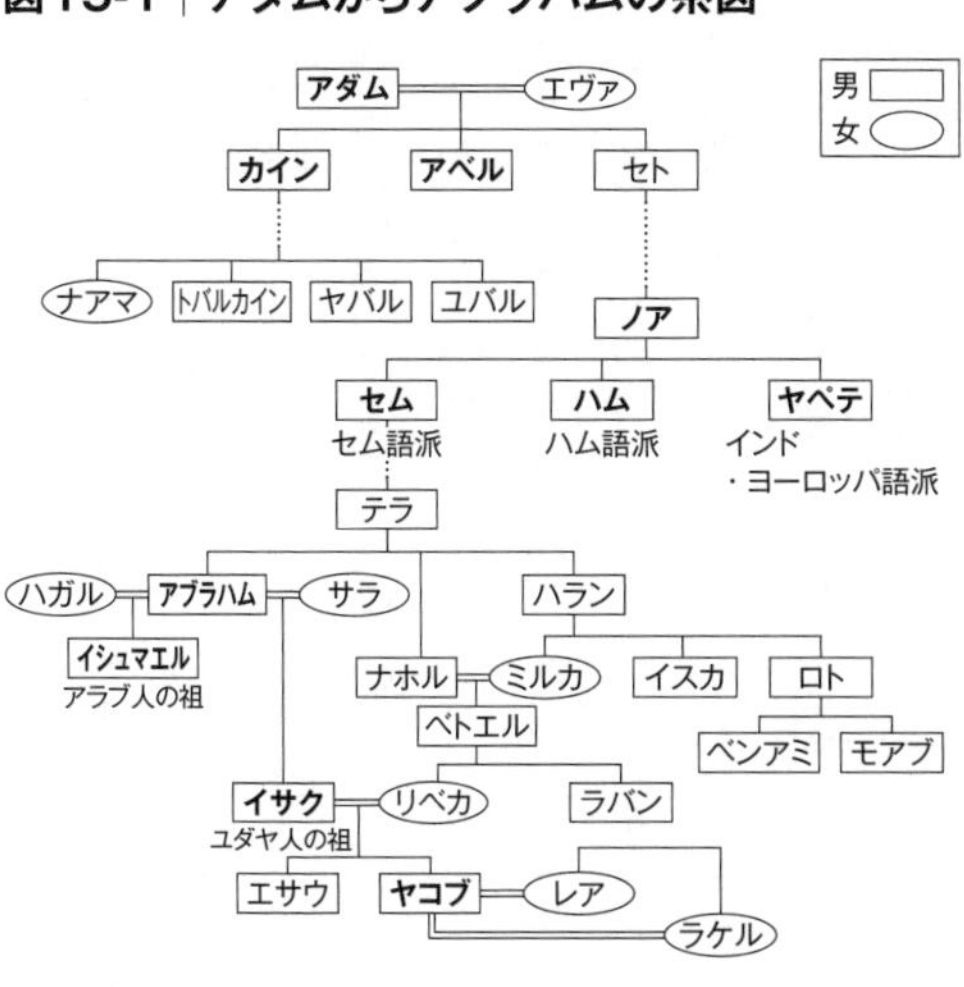

しかし、今日、セム語族とハム語族を言語学上、分類する根拠がないとされ、かつて教科書でも使われていた「ハム語族」は使われなくなり、古代エジプト語や北アフリカ語を含めて、「セム語族」で統一されています。

セムの後代の子孫がアブラハムで、前述のように、アブラハムの子のイシュマエルがアラブ人の直接の始祖となり、イサクがユダヤ人の直接の始祖となります。アラブ人とユダヤ人は同じセム語派の民族ですが、聖書の記述上では、両者の系統が分かれていきます。

❖メソポタミア文明をつくったのはアラブ人ではない

イラクに、ティグリス川とユーフラテス川の大河が流れています。「メソポタミア」とはギリシア語で「川の間」を意味する言葉で、文字通り、メソポタミア文明は両大河の流域で形成された古代文明です。この地域にいたアラブ人がメソポタミア文明を創始した民族と思われがちですが、そうではありません。

メソポタミア文明を創始したのはシュメール人という民族系統不明の民族です。シュメール人をアラブ人と同一視する見解もありますが、シュメール語とセム語族のアラビア語は明らかに言語系統が異なるということを考慮すれば、両者の民族系統を同一視することは難しいでしょう。シュメール語がトルコ諸語、モンゴル諸語などのアジア系言語の膠着語（動詞の語尾を変化させる）に近いことから、研究者の中には、シュメール人をアジアからやって来たモンゴロイドの移住民・征服民であると考える者もいます。

シュメール人は紀元前3000年代の終わり頃、メソポタミア地方南部でウル、ウルク、ラガシュなどの都市国家を建設し、メソポタミア文明を形成します。都市は巨大な神殿（ジッグラト）を中心に建設され、六十進法や太陰暦、青銅器などが用いられ、麦を栽培する灌漑農業が盛んに行なわれていました。

この時代、この地域で、アラブ人がどうしていたのかということについてはわかっていませんが、シュメール人の高度な文明を模倣し、取り入れていたことは間違いありません。アラブ人はあくまでシュメール人を模倣したに過ぎず、自分たちが独自に築き上げた文明の跡は残っていません。アラブ人は紀元前２３００年頃、ようやく歴史の表舞台に登場します。アラブ人のアッカド王国はシュメール人の都市国家を征服し、メソポタミアを統一します。シュメールの都市は、たびたび反乱を起こして抵抗しますが、アッカド王国に鎮圧されています。

シュメールのウル王の戴冠（紀元前2600年頃、古代都市ウルの遺跡から出土したモザイク、大英博物館蔵）

高度な文明を生み出したシュメール人がなぜ、文明の追随者・模倣者に過ぎないアラブ人に支配されたのか、その理由の1つとして、この地域にいた土着のアラブ人が圧倒的多数派で、数の上でシュメール人が負けたと考えることができます。ここから、一部の研究者が主張するような「シュメール人＝征服民説」もあり得ることだとわかります。

強勢を誇ったアッカド王国ですが、紀元前２１９3年、北東の山岳民族の侵入により、滅んだとされます。この山岳民族について、詳しいことはわかっていません。

アッカド王国が滅亡した後、シュメール人の都市国家が復活し、ウル第3王朝（紀元前2112年〜紀元前2004年）が建国されます。このウル第3王朝時代の記録に、アラブ人のことが「猿のように野蛮である」と記されています。当時のアラブ人は「アムル」（「西方の」という意味）と呼ばれていました。アムル人は傭兵や工夫としてシュメール人に雇い入れられていました。この時に、アラブ人はシュメール社会に同化していったと思われます。

アラブ人の勢力が再び増大し、最終的にウル第3王朝は消滅します。アラブ人の古バビロニア王国のハンムラビ王（在位：紀元前1792年〜紀元前1750年）の時代に、メソポタミアをほぼ統一します。ハンムラビ王はシュメール法典に準拠しながら、有名なハンムラビ法典を制定しています。古バビロニア王国もまた、シュメール人が形成したメソポタミア文明を模倣したのです。

❖アラブ人は1200年以上、イラン人に従属してきた

セム語派のアラブ人の古代文明史上の独自的功績は、彼らがフェニキア文字やアラム文字をつくったことです。それがアルファベットやアラビア文字やインド文字などのアジア文字の元となります（巻末特集参照）。文字を簡略化して使用したことが、成功の大きな原因でした。

アラブ人のアッシリア帝国は紀元前671年、オリエントを統一する大帝国となりますが、苛烈な武力支配を敷いたため、早くも紀元前612年には滅亡します。

その後、オリエントでは、インド・ヨーロッパ語派のイラン人勢力が急速に台頭します。イラン人は制度・文化の形成に優れ、地方行政などを充実させた組織的な国家体系を構築します。ギリシアの歴史家ヘロドトスはイラン人たちの軍制が優れていたことを強調しています。

イラン人のアケメネス朝ペルシアは紀元前525年にオリエントを統一し、長期政権となります。アラブ人はこのイラン人政権に屈服します。しかし、アケメネス朝は紀元前330年、ギリシア人のアレクサンドロス大王に滅ぼされます。中東地域は混乱しますが、その後、イラン人政権が回復し、パルティア（紀元前3〜後3世紀）、ササン朝ペルシア（3〜6世紀）と継承されていき、イラン人の優位的な状況が続きます。この時代にアラブ人は被征服民の地位に甘んじ、歴史の表舞台で活躍することはほとんどなかったのです。

政治的に優位であったイラン人ですが、彼らの古代文明も他文明の模倣によって形成されたものでした。アケメネス朝ペルシアの文化はシュメール人に端を発するオリエント文化の模倣・追随でした。パルティアでは、ギリシア文化が積極的に受容されました。パルティア王は「ギリシアを愛するもの（フィルヘレン）」と刻印された貨幣を発行し、その貨幣には、ギリシア神話の神々の姿も刻まれていました。また、イラン人は文字を持たなかったため、被征服民のアラブ人の文字をそのまま用いました。

1200年以上、アラブ人はイラン人に従属してきましたが、この状況が大きく変わるのが7世紀です。アラビア半島でアラブ人によって創始されたイスラム教勢力が一気に西アジアを席巻していき、それまでのオリエント文化を更新していきます。

イスラム教が台頭した理由はイラン人のササン朝の政権運営の失敗に大きな原因があります。3世紀以来、ササン朝ペルシアはローマと抗争を続けたため、イラン・イラク経由のアジア交易ルートが途絶えます。そこで、ササン朝領域を回避して、アラビア半島西岸の紅海沿岸地域ヒジャーズを経由してインド洋へと至る新しいルートが開発されます。ヒジャーズの中心メッカはヨーロッパとアジアの中継貿易で莫大な富を集積し、繁栄しました。

ヒジャーズの繁栄は同時に極端な貧富の格差を生み、社会矛盾が蔓延するなか、預言者ムハンマドが登場します。ムハンマドはメッカで生まれたアラブ人で、クライシュ族という富豪商人の家の出身でした。唯一神アッラーへの帰依を説き、イスラム教を創始します。610年、メッカで布教を開始、貧富の格差を背景にアッラーの前の平等を主張し、貧困層を中心に信徒を急速に拡大します。ムハンマドは教団の軍を組織し、630年、メッカを占領し、この地にカーバ神殿をつくってイスラムの本拠地とし、彼らはアラビア半島を統一していきます。

❖イスラム後も、アラブ人とイラン人は対立

ムハンマドの死後、イスラム勢力は642年、ニハーヴァンドの戦いでササン朝を破り、イラン・イラクを獲得、中東地域のイスラム支配が固まると同時に、覇権がイラン人からアラブ人へ交代しました。アラブ人のイスラム教徒に征服されたイラン人は独自の民族宗教であった

ゾロアスター教を捨て、イスラム教へ改宗します。イラン人の約半数が9世紀終わりまでにイスラムに改宗し、11世紀にはほとんどすべてのイラン人がイスラム教徒になっています。イスラムは偏狭な選民思想を排したので、イラン人などの非アラブ人もイスラムに帰依しやすかったのです。

1200年以上、中東で覇権を握ってきたイラン人ですが、他民族のイスラム文明を積極的に受容できたのはイラン人の合理主義によるところが大きいでしょう。イラン人はペルシア語を維持し続けました。ペルシア語はアラビア語に替わることがなかったため、ペルシア文明はアラビア文明化されなかったと言われることがよくありますが、前述の通り、ペルシア語は文字を持たなかったため、アラビア文字をそのまま借用しています。イラン人は他文明の優れたところを積極的に取り入れる柔軟性を持っていたのです。

そして、アラブ人はイラン人の能力を認め、多くのイラン人学者を研究に従事させ、イスラム神学を確立していきます。8世紀に、イスラム文化が大きく発展します。

同世紀後半、アッバース朝全盛期のカリフのハールーン＝アッラシードは首都バグダードに「知恵の宝庫」と呼ばれるギリシア語文献を中心とする図書館を建設しました。その息子マームーンはそれを拡充し、「知恵の館（バイト＝アルヒクマ）」と改称し、ギリシア語文献の翻訳と研究をさせます。エウクレイデスの数学書、ヒポクラテスやガレノスの医学書、プラトンやアリストテレスの哲学書、ギリシア語の聖書などを翻訳させました。イスラム文化は古代ギリシア文化の先進性にも学んだのです。

「知恵の館」で活躍した学者がイラン人のイブン・シーナー、フワーリズミーなどでした。イラン人の柔軟な他文明の受容がここでも存分に発揮されています。イスラム文化の柔軟性と国際性は実質的にイラン人学者たちによって達成されたものと言っても過言ではありません。

イラン人がイスラム化されて以降、イラン人とアラブ人の混血が進みます。しかし、彼ら民族のコミュニティの垣根も取り払われたのかというと、そうではありません。イスラム最初の統一王朝ウマイヤ朝においては、アラブ人のみが軍事的権限を与えられ、イラン人などの外国人には与えられませんでした。アラブ人はイラン人を軍事に関わらせると何をするかわからないと警戒していたのです。想定される反乱を未然に防ぐ必要があり、イラン人ら外国人は従軍したとしても一兵卒の扱いにとどめられ、アラブ人と明確に区別されていました。

また、ウマイヤ朝において、アラブ人の軍人集団はエリート特権階級で、税が免除されていました。これがイスラムの「神の前の平等」に反するとして、イラン人などの非アラブ人のイスラム教徒たちは不満を募らせていました。

イラン人は多数派のスンナ派に反発し、シーア派を奉じ、アラブ人スンナ派に対抗するための結束軸とします。これに対し、ウマイヤ朝もアッバース朝もシーア派を弾圧します。９４６年、イラン人はアッバース朝の弱体化に乗じて南下してバグダードに入城し、カリフから実権を奪い、シーア派王朝のブワイフ朝を樹立します。

このように、スンナ派アラブ人とシーア派イラン人との対立は、イスラム史初期から現代史のイラン・イラク戦争に至るまで続く、変わらぬ民族対立の基本構図となっています。

❖アラブ人優遇の民族主義からは脱却したが…

イスラム最初の統一王朝ウマイヤ朝（661年～750年）とアッバース朝（750年～1258年）の2つの王朝において、アラブ人の覇権は続きました。

ウマイヤ朝は北アフリカを越え、スペインに侵略し、いわば軍事膨張主義によって国家を発展させましたが、トゥール・ポワティエ間の戦いでヨーロッパ勢力に敗れると、その機構はすぐに動揺し、脆くも崩れ去っていきました。

750年、ウマイヤ朝が崩壊し、新たにアッバース朝が建国されます。アッバース朝はウマイヤ朝の軍事膨脹主義の限界を反省して、経済成長により政権の求心力を維持することに努め、また軍人たちの強い影響力を排除しようとしました。

ウマイヤ朝において、アラブ人の軍人集団はエリート特権階級で、税を免除されていました。アッバース朝はこうしたアラブ人軍人エリート層の特権を廃止し、他の外国人と同じように税負担を求めました。また、軍事偏重を改め、軍人たちの役割や権限を縮小します。

アラブ人軍人たちはこれに怒りました。特に、命を賭してスペインの外地にまで遠征していた軍人たちにとって、特権廃止は受け入れ難い屈辱でした。彼らはアッバース朝には従わず、

図15-2｜三カリフ国（10世紀）

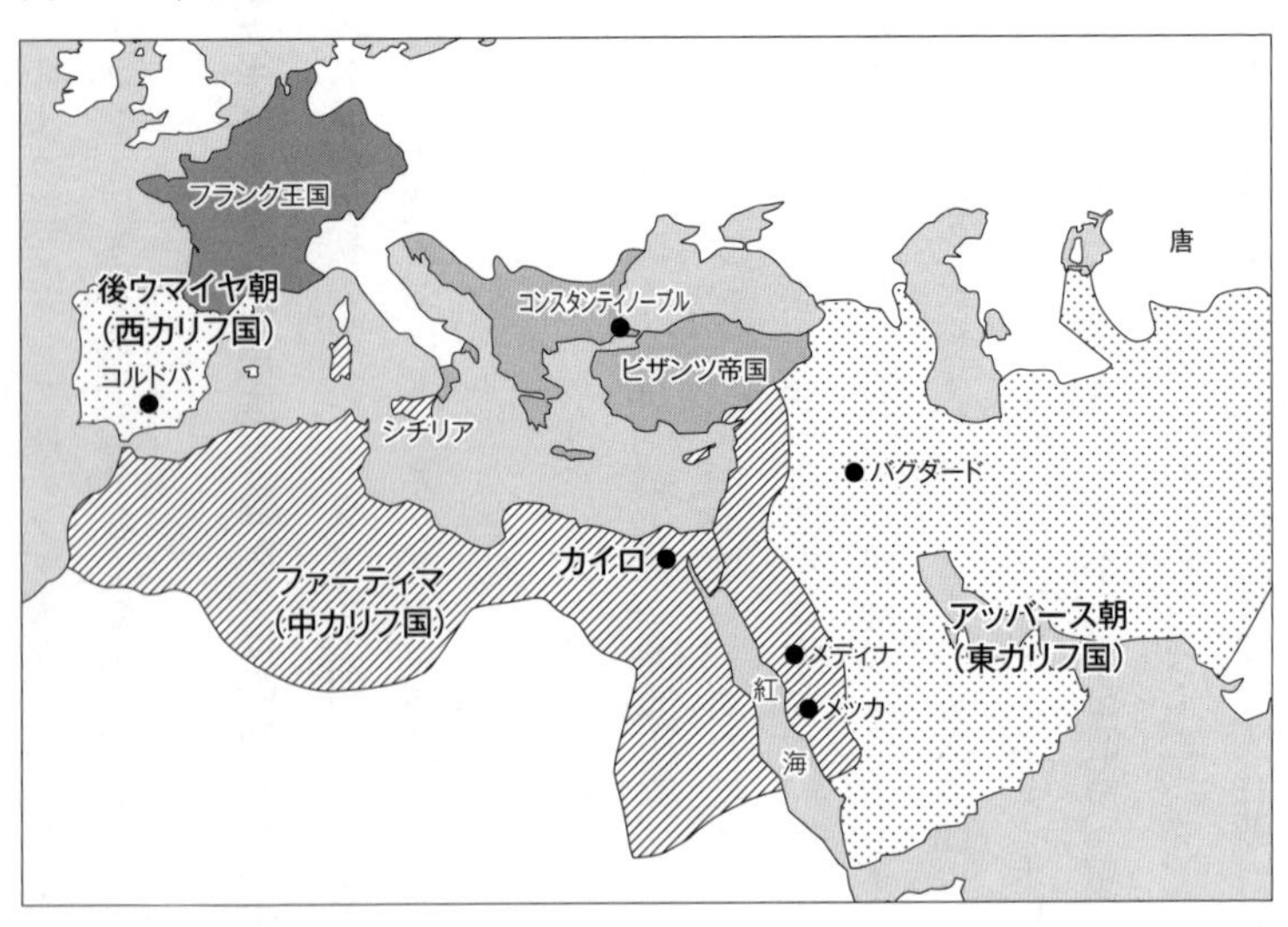

スペインで、後ウマイヤ朝を建国して独立します。後ウマイヤ朝の指導者はカリフを名乗り、アッバース朝のカリフに対抗しました。

このようなアラブ人軍人の自立はエジプトでも起きます。9世紀に、ファーティマ朝が建国され、アッバース朝に対抗しました。ファーティマ朝の指導者もカリフを名乗りました。従って、この時代、上のように、東、中、西の3人のカリフが並び立つことになります。

ファーティマ朝はエジプトから北アフリカに及ぶ広大な領域を支配します。「ファーティマ」というのはムハンマドの娘のことです。ムハンマドの娘ファーティマとその婿のアリーの子孫だけを正統なムハンマドの後継者と認める人々は「シーア・アリー」（アリーの信奉者）、略して「シーア派」と呼ばれます。ファーティマ朝もシーア派で、ウマイヤ朝やアッバース朝のカリフは簒奪者の子孫であり、認められないと主張しました。

アッバース朝はその成立早々から分裂含みの状態でした。アッバース朝はアラブ人優遇の民族主義をやめ、神の前のムスリムの平等という教義に基づく、普遍的なイスラム帝国を創建しようとしましたが、その理想とは裏腹に、イスラムの分断を招き、以後もイスラム圏各地で、様々な王朝が発生することになります。

アッバース朝は成立して間もない頃、西進から舵を切り替えて、東進の可能性を探ります。751年、タラス河畔の戦いで、アッバース朝は中国の唐を破り、中央アジアに勢力を拡大します。その中国人捕虜の中に製紙法を伝えるものがあり、イスラム社会に紙が取り入れられ、『コーラン』をはじめ、イスラム思想や文芸などの書物が広く普及しはじめます。

イベリア半島の後ウマイヤ朝は首都をコルドバに置き、キリスト教勢力と対峙します。しかし、キリスト教勢力による国土回復運動（レコンキスタ）が12世紀以降にはじまり、キリスト教国家が巻き返します。後ウマイヤ朝の勢力はアルハンブラ宮殿を建立したことで有名なナスル朝に引き継がれていきますが、1492年、スペイン王国に滅ぼされ、アラブ・イスラム勢力はイベリア半島から撤退します。

SECTION 16

アラブ人②

宗教的正統性とアラブ人国家の起源

❖アラブ人が持つ預言者の継承性

1258年、チンギス・ハンの孫フラグはアッバース朝の首都バグダードを占領しました。アラブ人の覇権はモンゴル人によって崩されたのです。

アッバース朝最後のカリフのムスタアスィムはモンゴル人勢力に捕らえられ、監禁されます。ムスタアスィムは財宝に執着していました。モンゴル軍が迫る状況でも、ムスタアスィムは兵士たちにろくに食糧も支給せず、自分の財宝を貯め込んでいました。兵士たちは、カリフへの忠誠心を失い、戦わずして逃げます。

捕らえられたムスタアスィムは「お前が貯め込んだ財宝を食べて生きよ」と命じられ、朝昼晩の3食の代わりに、大皿に金銀・宝石を盛り付けて、独房に差し入れられました。ムスタアスィムは飢えて死にます。

カリフはムハンマドの死後、ムハンマドの代理人としてイスラム世界に君臨しました。「カリフ」とは「後継者」を意味します。正統カリフ時代を経て、ウマイヤ朝やアッバース朝の君主にカリフ位は引き継がれていきます。時代を経るにつれてカリフは腐敗していき、人心を失いました。カリフの地位は最終的に16世紀、オスマン帝国のスルタンに引き継がれます。イスラム世界では、カリフの他に、スルタンという権威者がいました。「スルタン」はアラビア語で「権威」という意味で、「皇帝」を表わします（広義で王の意味も含む）。よく、カリフとスルタンの関係は西洋の教皇と皇帝の関係にたとえられます。

アラブ人である預言者ムハンマドの後継者のカリフ位は歴代、アラブ人に引き継がれてきましたが、オスマン帝国のスルタンがカリフ位を奪ったことにより、トルコ人に引き継がれていくことになります。一方で、オスマン帝国はムハンマドの血統に近いアラブ人たちの反発に配慮し、様々な恩恵を与えます。

カリフ位を奪われたアラブ人はムハンマドの継承性を完全に失ったのかというと、そうではありません。

ムハンマドには、13人の妻に7人の子供がいたといわれます。しかし、男子は皆、夭折したため、娘のファーティマを後継者に指名します。ファーティマは一族のアリーと結婚し、ハサンとフサインの2子をもうけます。ムハンマドの他の娘は子をなさなかったので、ムハンマドの血を引いているのはファーティマの家系のみです。

ハサンとフサインの兄弟のうち、兄のハサンは多くの子をもうけたと考えられています。ハサンは性依存症で、手当たり次第、女性と性的関係を持ったと言われていますが、ハサンが関係した女性や産まれた子についての記録が残っておらず、詳細についてわかっていません。

ハサンの子孫たちはイスラムの聖地メッカの「シャリーフ」となり、その地位は「メッカ・アミール」(メッカ太守)として引き継がれていきます。「メッカ・アミール」はハサンの後裔に歴代引き継がれ、20世紀には有名な人物が現われます。フサイン・イブン・アリーです。この人物は第一次世界大戦中の1915年、フサイン・マクマホン協定をイギリスと締結したことで知られます。

ハサンは669年に死去しています。フサイン・イブン・アリーに至る1200年以上のハサンの系譜を遡及・検証することは不可能なので、本当にハーシム家の血筋を引いているかどうかわかりませんが、イスラム世界では引いているとされており、アラブ人が預言者ムハンマドの継承性を持つ唯一の根拠とされます。

一方、ハサンの弟のフサインについて、その系譜がある程度、わかっています。フサインの子孫を「イマーム」(「指導者」の意)とする派はシーア派であり、主にイラン人によって信奉されます。

イマームは断絶していますが、シーア派の信奉者は、イマームは死に絶えたのではなく、人々の前から姿を消し、隠れたのだと主張しています。この「隠れ(幽隠)」のことを「ガイバ」といいます。「ガイバ」の状態にあるイマームは最後の審判の日に、この世に再臨すると考えられています。そして、かつてのイマームたちの家族やその子孫たち、彼らの血筋を引く者が「サイイド」とされます。

❖アラブ人国家の起源――ヒジャーズとサウジアラビア

ハサンの後裔であるハーシム家は前述のように「メッカ・アミール」として、メッカやメディナを中心とするアラビア半島西岸のヒジャーズ地域を支配していました。ハーシム家当主のフサイン・イブン・アリーは1915年、フサイン・マクマホン協定でイギリスと手を組みます。イギリスからの支援もあって、フサインは1916年、ヒジャーズ王国を建国します。

図16-1｜ヒジャーズ王国周辺地図

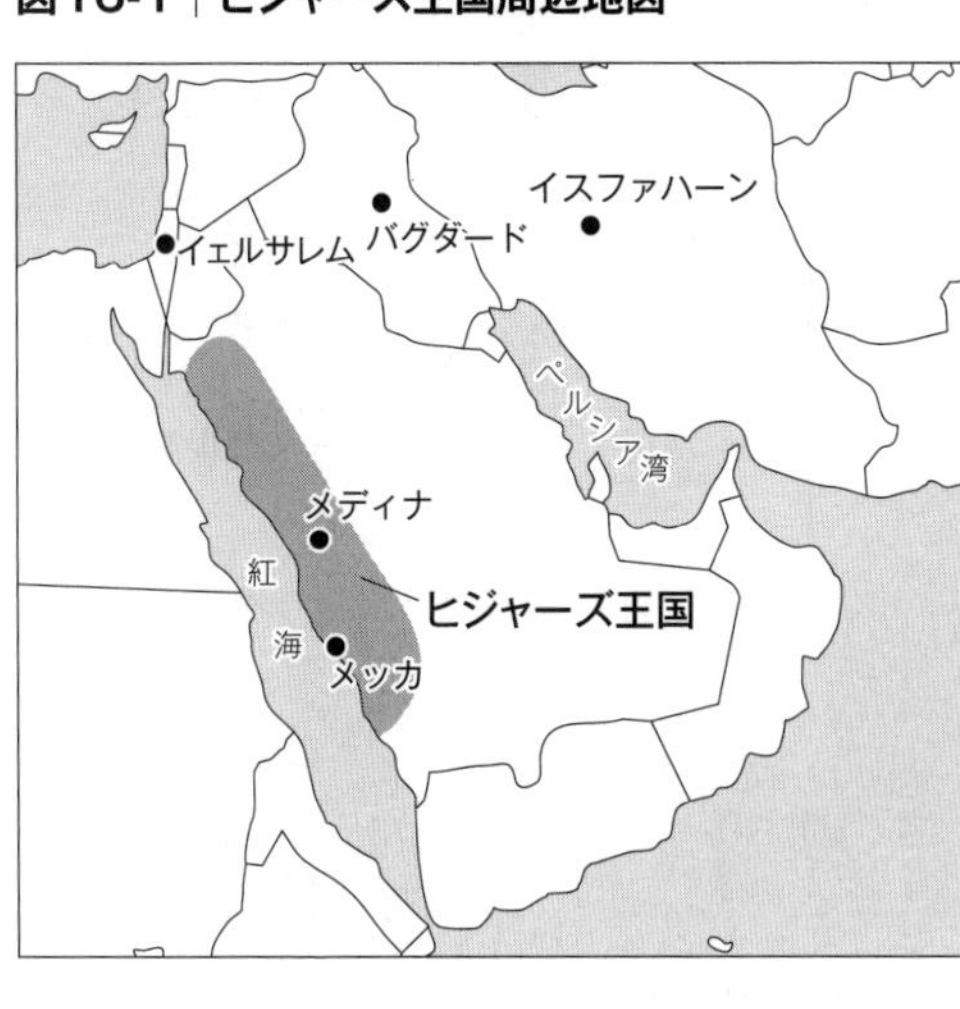

フサイン・マクマホン協定で、イギリスがオスマン帝国の支配下にあったアラブ地域の独立を約束しました。第一次世界大戦後、その約束は守られず、イギリスがオスマン帝国領であったイラクやヨルダンを支配し、フランスが同じくオスマン帝国領であったシリアやレバノンを

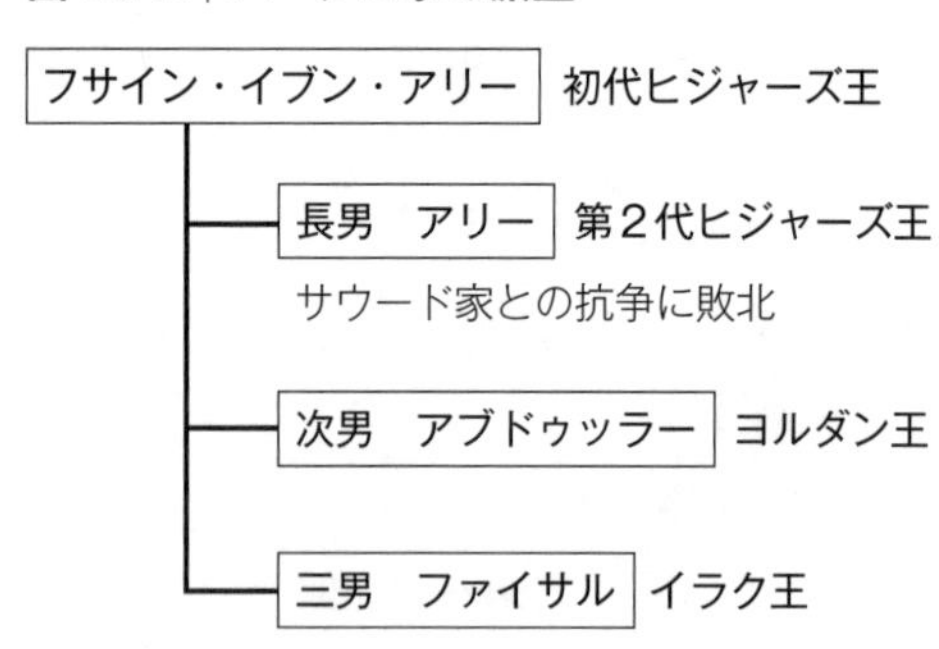

支配します。

イギリスやフランスに支配されたこれらのアラブ地域は「委任統治領」と言います。委任統治とは国際連盟の委任を受けて、英仏が統治を担当するもので、事実上の英仏の植民地でした。これに、猛然と反発したハーシム家を宥めるために、イギリスは以下のような措置を取ります。１９２１年、フサイン・イブン・アリーの次男アブドゥッラーをヨルダン王に据え、三男のファイサルをイラク王に据えました。しかし、この時、ヨルダンやイラクはイギリスの委任統治領で独立した国家ではなく、ヨルダン王やイラク王はイギリスの傀儡に過ぎませんでした。

イギリスの植民地の王に即位したアブドゥッラーやファイサルの胸中は複雑であったでしょう。それでも、ハーシム家はイギリスの措置を受け入れました。

第一次世界大戦後、イギリスの支援を受けたアラビア半島中部の支配者サウード家が急速に台頭し、ハーシム家に敵対します。フサイン・イブン・アリーはサウード家のイブン・サウードに追い詰められ、長男のアリーに譲位して、キプロス島へ亡命しました。

イブン・サウードは1925年、ハーシム家のヒジャーズ王国を滅ぼし、メッカの保護権を奪います。ヒジャーズ王のアリーは弟のファイサルがいるイラクへ亡命しました。ハーシム家のヒジャーズ王国は2代9年で終わりました。

一方、サウード家はその後も勢力を拡大し、アラビア半島を統一し、1932年、サウジアラビア王国を建国し、今日に至ります。サウード家はアラブ人国家ですが、ムハンマドの家系とは関係がありません。

❖アラブ人国家の起源――イラクとヨルダン

フサインの三男ファイサル（ファイサル・アル＝ハーシミー）は有能な人物でした。ファイサルはフサイン・マクマホン協定を破り、父を裏切ったイギリスに対しても逆に接近し、外交的駆け引きに利用しました。その結果、ファイサルは前述のように、イギリスによって、1921年、イラク国王に据えられ、イラク・ハーシム王朝を開いたのです。

イラクでは、その後、イギリスの植民地支配（委任統治）に対し、激しい抵抗運動が起こります。イギリスはこれを抑え切れず、1932年、イラクの独立を認め、国王のファイサルにイラクを委ねます。イギリスは一応、イラクから撤退しますが、以後も影響力を背後から行使します。

1932年、イラク王国が独立しますが、実態として、イギリスの傀儡が続いていたため、国民の反英意識は強まります。1958年、軍人のカーシム（カセム）は反英米を掲げ、革命を起こします。ハーシム王朝は崩壊し、カーシム軍事政権が成立します。

イラク・ハーシム王朝はファイサルが1933年に病死した後、2代の国王が続いていました。3代目のファイサル2世（ファイサルの孫）はカーシムのクーデター部隊に銃殺されました。

反英米を掲げるカーシム軍事政権を危険視するアメリカは、反カーシムのバース党を支援します。1963年、クーデターが成功し、バース党政権が成立します。このバース党の中から頭角を現わし、1979年に大統領に就くのがサダム・フセインです。

フサイン・イブン・アリーの次男アブドゥッラーは1921年、ヨルダン国王に即位します。アブドゥッラーからアブドゥッラー2世現国王に至るまで、4代のハーシム家国王が続いています。

ヨルダンもやはり、イラクと同様に、イギリスの委任統治領でした。ヨルダンの政情は比較的に安定していたため、イギリスの支配が25年間も続き、1946年に独立します。

ヨルダンは1949年、正式国名を「ヨルダン・ハシミテ（英語読みでハシェミット）王国」と定めました。「ハシミテ」とは「ハーシムの」という意味です。ヨルダン王室はムハンマド直系の家系であるハーシムを誇りにしています。

初代国王のアブドゥッラーは独立後、エルサレムを含むヨルダン川西岸地区の領有を主張して、「パレスチナの王」を称しました。1950年には、エルサレムを含むヨルダン川西岸地区を領土に加えます。そのため、アブドゥッラーは過激派パレスチナ人の反発を買い、1951年、エルサレムを訪問中に暗殺されました。1967年の第3次中東戦争でヨルダン川西岸地区はイスラエルに奪われます。

1952年、憲法が制定され、国王を元首とする立憲君主制に移行します。国王は首相任命権を有しており、一定のレベルで権力を保持しています。

このほか、1918年から1962年に存在したイエメン王国の王家は、ハーシム家の血統（フサインの孫のザイドの子孫）を引いていると称していました。ザイド派のイマームが897年にイエメンに拠点を置き、その子孫がイマーム位を歴代、継承したとされます。そして、千年以上後の1918年、当時のイマームがオスマン帝国からの独立を宣言し、イエメン王国を建国しました。しかし、クーデターで1962年に王制が打倒されました。現在、イエメンは大統領制を敷く共和国です。

❖アラブ人国家の起源――シリア、レバノン

シリアはもともとアラブ人が分布していた領域でしたが、紀元前15世紀頃、小アジアに拠点を持つインド・ヨーロッパ語派のヒッタイトに支配されます。今日、シリア人がアラブ人の中でも、ヨーロッパ白人的な容貌を最も強く持つのは、古来より、インド・ヨーロッパ語派と隣接する領域にあり、彼らと少なからず混血してきたからです。

紀元前12世紀頃から、シリアで、アラブ人の一派アラム人が陸上交易活動を展開し、ダマスカスを建設しました。紀元前11世紀頃から、同じくアラブ人の一派フェニキア人が地中海交易活動を展開し、レバノン海岸の都市シドンやティルスを建設しました。アラム人やフェニキア人の活躍によって、シリア地域のアラブ化が確立されていきます。

しかし、シリアは紀元前4世紀に、ギリシア人のセレウコス朝に支配され、紀元前64年には、ローマの将軍ポンペイウスに征服され、ローマの属州となります。その後、ローマ帝国の東西分裂後は東ローマ帝国（ビザンツ帝国）の支配を受けます。この時代においても、やはり、シリアのアラブ人はインド・ヨーロッパ語派との混血が進んだと考えられます。

7世紀、イスラム教勢力が聖戦（ジハード）によってシリアを奪い、ようやく、ローマ帝国の支配から脱却します。661年、ウマイヤ朝はダマスカスを首都として成立します。シリアはアラブ・イスラム勢力の中心地となり、ヨーロッパ勢力から完全に切り離されます。

12世紀、シリアの支配権を巡って、イスラム勢力と十字軍が激しく戦いますが、シリアがヨーロッパ勢力に奪われることはありませんでした。

16世紀、オスマン帝国がシリアを直轄支配します。19世紀、オスマン帝国のもとで、アラブ人の民族独立運動が高まりますが、第一次世界大戦後、イギリスとフランスによって、オスマン帝国領のアラブ人区域が分割され、シリアはレバノンとともに、フランスの委任統治領となります。この時、イギリスとフランスによって、一方的に敷かれた行政区域が今日のシリアやレバノン、さらにイギリスの委任統治領となったパレスチナ、ヨルダン、イラクの国境線のもととなります。この委任統治がはじまる前まで、「シリア」は現在のシリア、レバノン、ヨルダン、パレスチナを含む広域を指す地域名でしたが、委任統治以降、現在のシリア国家の領域のみを指す狭義の言葉に変化していきます。

しかし、フランスの委任統治に対するシリア人の反発は強まり、フランスは1936年に事実上の独立を認め、さらに1943年にレバノンの独立を認め、戦後の1946年にシリアの独立を正式に認めます。

シリアでは独立後、アラブ人の統合を目標とするバース党が生まれます。エジプトのナセル大統領とも連携し、アラブ民族主義を高揚させます。1963年、バース党がクーデターで政権を奪取し、1970年以降、指導者のアサドが政権を握り、独裁体制を樹立し、今日に至ります。

2011年、「アラブの春」がシリアにも及び、民主化運動が起きますが、アサド政権はロシア、イランなどの支援により、反政府軍を弾圧したため、内戦となります。この内戦に、クルド人民族問題も絡み、現在も混乱は収束していません。

✣アラブ人国家の起源――湾岸諸国

カタールは隣国サウジアラビアと紛争状態にあります。カタールのサーニー家はサウジアラ

図16-3｜アラビア半島と周辺の国家

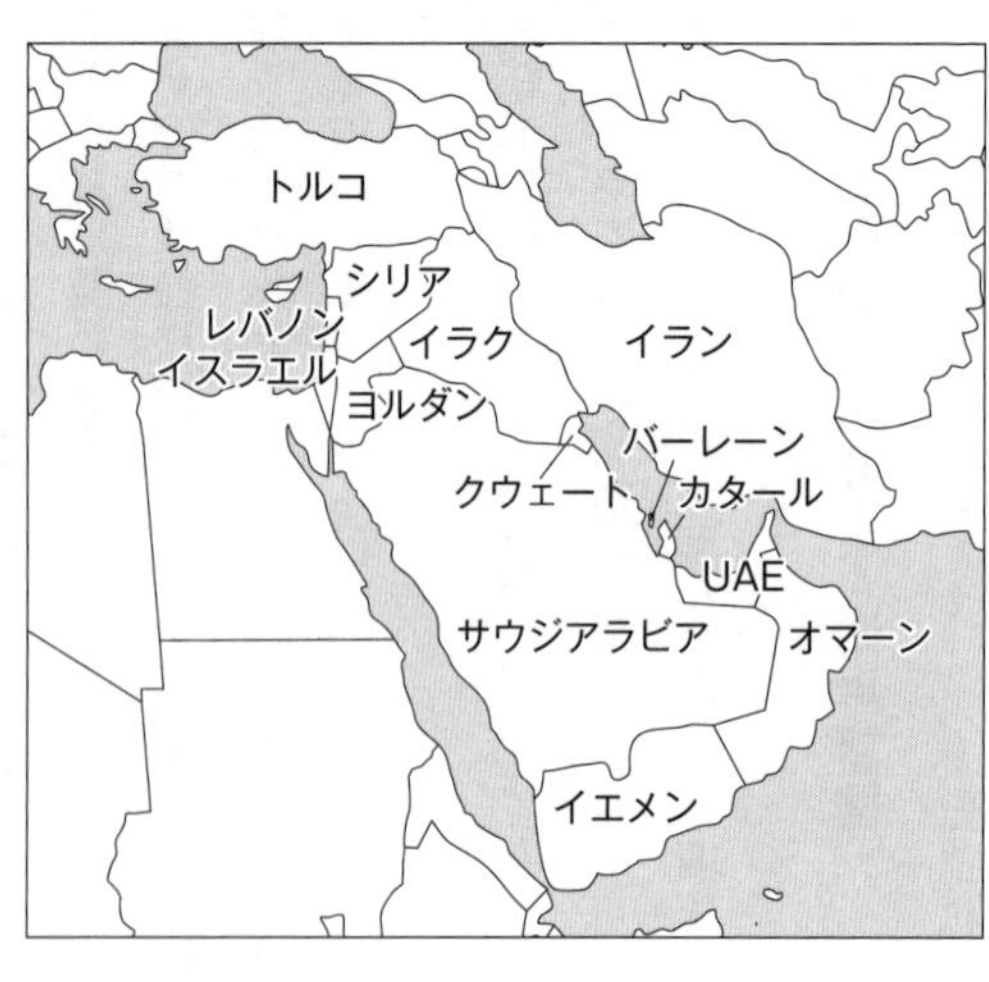

ビアのサウード家に従いませんでした。サーニー家はサウード家に対抗するため、サウード家の敵であるイランと連携し、それが今日まで続いています。カタールでは、１８２５年、サーニー・ビン・ムハンマドがサーニー朝を創始しています。

カタールはもともとアラブ首長国連邦の一員でした。そのため、カタールの元首は「首長」と訳されるのです。１９６８年、イギリスがスエズ以東からの撤退を宣言すると、ペルシア湾岸の諸小邦は連合し、連邦国家であるアラブ首長国連邦を１９７１年に結成しました。当初、カタールも連邦に入っていましたが、カタールとバーレーンは石油生産量が多く、単独独立することができるという判断で、アラブ首長国連邦の結成直後に、連邦から離脱しました。

カタールは20世紀前半に他の湾岸の諸小邦と同じく、イギリスの保護下に入っています。第二次世界大戦後、石油輸出で発展し、１９９０年代、石油のみに頼った経済を改革し、観光産業の育成などに力を入れました。その結果、首都ドーハは賑わいを見せ、活性化しています。

航空会社の「カタール航空」なども飛躍的にシェアを拡大しました。有名な衛星テレビ局「アルジャジーラ」はサーニー家の出資で設立された放送局です。

1971年、カタールと同じく、バーレーンはアラブ首長国連邦から離脱します。バーレーンはペルシア湾のバーレーン島を主島とする大小33の島からなる島国です。バーレーンの君主のハリーファ家はカタールの豪族でしたが、18世紀末にバーレーン島に入植し、王を称して支配権を確立します。イランの支配を受けましたが、19世紀末にイギリスの保護国となります。2000年に入ると、民主化運動が起き、絶対君主制から立憲君主制へ移行しました。

クウェートでは、サバーハ家が歴代のアミール（首長）位を引き継ぎ、現在に至ります。サバーハ家はアラビア半島中央部の豪族でしたが、18世紀、サウード家に追われてクウェートに移住し、クウェートのアミールとなります。その後、オスマン帝国に編入されますが、19世紀末、イギリスの保護国となります。第一次世界大戦でオスマン帝国が敗北し、オスマン帝国領内のイラクとともに、イギリスの委任統治領（事実上の植民地）となります。

1961年、イギリスから独立し立憲君主国家となります。しかし、クウェートの立憲君主制は名目上のことでしかなく、実際にはアミールが実権を握っています。1986年以降、一方的に閉鎖された国民議会の再開を求め、大規模な民主化運動が起き、政府と激しく対立しました（1991年に国民議会は復活したが、議会と政府の対立は続いている）。

隣国のイラクは米英の都合によって分離されたクウェートを返還せよと求めていました。イラクのサダム・フセイン大統領はクウェートの民主化運動の混乱に乗じて、1990年に侵攻し、一時併合します。翌年、アメリカを中心とした多国籍軍とイラクとの間で湾岸戦争が勃発し、多国籍軍はイラク軍をクウェートから撤退させました。

湾岸地域の中で、昔から、最も強大な力を持っていたのがオマーンです。オマーンはペルシア湾の玄関口に当たるホルムズ海峡を有し、ペルシア湾全域の制海権を握っていました。ペルシア湾からつながるインド航路やアフリカ航路も押さえており、インドや東アフリカとの海上交易で栄えました。

18世紀に、ブーサイード家の支配が固まり、現在に至ります。19世紀前半、東アフリカ沿岸の貿易拠点のザンジバルを支配し、東アフリカ沿岸一帯を併合します。オマーンと東アフリカに跨がる海上帝国として、「オマーン帝国」を名乗り、ブーサイード朝の君主は「スルタン」の称号を使用するようになります。

19世紀後半、イギリス海軍が進出し、オマーン周辺の制海権を握ると、オマーンは急速に衰え、東アフリカの支配権も失いました。1891年、イギリスの保護国となります。

1971年、オマーンはイギリス保護領から独立します。ブーサイード家当主がスルタン位を継承し、絶対君主制を敷いています。

SECTION 17

ユダヤ人
白人の血脈や遺伝子はどのくらい含まれているのか

❖ユダヤ人の閉鎖的同族婚による遺伝

ユダヤ人はIQ（知能指数）が高く、多くのノーベル賞受賞者や芸術家を輩出するなど、天才の多い民族です。ユダヤ人は世界の人口の中で、0・2％しかいませんが、ノーベル賞受賞者の約20％を占めます。その中には、アインシュタイン（物理学賞）、ボーア（物理学賞）、ベルグソン（文学賞）、キッシンジャー（平和賞）、サミュエルソン（経済学賞）、フリードマン（経済学賞）らがいます。

アメリカの人類学者グレゴリー・コクランは、ユダヤ人が知能に優れているのは遺伝的な要因が強いと指摘しています。ユダヤ人が裕福で高度な教育を受けられることも、要因の1つとしてあるでしょうが、そのような環境上の要因が決定的なものではないというのです。

ユダヤ人は宗教的な理由で、ユダヤ人以外の他民族との婚姻がほとんど発生せず、同族内での婚姻が歴史的に繰り返されてきました。コクランは、その閉鎖的な同族婚において、特殊な遺伝的な特徴が子孫に受け継がれてきたと指摘しています（グレゴリー・コクラン、ヘンリー・ハーペンディング『一万年の進化爆発 文明が進化を加速した』）。

ユダヤ人が異宗婚を排除し、同族婚を続けたことは事実です。特に、ヨーロッパに渡ったユダヤ人でアシュケナジムと呼ばれるドイツや東欧に居住した一派はごく限られた少数の集団の婚姻から派生したことが最近の遺伝子解析の研究からも解明されています。

２０１４年に行なわれたコロンビア大学のイツィク・ピア教授らの調査で、アシュケナジム系ユダヤ人の遺伝子解析の結果、現在の彼らは13世紀から15世紀の間における、わずか２５０～４２０人のユダヤ人集団の子孫であるとの結果が出ています（ちなみに、この時代になぜ、彼らの集団の人数がこれほどに減ったのかは説明されていない）。この結果は、ユダヤ人の婚姻関係が極めて閉鎖的なものであったことを物語っています。ノーベル賞の受賞者のユダヤ人はほとんど、このアシュケナジム系から出ており、コクランが主張するように、ユダヤ人の傑出した知的能力が遺伝的な特徴と深く関係していることをうかがわせます。

同族結婚を繰り返してきたことで、ユダヤ人が罹患しやすい遺伝病も存在します。テイ・サックス病、ゴーシェ病、家族性自律神経障害、乳がん変異などの疾病は、集団の数が減ることにより、劣性の遺伝子変異が増幅される「ボトルネック効果」によって引き起こされる遺伝性疾患です。今日でも、敬虔なユダヤ教徒は異宗婚を排除するため、遺伝性疾患に罹患する確率が高いのですが、一方で、こうしたユダヤ人の伝統も次第に守られなくなっていることもあり、他民族との結婚・混血も増加しているのが現状です。

しかし、多くのユダヤ人たちは未だ、ユダヤ教における極端な律法主義と「ユダヤ人だけが救済される」という排他的な選民思想を持ちながら、まるで秘密結社のような閉鎖的なコミュニティの中で生きています。このことが他民族に疎外感を与え、ユダヤ人が歴史的に迫害を受け、嫌われてきた理由の1つです。

❖ユダヤ人と白人との混血

現代のユダヤ人の平均的なY染色体ハプログループの割合はアラブ人に高頻度に観察されるJ系統が約30%、北アフリカ人に高頻度に観察されるE系統が約20~30%、そして、白人に高頻度に観察されるR系統が約20~30%となっています。つまり、ユダヤ人とはアラブ人、北アフリカ人、白人の血統をすべて併せ持った民族と言うことができます。

ユダヤ人の多くは白人とアラブ人の中間のような容貌を持ち、時には、白人とほとんど区別がつかないような人もいます。ユダヤ人はコーカソイド系のJ系統とR系統を合計50%以上持っているので、人種としての分類はコーカソイドに入れられます。

ユダヤ人はもともとシナイ半島に居住していましたが、エジプト新王国の迫害を受けたため、預言者モーゼに率いられ、パレスチナへ移住します。ユダヤ人はパレスチナにおいて、ヘブライ王国を建国し、紀元前10世紀、ダヴィデ王、ソロモン王の時代に全盛を誇りました。そして、イェルサレムにヤハウェの神殿が建設され、ヘブライの民間信仰が集められ、ユダヤ教の原型が形成されます。

ヘブライ王国を建国したユダヤ人たちはもともと「ヘブライ人」と呼ばれていました。「ヘブライ」はヘブライ語で「さまよう」という意味があったとされています。

当初、繁栄したヘブライ王国は、内部分裂で勢力を弱めていき、周囲のアラブ人に支配されます。ヘブライ王国分裂後の後継国家がユダ王国です。紀元前6世紀、アラブ人の新バビロニア王国がユダ王国を滅ぼし、多くのユダヤ人が奴隷としてバビロン（バグダードの南90キロメートルの古代都市）に囚われました（バビロン捕囚）。彼らはユダ王国の遺民という意味で、「ユダヤ人」と呼ばれるようになったのです。この時の新バビロニア王国のユダ王国に対する破壊とユダヤ人への弾圧があまりにも苛烈であったため、ユダヤ人同士の独特の連帯意識を生み、さらには、試練を経験したユダヤ人のみが救済されるという選民思想も形成されます。

その後、アケメネス朝ペルシアが紀元前6世紀、全オリエントを統一し、ユダヤ人もその支配下に入ります。この時代に、『旧約聖書』の編纂が本格化し、ユダヤ教は組織化されていきます。紀元前1世紀、ローマ帝国が建国されると、ユダヤ人は帝国によって迫害され、各地に離散しました。これを「ディアスポラ」（「離散」という意味）といいます。ヨーロッパに渡ったユダヤ人は、当時のヨーロッパで卑しい職業とされていた金貸し業を営み、これがユダヤの金融資本の出発点になります。

ディアスポラの時代に、ユダヤ人はヨーロッパ各地で白人と混血したと考えられています。ユダヤ人が同族婚の結婚を慣習化させるのは中世の時代であり、ディアスポラの時代の紀元前1世紀には、異教徒のヨーロッパ白人と混血していたのです。

このことを示す研究結果が2013年に提示されています。イギリスの生物学者マーティン・リチャーズはアシュケナージ系ユダヤ人の母系遺伝子であるミトコンドリアの染色体に関する遺伝情報を解析し、彼らの母系祖先を調査したところ、2000年前の紀元前1世紀において、その多くがヨーロッパ人と特定できたのです。つまり、リチャーズの調査結果は、紀元前1世紀、ヨーロッパにやって来たアシュケナージ系ユダヤ人は、ヨーロッパ白人女性をユダヤ教に改宗させ、結婚・混血し、子孫を残していったということを示しています。

ユダヤ人の遺伝子に、白人に高頻度に観察されるR系統が含まれるようになったのは、この時代における、白人との混血によるものと考えられます。ヨーロッパのユダヤ人コミュニティはその初期において、閉ざされたものではなく、われわれが考える以上に、現地ヨーロッパ人と融和的なものだったようです。

もともとユダヤ人の容貌はアラブ人（J系統）と北アフリカ人（E系統）に近かったと考えられます。今日のエジプト人やリビア人のようなイメージです。そこに、白人（R系統）の血が加わり、現代のユダヤ人の容貌へと変化していくのです。

❖キリストはなぜ、白人のビジュアルになってしまったのか

イエス・キリストはパレスチナのベツレヘムで生まれたユダヤ人です。しかし、絵画などで白人のヨーロッパ人男性として描かれてきたために、イエスが白人であるかのようなイメージが定着しています。また、聖母マリアもほとんどの絵画で、白人女性として描かれています。

ディアスポラ以前、ユダヤ人は白人との混血を未だ進めていませんでした。ローマ帝国がシリア・パレスチナ地方を版図に組み入れますが、白人の入植者は決して多くはありませんでした。もし、イエスの本当の容貌を復元できるとするならば、われわれはそれを見て、瞬時に「アラブ人だ」と思うでしょう。イエスの髪の毛の色は金髪や赤茶ではなく黒で、眼の色も青ではなく黒であった可能性が高いでしょう。レオナルド・ダ・ヴィンチの『最後の晩餐』では、イエスの髪の毛は赤茶で描かれています。

ユダヤ人はそもそも、アラブ人と同じセム語派に分類されます。ユダヤ人の言語であるヘブライ語もセム語族の1つです。インド・ヨーロッパ語派とは明らかに異なる民族です。

それにもかかわらず、イエスを白人のように描写するのは、イエスを同族としたいヨーロッパ人の思惑があったのだと批判されています。特に、反人種差別団体はイエスが白人として描かれている壁画や絵画は白人至上主義の擁護に使われているとして、公共の場から撤去すべきだと極端な主張をしています。神であるイエスは白人であるべきとする暗黙の了解がヨーロッ

パ白人の中にあったのは間違いないでしょう。イエスが中東人のような容貌では、白人にとって、都合が悪かったのはいうまでもありません。

『旧約聖書』によると、ユダヤ人とアラブ人は共通の祖を持ちます。アブラハムは奴隷の妾にイシュマエルを生ませます。このイシュマエルの子孫がアラブ民族となったとされます。後に、アブラハムの正妻が生んだイサクの子孫がユダヤ民族となったとされます。

ユダヤ人はアブラハムの正妻の嫡出子の系統であることを誇り、アラブ人を奴隷の妾の子であると見下しました。ユダヤ人とアラブ人はほぼ同族であるにもかかわらず、歴史上一貫して、対立しており、それは今日にまで引き継がれています。

ところで、ユダヤ人とは、いったいどのように定義される民族なのでしょうか。現在、イスラエルの法律では、「ユダヤ人はユダヤ人の母親から生まれた人、またはユダヤ教に改宗を認められた人」（「イスラエル帰還法」より）と規定されています。

ユダヤ人は古来、ユダヤ法で、ユダヤ人の母を持つ者をユダヤ人とするという思想を受け継いでおり、それがイスラエルの国法にも反映されています。父親がユダヤ人でも、母親が非ユダヤ人の場合、子供はユダヤ人ではないと見なされることもあります。子供の父親が誰かはわからなくても、母親から生まれた子は確実に母親の子であるため、母親がユダヤ人ならば、ユダヤ人の血は受け継がれていると考えられています。

しかし、これらは厳格な定義であって、実際には、ユダヤ社会で、母親が非ユダヤ人で父親

図17-1｜ユダヤ人の3系統

アシュケナジム系……ドイツ、東欧、現在の米国のユダヤ人の大半

セファルディム系……スペイン、ポルトガル、イタリアのユダヤ人
→その後、オランダやイギリスへ移住

ミズラヒム系……中東に留まったユダヤ人

がユダヤ人という場合でも、その子はユダヤ人と見なされます。

❖アシュケナジムとセファルディム

ディアスポラの中で、ユダヤ人は大きく3つのグループに分かれます。ドイツやフランス、そして東欧に移住したユダヤ人は「アシュケナジム」と呼ばれます。「アシュケナジ（Ashkenazi）」とはヘブライ語で「ドイツ」を意味します。

イベリア半島スペインに渡ったユダヤ人は「セファルディム」と呼ばれます。「セファルディ（Sephardi）」はヘブライ語で「イベリア」の意があるとされます。さらに、セファルディム系ユダヤ人はポルトガル、イタリアなどの南欧諸国、トルコ、モロッコやアルジェリアなどの北アフリカにも拡がります。ディアスポラ後も、パレスチナをはじめ中東地域に留まったユダヤ人は「ミズラヒム」と呼ばれます。ヘブライ語で、「ミズラ」は「東」の意味です。

フランスには、アシュケナジム系ユダヤ人とセファルディム系ユダヤ人が半々くらい居住しているとされます。セファルディムは当初、イベリア半島で居住し、後ウマイヤ朝などのイスラム教勢力の支配下

で、イスラム教徒から「啓典の民」として寛大な措置が取られていましたが、1492年、キリスト教勢力がイベリア半島からイスラム勢力を駆逐し、レコンキスタが完了すると、キリスト教徒はユダヤ人を迫害しはじめました。ユダヤ教徒追放令なども発布されます。

セファルディムの多くが北アフリカや中東に移住し、また、オランダ、イギリスにも移住します。オランダやイギリスのユダヤ人はおおよそ、セファルディム系のユダヤ人です。

19世紀に活躍したイギリス首相ベンジャミン・ディズレーリもセファルディム系ユダヤ人です。1875年、ディズレーリがスエズ運河会社の株式を買収する際に、同じユダヤ人のロスチャイルド財閥の資金提供を受けます。この時、ロスチャイルドは「閣下、融資の担保はどうさせていただきましょうか」と問うたのに対し、ディズレーリは「大英帝国が担保である」と応じました。

ディズレーリの姓は、彼の祖父が「デ・イズレーリ（D'Israeli）」と改称したところからきていますが、改称前の姓は「イスラエリ（Israeli）」でした。これは「イスラエル」のことです。「イスラエル」はかつて、ヘブライ王国から分離したユダヤ人の古代国家で、今日のパレスチナの国号にも使われています。ヘブライ語で、「イスラ・エル（Ysra-el）」は「神（エル）が支配（イスラ）する」という意味です。

「デ・イズレーリ」の「デ」は「de」であり、スペイン語やイタリア語の「de」は英語の「of」にあたる前置詞です。つまり、「イスラエル出身の」という意味になります。この「デ・イズ

ベンジャミン・ディズレーリ（ジョン・エヴァレット・ミレイ画、1881年、ロンドン・ナショナル・ポートレート・ギャラリー蔵） ユダヤ人でありながら、首相にまで上り詰めた。典型的なユダヤ人的容貌。イギリス国教会に改宗し、ユダヤ教を捨てたが、ユダヤ人の家柄を誇りにしていた。

レーリ（D'Israeli）」がさらに「ディズレーリ（Disraeli）」に改称されます。いずれにしても、ユダヤ人であることを誇示した姓です。

ディズレーリはイタリア系セファルディムの家柄で、祖父が18世紀、イタリアからイギリスに移住し、株式仲買人として成功します。しかし、ディズレーリは自分の家がスペイン系セファルディムであると主張していました。当時、セファルディムはイタリア系よりも、スペイン系が高貴で裕福であるとする一般認識があり、ディズレーリがスペイン系にこだわったのは、こうした背景があるとされています。ちなみに、ディズレーリ家がスペイン系セファルディムであったという根拠はありません。

16世紀、スペインの台頭とともに、スペイン系セファルディムで富豪になった者が多くいました。しかし、フェリペ2世がカトリック政策を強化すると、スペイン系セファルディムはオランダに亡命しました。そして17世紀、彼らはオランダの台頭とともに、さらに富を蓄えます。オランダの哲学者スピノザの一家などは、こうしたセファルディム系ユダヤ人の典型でした。

❖なぜ、ユダヤ人は嫌われるのか

金融業などで成功した商才豊かなユダヤ人はヨーロッパ各地で尊敬されて、畏れられると同時に、迫害や差別を受けました。

ユダヤ人は自らの国を持たない少数民族です。兵力数で強者に抗っても、勝てる見込みはありません。そこで、ユダヤ人は異国に根を広げ、カネを稼ぎ、経済力によって、力を持とうと考えたのです。特に、イギリスのように18世紀以降、議会制民主主義の進んだ国家に入り込み、カネをばらまくことで権力をつかんでいきます。こうしたユダヤ人の徹底した姿勢が反発を生み、差別や迫害の一因となります。

ユダヤ人財閥ロスチャイルドのロンドン家当主ネイサンには有名な伝説があります。1815年のワーテルローの戦いで、フランスのナポレオンが勝つか負けるかで、イギリスの国債は騰落が大きく分かれる、といわれていました。ネイサンはユダヤ人ネットワークによって、いち早くイギリス勝利の情報をつかみ、イギリス国債の値が上がると把握しました。ロスチャイルド家は優れた情報収集で世間の注目を集めていました。ネイサンはこれを利用して、わざと国債を売りました。それを知った投資家たちはイギリスの敗戦を確信し、一斉に国債を売りました。国債が暴落したところでネイサンは大量に国債を買い戻し、巨額の利益を得たとされます。この伝説は「ネイサンの逆売り」と呼ばれます。

1811年、ネイサンが起業した「N・M・ロスチャイルド&サンズ社」は今日でも存続し、国際的な投資銀行業務に加え、M&Aを幅広く手がけていることで有名です。

20世紀に入ると、アメリカの新天地に渡ったユダヤ人はアメリカ経済の発展の波に乗り、大成功します。今日のアメリカの証券会社大手はユダヤ人によって築かれた会社が多くあります。ゴールドマン・サックス、モルガン・スタンレー、ベア・スターンズなどはユダヤ人資本によって発祥するか、ユダヤ色が強い会社です。2008年、リーマン・ショックを引き起こしたリーマン・ブラザーズもユダヤ系です。また、リーマン・ショック後、バンク・オブ・アメリカに買収されたメリルリンチもユダヤ系です。

ユダヤ人は経済力だけでなく、知識・学術を重んじます。ユダヤ人の勤勉さは凄まじく、子供はスパルタ式で徹底した英才教育を施されます。「本と服を同時に汚してしまったら、本から先に綺麗にしなさい」と教えられます。いかに迫害を受け、財産を奪われたとしても、知識は奪われることはありません。

ユダヤ教の聖典は『旧約聖書』で、ヘブライ語で書かれ、ユダヤ人の救済がテーマとなっています。ユダヤ教は極端な律法主義と「ユダヤ人だけが救済される」という排他的な選民思想を有します。このユダヤ教の閉鎖性と排他性が、ユダヤ人が嫌われる大きな一因となっていると一般的に指摘されます。

❖すべてのヨーロッパ人がユダヤ人を迫害した

社会的な名声を獲得していくユダヤ人に羨望の目が向けられ、同時に反発も大きくなります。特に、不景気の時代に、世の中が閉塞感に覆われると、民族主義者らはユダヤ人を槍玉に上げることで鬱憤を晴らし、政治もそれに便乗をして、人気取りをするということが繰り返されてきました。その典型例がナチスのユダヤ人迫害です。

第一次世界大戦後から1929年の世界恐慌にかけて、ドイツ企業の多くがユダヤ系金融の支援を受け、ユダヤ資本の傘下にありました。ドイツ企業はナチスのような民族主義政党と癒着し、反ユダヤ人キャンペーンを巻き起こし、ユダヤ人を駆逐することで、巨額のユダヤ資本への債務を消し去ろうとしました。

ユダヤ人を迫害したのはナチス・ドイツだけではありません。ヨーロッパ諸国でユダヤ人迫害をしなかった国を見つけるのは困難でしょう。帝政ロシアは国内の社会的な不満をそらすために、ユダヤ人迫害を頻繁に行ないました。「ポグロム」という「虐殺・破壊」を意味するロシア語が生まれ、ドイツよりも多くのユダヤ人が殺された可能性があります。ちなみに、同じく「虐殺・破壊」を意味する「ホロコースト」はギリシア語から派生したドイツ語です。

フランスでも、中世にユダヤ人が井戸に毒を入れているという噂が流れ、ユダヤ人が虐殺されるなどの事件が多くありました。フランスの啓蒙思想家ヴォルテールやルソーは反ユダヤ主義を唱えたことでよく知られています。

ナチスのフランス占領時代、フランス人の保守派の中には、ナチスのユダヤ人虐殺に共感し、進んでナチスに協力した者も少なくありませんでした。

古来より、キリスト教徒はユダヤ人の排他性を激しく批判し、敵愾心を抱いていました。たとえば、ドイツの宗教改革家マルティン・ルターは『ユダヤ人と彼らの嘘について』（1543年）という論文を著し、キリスト教徒のユダヤ人に対する嫌悪を代弁し、ユダヤ人迫害には必然的な理由があることを説いています。

ユダヤ人は中世の時代から、東ヨーロッパのポーランド王国などのスラブ系民族の地域に移住していました。スラブ系民族は過疎地域に居住していたため、ユダヤ人移民を積極的に受け入れたのです。

しかし、1648年、ポーランド王国の領土の一部であったウクライナで、コサックの反乱が起きると、反乱軍はユダヤ人を襲撃しました。ポーランド王国で枢要な地位にいたユダヤ人に対する反発があったとされます。さらに、コサックの反乱を支援するロシア軍がポーランドに介入すると、ロシア軍によっても、ユダヤ人の襲撃は行なわれ、約10万人のユダヤ人が虐殺されたとされます。

フランスに限らずヨーロッパで、人々は、ユダヤ人は非道徳的な秘密の儀式に明け暮れ、火事が起きればユダヤ人が火を付けた、疫病が流行ればユダヤ人が毒を井戸に投げ入れたと噂をしていました。そのため、どこの国や地域でも、乱が起こると、元凶はユダヤ人にあるとされて、怒った群衆がユダヤ人を襲撃するということが繰り返されてきたのです。

ローマの歴史家タキトゥスは「ユダヤ人の習慣は卑しく忌まわしく、ユダヤ人がその習慣に固執するのは、彼らが腐敗堕落しているからである。ユダヤ人はユダヤ同士では極端に忠実であり、いつでも同情を示す用意ができているが、異民族に対しては、憎悪と敵意しか感じないのである」と言っています。

❖ユダヤ人にコントロールされるアメリカ

かつてヘブライ王国があったユダヤ人の古代の故地パレスチナを支配していたのは16世紀以来、オスマン帝国でした。しかし、19世紀、オスマン帝国が弱体化すると、故地パレスチナの再建が現実味を増し、ヨーロッパ在住のユダヤ人たちが「シオニズム運動」を起こします。「シオン」はイェルサレムを指す古い呼称で、ユダヤ人たちは約束の地パレスチナへ、「ディアスポラ（離散）」からの帰還を果たすべきと考えました。

１９１４年、第一次世界大戦がはじまると、イギリスはドイツや同盟国オスマン帝国と戦い、苦戦していました。戦争の資金繰りに苦しんでいたイギリスはユダヤ人財閥ロスチャイルドに、資金援助を申し入れます。ユダヤ人は援助と引き換えに、パレスチナの地に、ユダヤ人の国を建国することをイギリスに約束させました。

ウォルター・ロスチャイルド　ナポレオン時代に活躍したネイサンは曾祖父にあたる。貴族院議員をつとめていたウォルターは外相アーサー・バルフォアに接近し、資金拠出を約束し、バルフォア宣言を出させた。家業の銀行業に興味を示さず、動物学研究に熱中したことで知られる。

この約束は1917年、イギリス外相バルフォアがユダヤ人財閥ロスチャイルド卿に宛てた書簡に記されています。

第一次世界大戦後、イギリスがパレスチナを占領統治し、バルフォアの書簡に基づき、イギリス主導でユダヤ人のパレスチナ移住が進められ、ユダヤ人国家が建設され始めます。ユダヤ人が入って来たことで、この地域に住んでいたパレスチナ人（アラブ人）が追い出されます。怒ったパレスチナ人はユダヤ人と武力衝突し、地域は大混乱に陥ります。

ユダヤ人をパレスチナに移住させれば、現地のパレスチナ人と対立が生じ、多くの人々の血が流れることは、最初からわかっていましたが、イギリスは戦争を遂行するための資金が必要で、ユダヤ人に迎合したのです。第一次世界大戦でドイツと戦っていたイギリスは、戦争に負ければ、国家が崩壊してしまいます。戦争に勝つためなら、手段は選ばない、パレスチナがどうなろうとかまわないとイギリスは考えたのです。

国際世論の猛烈な批判を浴びたイギリスはユダヤ人のパレスチナ移住を制限し、ユダヤ人勢力の拡大を抑え、アラブ人との衝突を緩和させようとしました。しかし、もはや、ユダヤ人とアラブ人との衝突は避け難く、イギリスも手を付けられない状態になってしまいます。

また、第一次世界大戦中、エネルギー動力が石炭から石油に替わったことを背景に、イギリスは油田を所有するアラブ人にも気を使わなければならず、ユダヤ人の要求通りに動くことができなくなっていました。

このような状況で、第二次世界大戦がはじまり、ナチスのユダヤ人迫害が本格化します。ユダヤ人にとって、パレスチナへの避難は急を要しましたが、イギリスはパレスチナの対立激化を恐れ、移民制限を変えませんでした。ユダヤ人はイギリスの保身的な姿勢に失望し、支援要請をアメリカへと振り向けます。ユダヤ人はアメリカでロビィ活動を行ない、ユダヤ人国家建設の支援を約束させます。こうして、イギリスにとって、パレスチナは手に負えない問題となり、第二次世界大戦後、国際連合とアメリカに、問題を丸投げしてしまいます。

そして、国連とアメリカの支援によって、ついにユダヤ人国家イスラエルが１９４８年、建国されます。アメリカは資金力のあるユダヤ人にコントロールされ、ユダヤ人を支援せざるを得なかったのです。現在、ユダヤ人の世界の総人口約１５００万人のうち、イスラエルに住んでいるユダヤ人は約６００万人です。イスラエル建国後、ユダヤ人とパレスチナ人との紛争が本格化し、それが今日まで続きます。

第5章 インド、アフガニスタン、中央アジアなど

SECTION 18

インド人、パキスタン人
先住ドラヴィダ人とアーリア人

❖ドラヴィダ人がインダス文明をつくったのではない

インドにはもともと、原住民のドラヴィダ人がいました。ドラヴィダ人は背が低く、肌の色が黒く、鼻が小さいというアジア系に似た特徴を持ちますが、アジア系に分類することができるかどうかは議論の分かれるところです。ドラヴィダ人は遺伝子的にアジア系に近いとはされるものの、ドラヴィダ人に特有的なY染色体ハプログループHが最も高頻度に観察されるなど

独自の遺伝子構成を持っています。

言語的にも、ドラヴィダ語族は独立したカテゴリーを持ちます。一方で、アルタイ語族との言語的共通点を多く持っているとされますが、なぜ、地理的に遠く離れた両者が共通しているのか、その理由は詳しくわかっていません。

現在、ドラヴィダ人は主に南インドを中心に、スリランカにも居住しています。ドラヴィダ人は「タミル人」と呼ばれます。「タミル」は、「Dravida（ドラヴィダ）」が「Dramila（ドラミラ）」となり、さらに「Tamil（タミル）」に変化した形と考えられています。「ドラヴィダ」はもともとサンスクリット語で南インドの諸民族を総称する呼び名でした。

言語学的には、ドラヴィダ語族というカテゴリーがあり、その中に、タミル語をはじめ、テルグ語、カンナダ語などの南インド諸言語が含まれます。タミル語はドラヴィダ語族の中でも最も古く、同語族の中核を成します。

かつて、このドラヴィダ人が紀元前3000年頃からはじまるインダス文明を形成したと考えられていましたが、今日ではドラヴィダ人以外の可能性が指摘されています。デイビット・マカルピンなどの欧米の学者がインダス文字と原エラム文字との共通性を指摘し、エラム人のインダス文明への関与を指摘しているのです。エラム人はイラン高原にいた民族系統不明の民族です。

エラム人はメソポタミア文明とインダス文明を交易などでつないでいたという説が有力であ

り、また、エラム人が西方のメソポタミア文明勢力に対抗するため、インダス文明勢力に接触したとも考えられています。また、エラム人自身が東方へ赴き、形成した文明がインダス文明となったという説もあります。

そこまでいかなくとも、エラム人がインド原住民のドラヴィダ人と混血して、インダス文明を担う新しい民族になったという説も有力視されています。エラム・ドラヴィダ語族という概念も提唱されており、ドラヴィダ語とエラム語が同系とされることから、両民族の融合がなされたと類推されているのです。

紀元前1800年頃〜紀元前1500年頃にかけて、インダス文明都市は放棄されます。古代において、インダス川の南側に並行してガッガル・ハークラー川という大河が流れていました。現在では干上がり、河道のみが残っています。インダス川と同じく、ヒマラヤ山脈に源流を持っていました。

このガッガル・ハークラー川に沿って、インダス文明の大規模都市が存在していましたが、紀元前2000年頃に起こった地殻変動によって、ガッガル・ハークラー流域の地盤が隆起し、川の水がインダス川へと流れ込むようになります。そして、川は干上がって、流域全体が砂漠化してしまいます。一方、インダス川は水量の急増によって、氾濫が頻発するようになります。こうして、両大河のバランスが崩れ、農業などに打撃を与え、文明衰退の引き金になったと考えられています。

ちなみに、インダス川の「インダス」とはサンスクリット語の「シンドゥ（sindhu）」（「水、大河」という意味）に由来しています。この「シンドゥ」がペルシア語の「ヒンドゥ（Hindu）」となり、「ヒンドゥー教」の名称もここから生まれます。さらに、「ヒンドゥ」から派生して、ギリシア語で「インド（Indos）」となります。つまり、「インド」とは「水、大河」という意味であり、インダス川の恵みによって発生した、文明や民族全体を指す総称なのです。

❖インド・ヨーロッパ系が同源というのは本当か

インダス文明都市が放棄された後、インダス文明の都市住民たちはどこへ行ったのでしょうか。彼らは南インドへ向かったという説があります。今日の南インドのタミル人は彼らの子孫と考えられていることから、インダス文明の担い手がドラヴィダ人であるという説を強化する根拠ともなっています。

しかし、もし、インダス文明の都市住民たちが本当に南インドに移住したならば、なぜ、彼らはこの地に、新しい都市文明を形成しなかったのか、疑問が残ります。南インドにおいて、インダス文明に類似する当時の都市遺跡などの痕跡は見つかっていません。それは、インダス文明都市の住民がドラヴィダ人とは別の民族であるからこそ、何の痕跡も残すことができなかったと考えることもできます。

インダス文明の担い手がイラン高原にいたエラム人であるならば、彼らは西へ去ったと考え

図18-1｜アーリア人とドラヴィダ人の移動

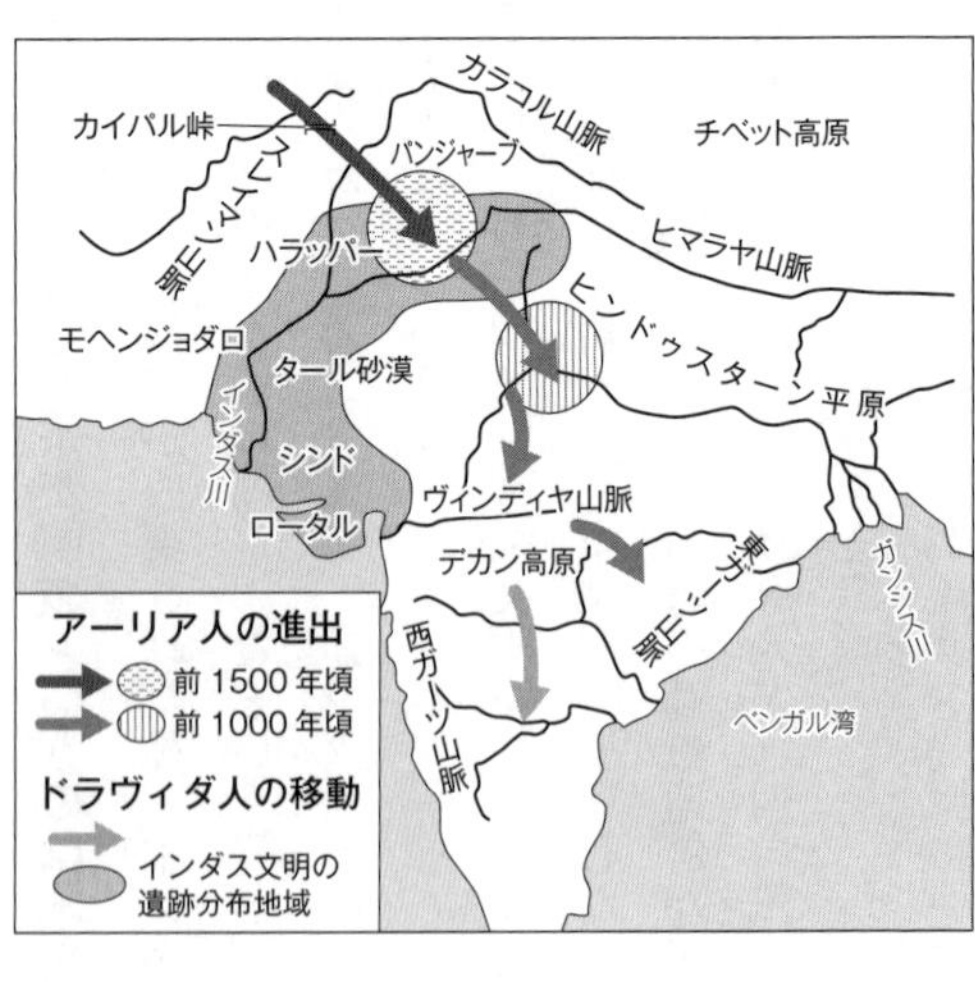

ることもできます。いずれにしても、はっきりとしたことはわかっていません。

インダス文明の諸都市が放棄された後、紀元前1500年頃から、イラン高原からアーリア人のインド侵入がはじまります。紀元前1000年頃には、アーリア人はガンジス川流域にも定住をはじめます。

SECTION13でも詳述した通り、アーリア人はインド・ヨーロッパ系白人種で、紀元前4000年〜紀元前3000年頃、黒海やカスピ海の北方地域を原住地としていたと考えられ、紀元前2000年頃から寒冷化を避け大移動します。西を目指した多数派は中東からヨーロッパへ、南を目指した少数派はインドへ侵入します。彼らのうち西へ向かったものはペルシア人、小アジア人、ヨーロッパ人となります。南へ向かったものは、紀元前1500年頃にインドへやって来るのです。

白人種のアーリア人が今日のインド人のように肌が黒化していくのは暑い地域で環境適応したためです。低緯度地帯の日照の強い地域では、紫外線から細胞を守るため、メラニン色素が皮膚の表面に放出され、肌に入ってきた紫外線を吸収します。メラニン色素の放出により、皮膚だけでなく、目の虹彩、毛髪も黒化していきます。

インドのアーリア人の肌が黒化したのは環境適応の他、インド原住民のドラヴィダ人との混血を繰り返した結果でもあります。

アーリア人、つまりインド・ヨーロッパ系が同源であったことを、19世紀、イギリスがインドを植民地支配する際に利用しました。インドは16世紀に、イスラムのムガル帝国の支配を被ります（後段詳述）。ムガル帝国の支配者層はモンゴル系アジア人でした。イギリスはこのムガル帝国の支配からインド人を解放し、再び、アーリア人によるインド支配の政治的正統性を取り戻したのだと喧伝していました。

イギリス人は、インド人に対して、同じ祖先を持つ自分たちとともに「アーリア人の栄光を復活させるべき」などと訴えたのです。ただし、この理屈に共鳴するインド人は誰もいなかったようです。

近年、インド・ヨーロッパ系が同源であったとすることに、異論も唱えられています。一部の学者はインド言語（サンスクリット）とヨーロッパ言語の類似性についても、それは表層的な類似に過ぎず、同系の言語とするには証拠が不充分であるとも指摘しています。インド言語とイラン言語までの類似を認めることはできても、それをヨーロッパ言語まで拡大することはできないというのです。

しかし、遺伝子の分布として見れば、インド人とヨーロッパ人（東ヨーロッパ人）はY染色体ハプログループR1aで共通しています。この遺伝子的な近似はインド・ヨーロッパ系が同源であったとする科学的根拠になり得るとも反論されています。

このように、今日、インド・ヨーロッパ系の同源を疑う異論はあるものの、学説としてはやはり、同源とするに足るという見方が有力です。

❖シャカはアーリア系白人だったのか

アーリア人はドラヴィダ人を支配するために、バラモン教という新しい宗教を持ち込んで、自分たちを神に最も近い神聖な民族とします。神聖なるアーリア人の優位を示すのにヴァルナ（種姓）という身分制が用いられます。アーリア人が階級の上位を占め、ドラヴィダ人は下位に隷属させられました。ただし、近年の研究では、ドラヴィダ人のすべてが必ずしも、下位の階級に置かれていたわけではないことも指摘されています。

これがカースト制のはじまりですが、「カースト」というのはポルトガル語の「カスタ」、つまり「家柄」という意味で、15世紀、インドにやってきたポルトガル人がインドの厳しい身分制をヨーロッパに報告したことから、広く知られるようになります。カスタは英語の「class（クラス）」です。

バラモン教は独自の多神教世界とともに、次第に俗化していきます。一般民衆にもわかりやすい教義や規範、民間信仰や習俗などを取り入れ、紀元前2~後3世紀頃、俗化バラモン教であるヒンドゥー教が誕生し、民衆にも定着します。この時以降、ヒンドゥー教はインドの民族宗教となり、今日に至ります。

バラモン教がヒンドゥー教に変貌を遂げた頃には、北部インドでは、アーリア人とドラヴィダ人の混血が進んでいました。ヒンドゥー教の教義には、非アーリア的な民間信仰がかなり取り入れられていますが、アーリア人とドラヴィダ人の混血が進んだのと同じく、宗教でもアーリア的信仰とドラヴィダ的信仰が融合し、ヒンドゥー教となったのです。

ヒンドゥー教が定着する以前、紀元前5世紀に、バラモン教の階級主義等を否定する仏教がブッダによって創始されています。ブッダの本名はガウタマ・シッダールタです。ブッダが「釈迦（シャカ）」とも呼ばれるのは、シャーキャ族の王族で、「シャーキャの聖者」という意味の「釈迦牟尼」という言葉が中国で使われたためです。ブッダの生没年について、諸説ありますが、紀元前563年~紀元前483年説と紀元前463年~紀元前363年説が有力です。

ブッダはアーリア人であるとされます。ブッダはカーストにおけるクシャトリア（王族・戦士）であり、支配者階級の一族の出身であることから、ドラヴィダ人ではなく、アーリア人であると考えられているのです。

一方、釈迦族は農耕生活を営み、アーリア的な遊牧狩猟生活を営んでいなかったことから、アーリア人でなかったという指摘もなされています。釈迦族は東北のチベット人に由来しているのではないかともされています。しかし、一般的に考えて、非アーリア系民族が当時のインドのバラモン文化隆盛の中、王族になることは無理があり、シャーキヤ族が外来勢力であったとする明確な証拠もないため、やはり、シャーキヤ族はアーリア人に由来すると考えるべきでしょう。

しかし、シャカの時代の紀元前5世紀頃には、アーリア人はドラヴィダ人にほとんど同化していたと考えるべきであり、シャカがいわゆる白人的な容貌であったかというと、そうではなく、標準的（今日的）なインド人としての容貌であったと考えるのが自然でしょう。

❖インドにおけるトルコ人とモンゴル人の血統

ドラヴィダ人はアーリア人のインド侵入がはじまった時、彼らと混血しますが、一部はアーリア人の支配を嫌って南下しました。そして、前述の通り、彼らはタミル人として、現在でも主にインド南方に残っています。

古代から中世にかけて、タミル人は南インドでサータヴァーハナ朝、チョーラ朝などのドラヴィダ王朝を樹立します。彼らの王朝はアーリア人の文化文明をそのまま取り入れています。

今日において、タミル人の存在が一般的に知られているのはスリランカにおいてです。インド・アーリア系で仏教徒のシンハラ人（多数派、約70％）とヒンドゥー教徒のタミル人（少数派、約20％）との民族・宗教的な対立が続いていました。タミル人は分離独立を要求し、「タミル・

イーラム解放の虎（LTTE）」を組織し、武装闘争を展開していましたが、2009年、LTTEはスリランカ政府軍により鎮圧され、内戦は一応、終結しました。

このように、インド人の血統は、大きくアーリア人のものとドラヴィダ人のものに分けることができますが、さらに、トルコ人とモンゴル人の血統も含んでいます。

モンゴル高原西方に居住していたトルコ人が8～9世紀に西進し、中央アジアへ入り、10世紀にカラハン朝を建国します。さらに、トルコ人は同世紀、アフガニスタンのガズナ（ガズニー）を首都として、ガズナ朝を建国します。

13世紀に、モンゴル人勢力が台頭し、中央アジアを席巻すると、トルコ人は南部に押し出され、パキスタンや西北インドに、デリー＝スルタン朝と呼ばれるイスラム5王朝をつくります。これら5王朝は16世紀まで興亡しますが、最終的に、ムガル帝国によって、全インドが統一されます。

「ムガル」は「モンゴル」が訛ったもので、その名の通り、ムガル帝国はモンゴル人による異民族王朝です。チンギス・ハンのモンゴル帝国は彼の死後、息子たちによって分割継承されます。そのうち、中央アジアのハン国は14世紀、ティムール帝国に発展統合されます。建国者ティムールはその出自において、トルコ人やモンゴル人の血が混ざっていますが、チンギス・ハンの後継者を自称し、モンゴル人政権としてのティムール帝国をつくりました。

16世紀に、ティムール帝国はトルコ人ウズベク族に攻撃され、中央アジアを去り、大軍勢を

図18-2｜インド王朝の変遷

王朝名等	時　期	支配層民族
統一王朝	前4世紀～7世紀	アーリア人
分裂時代	7世紀～13世紀	なし
デリー＝スルタン朝	13世紀～16世紀	トルコ人
ムガル帝国	16世紀～19世紀	モンゴル人

率い、豊かなインドへ南下します。ティムールの末裔バーブルはインダス川を越え、1526年、パーニーパットの戦いで、北西インドのデリー＝スルタン朝最後のロディー朝を破り、同年、デリーを占領し、ムガル帝国を建国します。

このように、デリー＝スルタン朝時代からムガル帝国時代にかけて、トルコ人やモンゴル人の支配者層の血統も、インド人の中へと取り込まれていきました。

❖パキスタン人

パキスタンは国土の面積が日本の約2倍あり、2億人もの人口を擁する巨大国家です。西はイラン、東はインド、北は中央アジアに繋がる交通の要衝で、古来、様々な民族が集う「人種のるつぼ」で、少数民族が無数に分布しています。その中でも、アーリア系のパンジャーブ人が多数派です。

パキスタンの主要民族は大きく2つのグループに分けることができます。インド系アーリア人のパンジャーブ人、シンド人、サライキ人、カシミール人、ムハージル人、もう1つはイラン系アーリア人のパシュトゥーン人、バルチ人です。パキスタンには、このように多数の民族がいますが、どの民族もイスラム教を信奉しており、宗教が連帯の基盤となっています。

もともとインドとパキスタンは一体の歴史を歩んでいました。しかし、デリー＝スルタン朝時代以降、パキスタンはイスラム化されたのに対し、インドはヒンドゥー教信仰を維持しました。

19世紀、イギリスの侵略により、ムガル帝国が崩壊させられると、イギリスは植民地支配において、インドのヒンドゥー教勢力とパキスタンのイスラム教勢力を互いに反目させて、対立を煽りながら、両勢力を分割統治していきました。

イギリスの策謀で、ヒンドゥーの国民会議派とイスラムの全インド・ムスリム連盟の政治対立も増幅されていき、融和不可能な状態となります。１９４７年、イギリスのアトリー内閣のもとで、イギリス議会がインド独立法を可決させたことにより、インドとパキスタンが分離して、それぞれ独立します。インドはネルーを首相とし、パキスタンはジンナーを総督としました。

ガンディーは分離独立に強く反対しましたが、両者が妥協する余地はありませんでした。ジンナーは「パキスタン人はヒンドゥー教のインド人とは民族が異なる」と主張し、自ら独立した国家を持つべきとする「二民族論」を唱えます。

しかし、パキスタン人の多数派であるパンジャーブ人はインド人と同じインド・アーリア系です。パンジャーブ人はドラヴィダ人との混血が少なく、インド人よりもアーリア人の血統を強く継承していますが、インド人と同系の民族であり、遺伝子上の構成もほとんど差はありません。しかし、イスラム教を信奉するパキスタン人とヒンドゥー教を信奉するインド人との文化価値の差が両者を分断し、ジンナーが主張する「二民族論」を後押しする形になってしまったのです。

ガンディーは両国の分離独立後も、パキスタンとの対話を試み続けましたが、インド国民はガンディーの融和姿勢を裏切りと捉えました。ガンディーは1948年、狂信的なヒンドゥー教徒の青年によって暗殺されます。

図18-3｜インドとパキスタンの対立構図

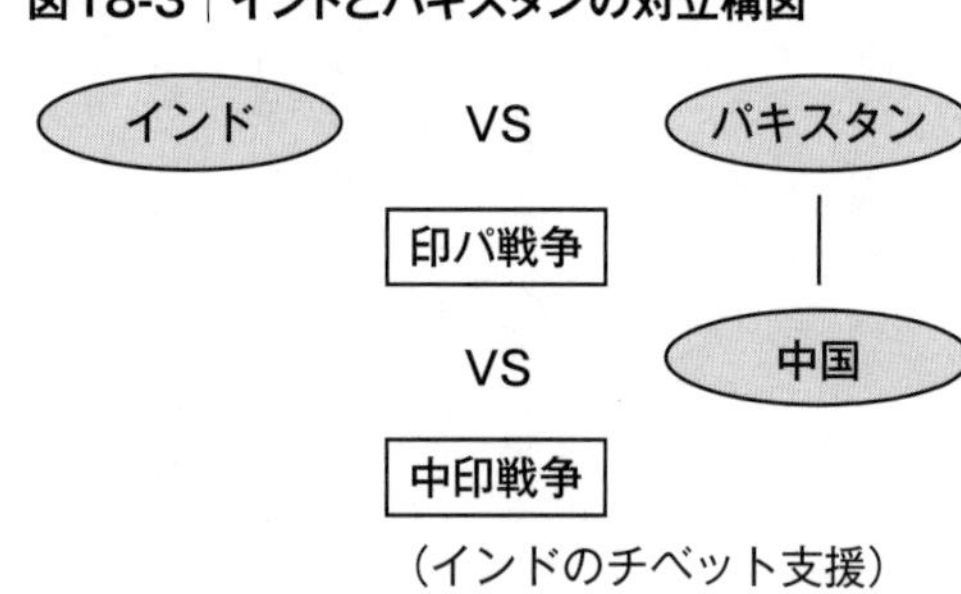

イギリスはインドとパキスタンの国境のカシミール帰属問題などを解決せずに、半ば問題を放棄する形で、両国の独立を承認したために、その直後にインド・パキスタン戦争が起こり、今日に至るまで事実上の交戦状態にあります。インドは1974年、核保有し、パキスタンもこれに対抗して、1998年、核保有しました。

インドは当初、中国と友好的でしたが、1959年、チベットで中国に対する反乱（チベット紛争）が起こると、ネルーはチベット支持を表明し、ダライ・ラマ14世の亡命を受け入れ、中国との関係を悪化させます。そして、1962年、中印国境紛争（中印戦争）が起こります。これ以降、中国はインドを牽制するため、パキスタンを支援します。追い込まれたネルーはアメリカに援助を求め、インド・パキスタン戦争の構図が複雑化します。

❖バルチ人の独立運動と中国との関係

パキスタンはインドに対抗するため、中国と友好関係を構築しています。中国は近年、経済圏構想「一帯一路」の中核として、「中国・パキスタン経済回廊」を打ち出し、ますます、パキスタンとの連携を強めています。

さらに、両国の連携に加え、2021年、アフガニスタンのタリバン政権を引き込み、パキスタン・中国・アフガニスタンの三国協調関係が事実上、成立しています。2021年7月、アフガニスタンのカブールが陥落する直前に、タリバン幹部と中国の王毅外相が天津で会談を行ないました。この会談で、中国がアフガニスタンを支援する代わりに、アフガニスタンのウイグル不介入が相互に密約されたとされます。

アフガニスタンはワハン回廊を介して、中国の新疆ウイグル自治区と接しています。ウイグル人の中国からの分離独立を目指すイスラム主義組織である東トルキスタン・イスラム運動（ETIM）がタリバン政権に今後、どのようにコミットするかが注目されます。それ次第では、中国とアフガニスタンが対立する可能性もあります。

図18-4｜バルチスタン州

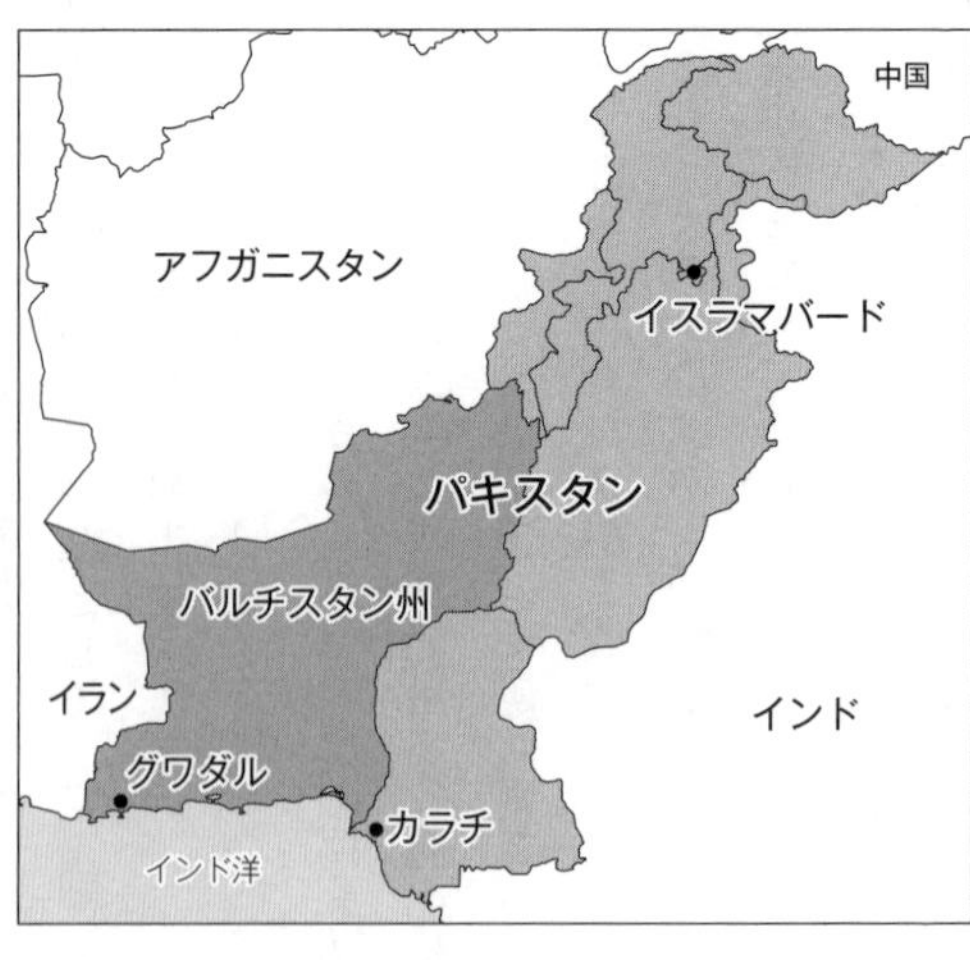

今後、パキスタンと中国との関係で鍵を握るのが、パキスタン西部からアフガニスタン南西部に居住するバルチ人（バローチ人）の存在です。バルチ人の住むエリアは「バルチスタン」と呼ばれます。バルチ人はイラン系アーリア人です。彼らはかつて、カラート藩王国（1638年～1955年）を形成し、インドのムガル帝国とイランのサファヴィー朝の間に挟まれながらも、巧みな外交を展開し、両勢力に屈服しませんでした。

1947年、イギリスのインド統治が終了すると、バルチ人はもともとインドに属していなかったとして、インドやパキスタンに組み込まれるのを拒否します。パキスタンも当初、バルチスタンの独立を認めました。しかし、その後、パキスタンは方針を転換し、バルチスタンに軍事侵攻し、1955年、一方的に併合します。

バルチスタン州には、石炭、天然ガスなど豊富な資源があり、それらが狙われたのです。バルチ人はバルチスタン解放軍（BLA）を結成し、独立運動を活発化させます。しかし、バルチ人はパキスタンの全人口の4％にしか満たない少数民族です。

パキスタンは中国との協調の中で、バルチスタン州における中国資本の進出を容認していま す。中国は、バルチスタン州のグワダル港を40年間、借り受ける契約をパキスタン政府と結んでおり、バルチスタンの資源を買い込んで、この港から運び出しています。中国は「一帯一路」の一環として、パキスタンでの開発を大規模に進めています。

2021年の8月にも、グワダルで中国人を狙った爆弾テロが発生しました。直後に、バルチスタン解放軍が犯行声明を出しています。バルチ人は中国の進出に激しく抵抗しています。

パキスタン全体が親中の一枚岩で一致しているわけではありません。こういうところから、中国・パキスタン・アフガニスタンの三国協調の綻びが出てくる可能性もあります。

SECTION 19

バングラデシュ人、ネパール人、ブータン人

アーリア人の血脈が途絶する場

❖アラブ圏やドラヴィダ圏の狭間

パキスタン人や西北インド人は肌の色の白い人が多く、その容貌も、特に女性は白人とほとんど区別がつかないということがあります。この地域の人々はアーリア人の血脈を強く引き継いでいます。

黒海やカスピ海の北方地域を原住地としていたアーリア人（インド・ヨーロッパ語派）は紀元前2000年以降、イランを経て、パキスタンやインドへ侵入します。西北インド方面では、インドに先住していたドラヴィダ人と混血することが少なく、アーリア人の純血を一定レベルで維持していたと考えられます。

ユーラシア中央部からインドにかけて、各民族が複雑に混在します。この地域の民族は主に、イラン系、インド系、トルコ系、チベット系の4つの系列に分けることができます。イラン系、インド系はアーリア人であり、人種としてはコーカソイドです。パキスタン人やインド人はそ

図19-1｜ユーラシア中央部のアジア民族の大まかな系列

モンゴル系（広義）
……モンゴル人のみならず、満州人、朝鮮人などを含む

イラン系（アーリア人）
……イラン人、クルド人、アフガニスタン人、タジキスタン人など

インド系（アーリア人）
……インド人、パキスタン人、バングラデシュ人、ネパール人の多数など

トルコ系
……中央アジア人、新疆ウイグル人、トルコ共和国人など

チベット系
……チベット人、ミャンマー人、ブータン人の多数など

の多くがインド系アーリア人です。

イラン系アーリア人とインド系アーリア人は同族であるため、本来、その容貌は同じであったはずです。しかし、イラン系アーリア人はアラブ人と混血を進めていくことで、イラク人などのアラブ人に容貌が似ていきます。インド系アーリア人は多数派であったドラヴィダ人と混血を深めていくことで、ドラヴィダ人化されていきます。

パキスタン人や西北インド人はアラブ圏やドラヴィダ圏の狭間にあって、そのどちらにも属することなく、アーリア人としての純血を一定のレベルで維持できたのです。

イラン北部のカスピ海沿岸部のイラン人も白人的な容貌を持った人が多くいます。イラン西部のアラブ圏の影響から遠く離れている、この地域では、アーリア人の純血が一定程度、

図19-2｜クルド人居住区域

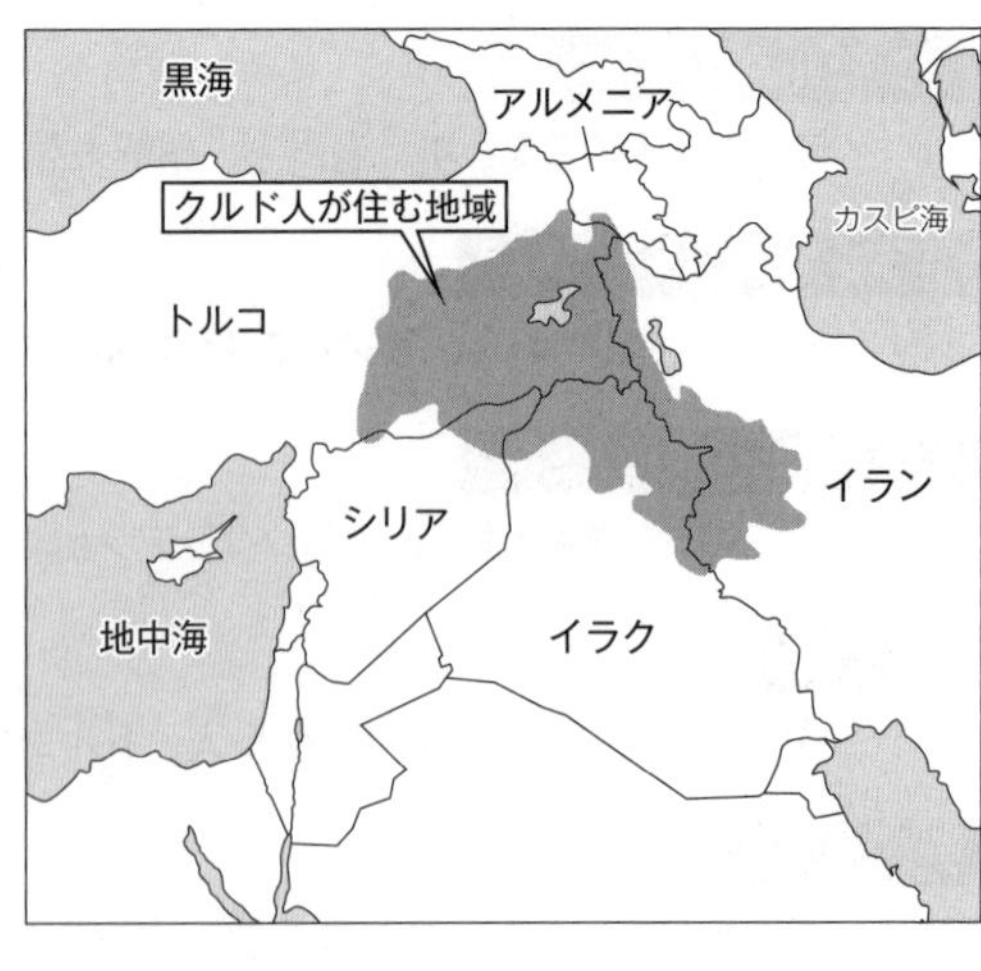

維持されたと考えられます。

イラン、イラク、トルコの国境が接するクルディスタンという山岳地帯には、クルド人が居住しています。クルド人もイラン系アーリア人で、やはり白人的な容貌が特徴です。分布領域がイラクのアラブ圏にも拡がっているにもかかわらず、クルド人がアラブ化されなかったのは、同族意識が非常に強く、騎馬民族としての、彼ら独自のコミュニティが歴史的に維持されたからです。

12世紀、シリア・エジプトを中心に、アイユーブ朝を建国し、十字軍と戦ったサラーフ・アッディーン（サラディン）がクルド人であったことは有名です。サラディンの時代はクルド人にとって栄光の時代でしたが、それ以外の時代では、彼らはイラン人、イラク人、トルコ人の勢力に取り囲まれて、従属を強いられ、今日に至るまで、自らの国家を持つことはできない状態が続いています。

❖アーリア人の最終到着地

パキスタンやインドに侵入したアーリア人はさらに東進し、ガンジス川下流域のベンガル地方（現在のバングラデシュ）に到達します。

しかし、バングラデシュにまで侵入したアーリア人は少数であったため、アーリア人としての血脈はインド人ほどには濃く受け継がれていません。アーリア人に高頻度に観察されるY染色体のハプログループR1aは、バングラデシュ人に20％程度しか観察されません。一方、インド人には、25％以上観察され、インド西部人やパキスタン人では、40％程度の高頻度に達します。つまり、この地域において、東へ行けば行くほど、アーリア人の血脈は薄れ、次第に途絶していくのです。

図19-3｜インド周辺地図

そして、最終的には、ミャンマーの西部アラカン山脈で途切れます。つまり、アラカン山脈がアーリア系とアジア系の分岐点となっていま

ます。アラカン山脈西のラカイン州には、イスラム教徒で、アーリア人のロヒンギャ族がいます。ロヒンギャ族は仏教徒のミャンマー人と対立し、今日でも、ミャンマー政府から弾圧されています。

バングラデシュ人には、Y染色体のハプログループHが35%程度という高頻度で観察されます。Hは先住民族のドラヴィダ人に特徴的な遺伝子です。バングラデシュ人はアーリア人の血脈が薄くなる代わりに、ドラヴィダ人の血脈が濃くなっています。そのため、バングラデシュ人はインド人と比べても、アーリア人的な彫りの深い顔付きの特徴が弱まります。

また、バングラデシュ人の言語であるベンガル語はインド・ヨーロッパ語族に属しますが、ドラヴィダ語の影響を強く受けており、インド語とは異なります。

インド人にヒンドゥー教徒が多いのに対し、バングラデシュ人やパキスタン人はイスラム教徒がほとんどです。中国北方に居住していたトルコ人が8～9世紀に西進し、中央アジアへ入り、10世紀にカラハン朝を建国します。さらに、トルコ人は同世紀、アフガニスタンのガズナ(ガズニー)を首都として、ガズナ朝を建国します。トルコ人らはイスラム教を受容し、これ以降、中央アジア、アフガニスタン、パキスタンがイスラム化されはじめます。

もともとこの地域は仏教やヒンドゥー教が信仰されていましたが、13世紀からはじまる西北インドのデリー＝スルタン朝が仏教やヒンドゥー教を奉じていた土着豪族を武力で一掃し、イスラム化統一が達成されていきます。ベンガル地方(バングラデシュ)も14世紀にイスラム化されます。西北インドのデリー＝スルタン朝の分派であるベンガル＝スルタン朝がこの時代に成立し、ヒンドゥーの土着豪族を排斥し、イスラム化を進めます。ベンガル＝スルタン朝はムガル帝国のアクバルに滅ぼされる16世紀後半まで続きます。

今日、バングラデシュ人がイスラム教徒であるのは、ベンガル＝スルタン朝とムガル帝国のイスラム主義を歴史的に引き継いだからです。

1947年、インドとパキスタンが分離独立した時、バングラデシュ人はヒンドゥー教のインドに統合されるのを嫌がり、パキスタン政府に参加し、パキスタンと国土が離れた飛び地の東パキスタンとなります。しかし、1971年、東パキスタンの分離独立運動が起こり、バングラデシュとして独立します。「バングラデシュ」とはベンガル語で「ベンガル人の国（デシュ）」を意味します。ちなみに、「パキスタン」は「神聖な（パク）国（スタン）」を意味します。

❖ネパール人とブータン人

インドの東北部のネパールやブータンも、バングラデシュと同様に、アーリア人の血脈が途絶する地域です。ネパールやブータンには、無数の部族が存在します。これらの南部地域には、インド人と同様、アーリア人の血脈を引き継ぐ部族が多く、北部のヒマラヤ山脈方面では、チベット系アジア人の血脈を引き継ぐ部族が多くいます。つまり、ヒマラヤ山脈で、アーリア人の血脈が途絶しているのです。

ネパール人は、おおよそ6割がアーリア人、4割がチベット系アジア人で構成されます。ブータンではこの割合が逆転し、6割がチベット系アジア人です。ブータンの4割のアーリア人とされる人たちも実際には、チベット系の混血が進み、アジア人化された人がほとんどです。そのため、彫りの深い顔付きのネパール人に対して、ブータン人は平板な顔付きの人がほとんどで、明らかに容貌が異なります。

「ブータン」という国名はサンスクリット語の「ボット（チベット）」と「アンタ（端）」の合成語「ボッタンタ」が転訛したもので、このことからもわかるように、ブータンはチベットから派生した国家であり、民族的にもアジア系のチベット人が多数を占めるのです。ちなみに、「ネパール」はサンスクリット語の「山麓（ニパ）」と「居住地（アラヤ）」が転訛したという説が有力です。

ネパール人はチベット系の部族でも、ヒンドゥー教やインド系言語を受容しており（おおよそ8割）、民族の構成の割合以上に、インド・アーリア系の文化の影響を強く受け継いでいます。古来、ネパールでは、インド系アーリア人が支配者層となり、ヒンドゥー教に基づき、王朝を形成してきました。

ネパールにおける仏教はインドから直接由来した系統と、チベットからやって来た移民が伝えたチベット仏教の系統の2つがあります。中世まで、ネパールでは仏教信仰が盛んでしたが、13世紀に、西北インドに拠点を持つイスラム勢力の侵攻により、仏教は弾圧を受けて衰退しました。ヒンドゥー教もイスラム勢力に弾圧されましたが、民間信仰としての強さがあり、弾圧を跳ね返し、多数派を維持しました。

一方、ブータンでは、おおよそ6割がチベット仏教を信奉し、おおよそ4割がヒンドゥー教を信奉するなど、民族構成の比率と宗教や言語の文化比率が一致しています。17世紀、チベット仏教の僧がブータンを統一し、王朝を創始して以来、チベット仏教が国教とされています。これらのことから、ネパールはアーリア系の国家、ブータンはアジア系の国家と大まかに分けることもできます。

インドの南方においても、アーリア人の血脈は薄くなり、逆に先住民族ドラヴィダ人の血脈が濃くなっています。南インドのデカン高原の北側にあるヴィンディヤ山脈を挟み、ドラヴィダ人が多いエリアとアーリア人の多いエリアに分かれます。

南インドにおけるドラヴィダ人の急進的な民族主義者たちは、アーリア人と民族や言語が異なるという理由により、インドからの分離独立を主張しています。彼らはこの地域を「ドラヴィディスタン」と呼んでいます。

SECTION 20

アフガニスタン人

混沌の背景にある歴史的な民族紛争

❖アレクサンドロス大王も愛したアフガニスタンの美人

２０２１年8月15日、アフガニスタンの旧支配勢力のタリバンは首都カブールを制圧し、政権を掌握しました。２００１年の9・11同時多発テロの後、20年間で、アメリカは2兆ドル以上をアフガニスタンでの戦争や軍の駐留に費やしてきました。これほどの巨費を投じて、アメリカが地球の裏側に介入をしなければならない必然性がすでに失われており、米軍の撤退は遅かれ早かれ、時間の問題でした。タリバンは、アメリカが生じさせた「力の空白」を埋める形で、復権したのです。

地政学上の要衝の地であるアフガニスタンを掌握するため、19世紀にはイギリスが、20世紀にはソ連が、21世紀にはアメリカがそれぞれ、アフガニスタンに侵攻しましたが、失敗しています。古来、アフガニスタン国内の民族や部族の対立が続き、そこに周辺国や列強の思惑が複雑に絡み合うなかで、混乱が歴史的必然となっています。

アフガニスタンには、パシュトゥーン人やタジク人などのイラン系民族が多く居住していま す。アフガニスタンの最大民族はパシュトゥーン人で、全人口の約4割を占めます。2021年8月15日、首都カブールを制圧して政権を握ったタリバンもパシュトゥーン人の出身者がほとんどです。「アフガン」はパシュトゥーン人の別称で「山の民」を意味します。これに、「スタン」という「〜の土地」を意味するペルシア語が付きます。

パシュトゥーン人に次いで多いのがタジク人で、全人口の3割弱を占めます。タジク人はアフガニスタン北側のタジキスタンにおける最大の民族です。

パシュトゥーン人やタジク人はかつてのソグド人や月氏人などの古代イラン人の血統を引いていると考えられます。碧眼の美しい容姿を持つ彼らは「色目人」と中国人に呼ばれました。

かつて、アレクサンドロス大王はアフガニスタン地域のイラン系民族と激しく戦い、苦戦のすえ、ようやく平定しました。大王は彼らを懐柔するため、アフガニスタン北部のソグディアナの豪族の娘ロクサネを正妃に迎えています。したがって、ロクサネはイラン系（地理的に、今日のタジク人であった可能性大）です。

アレクサンドロス大王は征服領域の東の端であったバクトリア地域（アフガニスタン）を重視し、数万人のギリシア人兵士を置いています。彼ら兵士と現地のイラン系民族との結婚が奨励されて、この地域をギリシア化しようと試みました。セレウコス朝の創始者で大王の武将であったセレウコス1世もまた、ソグディアナの豪族の娘アパメーと結婚しています。

彼らギリシア人はさらなる東征および南征の意図を持ち、中国やインドなどの未知のアジアとその富に、夢と野望を駆り立てられていました。インドへの玄関口となる、この地域は戦略上の要衝であり、重要視されたのです。イラン系との結婚が盛んに行なわれたのは、このような戦略上の理由からだけでなく、この地域の女性たちが極めて美しかったということも、間違いなく大きな理由の1つだったでしょう。

その他、アフガニスタンには、トルコ系が10％強、分布し、若干のモンゴル系もいます。いずれにしても、ほとんどがイラン系です。イラン系にパシュトゥーン人、タジク人、バルチ人、トルコ系にウズベク人（ウズベキスタン最大民族）、トルクメン人（トルクメニスタン最大民族）、モンゴル系のハザーラ人などがいます。

❖パシュトゥーン人の国家形成

アフガニスタンは入り組んだ山岳地帯であり、各地域が孤絶し、そこに様々な部族が点在して独立勢力を形成していました。同じパシュトゥーン人やタジク人の中でも、多数の部族に分かれていました。

パシュトゥーン人はアフガニスタン南部のカンダハルを本拠にしています。パシュトゥーン人勢力のタリバンもやはり、カンダハルを本拠にしています。

「カンダハル」は「アレクサンドロス（Alexandoros）」の「Ale」が落ちて、「xandoros」が転

図20-1｜アフガニスタン周辺地図

訛したとの説がありますが、これは俗説の類いでしょう。仏教が隆盛したことで有名な「ガンダーラ」が転訛したとする説もありますが、これも俗説です。ガンダーラ地方はカンダハルよりもずっと東北のパキスタン北部を指し、地理上の位置に合いません。

歴史的に、パシュトゥーン人は精強な民族として知られます。そのほとんどの期間、各部族同士で対立していましたが、ひとたびまとまれば、強大な力を発揮しました。

1709年、パシュトゥーン人のホータク族が各部族をまとめ、カンダハルにホータキー朝を樹立します。王はイラン流の「シャー」を名乗りました。ホータキー朝はイランのサファヴィー朝に侵攻し、1722年、王都イスファハーンを占拠します。イランに200年以上君臨したサファヴィー朝を滅亡させたのはパシュトゥーン人でした。

ところが、パシュトゥーン人は行政執行などの統治能力をほとんど持たず、イランで略奪・虐殺を行なうのみでした。行政能力を持たないのは、いまも同じで、タリバン政権はパキスタン人の有能な官吏を招聘し、行政を執行させているといわれています。

イランで人心を失ったパシュトゥーン人は1729年、「ペルシアのナポレオン」と呼ばれたナーディル・シャーに敗退し、イランから撤退します。

その後、アフガニスタンで、1747年、パシュトゥーン人の一派ドゥッラーニー族がパシュトゥーン各部族をまとめ、ドゥッラーニー朝を樹立します。これがアフガニスタン全域を支配した最初の王朝です。ただし、王朝とはいえ、依然、部族が割拠する状況が続いており、王は部族長たちの取りまとめ役に過ぎませんでした。

当初、王都はカンダハルに置かれていましたが、1776年にカブールに遷都されます。カブールが本格的に都市整備されはじめるのは、この頃です。それまでは、パシュトゥーン人の本拠カンダハルのみを押さえていればよかったのですが、アフガニスタン全土を統治する王朝として、インドや中央アジア、さらには中国をつなぐ交通の要衝カブールの戦略的地位が重視されました。

1826年、王家が分裂し、分家が王位を簒奪する形で、新たにバーラクザイ朝が成立します。1834年、国名を「アフガニスタン首長国」として、「アフガン」の呼称がはじめて使われます。このバーラクザイ朝が1973年まで続く長期王朝となります。

19世紀、ロシアは南下政策により、中央アジアへ進出します。イギリスはパキスタンを含むインドを植民地化しており、ロシアの南下に脅威を感じていました。イギリスはインドを防衛するためにもアフガニスタンを制圧し、対ロシアの前線基地にしなければなりませんでした。イギリスとロシアのユーラシア大陸中央部における駆け引きは「グレート・ゲーム」と呼ばれます。

イギリスは1878年、アフガニスタンに侵攻（第二次アフガン戦争）して、苦戦のすえ、外交権を奪い、保護国化します。また、イギリスは1891年、ワハン回廊（253ページ図20-1参照）をアフガニスタン領に組み込み、当時、タジキスタンにまで及んでいたロシア勢力の防波堤とします。さらに、ワハン回廊はイギリス・ロシア両勢力間の緩衝地帯とすることも合意され、英領インドとロシア勢力が隣接するのを防ぎました。

第一次世界大戦で、イギリスは疲弊しました。アフガニスタン王国はこれを好機として、イギリス勢力を放逐しはじめます（第三次アフガン戦争）。そして、1919年、独立を達成します。

1933年に王位を継承したムハンマド・ザーヒル・シャーは中立外交を進め、第二次世界大戦にも参戦しませんでした。ザーヒル・シャーは1960年代、立憲君主制を導入し、女性の権利を認めるなど、いくつかの近代改革を遂行します。この時代に、アフガニスタンは安定した成長を遂げました。

❖ムジャヒディーン政権が火をつけた民族対立

ところが、1973年、ザーヒル・シャーが国外滞在中に、彼の従兄弟のムハンマド・ダーウードがクーデターを起こします。ダーウードはザーヒル・シャーよりも、急進的な近代化を目指していました。王政を廃止し、アフガニスタン共和国を建国し、自ら初代大統領に就任します。ダーウードはソ連に接近し、イスラム主義者たちを弾圧します。

ソ連の影響力が強まり、共産主義のアフガニスタン人民民主党の勢力が台頭します。当初、ダーウードはソ連や人民民主党と友好的な関係を保っていましたが、次第に関係が悪化し、ついに、ソ連の指令を受けた人民民主党が1978年、クーデターを起こし（四月革命）、ダーウード一族を処刑して、社会主義国であるアフガニスタン民主共和国を樹立します。

人民民主党もやはり、イスラム主義者たちを弾圧したので、各地で反政府ゲリラが組織されます。彼らは「ムジャヒディーン」と呼ばれます。「ムジャヒディーン」は「ジャヒード」つまり「ジハード（聖戦）」を行なう者「ムジャーヒド」の複数形です。

ムジャヒディーンはアフガニスタン各地の有力部族（軍閥）の武装組織で、人民民主党政府に激しく抵抗しました。1979年、ソ連は人民民主党政府を支援するため、アフガニスタンへ軍事侵攻します。一方、アメリカは、ソ連が中央アジアを越え、アフガニスタンにまで影響力を拡大することに反発し、ムジャヒディーンに武器や装備を提供しています。特に、「ステインガー」と呼ばれる地対空ミサイルを供与し、ソ連軍のヘリが多く撃墜されました。ゲリラ闘争を展開したムジャヒディーンが優勢に立ち、ついに、ソ連軍は1989年、撤退します。これによりソ連は著しく疲弊し、ソ連崩壊の大きな原因となります。

人民民主党政府は1992年、崩壊し、ムジャヒディーン主導の政権が成立します。しかし、この政権はまとまっておらず、各地に軍閥（有力部族）が割拠する状態が続きます。ムジャヒディーンがもともと有力部族の武装組織であったため、彼らの利益が優先されたのです。

ムジャヒディーンは大きく、タジク人とパシュトゥーン人の2つの派閥に分かれていました。タジク人を率いたのは、アフガニスタンの英雄アフマド・シャー・マスードです。パシュトゥーン人を率いたのがグルブッディーン・ヘクマティヤールです。

彼らは協力して、人民民主党政府を駆逐し、1992年、ムジャヒディーン政権を樹立

図20-2｜アフガニスタン諸勢力対立の変遷

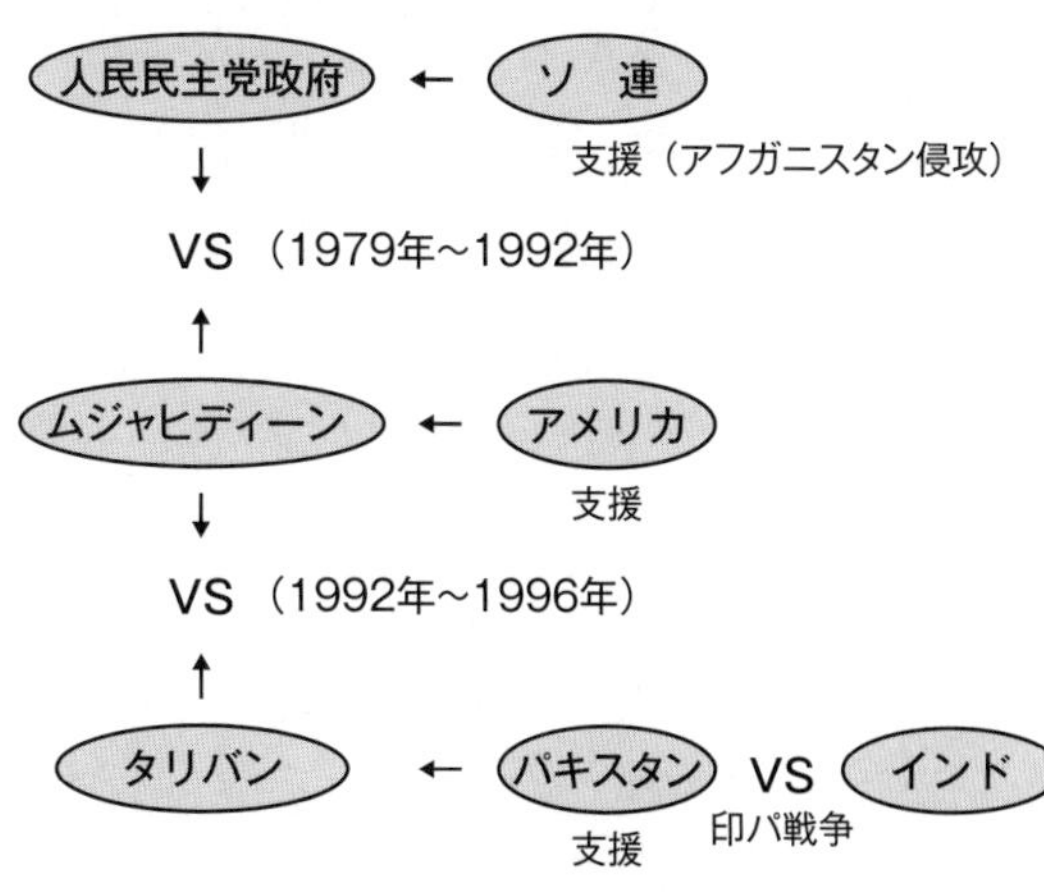

します。しかし、政権内部で、すぐに利害対立が表面化し、内戦となります。

マスード派は、数の上で圧倒的多数であったヘクマティヤール派と互角に戦いました。マスードはタジク人を一致団結させていたのに対し、ヘクマティヤールはパシュトゥーン人をまとめ切れていませんでした。この他にも、ラシード・ドスタムが率いるウズベク人派閥（イスラム民族運動）も内戦に加わりました。

アフガニスタン中央部に居住するハザーラ人の存在も問題を複雑化させます。ハザーラ人はモンゴル系です。彼らはチンギス・ハンの孫フラグが建国したイル・ハン国のモンゴル人の子孫と考えられています。イル・ハン国はイランを本拠としていたため、ハザーラ人はイランの影響を強く受け、シーア派を信奉しています。シーア派のハザーラ人はスンナ派が多数のアフガニスタンで差別・迫害され、タリバンによっても弾圧されています。

今日でも、ハザーラ人の背後には、イランがおり、ハザーラ人を通じて、アフガニスタンに積極介入すると見られています。

❖タリバンを生み出した周辺環境

このアフガニスタンの混乱の状況に介入したのが隣国のパキスタンです。パキスタンは一枚岩でなかったパシュトゥーン人勢力に接近し、切り崩し工作を図ります。

パキスタンの宿敵は建国以来、インドです。１９４７年、イギリスの支配から、インドとパキスタンが分離独立して以来、印パ戦争を起こし、対立はいまでも続いています。パキスタンはインドと対抗するために、背後のアフガニスタンに親パキスタン勢力を構築しなければなりません。

パキスタンの諜報部は若いパシュトゥーン人を支援し、彼らを軍人として訓練・養成します。彼らは学生の年代であったため、「タリバン」と呼ばれます。パシュトゥーン語で「学生」は「タリブ（Talib）」であり、「タリバン」は「学生たち」という意味になります。

パキスタンには、西部を中心に多くのパシュトゥーン人が居住しており、パキスタン全人口の約15％を占めます。パキスタンはパシュトゥーン人を懐柔するためにも、アフガニスタンに親パキスタン勢力を構築する必要があったのです。

また、パキスタンの諜報部は彼ら学生たちに、イスラム原理主義を叩き込みます。パキスタンでも、インドとのカシミール紛争などで戦うためのイスラム原理主義組織が形成されています（代表的な組織がジャイシュ＝エ＝ムハンマド）。パキスタンの組織と歩調を合わせるためにも、タリバンは同じくイスラム原理主義を信奉する組織である必要性があったのです。

こうして、パキスタンの支援によって生まれたタリバンはアフガニスタンで、1992年以降、急速に勢力を拡大させていきます。部族争いに明け暮れていたムジャヒディーンは人々の支持を失い、代わってタリバンが支持を集めます。ヘクマティヤール派のパシュトゥーン人も、タリバンに合流した者が多くいたとされます。

北部のタジク人はマスードを中心に、タリバンに対抗するため、北部同盟を結成します。しかし、彼らもタリバンの勢いを止めることができず、１９９６年、タリバンはカブールを占領し、政権を掌握しました。

ちなみに同年、タリバン政権はアルカイダのオサマ・ビンラディンを国内に匿い、アルカイダと連携していきます。２００1年、ニューヨーク同時多発テロ事件後、アメリカは事件の首謀者ビンラディンの引き渡しを要求します。しかし、タリバン政権がこの要求を拒否したため、アメリカがアフガニスタンを攻撃します。アメリカ軍による空爆で、タリバンは短期間で壊滅し、２００1年末には、政権が崩壊します。

そして、カルザイ元大統領やガニ元大統領らの親米政権が成立し、20年間、続いたのですが、タリバンが巻き返し、２０２1年、復権したのです。

しかし、パシュトゥーン人主体のタリバン政権は北部のタジク人勢力と激しく対立しており、政権は安定せず、再度、内戦に突入する可能性が高いと指摘されています。

SECTION 21

中央アジア人、トルコ人

白人なのか、アジア人なのか

❖トルコ共和国人はコーカソイドに近い

中央アジア全域を指す「トルキスタン」は「トルコ人の住む場所」という意味です。カザフスタン、ウズベキスタン、タジキスタン、トルクメニスタンなどの中央アジア諸国にも、「〜スタン」という国名が使われています。「〜スタン」はペルシア語で「〜が住む場所」を意味します。

これらの地域を「トルキスタン」と呼ぶようになったのは、9世紀後半にトルコ人が移住してからのことです。今日でも、中央アジアの国々はタジキスタン（イラン系が多数派）を除いて、トルコ人の国家です。

トルコ人はもともとモンゴル高原の西北部に居住していたアルタイ語派です。アルタイ語派は主にトルコ語派、モンゴル語派、ツングース語派の三語派から成る北アジア民族です。

トルコ人は古代、中国から「狄（てき）」と呼ばれていました。「狄」は異民族を意味します。この「狄」

図21-1 ｜ Y染色体ハプログループ平均値比較

系統	中央アジア人	トルコ共和国人
コーカソイド系		
R系統（ヨーロッパ人）	12%	22%
J系統（アラブ人）	8%	33%
G系統（コーカサス人）	5%	11%
モンゴロイド系（C2系統、O系統、N系統など）	約7割	約3割

が「テュルク」という発音になり、さらに「テュルク」に対する漢字の当て字として、「丁零（ていれい）」「鉄勒（てつろく）」「突厥（とっけつ）」が使われ、時代によって、この3つの当て字が変遷しました。つまり、狄という中国の呼称が「トルコ」の起源なのです。

10世紀に、トルコ人はトルキスタンへ西進し、今日のトルコ人の中央アジア諸国に繋がる基盤を形成します。11世紀、トルコ人はさらに西進し、アナトリア半島に進出して、セルジューク朝を建国します。このセルジューク朝が母体となり、13世紀末に、オスマン帝国に継承されます。そして、20世紀にオスマン帝国が解体され、現在のトルコ共和国に至ります。

そのため、トルコの建国は突厥建国の552年とされており、トルコ共和国では、1952年に、「建国1400年記念祝典」が催行されています。

中央アジアのトルコ人もトルコ共和国人も、もともと同源のトルコ人ですが、彼らは白人やアラブ人などの混血の度合いにおいて大きく異なります。図21-1は中央アジア人とトルコ共和国人のハプログループの比率を比較したものです。

中央アジア人はアジア人（モンゴロイド系）の遺伝子を約7割も残しているのに対して、トルコ共和国人は約3割しか残していません。トルコ共和国人はトルコ人とされながらも、本来のトルコ人に高頻度に観察されるアルタイ系C2系統の割合が非常に少ないのです。トルコ共和国人はアラブ人に高頻度に観察されるJ系統の遺伝子が多く、次いでヨーロッパ人に高頻度に観察されるR系統が続きます。さらに、金髪碧眼と相関関係のあるI系統も含まれます。

トルコ共和国人はアラブ人とヨーロッパ白人が混ざり合ったような容貌であり、アジア人的な容貌の特徴が希薄なことの理由が、この遺伝子の解析結果からもわかります。そのため、トルコ共和国人はコーカソイド系に分類されることがあります。

❖中央アジア人のルーツ

中央アジア人はアジア人的な容貌を持ちながらも、白人的な容貌が混ざり合っています。金髪でロシア系かと思いきや、顔はアジア系に近かったたり、逆に白人的な顔付きの人が黒髪であったり、また、日本人のような顔付きの人が目だけ青かったり、肌の色も様々で、民族融合の悠久の歴史を感じさせます。

中央アジアの5か国はかつてソ連の一部で、それぞれ独自の民族言語を持ち、それらが公用語とされながらも、ロシア語が民族間の意思疎通のための共通語として使用され、また、ソ連時代の名残りから、人名もロシア語風の姓名が多く見られます。

図21-2｜中央アジア5か国のトルコ人とロシア人の割合概要

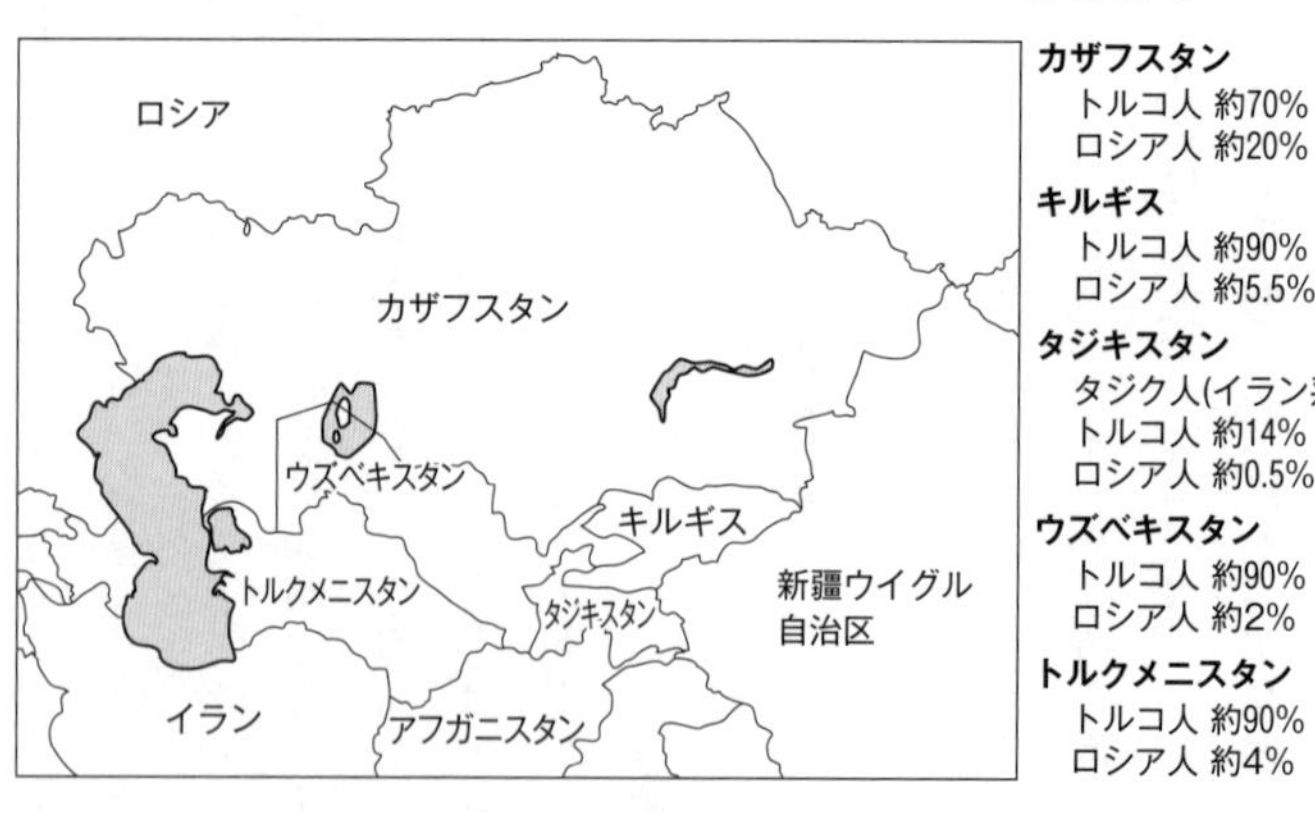

ロシア人の中央アジアへの移住は中世から続いており、現地のトルコ人との混血も進んでいました。19世紀、中央アジアがロシア帝国に併合された時にも、多くのロシア人が移住しました。

中央アジア人の中には、ほとんどロシア人と見分けがつかないような人もいますが、統計上は図21-2のように、カザフスタンの約20%を最多にして、ロシア人は圧倒的少数です。しかし、これらの統計は混血を含んでおらず、もし、混血というカテゴリーがあれば、トルコ人のほとんどがそのカテゴリーの中に振り分けられるでしょう。つまり、純粋なトルコ人は中央アジアにはすでに、ほとんどいないといえます。

中央アジア人はトルコ語系の母国語を話すことを民族のアイデンティティと考えて、自らをトルコ人だとしていますが、彼らの先祖には、コーカソイド（白人）が少なからず、含まれています。そもそも、中央アジアの人々に対して、トルコ人（アジア人）かロシア人（白人）かの明確な線引きをすることはできません。

ロシアの南方に隣接するカザフスタンなどは特に、ロシア人やその混血の割合が多く、ソ連時代に、首都が「ツェリノグラード」とロシア式に呼ばれていた時（現在は「ヌルスルタン」と改称）には、人口の6割以上がロシア人でした。かつて、フルシチョフはカザフスタンを集団開拓させるために、ロシア人を大量に送り込みました。工場労働者にも、ロシア人が使われました。カザフスタンには、このようなロシア人移民の子孫がたくさんいます。

このほか、中央アジアには、ドイツ人移民も多くいます。18世紀、エカチェリーナ2世が労働力を確保するため、ドイツ人の誘致を行ない、モスクワ南方のヴォルガ川流域の農耕地帯にドイツ人やその子孫が住み着くようになります。第二次世界大戦がはじまると、スターリンは、180万人近くのドイツ系移民を敵性民族として危険視し、彼らを中央アジアへと強制移住させ、開拓に従事させました。

朝鮮人もまた、同じような理由で中央アジアへ強制移住させられました。ウラジオストクなどロシア沿海地域に住んでいた朝鮮人が日本に協力する敵性民族と見なされ、中央アジアに連れて来られたのです。彼ら朝鮮人は3、4世代目となっており、ほとんどが朝鮮語を話せません。現在、彼らが中心となり、韓国と中央アジアとの経済連携を推進しています。

❖民族が交差する中央アジア

中央アジア地域にはもともとソグド人などのイラン系民族が住んでいました。彼らはシルクロードで活躍をしていた交易の民でした。

ソグド人の祖先はスキタイ人とする説があります。スキタイ人は紀元前8世紀から前3世紀頃、南西ロシアの草原地帯にいたイラン系の古代騎馬民族です。ソグド語がイラン語群のサカ・スキタイ語派に属し、スキタイ文字とソグド文字に多くの共通点があることなどがその根拠として、挙げられます。スキタイ人は金製品の加工装飾に優れた技術を発揮し、スキタイ文化と呼ばれる高度な文明を持っていました。

ソグド人などのイラン人はイスラム教を積極的に取り入れ、9世紀後半に、イラン系のイスラム王朝サーマーン朝を建国します。サーマーン朝の首都はブハラ（現在のウズベキスタンの中部）に置かれます。このブハラで生まれたイラン人のイブン・シーナーなどが『医学典範』を著し、サーマーン朝時代の全盛期に活躍しています。

モンゴル高原北西部にいたトルコ人は、サーマーン朝が建国された頃、本格的に中央アジアへ西進しはじめます。トルコ人は999年、サーマーン朝を滅ぼし、カラ・ハン朝を建国します。この時、トルコ人たちもイスラム化されます。

サーマーン朝のイラン人たちは南方のタジキスタンの山岳方面に逃れたため、今日でもタジキスタンでは、他の中央アジア諸国と違って、ペルシア語系の言葉が話され、イラン人が主な主要構成民族になっています。

13世紀になり、中央アジアにチンギス・ハン率いるモンゴル人が進出すると、やはりモンゴル人もイル・ハン国時代にイスラム化されていきます。

14世紀には、イル・ハン国などのモンゴル人の後継政権であるティムール帝国がイスラム教国家として、建国されます。ティムール帝国の建国者ティムールはその出自において、トルコ人やモンゴル人の血が混じっていますが、チンギス・ハンの後継者を自称し、モンゴル人を支持基盤として台頭しました。ティムール帝国は首都をシルクロードの要衝サマルカンド（ウズベキスタン西方の都市）に置き、東西交易とともに発展しました。

しかし、15世紀後半以降、再びトルコ人が勢力を盛り返します。ティムール帝国はトルコ系ウズベク族の大規模な侵攻を受け、1507年に滅ぼされます。ウズベク族を率いたシャイバニがシャイバニ朝を創始しました。シャイバニ朝は首都ブハラを中心に、イスラム国家として強勢を誇り、その領域は今日の中央アジア5か国に及び、これらの国々のトルコ人化の直接の歴史的原因となります。

その後、シャイバニ朝はヒヴァ・ハン国（16世紀）、ブハラ・ハン国（16世紀）、コーカンド・ハン国（18世紀）の3国に分裂します。この3国を総称して、ウズベク三ハン国と呼びます。これらトルコ系の三ハン国は強大な力を持ち、イスラム世界の盟主であったオスマン帝国やイランのサファヴィー朝にも屈しませんでした。

しかし、ウズベク三ハン国では、旧態依然とした封建主義支配が続き、近代化されたロシア帝国が19世紀後半に南下してくると、抵抗できず、征服されます。ロシア人の中央アジア支配がこうしてはじまり、それはソ連の崩壊まで続きます。

❖ウイグル人の起源

前述の通り、トルコ人はもともとモンゴル高原の西北部にいました。彼らは4世紀末に、突厥を建国し、モンゴル高原全体を席巻し、7世紀に全盛期を迎え、唐王朝に対抗します。

突厥の部族は元々、エニセイ川上流域にいました。エニセイ川はモンゴル高原の北部、ロシア中部を流れる川です。この地域一帯で鉄鉱石が豊富に産出されており、突厥は鉄を量産するようになりました。そのため、彼らは中国で「鍛奴（鍛鉄をする野蛮人）」と呼ばれます。製鉄によって得た富で、突厥は急拡大したのです。

突厥は中国に侵攻しますが、唐王朝の太宗に撃退されてしまいます。以降、突厥は矛先を中国から西方へ変え、前述の通り、大移動を開始します。彼らは最初に、モンゴル高原からジュンガル盆地（現在のウルムチ市一帯）・タリム盆地（現在のカシュガル市一帯）へ移動します。新疆ウイグル自治区のウイグル人はこの時代に定住したトルコ人の子孫です。

18世紀の半ば、清王朝の乾隆帝がジュンガル盆地・タリム盆地を征服し、「新しい土地」を意味する「新疆（しんきょう）」と名付けました。

8世紀、突厥はウイグルと名前を変えます。「ウイグル」とはトルコ語で「我、主君なり」

という意味です。当時のトルコ人を率いた首領が自らをこのように名乗ったことから、「ウイグル」の呼称が使われるようになります。

さらに、トルコ人はトルキスタンへ西進し、前述したように、10世紀にはイスラム化され、カラ・ハン朝をつくり、今日のトルコ系中央アジア諸国につながる基盤を形成します。11世紀、トルコ人はさらに西進し、アジアの端のアナトリア半島（小アジア）に進出して、セルジューク・トルコ（セルジューク朝）を建国します。このセルジューク朝が母体となり、16世紀にオスマン帝国が大発展し、現在のトルコ共和国に至ります。はるか西方のイスタンブールなどの都市を持つトルコ共和国は、もともとモンゴル高原にいたトルコ人の子孫がつくった国です。

こうした歴史的経緯からもわかるように、新疆ウイグル自治区のウイグル人は本来、民族や文化の上で中央アジア諸国の文明圏に属し、中国の一部に組み込まれるべき地域ではありません。「新疆ウイグル自治区」などと呼ぶのではなく「東トルキスタン」と呼ばれるべきでしょう。

ウイグル人は中国の不当な支配を被っていますが、中央アジア諸国は同胞のウイグル人を助けようとしません。中央アジア5か国のうち、新疆に隣接するのはカザフスタン・キルギス・タジキスタンの3か国ですが、これらの国は中国から経済支援を受けています。1996年、中国・ロシア・カザフスタン・キルギス・タジキスタンの5か国による上海協力機構（上海ファイブ体制）を結成し、中国からの経済支援と引き換えに、ウイグル人分離独立運動に介入しないと約束しています。

5か国の中でも、カザフスタンは最大の人口規模（約3000万人）を擁し、近年、中国と連携を強め、中国マネーが流入し、急激に経済発展しています。中国は現代版シルクロード「一帯一路」の経済圏を強固に結び付けるため、デジタル人民元をグローバル決済の手段として、流通させようとしています。

カザフスタンは石油を中国に輸出しています。決済はドルで行なわれるため、取引はアメリカに筒抜けになっています。デジタル人民元はドル決済を避けることのできる有効なツールであり、カザフスタンはその導入に最も熱心な国です。

こうした「一帯一路」の経済圏の形成に、カザフスタンをはじめ中央アジア諸国は積極協力し、同胞のウイグル人の苦しみを見て見ぬふりをしています。中国はカネの力で、民族の文明を分断しているのです。

第2部

ヨーロッパ

序文解説

白人はどこからやって来たのか

❖「クルガン」の民族

現在、インド・ヨーロッパ諸語を話す人々は約30億人おり、世界最大の言語グループです。ヨーロッパからアジア、アメリカやオセアニアにかけて、この語族の系列言語を公用語としている国は100を超えます。

では、インド・ヨーロッパ諸語のもともとの原形である祖語を、どんな民族がいつ、どこで使っていたのでしょうか。インド・ヨーロッパ祖語の源郷は黒海やカスピ海の北方地域、つまり現在のウクライナとされています。かつてはアナトリア半島説やスカンディナヴィア半島説などがありましたが、これらの説は現在では有力視されていません。日本の教科書でも、「インド・ヨーロッパ語派は南ロシアを原住地として、そこからイランやヨーロッパ、インドへ拡散した」と説明されています。

「クルガン」と呼ばれる墳墓を伴う文明の遺跡が、黒海やカスピ海の北方地域で発見されています。「クルガン」とはスラヴ語で、「墳丘」を意味します。この文明は紀元前4000年〜紀元前3000年頃に栄え、「クルガン文化」と呼ばれます。クルガン文化を担った人々は草原で暮らしていた遊牧民で、彼らこそがインド・ヨーロッパ語派の共通の祖先と見なされています。そのことにより、インド・ヨーロッパ祖語の源郷が、彼らが住んでいた黒海やカスピ海の北方地域と見なされるのです。

アメリカの人類学者デイヴィッド・W・アンソニーは著書『馬・車輪・言語』(邦訳2018年、原著2007年)で、やはり、インド・ヨーロッパ語派の源郷がこれらの地域にあったと認めたうえで、馬や車輪の役割について詳細に述べています。

アンソニーは、同地域の広大な草原地帯(ステップ)は徒歩で旅をする人間を寄せつけない環境であったにもかかわらず、馬や車輪の持つ機動力が広野を人間に開放したと説きます。羊や牛などの家畜化された草食動物に草を消費させ、テントや備品などの重い資材を四輪荷車によって運搬して家畜の群れのあとを追いながら、生活の糧を得ていたと言います。

集落は馬や車輪の機動力により、相互に孤立から脱し、連絡を取り合い、文明社会を形成するようになります。アンソニーは、これらのステップ地帯は馬や車輪によって「人を拒む自然の障壁から、大陸をまたがる情報の回廊に変容した」として、「ユーラシアの歴史的発展の力学を恒久的に変え、そして、それがインド・ヨーロッパ語派の最初の拡大に重要な役割を担ったのだ」と結論づけています。

図02-1 |「クルガン文化」遺跡の分布範囲

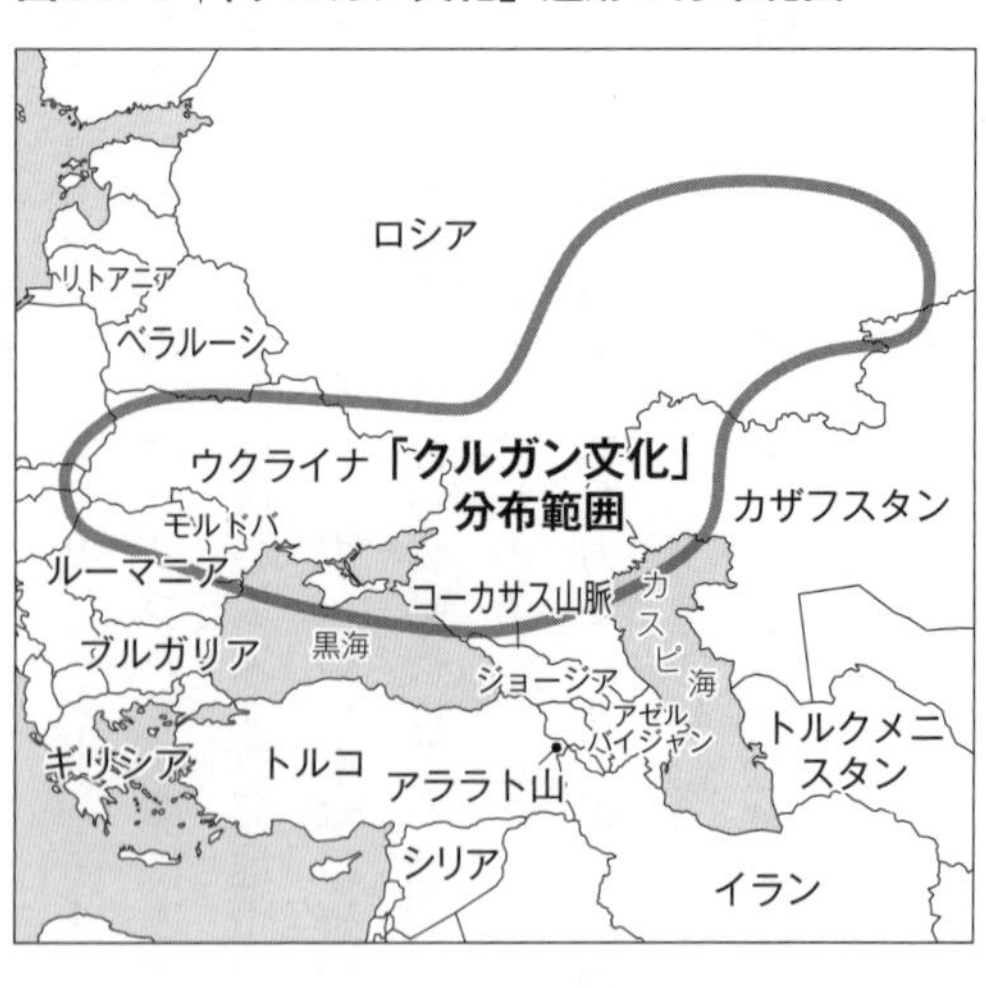

では、インド・ヨーロッパ語派の諸民族の遺伝子のつながりはどうでしょうか。クルガン文化遺跡から出土した人骨の遺伝子には、ハプログループR1bが高頻度で検出されています。R1bは今日、ヨーロッパ西部やアナトリア半島の人々に高頻度で検出されていますが、これはイラン人やインド人には当てはまらず、彼らはハプログループR1aが高頻度で検出されています。つまり、インド・ヨーロッパ語派と一括りに言っても、その言語を用いる民族としての遺伝子までが同一ではないという事実があります。

黒海やカスピ海の北方地域でクルガン文化を担っていた人々が、西ヨーロッパの諸民族へと発展していったというつながりを見ることができますが、クルガン文化人がイラン人やインド人へと発展していったというつながりを、遺伝子上においては見ることができないのです。遺跡の人骨からR1a型の遺伝子が検出されていないことからも明らかです。

このことから、イラン人やインド人はクルガン文化人とはもともと民族が異なっていたものの、クルガン文化人の言語を積極的に取り入れたと見ることができます。インド・ヨーロッパ諸語を用いる民族はその言葉の通り、言語上の近接関係にある1つのグループであり、民族や血統としての同質性を必ずしも表わすものではありません。

❖「ケントゥム」と「サテム」の遺伝子

ハプログループR1b型の西ヨーロッパ人とR1a型のイラン・インド人との民族の相違は、インド・ヨーロッパ語族というカテゴリーにおけるケントゥム語とサテム語の相違としても現われています。インド・ヨーロッパ語族という同一の系統にあっても、この2つの細分化されたグループは互いに言語上の相違点を持っています。

「ケントゥム」と「サテム」とは、「百」を意味するラテン語のcentumと古代イラン語（アヴェスター語）のsatəmという数詞によって付けられた呼び名です。ケントゥム語系列は主に西ヨーロッパの言語、サテム語系列はインド・イラン語派とバルト・スラヴ語派です。

そうすると、バルト・スラヴ語派の東欧やバルト三国の言語は西ヨーロッパの言語よりも、インド・イラン語派に近いのかという疑問がわき起こります。バルト・スラヴ語派の言語は音声的にサテム語系列の言語に近い特徴を持つとされますが、文法や語彙においては、ケントゥム語系列に近いと見られており、必ずしも、バルト・スラヴ語派はインド・イラン語派と近いといえるわけではないと言語学者から指摘されています。

一方、バルト・スラヴ語派の人々、つまり東ヨーロッパ人は民族の遺伝子上において、ハプログループR1aが高頻度に検出されており、同じR1a型のイラン・インド人に近いといえます。今日のヨーロッパにおけるR1aの分布は広範囲に広がっており、東欧をはじめバルカン半島、スカンディナヴィア半島、ロシアにまで分布しています。

これらの地域では、金髪碧眼のいわゆるヨーロッパ的な容貌を持つ人々が多いにもかかわらず、彼らは西ヨーロッパ人のR1b型ではなく、肌の色の異なるイラン・インド人のR1a型の遺伝子を高頻度に持っています（これらの地域の人々は遺伝子上、金髪碧眼と相関関係があるとされるハプログループIが強く作用していると指摘されている）。サテム語系列のバルト・スラヴ語派とインド・イラン語派は言語的に近いのみならず、民族の遺伝子上も近いのです。

図02-2｜インド・ヨーロッパ語族の2つのカテゴリー

ケントゥム語 ……主に西ヨーロッパの言語

→遺伝子はハプログループ R1b 型が高頻度に検出

サテム語 ……インド・イラン語とバルト・スラヴ語

→遺伝子はハプログループ R1a 型が高頻度に検出

インド・イラン人とヨーロッパ人との民族の遺伝子上の関係について、西ヨーロッパ人との関係で見れば、両者は異なるといえるかもしれませんが、東ヨーロッパ人との関係で見れば、両者は同系か、あるいは混血等により遺伝子上の近接性を持つようになったと推測されるのです。

ハプログループRIb型のクルガン文化人の血統は西ヨーロッパ人に純粋に受け継がれる一

方で、クルガン文化に地理的に近い東ヨーロッパ人はなぜ、R1b型ではなく、R1a型の遺伝子を高頻度に持つようになったのか、また、なぜ、クルガン文化人の古人骨からR1a型の遺伝子を持つものが見つからないのか、多くのことが詳しくわかっていません。

古人骨のサンプル数は決して多くはありませんが、今後、もし古人骨からR1a型が見つかれば、R1a型とR1b型の両者の共通のこの文化圏に共存していたということになり、インド・ヨーロッパ語派の源郷をクルガン文化遺跡に一元的に帰結させる論拠になります。

こうした疑問について、バルセロナ大学の遺伝学者カルレス・ラルエサ＝フォックス氏などにより、クルガン文化の地域がインド・ヨーロッパ語派の唯一の源郷と断定することはできないと指摘されています。ラルエサ＝フォックス氏は「インド・ヨーロッパ語派の発祥の地はさらに別の地域かもしれず、ステップ地帯は南欧、イラン、インドなどの複数のルートの1つにすぎない可能性もある」と述べています。つまり、クルガン文化を遡る「源郷の源郷」なるものがあり、その「源郷の源郷」からハプログループのR1aやR1bが枝分かれしていったと考えることもできるでしょう。

❖誰がヨーロッパに最初に住み着いたのか

インド・ヨーロッパ語派はヨーロッパに最初に移住した現生人類（ホモ・サピエンス）ではありません。彼らがヨーロッパで拡散分布するよりもずっと前の時代に、現生人類はヨーロッパ

図02-3｜現生人類のヨーロッパ移住

第1波 紀元前3万3000年頃～紀元前2万8000年頃（石器時代）

ベルギー、ロシア西部、チェコのクロマニョン人（狩猟採集民）

→ハプログループ C1a2

第2波 紀元前1万8000年頃～紀元前1万1000年頃（石器時代）

フランス、スペイン、スイスのクロマニョン人（狩猟採集民）

→ハプログループ I

第3波 紀元前8000年頃～紀元前6000年頃（新石器時代）

アナトリア半島から（農耕民）

→ハプログループ G2a

第4波 紀元前4000年～紀元前3000年頃以降（青銅器時代）

黒海やカスピ海の北方地域から、インド・ヨーロッパ語派（遊牧民）

→ハプログループ R1b（ラテン人、ケルト人、ゲルマン人）

→ハプログループ R1a（スラヴ人、バルト人）

に住み着いており、最も早い時期は紀元前3万3000年頃～紀元前2万8000年頃と見られています（図02-3参照）。

この時代の人類はクロマニョン人と呼ばれる現生人類の祖（新人）で、狩猟採集の生活を営んでいました。クロマニョン人はその人骨が1868年、フランスのラスコー洞窟近郊のクロマニョン岩陰で発掘されたため、そのように命名されました。

紀元前1万8000年頃～紀元前1万1000年頃（図02-3の第2波）の時代に、フランスの西南部ラスコーやスペイン北部アルタミラの有名な洞窟壁画が描かれています。この時代のクロマニョン人の人骨には、ハプログループIが高頻度で検出されています。ハプログループIは金髪碧眼の白人的な容貌と深い関連性があり、この時代のクロマニョン人の遺伝子がその後のヨーロッパ人の遺伝子の基層を成していると見られています。

中東地域のメソポタミア文明に由来するムギを栽培する農耕民が、アナトリア半島からギリシアやバルカン半島に移住したのが紀元前8000年頃〜紀元前6000年頃（図02-3の第3波）です。農耕に伴い新石器文化もヨーロッパ各地に広まり、生産力が高まり、社会が次第に集団化・組織化されていきます。

この時代の移住民の人骨から、ハプログループG2aが高頻度で検出されています。この遺伝子は中東由来の非インド・ヨーロッパ系集団に特徴的なものです。この集団の存在は2015年3月、科学誌「ネイチャー」にも掲載されました。

紀元前4000年〜紀元前3000年頃以降、黒海やカスピ海の北方のステップ地帯（クルガン文化圏）から、インド・ヨーロッパ語派の集団が青銅器を携えて、ヨーロッパにやって来ます（図02-3の第4波）。そして、この新しい集団によって、前集団の遺伝子ハプログループG2aが上書きされていきます。非インド・ヨーロッパ系のG2aは、その後のヨーロッパ人に、ほとんど検出されなくなり、ハプログループR1bとR1aが主流となります。

❖ヨーロッパ民族の3系統

このように、ヨーロッパ人は4つの波を経て、インド・ヨーロッパ系民族（第4波）へと至

図02-4｜ヨーロッパ人の言語と系統分布

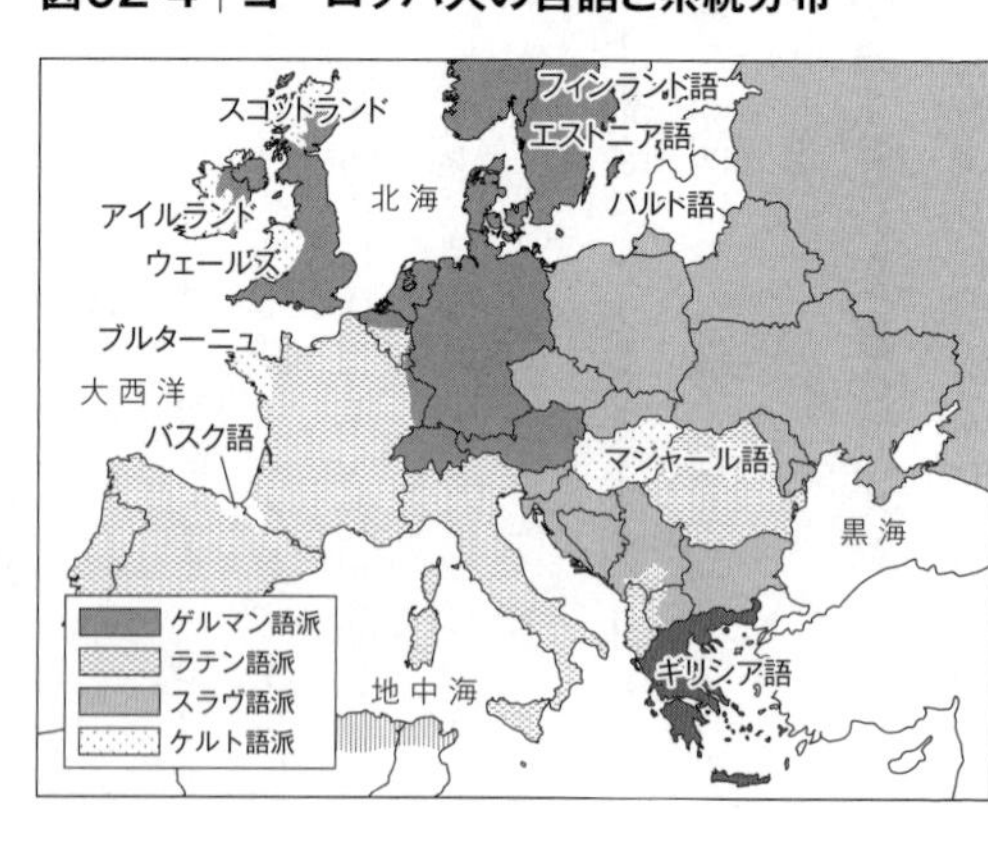

ります。さらに、このインド・ヨーロッパ系民族の大カテゴリーは、彼らが使う言語系統により、主にラテン人、ゲルマン人、スラヴ人の3つの民族系統に分けられます。彼らの言語はそれぞれ、文法などが異なります。英語とドイツ語はゲルマン系言語の仲間で、ほぼ同一の文法構造を持ちますが、フランス語やイタリア語はラテン系言語で、英語とは文法構造が異なります。

大学で英語以外の第2外国語の選択をする時、英語を知っている人にとってドイツ語は理解しやすいのですが、フランス語やイタリア語となると、文法を一から勉強し直さなければならず、大変です。まして、ロシア語などのスラヴ系言語は文字もアルファベットと異なり（キリル文字）、文字から勉強し直さなければなりません。

ラテン、ゲルマン、スラヴ（バルト語系を含む）の3言語はすべて、インド・ヨーロッパ祖語から派生したものですが、成立時期はラテン語が最も古く、その原初的な祖語は紀元前2000年頃にイタリア半島で成立したとされます。そして、千年後の紀元前10世紀頃にスラヴ祖語がウクライナ西北部からベラルーシで成立したと考えられています。ゲルマン祖語が最も遅く、紀元前8世紀頃～紀元前5世紀頃に東北ドイツで成立したと考えられています。

図02-5｜ヨーロッパ言語の生成過程

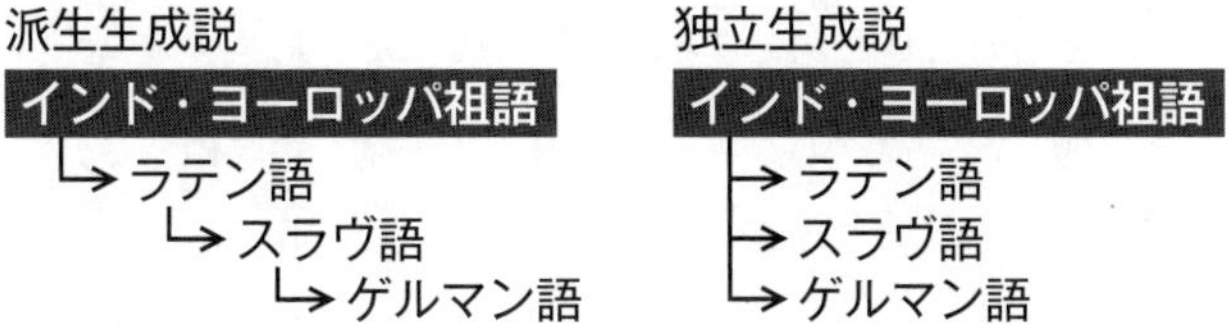

派生生成説
インド・ヨーロッパ祖語
→ラテン語
→スラヴ語
→ゲルマン語

独立生成説
インド・ヨーロッパ祖語
→ラテン語
→スラヴ語
→ゲルマン語

ラテン↓スラヴ↓ゲルマンの順で、その祖語が成立しており、スラヴ祖語が前者のラテン語から派生し、さらに、ゲルマン祖語が前者のスラヴ語から派生して、変化形成されたとする「派生生成説」が指摘されています。しかし、近年では、これらの3言語は派生的な関係を持たず、それぞれ、独立に生成発展したとする「独立生成説」が指摘されています。3言語は同一の祖語から派生したものですが、その後の発展はそれぞれ、独自の道を歩んだとされるのです。

民族の遺伝子として、ラテン人とゲルマン人には、ハプログループR1bが高頻度に検出され、スラヴ人（バルト人を含む）には、R1aが高頻度に検出されています。なお、金髪碧眼と相関関係があるとされるハプログループIは3民族のすべてに共通して検出されます。よく、ゲルマン系は金髪、ラテン系は黒髪、スラヴ系は赤毛という特徴があるなどと解説されますが、実際にはそのような明確な区分・特徴があるわけではありません。それぞれの民族に、多様な髪の毛の色、目の色を持った人々がいます。

❖古ギリシア人の正体

ラテン祖語は紀元前2000年頃に成立したとされますが、それよりもさらに古い時代に成立したのがギリシア祖語です。ギリシア祖語は紀元前3000年頃、すでにギリシアで話されていたと見られています。

このギリシア祖語を話していた古ギリシア人はヨーロッパ文明の原初となるギリシア文明を形成した祖先です。この時代の古ギリシア人が民族としては、インド・ヨーロッパ語派に属するのかどうかが問題です。

2017年、ハーバード大学医学部研究員のロシフ・ラザリディス氏は紀元前2900年頃〜紀元前1700年頃のクレタ島のクレタ人10名の古人骨、紀元前約1700年頃〜紀元前1200年頃のギリシア本土のミケーネ人4名の古人骨の遺伝子解析を行ないました。

クレタ人もミケーネ人もともにその遺伝子の約4分の3が新石器時代のアナトリア半島の農耕民と共通していることがわかりました。この解析結果は科学誌「ネイチャー」に掲載されました。つまり、古ギリシア人は図02-3（278ページ参照）の第3波にあたる集団で、前述のように、非インド・ヨーロッパ系の西アジア人に近かったといえます。古ギリシア人はわれわれが想像するような、いわゆるヨーロッパ人の直接の祖先ではなかったのです。

しかし、この解析では、もう1点、興味深いことが明らかになっています。ミケーネ人の古人骨のいくつかは図02-3の第4波にあたるインド・ヨーロッパ語派の集団の遺伝子に近いと報告されています。これは古人骨の年代として測定されている紀元前1700年頃～紀元前1200年頃に、ギリシア本土でも第4波の波が及び、インド・ヨーロッパ化がはじまっていたということを示していると思われます。このような解析結果はクレタ人には見られません。

ちょうど、この時代に、教科書や一般の概説書にも記されているように、アカイア人が北方からギリシア本土とエーゲ海域に南下し、青銅器文明であるミケーネ文明をつくります。このアカイア人こそがインド・ヨーロッパ語派の集団であったと見ることができます。

そうすると、クレタ文明をつくったクレタ人とミケーネ文明をつくったアカイア人は民族の系統が異なるということになります。前期エーゲ文明のクレタ文明はクノッソス宮殿で有名で、海洋的で平和的と評されます。一方、後期エーゲ文明のミケーネ文明は石造城塞の獅子門などで有名で、戦闘的で力感的と評されます。両者は同じエーゲ文明で一括りにされるのですが、文明の担い手となった民族が異なるため、異質な文化的特徴を有するのです。

このように、ミケーネ文明以降、ギリシアも他のヨーロッパ地域と

図02-6｜エーゲ文明の２つの系統

クレタ文明（紀元前2000年頃～前1400年頃）

→アナトリア半島由来の非印欧系の農耕民の文明

ミケーネ文明（紀元前1600年頃～紀元前1200年頃）

→ステップ地域由来の印欧系の遊牧民の文明

同じく、インド・ヨーロッパ化されていきます。古ギリシア人はハプログループR1b（ラテン人やゲルマン人に共通）の遺伝子を強く受け継いでいます。

しかし、中世以降、バルカン半島や東ヨーロッパで拡散したスラヴ人（R1a）がギリシア方面へ入り、ギリシア人は事実上、スラヴ化されていきます。したがって、今日のギリシア人は遺伝子上、他のバルカン半島諸国のスラヴ人と同じです。

ギリシア語はヨーロッパの3言語系統のラテン語、ゲルマン語、スラヴ語のいずれにも属さず、これらの3言語と並立するカテゴリーのヘレニック語派に入ります。「ヘレニック」というのは「ギリシアの」という意味です。

ギリシア語はラテン語に大きな影響を与えていますが、両者は文法的に大きく異なります。また、スラヴ語は文字など、ギリシア語から派生発展していく要素が多いため、あえて言うならば、ギリシア語はスラヴ語に近いといえるでしょう。

❖ケルト人はラテン人に近い

ケルト人もギリシア人やラテン人と同じくらい古いヨーロッパの民族です。ケルト人はインド・ヨーロッパ語派諸族の一支族で、南ロシアのステップ地帯からヨーロッパへやって来た遊牧民です。紀元前3000年頃には、独自のケルト祖語や民族の文化を持ち、紀元前1500年頃までに、ドナウ川やライン川沿岸のヨーロッパ中部の森林地帯に移動し定住したとされます。ケルト人はこれらの地域に最も早い時期に定住したため、「ヨーロッパの先住民族」と評されます。

紀元前7世紀から紀元前3世紀にブリテン島を含むヨーロッパ全域に分布拡散していきます。ケルト人は現在では、スコットランド、アイルランド、ウェールズ（イギリス南西部）、ブルターニュ（フランス北西部）に残存しています（280ページ図02-4参照）。

ケルト人は民族の遺伝子上、ハプログループR1bが高頻度に検出されます。かつて、ケルト人はゲルマン人に近いとされていましたが、今日では、ラテン人に近いとされます。ハプログループR1bはさらに、R-S116に細分化することができ、この遺伝子はラテン人に近接したものであることがわかっています。

また、ケルト語は言語上、ラテン語とも近接しており、イタロ・ケルト語族という言語学上のカテゴリーも存在します。「イタロ」とはイタリック派、つまり、イタリア語のことです。

ケルト人はヨーロッパ全域に分布しながら、多くの部族に分かれ、1つにまとまることはありませんでした。彼らはラテン人のような定住型の農耕生活を営まず、牧畜を営み、部族ごとに移動生活をしていました。

紀元前4世紀初めに、ケルト人の一派がイタリアに侵入し、当時、都市国家であったローマを一時的に占領しますが、ローマ人から貢納金を受け取り、撤退しています。紀元前1世紀以降、ローマ時代に強大化したラテン人やゲルマン人に追われ、イギリス北西部の辺境へと逃れ、少数民族となり、今日に至ります。

ケルト人と並び、ヨーロッパの少数民族として有名なのがバスク人です（280ページ図02-4参照）。バスク人については、SECTION24で詳述します。ウラル語諸派については、SECTION42で詳述します。

その他、図02-4でわかるように、スラヴ人地域のバルカン半島で、ルーマニアだけがラテン語の地域として孤立しています。ローマ人が330年、コンスタンティノープル（現イスタンブール）に遷都した時、この地域一円のブルガリアやルーマニアもローマ化されました。ローマ人が入植し、ローマ語が使われていたのです。ブルガリアは中世にブルガール人に侵略されますが、北部のルーマニアはローマ人の血統や言語が残り、現在に至ります。「ルーマニア」とは「ローマ人の土地」を意味します。

第6章 イタリア、フランス、スペインなど

SECTION 22 イタリア人

ローマ帝国とルネサンスの2つの覇権を築いた民族

❖イタリア人にとっての「人生最大の後悔」

ラテン人はラテン語やラテン語を祖語とする言語を母語にする人々で、ローマ人やその末裔にあたるイタリア人、フランス人、スペイン人、ポルトガル人を指します。ローマ帝国時代に、フランスやスペインにローマ人が大量に移住し、ローマの言語や文化を拡散させたのです。

「ラテン」という言葉はもともと、イタリアのラティウムという地名に由来するものです。

ラティウムはローマ郊外の南東にあった地域で、芸術・文化の盛んな場所でした。ラティウムの文字や言葉に由来するものはラテン語と呼ばれ、後にローマ帝国によって、ラテン語が公用語とされ、全ヨーロッパ共通の古典語となりました。

「ラテン」という言葉を聴いて、まず思い浮かぶのは、ラテン音楽ではないでしょうか。ラテン音楽は軽快なリズムを特徴とするラテン・アメリカ（中南米）の音楽です。サンバ、ボサノヴァはブラジル発祥で、タンゴはアルゼンチン発祥、レゲエやルンバはキューバなどカリブ海地域発祥とされます。

15世紀末以降、スペインが南アメリカ大陸を植民地支配し、ラテン人のスペイン人が移住し、言語や文化を拡散させたことから、「ラテン・アメリカ」と呼ばれます。したがって、中・南米のラテン・アメリカ人はラテン人に含まれます。ラテン音楽やラテン・アメリカの「ラテン」は、遡るとローマ時代のラティウムに行き着くのです。

厳格な人々が多いドイツ北部から、暖かいイタリアへ南下していくと、人々の性質が大らかになるのを感じます。ドイツ人はお金をしっかり貯蓄するのに対し、イタリア人は、死ぬまでにお金を全部使い切れないことを「人生最大の後悔」とするそうです。陽気な人々が多いイタリア人ですが、彼らの歴史を見れば、計算高く現実主義的な側面も見えてきます。

紀元前4000年〜紀元前3000年頃以降、黒海やカスピ海の北方のステップ地帯から、インド・ヨーロッパ語派の集団がヨーロッパに移住します。その集団の中で、イタリア半島に住み着いた人々がイタリア人の直接の祖先です。

彼らは紀元前8世紀、半島の中部に都市国家ローマを建国します。都市国家ローマが強大化し、周辺の都市を征服し、紀元前3世紀に、イタリア半島全域を統一します。ローマは地中海地域やヨーロッパ全域を征服し、紀元前1世紀末に帝国となります。

❖なぜ、ローマ人（イタリア人）は覇権を握ることができたのか

ローマ人は帝国になる以前から、交易を重視しました。ローマに納税しさえすれば、民族を問わず、交易活動に自由参入でき、商人たちはその身分や財産を保障されました。東方のアレクサンドロス大王やその後継者たちのギリシア人勢力はそのような寛容さを持たず、軍事力によってのみ征服活動を続けたため、彼らの王国は長くは続かなかったのです。

ローマ人は法による支配を人類史上、最初に制度化した民族でした。紀元前5世紀半ば、十二表法が制定され、司法の手続きなどが定められ、平民の権利が守られます。中国の西方の秦で、法家の商鞅が登用され、法治主義体制が整備されるのは、戦国時代の紀元前4世紀半ばです。さらに、ローマでは、紀元前4世紀、リキニウス＝セクスティウス法、紀元前3世紀、ホルテンシウス法などが制定され、共和制が進みます。

これらの法が最終的にローマ法に結実し、帝国内のあらゆる民族に適用される万民法となります。帝国にとって、法は広大な領土を統治するための根拠となるものでもあり、また、それ

を正当化するものでもありました。19世紀のドイツの法学者ルドルフ・フォン・イェーリングは著書『ローマ法の精神』で、「ローマは三度、世界を征服した。一度は武力で、一度は法で、一度はキリスト教で」という有名な言葉を述べています。

ローマ人はプラグマティック（実践的）な人々であり、実利的な実学を追求し、地理学、博物学、天文学、医学などの実践学を興隆させました。

ローマ人はその優れた合理性と実践性によって、ヨーロッパで最初の覇権を握りました。しかし、広大な帝国運営に伴う財政難に圧迫されて、徐々に衰退していきます。また、ローマ帝国は他民族に寛容な政策をとりましたが、この政策が裏目に出ます。富が周辺の他民族にも波及したことで、彼らが強大化し、帝国に歯向かうようになったのです。

3世紀には、周辺各地で独立勢力が形成され、ついには、「蛮族」とされたゲルマン系のゴート人の有力者マクシミヌス・トラクスがローマ皇帝になりました。これ以降、軍人皇帝時代と呼ばれる動乱の時代に入り、ローマ人の覇権は崩れます。

皇帝になる有力者も属州民出身者が相次ぎ、自らは帝位の正統性を確保するため、ローマ人（イタリア人）氏族の血脈を引いていると喧伝するものの、実際には、「蛮族」の血脈というケースがほとんどでした。3世紀末～4世紀初頭に、帝国を再建したディオクレティアヌス帝も実はイタリア人ではなく、「蛮族」と見られています。ディオクレティアヌス帝はバルカン半島西部のダルマティア属州の奴隷身分の出身です。

図22-1｜民族の覇権移行

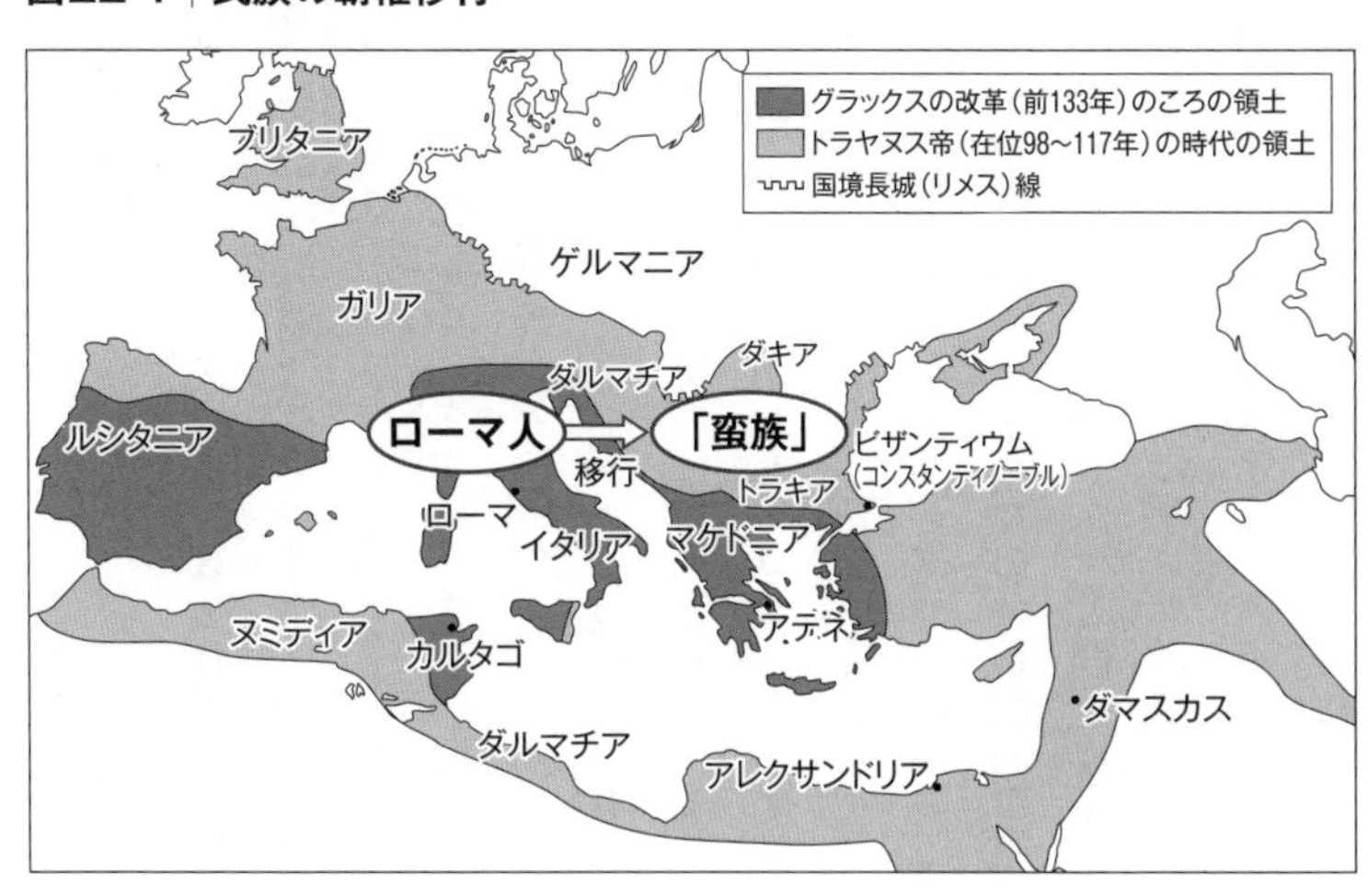

この時代、バルカン半島やイベリア半島などの属州民の出身者で、ローマ皇帝になっている者が多くいますが、彼ら「蛮族」とされた集団のほとんどがゴート人などゲルマン系かアナトリア半島出身の非インド・ヨーロッパ系の西アジア人です。中には、スラヴ人も含まれていたでしょう。スラヴ人はゲルマン人よりもっと前の時代の紀元前8世紀頃、ウクライナからバルカン半島に南下して、これらの地域に移住しています。

ゲルマン人の大移動は375年以降にはじまりますが、すでに先行してゲルマン人はローマ帝国領内各地で勢力を形成しており、3世紀の時点で、帝国の実権はイタリア人からゲルマン人に移っていたといえます。

❖民族の地政学

コンスタンティヌス帝が330年、首都ローマを捨て、東方のビザンティウムへ遷都した時、名実ともに、イタリア・ローマ人の覇権は失われました。ビザンティウムは皇帝の名にちなみ、コンスタンティノープル（現在のイスタンブール）と改称されました。この時、コンスタンティヌス帝はローマを中心とするイタリアなどの西ヨーロッパ世界への支配を放棄したと言っても過言ではありません。

コンスタンティノープルは地中海の東端に位置し、オリエント・アジアへの接合地点であったため、東方との交易に有利でした。また、商業上の理由だけでなく、民族の勢力分布に基づく地政学上の理由からも、コンスタンティノープルの立地は重要でした。すでにローマ人の力は失われ、ローマ人が「蛮族」とした勢力が特に、ドナウ川流域やバルカン半島で台頭しており、力の軸が西から東へと移っていたのです。コンスタンティヌス帝が政治的な推進力をこの新しい力の軸の上に求めたのは合理的な戦略でした。

切り捨てられた西側ローマは間もなく、ゲルマン人により略奪蹂躙され、476年、滅亡しました。一方、東側はビザンツ帝国（東ローマ帝国）として繁栄し、1453年まで続きます。

コンスタンティヌス帝もバルカン半島中部のモエシア属州の出身で、父の出自はかつてのローマ皇帝であったと喧伝されましたが、これは帝が捏造したものとされ、実際のところは詳しくわかっていません。母はアナトリア北西部の卑賤な身分の者で、非インド・ヨーロッパ系の西アジア人であった可能性が高いでしょう。ちなみに、3世紀はじめに活躍した有名なカラカラ帝の母も非インド・ヨーロッパ系のフェニキア人です。

このように、3世紀以降、イタリア人は「蛮族」に覇権を奪われていきます。イタリア人は優れた知性によって、高度な文化文明を形成し、その基盤の上に大帝国を形成しました。そのイタリア人が、なぜ、あっさりと、彼らが侮蔑する非文明的な「蛮族」に覇権を奪われてしまったのでしょうか。

政治抗争や財政難など、政治的な理由や経済的な理由が挙げられますが、民族上の理由として、イブン・ハルドゥーンの理論が挙げられます。

イブン・ハルドゥーンはチュニス（チュニジアの首都）出身の、14世紀から15世紀に活躍したイスラム最大の歴史学者です。ハルドゥーンは著書『世界史序説』で、遊牧民と定住民との関係・交渉を中心に、世界の民族に共通する興亡の法則性を説きました。

ハルドゥーンによると、文明の進んだ「ハダル（都市）」と、それを取り囲む周辺の「バドウ（砂漠）」の2つの勢力があり、「ハダル」は強い経済力や軍事力を背景に、周辺の部族「バドウ」を支配し、富を集積していきます。しかし、「ハダル」は、やがて快適な都市生活の中で「連帯意識（アサビーヤ）」を失っていく一方、周辺の「バドウ」は過酷な状況や試練に耐え、立ち向かおうとする際に「アサビーヤ」を強め、強大化していきます。「バドウ」は中心たる「ハダル」を征服し、自らが新しい「ハダル」として君臨します。
イタリア・ローマ人と周辺の「蛮族」の関係も、こうしたハルドゥーンの理論で捉えることができます。

❖キリスト教と民族

476年、西ローマ帝国が滅ぼされて以降、イタリア人はゲルマン人の各部族に支配され続けました。力を失ったイタリア人が拠り所としたのがキリスト教の権威でした。ローマ教会をカトリックの総本山に定め、異端や分派に対し、自らの正統性を主張しました。「カトリック」という言葉はギリシア語で「普遍的」を意味する言葉から来ています。

特に、ローマ教会が東方のビザンツ帝国のコンスタンティノープル教会との対立を強めていく8世紀以降に、東方の異端者に対し「カトリック」という言葉が使われるようになります。

ローマ教皇はキリストの12使徒の1人ペトロの後継者です。キリストの死後、ペトロがローマにやって来て、この地に教会を開きました。当初、ローマ帝国の迫害を受けながらも、ローマ教会は信徒により守られ、発展していきます。ローマ帝国が4世紀にキリスト教を公認して以降、ローマ教会の地位が確立し、その主座である教皇の地位も認知されました。教皇は使徒ペトロに由来する特別な起源を持つことから、キリスト教世界の指導者となります。

5世紀半ばの教皇レオ1世は「我が声はペトロの声なり」と述べ、イエスや使徒の代理人を自認します。教皇の位は歴代引き継がれ、今日まで続き、現在のフランシスコ教皇は267代目です。

当時、教皇に宗教的権威はありましたが、教皇やイタリア人は世俗的な力を持っていませんでした。そこで、彼らラテン人たちは強大化するゲルマン人と結託をする戦略をとります。そして、ローマ教皇はゲルマン人の力を利用することで、西ローマ帝国の復興を図ろうとし、800年、ゲルマン人のカール1世を皇帝位に就かせ、カール大帝を誕生させました。

また、ローマ教皇がゲルマン人の力を必要としたもう1つの理由は強大なビザンツ帝国（東ローマ帝国）に対抗するためでした。もとは同じローマ帝国から派生したのですが、ビザンツ皇帝はローマ教皇の権威を認めず、対立していました。当時、ビザンツ帝国の領内に、多くのスラヴ人が移住し、人口が拡大するとともに、スラヴ化も進みました。

ゲルマン人のカールが皇帝に任命されたことにより、

図22-2｜キリスト教諸派と民族

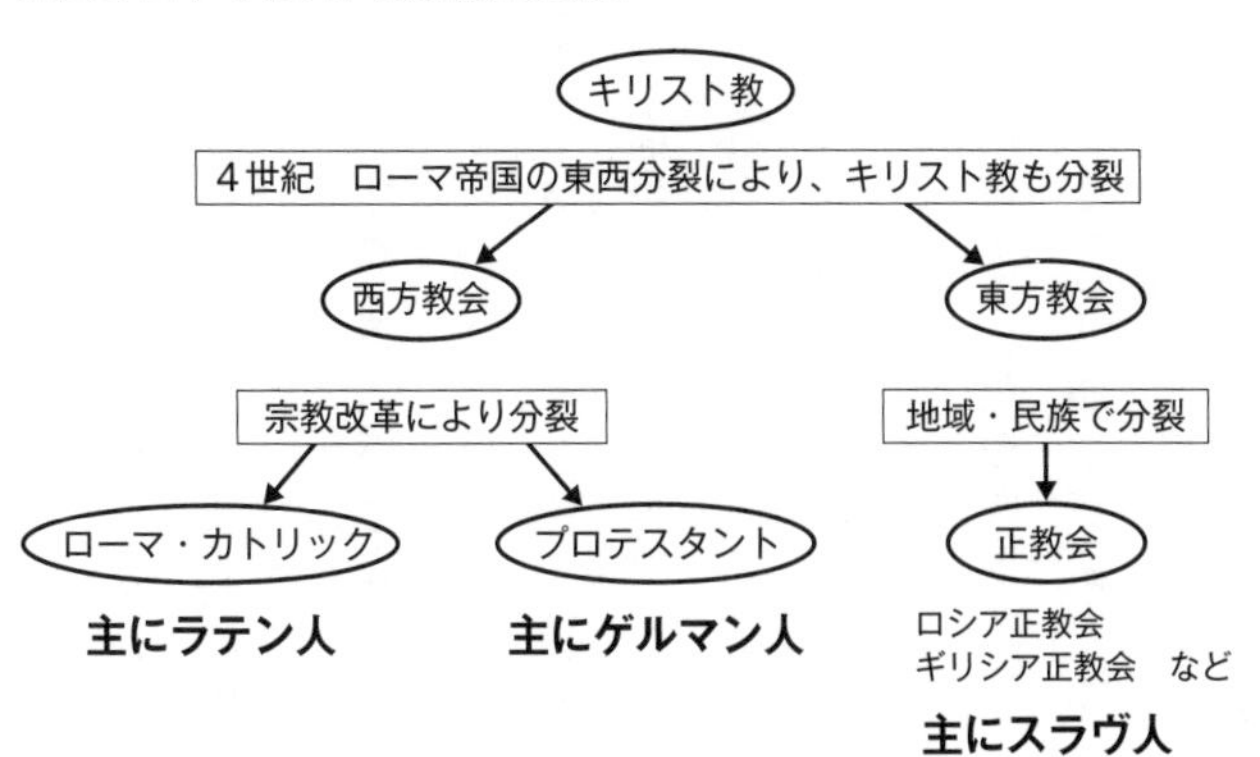

ラテン人代表者の教皇とゲルマン人の代表者の皇帝が協調する西ヨーロッパ世界と、ビザンツ帝国（スラヴ人）の東ヨーロッパ世界の二極が現われることになりました。ローマ教皇をはじめとするイタリア人勢力は宗教的権威を戦略的に用いることで、自らの復権を果たしていきました。

❖なぜ、イタリア人はルネサンスの繁栄を築くことができたのか

12世紀以降、イタリア人はかつての栄光を取り戻していきます。十字軍遠征が12世紀から13世紀に本格化し、ヨーロッパが東方イスラム世界と接触したことで、レヴァント（東方）交易が推し進められます。交易上、地中海の中心に位置するイタリア諸都市が地政学的な優位性を持ち、発展していきます。

12世紀から続く経済発展を基盤にして、イタリア人は14世紀から16世紀にルネサンスの繁栄を築き上げます。イタリア人はローマの古典古代の伝統を持っており、中世の神学中心の価値基準に代替する文化遺産に立脚して、新たな文化を醸成することができたのです。ルネサンス(Renaissance）は英語でRenewal、再生や更新という意味です。

ルネサンス期のイタリアにおいて、北イタリアの有力な都市共和国と中部のローマ教皇領、南部のナポリ王国など、複数の勢力が分立していました。

北イタリアのトスカナ地方の中心都市フィレンツェは東方・地中海貿易、毛織物生産、金融業で繁栄し、15世紀に金融財閥のメディチ家がフィレンツェ市政の実権を握ります。１４５３

年にビザンツ帝国が滅亡し、ギリシアから古典学者がイタリアに多く亡命し、メディチ家が保護しました。コシモ・デ・メディチはフィレンツェにプラトン・アカデミーを開設、孫のロレンツォ・デ・メディチは専制政治を進めながら、ボッティチェリや若き日のミケランジェロなどの多くの芸術家を保護育成しました。

ロンバルディア地方の中心都市ミラノは毛織物生産、武器生産で繁栄し、14世紀にヴィスコンティ家が支配、15世紀にはスフォルツァ家が支配しました。スフォルツァ家の当主ルドヴィーコ・スフォルツァは若いレオナルド・ダ・ヴィンチを保護育成したことで有名です。

アドリア海に面するヴェネツィアは東方・地中海貿易で栄え、共和政をとっていましたが、13世紀、共和政が形骸化してダンドロ家、ティエポロ家、モロシーニ家といった名門から元首や議員が選ばれ、閥族政治が横行しました。49代目のドージェ（元首）のピエトロ・グラデニーゴは政治改革を断行し、共和政の伝統を守り、ヴェネツィア共和国の基礎をつくりました。また、グラデニーゴは1295年、ジェノヴァ共和国の艦隊と戦い、1380年まで続くヴェネツィア・ジェノヴァ戦争を始めます。この戦いに勝利したヴェネツィアは15世紀、地中海の制海権を握ります。

❖「イタリア」の意味

イタリア人はかつてのローマ人のように、本質的に商業民族です。ルネサンス時代において、ヴェネツィアやジェノヴァ、そしてフィレンツェなどの商業都市の商人たちは自由な活動と利権を守るため、都市単位の自治を尊重しました。

その結果、イタリアでは、フランスやイギリスのように、強大な王権が民族を統一するということは起こらず、諸勢力の分立が続くことになります。イタリア人の民族全体としてのまとまった力を発揮することができず、フランスなどと比べても、発展が遅れます。

ルネサンス時代の繁栄の後、つまり16世紀後半以降、イタリアの大部分はハプスブルク家勢力（神聖ローマ帝国やスペイン、オーストリアなど）の支配下に入ります。イタリア人にとっての長い抑圧の時代です。

19世紀半ば、イタリア人は統一国家の樹立に向けて動き出します。図22-3のようなイタリアの各地方勢力のうち、北西部のサルデーニャ王国は地理的にフランスに隣接し、フランスの近代化の影響を直接受け、他のイタリア地域よりも早く工業化が進み、発展しました。

サルデーニャ王国は北部イタリア（ロンバルディア地方）やヴェネツィアを支配していたオーストリアと戦い、統一を推進していきます。１８５９年、イタリア統一戦争でサルデーニャはフランスの支援を得て、オーストリアを破ります。サルデーニャはロンバルディアを獲得し、中部イタリアにも軍を進め、これを併合しました。この頃、南部では義勇軍を率いた愛国主義者ガリバルディが両シチリア王国（シチリア島と元ナポリ王国）を占領し、サルデーニャ国王に献上します。これら南部地域を合わせ、１８６１年、イタリア王国が成立し、イタリア人が1つにまとまっていきます。

「イタリア」の名称が最初に国号に使われたのはナポレオン時代です。ナポレオンは1796年、イタリア遠征によって、ミラノを中心とする北イタリアを占領します。1802年、このエリアは「イタリア共和国」と命名されました。1805年には、ナポレオン自身がイタリア王となり、「イタリア王国」と改称されます。

図22-3｜統一前のイタリア

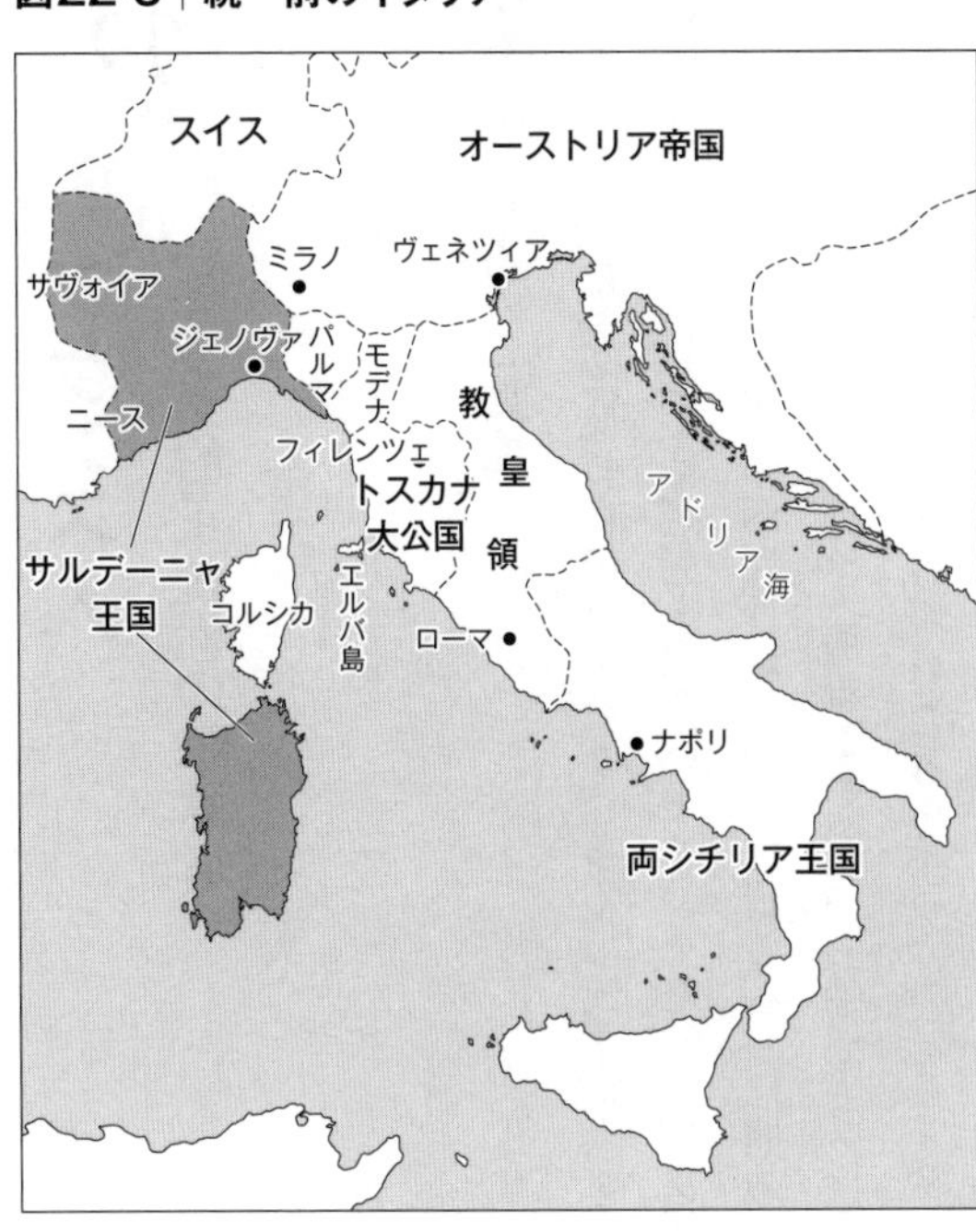

「イタリア」は「イタル人の国」を意味し、「イタル」は「牛」を意味する古ラテン語です。「イタル」が使われるようになったのは、イタリア人が聖獣として牛を崇めていたという説、牛を放牧する牧畜民であったという説などがあります。「イタル人」はもともと、古代ギリシア人がイタリア半島の民族を指して使っていた呼称です。

SECTION 23

フランス人

フランク的正統性の継承者

❖民族と言語の二重性

フランス人は美的感覚に優れており、多くの天才画家を生みました。フランスの街を歩くと、高度に洗練された建築や彫刻と出会います。また、フランス人は数多くのファッション・ブランドを生み出し、彼らの個性豊かで洒落た着こなしは他のヨーロッパ人とは一味違います。

「フランス」という言葉は「優雅さ」の代名詞のように響きますが、実は、この言葉の本来の語義は「優雅さ」とはかけ離れたものです。「フランス」は「荒々しい」という意味のラテン語に由来し、蛮族の「野蛮さ」を指し示す言葉でした。

3世紀末、ドイツ方面にいたゲルマン人部族がライン川を西へ渡り、北フランスのロワール川からセーヌ川に至る地域に定住しました。ローマ人はこの部族を「粗野な人々」という意味で、「フランク人」と呼びました。フランク人はもともと1つのまとまった部族ではなく、複数のゲルマン人部族の連合体で、それらをまとめて、ローマ人が「フランク人」と呼んでいたのです。

「フランス」は「フランク」が変化したものです。フランク人は他のゲルマン諸部族を併合し、強大化していきます。6世紀初めには、フランク人の王クローヴィスが現在のフランスの領域のほぼすべてを征服し、フランク王国を形成します。

このフランク人が今日のフランス人の直接の祖先です。フランク人はもともとゲルマン人部族の連合であったので、フランス人は民族的にゲルマン系（ドイツ系）です。したがって、民族上、フランス人とドイツ人を区別することはできず、同系の民族と見なされます。

しかし、フランス人は言語学の観点からは、ラテン語派に分類されます。これは、かつて、フランク人がローマの言語であるラテン語を早期に取り入れたためです。また、フランク王クローヴィスはカトリックを受容してローマ教会と連携し、この時に、フランク人の従来のゲルマン文化が急速にラテン化されていきます。

フランス人は民族の上ではゲルマン系、言語や文化の上ではラテン系という二重性を持ちます。この二重性はスペイン人も同じです。

フランス人が民族的にゲルマン人の血脈を強く引いているとはいえ、すでにローマ帝国時代に、イタリア人が大量にフランスやスペインに移住しており、そこに、後からゲルマン人たちがやって来て、混血していきます。つまり、イタリア人というラテン人の民族的血脈がベースにあり、ゲルマン人の血がその上に乗ったともいえます。ちなみに、フランスにやって来たゲルマン人が主にフランク人、スペインにやって来たゲルマン人が主にゴート人です。

❖古フランク語のフランス語化

ラテン語の「フランク（Franci）」が「フランス（France）」という表記や発音に変わったのは9世紀以降と見られていますが、詳細な年代を特定できず、また、なぜ変わったのかという理由についても、詳細がわかっていません。

フランス語やイタリア語などのラテン語族はロマンス語族とも呼ばれます。「ロマンス」は「ローマの」を意味します。

古代ローマ時代は、エリート知識層が使っていた文語としてのラテン語と、一般庶民が使っていた口語としてのいわゆるローマ語（ロマンス語）が併存していました。ローマ帝国の庶民階級は自らの口語体で多くの講談や娯楽小説を作り出し、ローマ語で書かれたそれらの小説は「ロマンス文学（ローマ語の文学）」と呼ばれ、通俗的な恋愛や性愛をテーマにしていました。

「ロマンティック」という言葉に、恋愛情緒という意味があるのは、こうしたことに起因します。また、19世紀に興隆するロマン主義芸術は感情や情緒を表現することを目指したため、このように呼ばれたのです。

フランク人はローマ人の口語としてのロマンス語（俗ラテン語）に、強く影響を受けましたが、彼らのもともとの言語であったゲルマン系の古フランク語が完全に失われたのではなく、ロマンス語に古フランク語が混合され、ロマンス語の方言のようなものができあがっていきます。5世紀以降、こうした混合は文語としてのラテン語にも及び、9世紀頃には、ラテン語とはかなり異なる形で、フランク人独自のフランク語が完成されます。これが、フランス語の原形となる古フランス語です。

17世紀に、ブルボン王朝がフランスの統一を進めていくなかで、ルイ13世の宰相リシュリューが設立したアカデミー・フランセーズによって、地方ごとにバラバラであった中世フランス語の表現を統一します。特に南フランスでは、イタリア語（ローマ語）の影響が強く、北部フランスのフランス語とは、表現や用法が異なっていたのです。

中世以来、南フランスには、フランス人（フランク人）の移住が浸透せず、人口に占めるイタリア人の割合が高かったと考えられています。彼ら南部フランスのイタリア人は「ガロ・ロマン（ガリア・ローマ）人」と呼ばれ、独自のイタリア文化やそのコミュニティを形成していました。この「ガロ・ロマン人」をフランス化させることが、当時のフランス王権の大きな課題でした。

こうして、現代とほぼ同一の形のフランス語が整備されていきます。ブルボン王権によって、フランス王国の領域が確立し、この領域内において、人々にフランス語の使用を徹底させて、言語統治も推進されます。フランス語を話すフランス人という民族意識が確立されるのも、この時代です。

❖なぜ、フランク人がヨーロッパの盟主になったのか

前述のように、6世紀初めに、クローヴィスがフランク王国を樹立して以来、ゲルマン人の諸部族を併合し、その勢力は強大化していきます。しかし、8世紀のはじめに危機が訪れます。イスラム勢力がジブラルタル海峡を越えてイベリア半島に侵入、スペインを支配していたゴート人の王国（西ゴート王国）を滅ぼします。

イスラム勢力はさらに東へと進み、ピレネー山脈を越えてフランク王国の領土に侵入します。そして、732年、有名なトゥール・ポワティエ間の戦いが起こります。この戦いでは、宮宰カール・マルテルの活躍で、フランク軍はイスラム軍を撃ち破り、イスラム軍はイベリア半島に撤退します。

ヨーロッパを防衛することに成功したフランク人は事実上の西ヨーロッパの盟主となりました。フランク人はローマ教皇からも、その力が認められ、800年、フランク王のカール1世がローマ皇帝に任命されます。しかし、カール大帝の築いた帝国は彼の死後、早くも西フランク王国、東フランク王国、中部フランク王国の3国に分断されます。さらに、870年のメルセン条約を経て、国境線が確定され、フランス、ドイツ、イタリアの原形が誕生します。

このように、中央ヨーロッパの3国は、もとをたどればゲルマン系のフランク人に行き着きます。そして、「フランク」の名を誇りに感じ、継承していったのが西フランク王国、つまり、

フランス人の勢力です。フランク人の勢力基盤は主にフランスにあったため、彼らはドイツのフランク人やイタリアのフランク人よりも、自らをフランク人と強く意識し、「フランク」の名を国号に残したのです。

一方、イタリアのフランク人はラテン系イタリア人の中で圧倒的少数に過ぎず、その支配も短命に終わります。その後、イタリアでは、SECTION22で述べた通り、イタリア人によって形成された都市国家や領邦国家が各地に分立していきます。

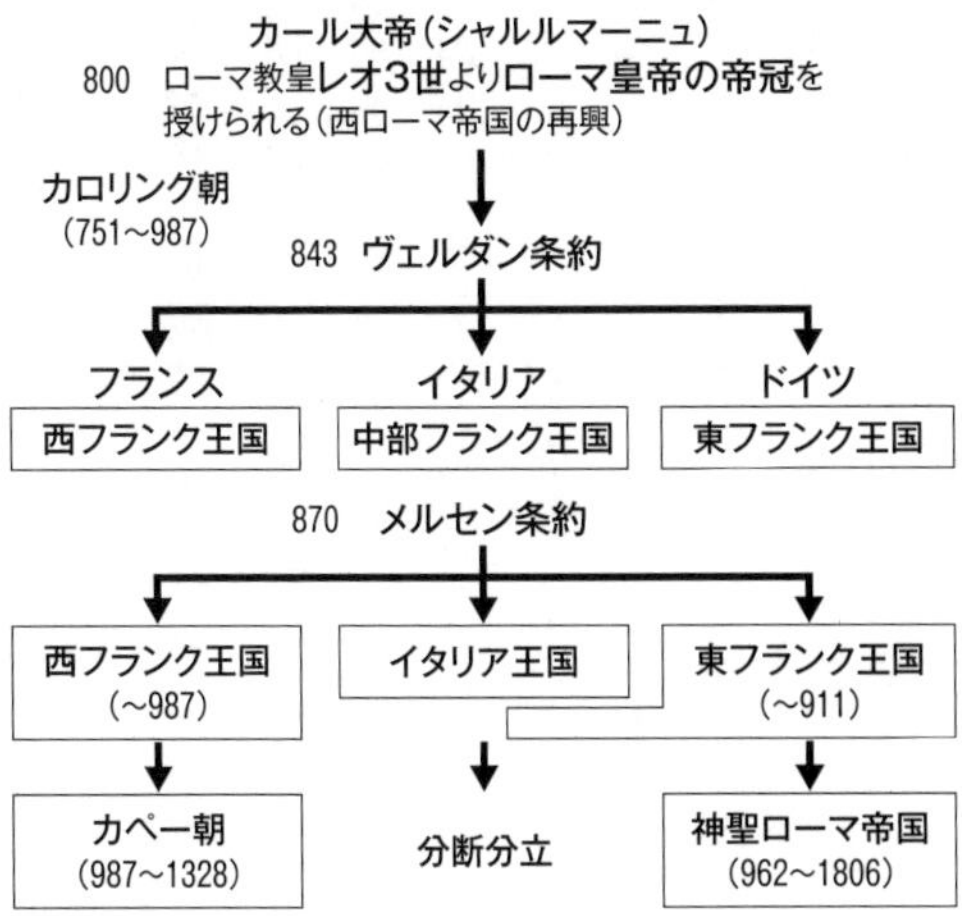

ドイツのフランク人は、当時乱立していたゲルマン諸部族をまとめますが、それらの部族のうちの1つであるザクセン人が次第に力を持ち、フランク人に代わり、ザクセン朝を開き、東フランク王国を支配します。

フランク人はクローヴィスの時代以来、ラテン語を取り入れ、ラテン化されていましたが、ザクセン人はほとんどラテン語を取り入れず、ゲルマン語を使っていたため、東フランク王国の領域（ドイツ）は西フランク王国の領域（フラ

図23-1｜フランス、ドイツ、イタリアの誕生

ンス）と異なり、ラテン化されなかったのです。

❖フランク的正統性を巡る争い

当初、西フランク王国も東フランク王国も、自分たちこそがフランク人のカール大帝の正統な継承者であるとして、王は「フランク人の王」を自任していました。しかし、東西の王は互いに相手を「フランク人の王」と認めず、西は東を「ゲルマン人の王」と呼び、東は西を「ガリア人の王」と呼び、侮蔑していました。

しかし、東フランク王国で、カール大帝の王統であったカロリング家が断絶し、919年、フランク人の血統を引かないザクセン人のハインリヒ1世が即位すると、東は「フランク人の王」としての正統性を失います。

これに対して、西フランク王国のフランク的正統性がいっそう強調されるようになり、前述の通り、「フランク」の名が国号に冠せられることになります。しかし、西フランクの王がフランク人の血統を本当に引いていたかは疑わしいといわざるを得ません。

9世紀末、西では、王位がカロリング家によって世襲されなくなり、有力諸侯のロベール家が断続的に王位を継承します。ロベール家はパリに侵攻してきたノルマン人を撃退し、功績を上げていました。ロベール家は現在のベルギーから西ドイツ（ヴォルムス）を本拠としていた諸侯ですが、フランク人としての集団に属していたかどうかは不明です（非フランク人であったとする見方が有力)。

この出自のよくわからないロベール家から3人の王が輩出されます。最終的に、987年、このロベール家のユーグ・カペーがカペー王朝を創始し、カロリング朝を終わらせます。以後、フランスでは、カペー朝→ヴァロワ朝→ブルボン朝→オルレアン朝までの19世紀に至るまで、ユーグ・カペーの血脈を引く男系男子の王が歴代、王位を継承します。

しかし、自らを正統フランクと強調したこととは裏腹に、フランス王家は出自不明のロベール家からはじまっており、「フランス」という名にふさわしい継承者であるかどうかはわからないのです。しかし、フランスの一般民衆は北フランスを中心にフランク人の血脈を引く者が多くいたため、王室の血統はともかくとして、「フランス」と名乗ることは、間違ったことではありません。

ユーグ・カペー(シャルル・ド・ストゥーベン画、1837年、ヴェルサイユ宮殿蔵)
ロベール家出身、フランス王室の祖。「カペー(capet)」は俗人の修道院長が着ていた短いケープ(cape)のことで、ユーグ・ロベールがいつもそのケープを着ていたため、「カペー」があだ名となり、家名にもなった。

フランスの歴代王は東北部のランス大聖堂(ノートルダム大聖堂)で戴冠式を行ないました。この地では、かつて、クローヴィスがカトリックに改宗した際、洗礼を受けました。歴代フランス王がクローヴィス以来のフランク的正統性を継承していることを示すために、ランスを王位継承の聖地と定めたのです。

❖非フランクのフランス人たち

北部フランスには、フランク人の血脈を引く者が多かったとはいえ、フランス人の全体を考えれば、フランク人の血脈以外に属する集団も多くありました。特に東部フランスや西部フランスの辺境地帯は非フランク人の割合が多かったのです。

歴史的に、フランスとドイツとの間で係争地となったことで有名なアルザス・ロレーヌ地方はゲルマン系のアルマン人の居住エリアです。中心都市はストラスブールで、この地方には、今日でも、アルマン語を話すドイツ系フランス人、つまりアルマン人が多くいます。アルマン語はアルザス語とも呼ばれ、南ドイツ語の方言の1つとされます。

アルマン人はもともとユトランド半島付近にいましたが、紀元前後にローマ帝国領内へ南下します。そして、3世紀中頃、ライン川流域のアルザス・ロレーヌ地方に定住しました。ハプスブルク家の祖先もこのアルマン人と見られています。アルマン人の中で、ライン川上流域部に住んでいた分派はシュヴァーベン人と呼ばれます。

ワインの産地として有名なブルゴーニュ地方も非フランク人のゲルマン系の居住エリアでした。「ブルゴーニュ」の地名はゲルマン人の一派ブルグント人に由来します。ブルゴーニュ地方の人々はブルグント人を祖先に持ちます。

ブルグント人はもともとオーデル川流域にいましたが、5世紀に東部フランスへ侵入し、ブルグンド王国を形成します。しかし、6世紀にフランク人に攻め滅ぼされ、ブルグント人はフランク人に従属します。9世紀に、西フランク王国の分封国のブルゴーニュ公国となり、ブルゴーニュ公位には、フランク人貴族のボゾン家の出身者が就きました。カペー王朝が成立後の11世紀から、カペー家分家がブルゴーニュ公位を世襲します。

図23-2｜フランスの地方と民族

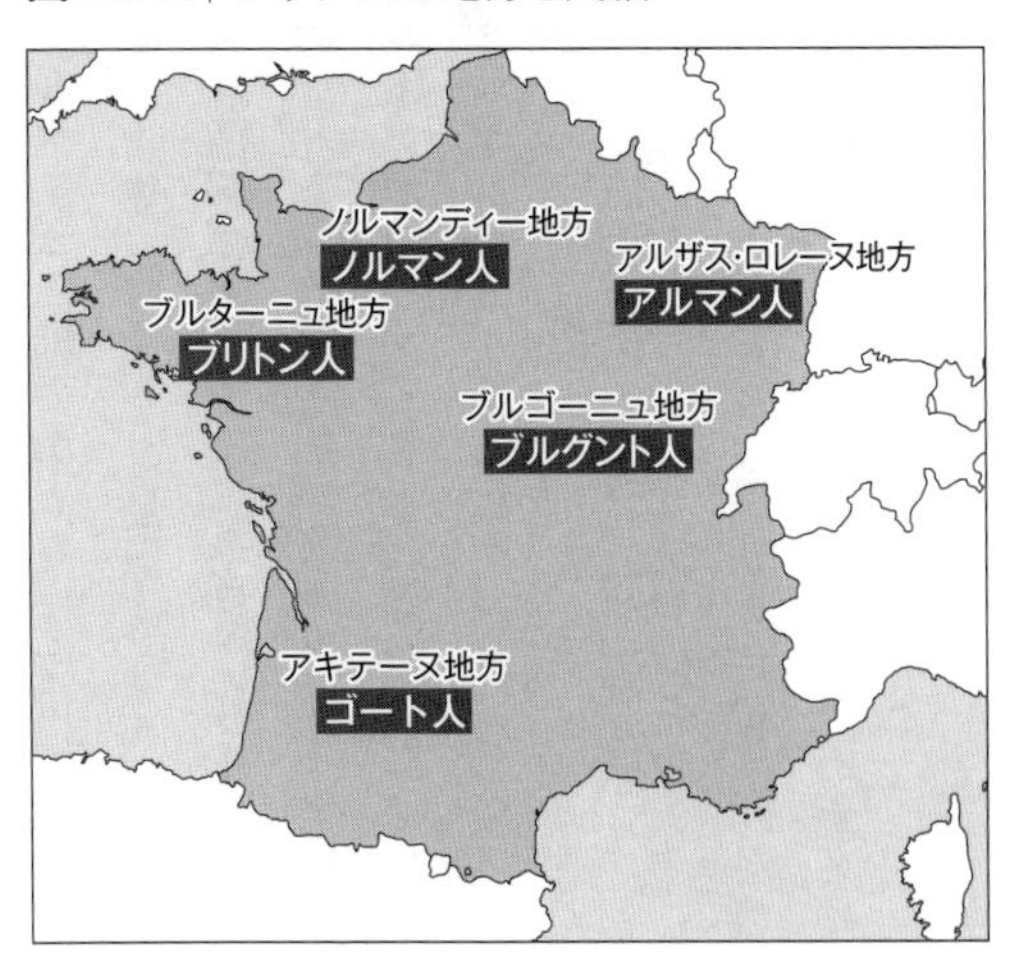

フランス西部のアキテーヌ地方では、ローマ帝国時代、ケルト人が居住していました。彼らはローマ人から、「アクィタニ族」と呼ばれており、これが「アキテーヌ」の名の由来となっています。5世紀初頭に、ゲルマン系のゴート人(西ゴート人)が先住のケルト人を駆逐しながら、この地域に侵入します。418年、ローマ皇帝ホノリウスは、彼らのこの地域における居住権を認めました。したがって、アキテーヌ地方の人々の祖先はゴート人です。

ブルターニュ地方の人々は今日でも、ケルト人の血脈を濃く引き、ケルト語系のブルトン語を話します。ブリテン島（イングランド島）南西部にいたケルト人が4世紀から6世紀に、フランス北西部ブルターニュ半島に移住し、彼らは「ブリトン人」と呼ばれるようになりました。このブリトン人の子孫がブルターニュ地方の人々で、「ブルターニュ」は彼らの名に由来します。ブルトン語で「ブルターニュ」は「ブレイス」の意味です。

ノルマンディー地方はゲルマン系のノルマン人の領域で、この地方の人々の祖先はノルマン人です。

このように、フランス人は「フランク」という言葉にその由来を持ちながらも、フランク人だけではなく、多様な民族を含む集団なのです。まして、今日、近代的な意味での「フランス国民」は北アフリカなどの黒人移民やタヒチなどのフランス領ポリネシアのオセアニア人などをも広範に含みます。

SECTION 24

スペイン人・ポルトガル人
イスラムがもたらした複雑な民族間の交配

❖最初のイベリア半島人

スペイン人は他のヨーロッパ人に比べ、肌が浅黒く、多くの人が、髪の色や目の色はダークブラウンです。男性は、髭が濃い人が多いのも特徴です。イベリア半島はジブラルタル海峡を挟んで、イスラム圏に隣接し、歴史的に、アラブ人やベルベル人（北アフリカ人）に支配された経緯もあり、スペイン人には彼らの血が多く混ざっています。

スペイン語の単語の中には、アラビア語の単語が多く含まれ、言語的にもイスラムから大きな影響を受けました。建築や工芸、音楽なども、イスラム文化の影響を受けています。

しかし、スペイン人の多くが、イスラムとの混血があったことを認めようとはしません。かつて、イスラム教徒に支配されていたことを、キリスト教徒として屈辱に感じるのでしょう。

紀元前3世紀末、ローマはイベリア半島を属州化します。この時代、イベリア半島は「ヒスパニア」と呼ばれていました。「ヒスパニア」はフェニキア語で、「ウサギの土地」を意味します。イベリア半島に野ウサギが多く生息していたことから、この名が付けられたと見られています。「ヒスパニア」からスペイン語の「エスパーニャ」、英語の「スペイン」が生まれます。

イベリア半島には、ローマ人（イタリア半島人）が多く移住しましたが、5世紀の初頭に、ゲルマン人の一派であるゴート人が移住し、西ゴート王国を建国します。西ゴート王国はアキテーヌ地方など、フランスの一部も支配していましたが、6世紀の初頭、フランク人と戦い、敗退したため、イベリア半島のみを領土とします。王都は半島中部のトレドでした。

この時代、支配者層のゴート人は少数派で、先住のラテン系イタリア人が多数派でした。また、ケルト人やギリシア人などもいました。ラテン系はカトリックを信奉しており、西ゴート王は彼ら多数派の支持を得るために、カトリックに改宗し、王国を安定させようとします。これ以降、ゴート人のラテン化が急速に進み、口語のローマ語（ロマンス語）にゴート語が混じったイベリア半島の独自の言語が形成され、スペイン語やポルトガル語の原形となります。

イベリア半島では、ラテンとゲルマンの言語が混ざり合ったのと同様に、民族の血統の上でも、ラテン人とゲルマン人が混血し、スペイン人やポルトガル人の原形が形成されていきます。

❖スペインをつくった民族

8世紀の初頭、イスラム軍はモロッコからジブラルタル海峡を越えて、イベリア半島南部を断続的に攻撃しました。しかし、西ゴート王国では、国内諸侯の内部紛争が絶えず、イスラム軍の侵入を許していました。そして、711年、グダレーテ河畔の戦いで、西ゴート王国はイスラム軍に敗退し、滅亡します。

イベリア半島の大半をイスラム勢力に奪われましたが、一部のゴート人がイスラム勢力への抵抗を続け、イベリア半島北西部のアストゥリアス地方で、ペラーヨというゴート人の有力者が718年、アストゥリアス王国を建国します。

アストゥリアス王国はイスラム勢力に反撃し、徐々に南方へと勢力を広げていき、914年、オビエドからレオンへ遷都し、レオン王国となります。レオン王国の南東部には、対イスラム軍防衛のための城塞が多く建設されました。そのため、この地域はスペイン語で「城」を意味する「カスティーリャ」と呼ばれるようになります。

10世紀後半に、この地域の統治者であったカスティーリャ伯がレオン王国から独立します。1037年、カスティーリャ伯領とレオン王国が統合され、カスティーリャ＝レオン王国へと発展していきます。1230年、カスティーリャ王がレオン王位も歴代継承することになり、カスティーリャ王国となります。このカスティーリャ王国がスペイン国家の原形をなすものです。また、このカスティーリャ王国の菓子として、日本に伝わったのがカステラです。

この期間、カスティーリャ王国やレオン王国の王位を継承したのはゴート人、バスク人（後段詳述）、そして、フランク人でした。フランク人（ブルゴーニュ伯）は婚姻により、カスティーリャの王位継承者となり、最終的に、1230年に統一されたカスティーリャ王国はブルゴー

図24-1｜スペインの王朝と王位継承者の民族

王朝	成立	民族
アストゥリアス王国	718年成立	ゴート人
カスティーリャ＝レオン王国（ヒメノ朝）	1037年成立	バスク人
カスティーリャ王国（ブルゴーニュ朝）	1230年成立	フランク人
ハプスブルク朝	（1516年成立）	オーストリア人
ブルボン朝	（1700年～現在）	フランス人

ニュ朝として、はじまります。ブルゴーニュ朝、つまり、フランク人の家系（アンスカリ家）の者が王国を率いたのです。

スペインの国家的な礎となったカスティーリャ王国はフランク人（フランス人）の王朝なのです。１３６９年からはじまるトラスタマラ朝カスティーリャ王国もブルゴーニュ朝の王統を引いています（ブルゴーニュ家の庶流）。フランク人の王統は１５１６年、オーストリア人のハプスブルク家のカルロス1世がスペイン王位に就くまで続きます。

スペイン人貴族はこのフランク人王族と婚姻関係を結んでいたため、中世において、スペインの貴族階級全体がフランス人化していました。１７００年、ハプスブルク朝最後の王カルロス2世が死去し、オーストリア人の王統が断絶すると、フランス国王ルイ14世（ブルボン朝）の孫フェリペ5世がスペイン国王に迎えられます。中世において、フランス人化していたスペイン人貴族にとって、フランス人の王を再び戴くことは大きな違和感のあることではなかったのです。こうしてはじまるスペイン・ブルボン朝（スペイン語でボルボン朝）は今日まで続くスペインの王朝となります。

❖異文化と異民族が出会う最前線

711年のグダレーテ河畔の戦い以降、イベリア半島はイスラム勢力に、700年間にわたり支配されます。彼らイスラム勢力には、アラブ人以外に、アラブ人と黒人の混血民族のベルベル人も多く含まれていました。ベルベル人は主にチュニジア、モロッコ、アルジェリアなど北アフリカを中心に分布しています。「ベルベル」とはヨーロッパ側からの呼称で、「Berber」と表記され、「バーバー」と訳のわからない言葉を話す野蛮人という意味が込められています。

イスラム支配により、イベリア半島では、イスラム文化とヨーロッパ文化の融合が起こり、それとともに、ヨーロッパ人とイスラムとの民族の混血も進み、今日のイベリア半島人の直接の祖先を形成していきます。つまり、スペイン人やポルトガル人はラテン人やゲルマン人の混血で、さらに、アラブ人やベルベル人の血も加わり、複雑多層な混血民族となっていきます。

こうした混血の多層性はイスラム勢力の側にも、もたらされます。アラブ人やベルベル人はイベリア半島の白人系と混血します。

イベリア半島の中南部の都市コルドバで活躍した地理学者ムハンマド・イドリーシー（ムラービト朝時代）や哲学者イブン・ルシュド（ムワッヒド朝時代）という有名な学者がいます。両者ともベルベル人で、白人系の血も受け継いでいたと見られます。イブン・ルシュドは、ヨーロッパに隣接するコルドバの地理的な好条件を利用し、アリストテレスなどのギリシア哲学の文献を集め、混血民族ならではの研究を行ない、中世のイスラムとヨーロッパの両方に大きな文化的影響を与えました。

イベリア半島において、ベルベル人はアラブ人と黒人の混血民族というもとの範疇を超えて、白人系をも含む混血民族となります。中世のイベリア半島では、この混血のベルベル人がヨーロッパとイスラムの双方に浸透していったのです。イスラムのイベリア半島支配は複雑な民族間の交配をもたらしました。

13世紀、イベリア半島のイスラム勢力（ムワッヒド朝）が内紛で衰退をしはじめると、カスティーリャ王国などのヨーロッパ側がイスラムに奪われた領土を回復すべく、レコンキスタを本格化します。「レコンキスタ」は英語の「recovery（リカバリー）」で「回復」の意味です。

１２３０年、コルドバを奪還します。ムワッヒド朝の本隊はイベリア半島から撤退しますが、一部の残存勢力がスペイン南端のグラナダを本拠にしてレコンキスタに抵抗し、ナスル朝を建国します。しかし、ついに１４９２年、カスティーリャ王国によりグラナダが陥落させられ、ナスル朝は滅亡、イスラムはイベリア半島から撤退します。

❖フランス王室と同じ家系のポルトガル王室

ポルトガル北部にある港町のポルトは首都リスボンに次ぐ第二の都市です。風情溢れる「ポルト歴史地区」は世界遺産にも登録されていることで有名です。ポルトの町はローマ時代に、「ポルトゥス・ガレ」と呼ばれていました。ラテン語の「港」を意味する「ポルトゥス」と「温暖な」を意味する「ガレ」が組み合わされた言葉です。「ポルトガル」という国名は、この「ポルトゥス・ガレ」に由来します。

ポルトガル人もスペイン人と同様に、ラテン系のイタリア人やケルト人、ゲルマン系のゴート人、アラブ人やベルベル人などの混血民族です。

イスラムのイベリア半島侵入後、イベリア半島の北西部に逃れた西ゴート人（アストゥリアス王国）はイスラム勢力に対し抵抗を続け、868年、ポルトを解放し、この地をポルトゥカーレ伯領とします。ポルトはイスラムとの戦いの前線拠点となりました。

11世紀に、ポルトゥカーレ伯はスペインのカスティーリャ王国と連携し、レコンキスタを進め、この過程において、ポルトガルはカスティーリャ王国に服属することになります。カスティーリャ王国はポルトガル中部のコインブラをイスラム勢力から解放します。この時、カスティーリャ王国はコインブラを含むポルトガル北部をフランスの貴族ブルゴーニュ公の末

図24-2｜現在のポルトガル

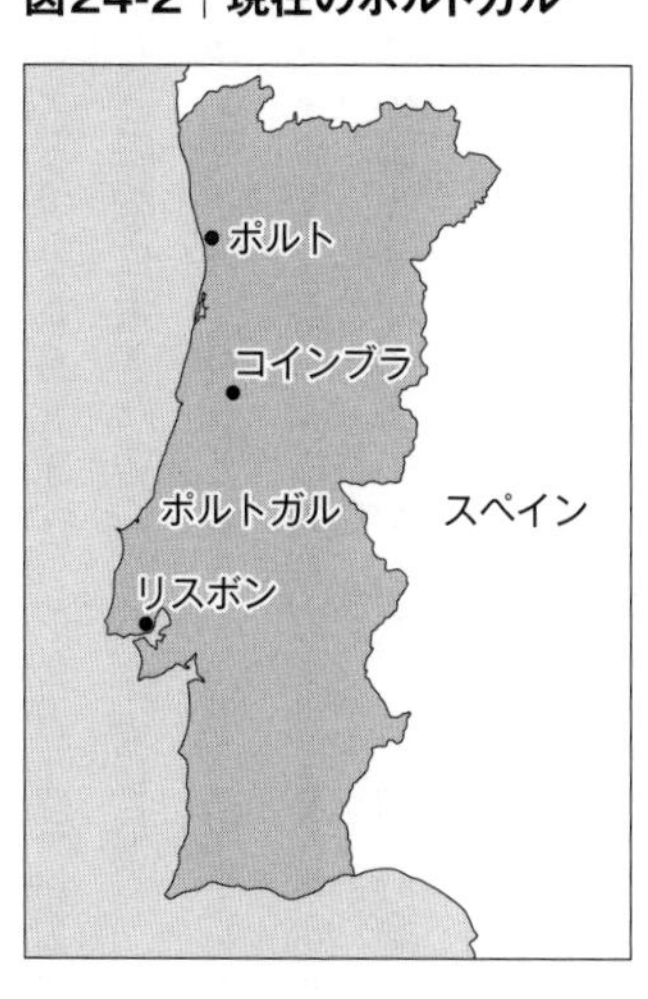

子のエンリケに与えます。ブルゴーニュ公はカスティーリャ王国とは縁戚関係で、戦いに兵を出し、戦勝に大きな功績がありました。

エンリケは1096年にポルトゥカーレ伯とコインブラ伯を兼任し、ポルトガルの統治者となります。しかし、この時点ではまだ、ポルトガル南部のリスボンを奪還していませんでした。

このエンリケの子のエンリケスは野心家で、自らポルトガル王アフォンソ1世と名乗ります。そして、カスティーリャ王国の支配から離脱します。イスラム勢力と戦っているカスティーリャ王国としては、身内に背後を狙われる形となり、許し難いことではあったのですが、イスラムとの戦いを優先するため、ローマ教皇に仲介を依頼し、1143年に和睦（サモラ条約）を結び、エンリケスのポルトガル王国を承認します。

こうして、ポルトガルの最初の王国であるブルゴーニュ朝（ポルトガル語名はボルゴーニャ朝）がはじまります。その名の通り、フランス貴族のエンリケスを王とする外来王朝でした。

1230年からはじまるスペインの統一カスティーリャ王国もブルゴーニュ朝ですが、ポルトガルのブルゴーニュ朝とは家系が異なります。当時、フランスのブルゴーニュ地方は西側のブルゴーニュ公領と東側のブルゴーニュ伯領の2つの領地に分かれていました（公は伯よりも格上）。ブルゴーニュ伯のアンスカリ家はフランク人の家系です。ブルゴーニュ公のカペー家系ブルゴーニュ家は、もともとフランス王朝の祖のカペー家から派生していますが、カペー家（ロベール家）そのものの詳しい起源はわかっていません。いずれにしても、フランス王室とポルトガル王室は縁戚関係にありました。

❖世界に進出したポルトガル人

ポルトガル王エンリケスは1147年、イギリス艦隊の協力を得て、リスボンを解放します。エンリケスの死後、ポルトガル王国はカスティーリャ王国とも連携し、13世紀に、ポルトガル全域からイスラム勢力を駆逐することに成功します。そして、王国の首都はコインブラからリスボンに遷都されます。

1297年、ポルトガル王国はカスティーリャ王国とアルカニーゼス条約を結び、国境を画定し、これが今日まで続くポルトガルとスペインの国境線となります。

ペストが大流行した14世紀後半、ポルトガルでは民衆の反乱が起こり、さらに、王朝内では派閥争いも起きます。有力豪族たちが前国王の庶子であったジョアンを担ぎ、国王に推戴します。ジョアンは1385年、ジョアン1世として即位し、新たにアヴィス朝を創始します。「アヴィス」の名は、ジョアンがリスボン東方のアヴィス城を拠点とするアヴィス騎士団の団長を務めていたことに由来します。

このアヴィス朝のジョアン1世の三男が有名なエンリケ航海王子です。彼は船隊をアフリカ西岸に派遣するなど、大航海時代の幕を開けます。兄や甥が王位に就いたため、王になることはありませんでした。

ポルトガル人はこの時代に、インドを経て東アジアにも到達します。彼らは日本にやって来た最初のヨーロッパ人です。16世紀の半ば、織田信長はポルトガルとの貿易である「南蛮貿易」を積極的に進め、ヨーロッパの文物を取り入れました。「南蛮」という言い方は中華思想による周辺異民族を指す蔑称で、日本も中国王朝に倣って使っていました。当初、南方からやってくる東南アジア人を指して、「南蛮」と言っていましたが、ポルトガル人やスペイン人にも使われました。それとともに、「南蛮」は侮蔑的な意味がなくなり、「異国風」といった意味に変化していきます。

大航海時代、ポルトガルは華々しく世界に進出しましたが、航海に莫大な資金を要する一方で、貿易の利益を得ることができず、王室は慢性的な財政難に陥っていました。また、香辛料貿易で香辛料の輸入量を増やせば増やすほど、需給のバランスが崩れ、香辛料価格は下落し、ポルトガルの首は締まっていきました。

ポルトガルは16世紀後半、北アフリカのモロッコの征服に乗り出しますが、1578年、モロッコを支配していたイスラム王朝サアド朝に大敗します。年間の国家収入の半分に相当する額の戦費が投じられたこの戦いに負け、ポルトガルは遂に負債の返済の目処が立たなくなり、デフォルト（破綻）します。そして1581年、隣国のハプスブルク家スペインがポルトガルを併合し、スペインがポルトガルの負債を引き継ぎます。当時のスペイン王フェリペ2世はポルトガルを同君連合の地域として、一定の自治を認めました。

しかし、17世紀になると、スペインがポルトガルを抑圧したため、ポルトガル人の独立意識が高まります。1640年、ポルトガルは独立し、アヴィス家の分家であるブラガンサ家のジョアン4世がポルトガル王に即位しました。ブラガンサ朝は20世紀まで続きます。

❖バスク人とは何か

バスク地方はスペインとフランスにまたがっており、バスク人はスペイン側に約230万人、フランス側に約29万人が住んでいます。バスク地方は1937年、スペイン内戦で、フランコ・ドイツ連合から空襲攻撃を受け、その惨劇をピカソが『ゲルニカ』で描きました。ゲルニカはバスク地方の中心都市ビルバオ近郊の町です。

第二次世界大戦後、独立運動が強まり、1959年に武装集団「バスク祖国と自由（ETA）」が結成され、武力闘争を展開し、1979年に自治権をスペイン政府から認められ、バスク自治州となります。バスク人はインド・ヨーロッパ語派がヨーロッパへやって来る前から、イベリア半島に住んでいた原ヨーロッパ人の生き残りとされます。

そのため、バスク語はヨーロッパのどの言語グループにも属さず、起源が謎の言語とされています。バスク語は世界でも最も難しい言語の1つとされ、バスク人の中でも、バスク語を話せるのは20％〜30％程度しかいないといわれています。普段、バスク人はスペイン語またはフランス語を使っています。バスク語には文字がなく、古来、アルファベットをバスク語の音に

図24-3｜バスク地方

当て、表記していました。

バスク人は民族の遺伝子として、ハプログループR1bが高頻度で検出されており、スペイン人やフランス人などのインド・ヨーロッパ語派と近接しています。これは、バスク人が歴史上、長年に渡り、後からイベリア半島にやって来たインド・ヨーロッパ語派と混血した結果であると見られています。

バスク人で有名な歴史上の人物として、日本にキリスト教を伝えたフランシスコ・ザビエルがいます。作曲家のモーリス・ラヴェルもバスク系フランス人です。バスク人は大航海時代に、多くの航海者や移民がラテン・アメリカに渡っており、革命家のチェ・ゲバラもバスク人移民の子孫です。1037年からはじまるカスティーリャ＝レオン王国の王位を担ったのはバスク人の家系のヒメノ家（314ページ図24-1参照）でした。

第7章 ドイツ、イギリスなど

SECTION 25

ドイツ人①
ローマ帝国の継承者、なぜ、彼らは結束できなかったのか

❖まったく似ていない「ドイツ」と「ジャーマン」の呼称

「ドイツ」は英語で「German（ジャーマン）」ですが、ゲルマン人自身は自らの国を「Deutsche（ドイツ）」と呼びます。日本人も「ドイツ」（ドイツ語読みでゲルマン）」とは呼ばず、「Germanと呼びます。「ドイツ」と「ジャーマン」はまったく似ていませんが、なぜ、このような呼称の相違があるのでしょうか。

「Deutsche（ドイツ）」は古ドイツ語の「Diutisc（ドゥティスク）」や「Teutsch（トイチェ）」に由来し、これらは「人々の」という意味の語です。したがって、「ドイツ」とは「人々の国」という意味です。

「German（ゲルマン）」はラテン人の側からの呼称で、もともとラテン語です。英語はこのラテン語をそのまま取り入れ、「German（ジャーマン）」としたのです。

「German（ゲルマン）」の語源はよくわかっていませんが、「グルグルとわからない言葉を使う人たち」という意味合いがあったと推測されています。古代ギリシア人は外国人を「バルバロイ」と呼びましたが、これは「バーバーとわからない言葉を使う人たち」という意味があり、「野蛮人」のことです。「バルバロイ」は英語の「barbarous（野蛮な）」になります。「German（ゲルマン）」もこれと同じ解釈が成り立つのではないかと推測されるのです。

オランダは英語で「Dutch（ダッチ）」ですが、これは「ドイツ」のことです。まだオランダが独立国でなかった頃、イギリスはオランダとドイツを区別せず、まとめて「Dutch（ダッチ）」と呼んでいました。16世紀に、オランダが独立すると、イギリスはオランダとドイツを区別するために、「Dutch（ダッチ）」はオランダを、「German（ジャーマン）」はドイツを指すということにしたのです。

ちなみに「go Dutch」という英語表現があります。「割り勘にする」という意味のこの表現はイギリス人がケチなオランダ人を揶揄したことからはじまったとされます。

ローマ帝国の政治家で歴史家のタキトゥスによって著された文明批評論『ゲルマニア』はカエサルの『ガリア戦記』と並んで、古ゲルマンの研究史料として有名です。タキトゥスはゲルマン人の質朴さを讃える一方で、贅沢に溺れるローマ人の堕落を批判しました。

『ゲルマニア』は近代において、ドイツの民族主義者によって、盛んに引用され、そこに描かれたゲルマン人こそがドイツ人の本来の姿であると主張されました。しかし、タキトゥスは一度もガリアに赴いたことはなく、そこで暮らすゲルマン人の姿も人から伝え聞いたものです。カエサルのように、自分で見聞きしたことを書いたわけではないのです。そのため、タキトゥスの記述には偏りや不正確さが少なからずあります。

❖ザクセン人がドイツ人の中核だった

ゲルマン人の各部族はヨーロッパ中に拡散し、今日、多くの国々の民族はゲルマン人を直接の祖先にしています。フランス人はゲルマン人の一派フランク人を直接の祖先とし、スペイン人は同じくゲルマン人の一派ゴート人を直接の祖先にしていることはSECTION24でも述べた通りで、その他にも、オランダ人、ベルギー人、北欧諸国人などがゲルマン人を直接の祖先にしています。ドイツ人は歴史的に、ゲルマン人の一派ザクセン人とフランク人を直接の祖先としています。

800年、フランク王のカール1世がローマ皇帝になり、西ヨーロッパの大半がフランク人

図25-1｜ザクセン朝初期のゲルマン人諸派連合

の支配下に入ります。カール大帝の死後、帝国は西フランク王国、東フランク王国、中部フランク王国の3国に分裂し、そのうち、東フランク王国がドイツの原形となります。ドイツ国家はフランク人の王国からはじまるのです。

フランク人はドイツにおいて、ゲルマン諸部族を一時的にまとめましたが、依然、少数派であり、多数派のザクセン人に力を奪われていきます。ザクセン人はエルベ川流域の北ドイツ一帯に分布していたドイツ土着のゲルマン部族の一派で、すでに8世紀には、ドイツの小部族を併合して、大きな勢力を形成していました。ザクセン人は「サクス」という短刀で、前髪を剃り上げていたため、「ザクセン」と呼ばれるようになります。

フランク人は結局、ザクセン人たちをフランク化することはできませんでした。8世紀末に、ザクセン人はカトリックを受け入れたものの、ラテン語をほとんど受け入れず、固有のゲルマン語を使っていました。ザクセン人の使っていたゲルマン語がドイツ語の原形となります。

東フランク王国で、フランク人王統が断絶した後、919年、ザクセン人のハインリヒ1世が東フランク王に即位し、ザクセン朝を開きます。ドイツにおいて、多数派のザクセン人が自らの民族の王を戴いたのです。ハインリヒ1世の子が有名なオットー1世（大帝）です。

ザクセン朝は当初、ザクセンを中心とする北ドイツ地域にしか、支配を及ぼしていませんでした。中央部のフランク人（フランケン人）、西部のロートリンゲン人（アルマン人あるいはアレマニア人）、南西部のシュヴァーベン人、南部のバイエルン人などのゲルマン人諸派が連合し、それぞれ大公位を持ち、ドイツ王国（東フランク王国）を形成していました。

そのため、ザクセン人のハインリヒ1世とオットー1世はゲルマン人諸派の大公たちと姻戚関係を結んでいき、特に、シュヴァーベンやバイエルンについては、姻戚を理由に強引に相続権を奪っていきます。

ザクセン朝は5代の君主が続きますが、1024年に断絶し、その後、ザーリアー朝（ザリエル朝）、シュタウフェン朝、ヴェルフェン朝と続きます。これらの王室はすべて、ザクセン家と姻戚関係にありました。

❖カールとオットーのローマ帝国復興

ザクセン朝の第2代王のオットー1世はヨーロッパに侵入していたアジア系のマジャール人を撃退し、領土を東方に拡げるなどして、王権を強化しました。

オットー1世はローマ教皇との連携を強め、962年、教皇からローマ皇帝の冠を受けます。オットー1世はカール大帝以来のローマ帝国の再復活を託されました。

オットー1世の戴冠により、ドイツ（東フランク王国）は神聖ローマ帝国となります。しかし、輝かしい名とは裏腹に、この帝国はドイツのみを支配したに過ぎず、カール大帝の帝国のような西ヨーロッパのすべてを支配した帝国ではありません。神聖ローマ帝国といいながらも、イタリア・ローマを支配しておらず、名前だけの「帝国」でした。オットー1世の死後、歴代神聖ローマ皇帝がローマを手に入れようと、イタリアに攻め込みますが、失敗しています。

このように、ドイツ王は同時に神聖ローマ皇帝でもありました。神聖ローマ皇帝の位はザクセン家、ザーリアー家、シュタウフェン家などの家系が引き継ぎ、15世紀にハプスブルク家が世襲するようになります。

皇帝位は名ばかりのものとはいえ、カール大帝の正統な後継者として、一応の権威はあり、ドイツのゲルマン人諸派を束ねていくための効力を発揮したのです。また、皇帝位はカール大帝の後継者を意味するのみならず、文字通り、ローマ皇帝の正統な後継者をも意味しました。

皇帝はドイツ語で「カイザー（Kaiser）」、ロシア語で「ツァー（Czar）」といい、ともにカエサル（英語名：シーザー）のことです。ローマ帝国の初代皇帝はアウグストゥスですが、帝国の基礎を築いたのはカエサルであるので、カエサルを追慕する意味で、個人名が最高権力者を意味する称号となり、受け継がれるようになりました。したがって、ヨーロッパにおいて、「皇帝」

は「カエサルの後継者」という意味を持ちます。
日本語では、「カイザー（Kaiser）」や「ツァー（Czar）」を「皇帝」と訳しますが、これらの言葉そのものには、「皇帝」という意味はありません。「皇帝」の意味に近いのはローマ軍の最高司令官を意味する「インペラトル（ラテン語：imperator）」です。これは「インペリウム（命令権）を持つ者」という意味で、後の時代に、英語の「皇帝」を表わす「エンペラー（emperor）」となります。

図25-2｜ヨーロッパの皇室系図

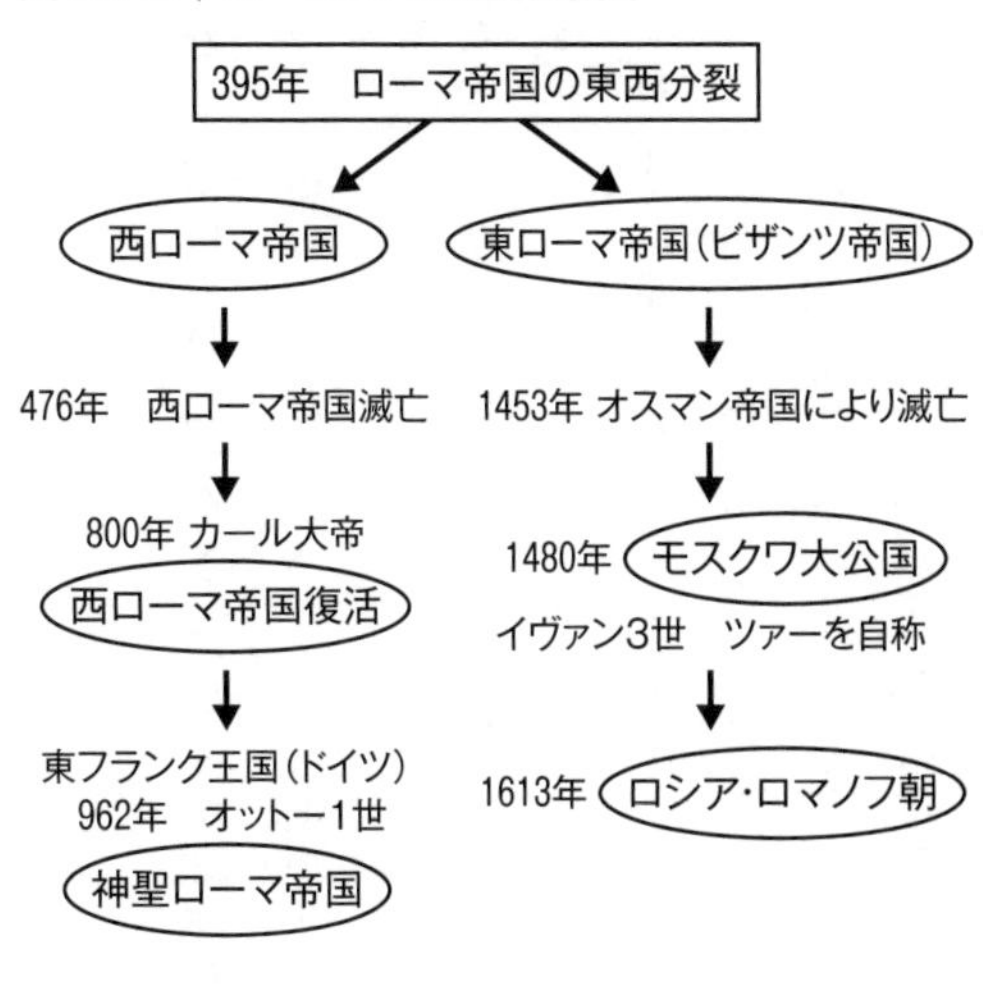

カエサルやアウグストゥスが築いたローマ帝国は約４００年間続き、西暦３９５年、東西に分裂します。ローマ帝国の分裂以降、皇帝位は東西の２つに分かれ、西ローマ皇帝と東ローマ皇帝が並び立つことになります。

西ローマ帝国はゲルマン人の反乱で、早くも４７６年に滅んでしまいました。以降、西側では、ゲルマン人勢力が各地に割拠し、戦乱の時代が３００年以上も続き、最終的にフランク人のカール１世（大帝）が８００年、ローマ皇帝に戴冠されて、西ローマ帝国を復活させました。

さらに、ローマ皇帝位はカールからオットー1世へと引き継がれます。

❖なぜ、帝位をロシア人やドイツ人が継承したのか

一方、東ローマ帝国は西ローマ帝国が476年に滅んだ後も、千年にわたり帝国が続き、皇帝位が引き継がれます。東ローマ帝国はビザンティウム（現在のイスタンブール）に首都が置かれたため、ビザンツ帝国とも呼ばれます。東ローマ帝国は1453年、オスマン帝国に滅ぼされます。

しばらくの皇帝空位の期間を経て、1480年、ロシア貴族のモスクワ大公イヴァン3世が東ローマ皇帝位の後継者となることを名乗り出て、自らを「ツァー」と称します。彼の子イヴァン4世の時代に帝位継承が内外に認められ、以後、ロシア人が皇帝位を引き継いでいきます。17世紀にロマノフ朝が発足し、帝位を歴代継承する皇帝家となります。ロマノフ朝は20世紀のロシア革命まで続きます。

このように、ヨーロッパの皇帝家はその祖先をたどっていくとローマ帝国の皇帝に行き着きます。ただし、血統・血脈を受け継いでいるのではありません。ここが血統を受け継いでいる日本の皇室と違うところです。ローマ帝国時代から優秀な者を養子に迎え、帝位を引き継がせていました。また、実力者が武力闘争やクーデターによって皇帝となることもしばしばありました。

800年に帝位に就いたカール大帝はゲルマン人で、ラテン人であるローマ人とは血のつながりはありません。カール以降の帝位継承は幾度も血統断絶に見舞われ、遠い傍系の子孫に帝位を引き継がせたことなどもあり、現実には血のつながりを確認することはほとんどできません。ハプスブルク家が帝位を世襲する以前、選挙制で皇帝が選ばれていたこともありました。したがって、図25-2（329ページ参照）のような皇帝系譜図は概念的で政治的なものであり、血統を表わすものではありません。

カール大帝はフランク人です。正統フランクの後継者を名乗っていたのは、「フランク」の名を冠したフランスです。本来ならば、カール大帝の後継者として、フランス国王に皇帝位が継承されるべきですが、そうならず、ドイツのザクセン人に継承されたのはなぜでしょうか。

その背景には、当時の教皇の思惑がありました。東フランク王国の国王オットー1世を皇帝に指名した教皇ヨハネス12世はイタリア人の有力諸侯の家系の出身で、わずか18歳で教皇に即位します。若くて無謀なヨハネス12世は教皇になると、教皇領を拡大するため、周辺のイタリア諸侯と戦います。

しかし、ヨハネス12世は敗退し、窮地に追い込まれ、オットー1世に救援を要請しました。この時、西フランク王国（フランス）では、内紛が激化しており、王には教皇を救う余裕などありませんでした。オットー1世は教皇を救う見返りに、自分を皇帝に任命するように要求しました。背に腹は代えられないヨハネス12世はこの要求を呑んだのです。ザクセン人のオットー

1世が皇帝になることに、継承者としての正統性はほとんどありませんでしたが、当時の教皇を取り巻く政治的な都合と成り行きで、そうなってしまったというのが実態です。

また、教皇が新たに皇帝を任命することは禁じ手でした。皇帝の干渉を招くリスクがあったからです。実際に、オットー1世は戴冠後、ヨハネス12世に忠誠を誓うよう要求しています。これに怒ったヨハネス12世はオットー1世と対立し、教皇位を廃位されてしまいます。

❖ドイツ人の中世における民族意識

オットー1世はカール大帝に深く憧れ、自らをカール大帝の再来と吹聴していました。皇帝の地位が持つ権威を利用できることもよく認識しており、皇帝位は歴代、世襲されていきます。

皇帝位はドイツに重大な副作用をもたらしました。歴代皇帝たちはローマをはじめとするイタリアの支配者を目指し、名実ともに「ローマ皇帝」という称号に相応しい存在になろうとしたのです。歴代皇帝たちは繰り返し、イタリアに侵攻しますが、イタリアを領有することはできませんでした。

イタリアに固執するあまり、足元のドイツ内政が疎かになり、各地の領邦が皇帝に離反して、自立していきます。11世紀以降、フランスやイギリスでは王権の強化が進み、各地の領邦が王権に従属していったこととは対照的に、ドイツでは分立化が進んだのです。1356年の金印勅書によって、皇帝は各地の領邦君主たちの権利を認めざるを得ず、ドイツの分立・分断が決定的となります。こうした分立がドイツ人としての連帯意識を希薄にし、近代において、統一的な国民国家の建設が遅れる原因となったのです。

しかし、一方で、ドイツ民族が強く意識される局面もありました。ドイツ騎士団は聖地を訪れる巡礼者を保護するために、12世紀末に設立された宗教騎士団です。そうした本来の目的を超えて、彼らは、ゲルマン民族がもともと居住していたエルベ川以東の地を自らの領土に組み入れるべく、東方植民を展開していきます。

ドイツ騎士団はポーランドやバルト三国に侵攻し、この地域のスラヴ人を駆逐していきます。騎士団には、ドイツ各領邦から参加者が集い、彼らはドイツ人共通の利益としての東方植民を一致団結して推進し、東方地域をドイツ化していきます。

ドイツ騎士団の活動は神聖ローマ皇帝からも奨励されており、その支配領域は14世紀に最大となります。

ドイツ人としての民族意識は近代特有のものであり、中世においては、そのようなものは未だ形成されていないとする見解が一般的にありますが、ドイツ騎士団の活躍を見てもわかるように、民族意識は国民国家の意識とは別に、古くから存在する人間社会の原初的な意識であるのです。

SECTION 26

ドイツ人②
ドイツ統一の立役者プロイセン人とは何か

❖ホーエンツォレルン家の出自

962年、オットー1世の創始した神聖ローマ帝国において、帝位はザクセン家やザーリアー家、シュタウフェン家などに引き継がれました。これらの家系はすべてゲルマン人部族の一派から発祥しています。ザーリアー家はフランク人から発祥し、シュタウフェン家はシュヴァーベン人から発祥しています。

そして、13世紀以降、西ドイツのロートリンゲン人（アルマン人）から発祥したハプスブルク家が強大化し、ハプスブルク家の当主が神聖ローマ皇帝位を歴任し、1438年以降は、世襲的に独占継承することが認められます。

16世紀、ハプスブルク家からカール5世が出てスペイン王を兼ね、ドイツのみならず、ネーデルラントや東欧、イタリアの一部に至るまで、広大な領域を支配しました。

しかし、18世紀になると、ハプスブルク家の権威に挑む勢力が現われます。その勢力とは、東北ドイツのプロイセン人でした。

プロイセン人はドイツ、ポーランド、バルト三国の一部にわたるバルト海沿岸地域に居住し、バルト海交易によって富を蓄え、強大化しました。内陸部では、肥沃な農場を開拓し、主にオランダやイギリスに穀物を輸出していました。13世紀に、ドイツ騎士団は東方植民を展開し、この地域に住み着きましたが、プロイセン人は彼らの子孫です。

ドイツ騎士団の長はドイツの各有力諸侯が担っていました。1510年、諸侯の1つであるホーエンツォレルン家のアルブレヒトが騎士団の長に就きます。これ以降、プロイセン人はこのホーエンツォレルン家とともに発展しますが、ホーエンツォレルンの家系はプロイセン人ではありません。彼らはもともと南西ドイツのシュヴァーベン人であり、12世紀にツォレルン伯と称していました。後に、「ツォレルン」に「ホーエン（高貴な）」が冠せられます。

12世紀末、ホーエンツォレルン家は中部ドイツのフランク人（フランケン人）とも婚姻関係を結び、同地域に勢力を拡大し、ニュルンベルクを拠点にしました。15世紀に、ベルリンを中心とするブランデンブルク地方に勢力を拡大し、ベルリンを拠点とします。そして、このホーエンツォレルン家の一族のアルブレヒトが前述のように、1510年、ドイツ騎士団の長に就きます。さらに、アルブレヒトは1525年、ポーランド王によってプロイセン公に封じられたため、ドイツ騎士団領はプロイセン公国となります。

これ以降、シュヴァーベン人とフランク人の混血の家系であったホーエンツォレルン家はプ

図26-1 | ホーエンツォレルン家の拡大

12世紀 **ドイツ南西部の一貴族** シュヴァーベン人から発祥
↓
12世紀末 **中部ドイツ進出** フランク人と姻戚
↓
15世紀 **東北部ドイツ進出** ブランデンブルク地方獲得
↓
16世紀 **プロイセン地方進出** ドイツ騎士団長、プロイセン公

ロイセン人に同化していきます。また、プロイセン人はもともとポーランド以東のプロイセン地方に住む人々を限定的に指していましたが、ドイツ東北部のブランデンブルク地方に居住する東北ドイツ人をも含むようになります。

❖ドイツの新たなリーダー

ホーエンツォレルン家はブランデンブルク選帝侯国とプロイセン公国の2国を領有することとなります。1618年に、2国は同君連合国となり、統合されます。さらに1701年、スペイン継承戦争でハプスブルク家を支援したことから、ホーエンツォレルン家は皇帝から「国王」の称号を与えられたため、プロイセン王国となります。

プロイセン王国は2代目王のフリードリヒ・ヴィルヘルム1世の時代に軍備を増強し、18世紀後半、子のフリードリヒ2世（フリードリヒ大王）の時代に躍進します。フリードリヒ2世は様々な近代改革を断行します。

プロイセンは内陸部に肥沃な土地を擁しながらも、北部のバルト海沿岸地域のほとんどにお

いて、土地が痩せていました。フリードリヒ2世は痩せた土地でも育つジャガイモを組織的に栽培することを奨励しました。しかし、民衆がジャガイモを食べようとしないので、自らが毎日、ジャガイモを食べて見せました。プロイセンのみならず、ドイツ全体の食糧供給がジャガイモ増産により改善し、ジャガイモはドイツ人の主食となったのです。

ちなみに、フリードリヒ2世は同性愛者であったため、子がありませんでした。生涯に11頭のグレーハウンド犬たちを飼い、溺愛しました。愛犬の墓地に自分の亡骸を葬るよう遺言を残しますが、教会へ葬られてしまいます。第二次世界大戦で、遺骸は西ドイツに移され、1991年、ドイツ統一後に、サンスーシ宮殿東端にある11頭の愛犬たちの墓に、遺言通り葬られました。

フリードリヒ2世（アントン・グラーフ画、1781年、サンスーシ宮殿蔵） プロイセンはスラヴ系のポーランド人やウラル系のバルト人を擁する多民族国家であったため、大王は民族を超えた「国家」の概念を自ら、執拗に打ち出した。「君主は国家第一の下僕」という大王の有名な言葉にも、それが表われている。

こうして、ドイツにおいて、北部の新勢力プロイセンのホーエンツォレルン家と南部の旧勢力ハプスブルク家が並び立つこととなり、両者は対立し、戦争となります。プロイセンのフリードリヒ2世とハプスブルクの女帝マリア・テレジアはドイツの覇権を巡り、17

40年と1756年の2回にわたり戦います。これらの戦争はイギリスとフランスを巻き込んだ複雑な国際戦争となり、最終的に、プロイセンがハプスブルク家に勝ちます。

これ以降、ハプスブルク家はドイツに対する影響力を完全に失い、オーストリア一国を支配するのみになります。一方、ホーエンツォレルン家はドイツの新たなリーダーと目されるようになります。プロイセンの勢力は、その後も強大化し、19世紀後半には、プロイセン主導で、ドイツの統一が達成されていきます。

❖ドイツ人とオーストリア人の分断

1848年、ドイツ統一をどのように進めるかを議論するために、ドイツの各領邦から有識者がフランクフルトに集まり、国民議会を開催しました。この議会は大学教授、ブルジョワ、貴族などが集まった非公式の有識者会議に過ぎませんが、ドイツ中の注目を浴びました。

議論の焦点はドイツ統一の中に、オーストリアを含めるかどうかでした。オーストリアに居住するドイツ人を含め、ドイツを統一しようとするのが大ドイツ主義、オーストリアに居住するドイツ人を除外し、ドイツを統一しようとするのが小ドイツ主義で、両者は対立しました。

オーストリアのドイツ人は主に、バイエルン人やロートリンゲン人などのゲルマン人を直接の祖先にする、ドイツ語を話すれっきとしたドイツ人です。支配者もハプスブルク家、ドイツ人の家系です。そのため、彼らを含まなければ、真のドイツ統一にはなりません。

フランクフルト国民議会では、当然のことながら、大ドイツ主義者が圧倒的多数で、大ドイツ主義に基づく統一方針が決議されました。

しかし、オーストリアは多民族国家であり、チェコ人やスロヴァキア人などのスラヴ人やハンガリーのマジャール人、イタリア人などが多数含まれていました。オーストリアは多民族国家としての体制を維持することを重要視しており、大ドイツ主義はドイツ人と非ドイツ人を区別するものであり、国家の解体につながると警戒したのです。

オーストリアがフランクフルト国民議会と距離を置いたため、大ドイツ主義の統一方針は現実味を失い、オーストリアを含めず統一する小ドイツ主義へと傾斜せざるを得なくなります。フランクフルト国民議会以降、ドイツ人とオーストリア人の分断が顕在化し、両者はその後も、別の道を歩むことになります。後の1862年に、プロイセン宰相となるビスマルクもまた、小ドイツ主義に基づき、オーストリアを除外して、ドイツ統一を進めます。

また、フランクフルト国民議会の有識者たちは小ドイツ主義を採択するとともに、1849年、自由主義的な憲法をも採択しました。そして、プロイセン王フリードリヒ・ヴィルヘルム4世を統一ドイツの皇帝に指名します。しかし、プロイセン王はこの自由主義的な憲法を不快に感じ、国民議会の指名を拒否しました。国民議会の委員らは革新派で、保守主義者のプロイセン王は彼らを嫌悪していたのです。

ドイツの事実上のリーダーであったプロイセンの協力を得られなかったフランクフルト国民

議会は信頼と存在意義を失い、消滅していきます。

❖なぜ、ドイツ人同士の内戦にならなかったのか

1861年、フリードリヒ・ヴィルヘルム4世が死去し、弟のヴィルヘルム1世がプロイセン王となります。ヴィルヘルム1世は1862年、ビスマルクを宰相に任命し、ドイツ統一を進めようとします。プロイセン軍部が国会議員であったビスマルクを宰相に推薦していました。当初、軍部の強大化を恐れた議会はビスマルクを警戒しましたが、ビスマルクは持ち前の根強い交渉により、議会の信任を得ていきます。

当時、ドイツの領邦の中で、プロイセンは産業化と近代化が最も進んでおり、ドイツ人全体を牽引すべき主導者と見なされていました。

プロイセン主導の統一の動きに反発したのが、主に南部のバイエルンでした。ミュンヘンを中心とするバイエルン人からすれば、自分たちこそがドイツ人の中核であり、東北の田舎者のプロイセン人との連携など馬鹿らしくてやっていられないと考えていたのです。バイエルン人はオーストリアやフランスに急接近し、プロイセンに対抗しました。

これに対し、ビスマルクは「現在の問題は演説や多数決ではなく、鉄と血によってのみ解決される」という有名な演説を行ない、バイエルン人、それを背後から支援するオーストリアやフランスなどの抵抗勢力は武力（鉄と血）によって潰さなければならないとする「鉄血政策」

を表明します。

ビスマルクは軍事力強化、軍制改革を矢継ぎ早に行ない、来るべき戦争に備えました。1866年、プロイセン・オーストリア戦争で、バイエルンなどのドイツ内部の保守勢力と結託をしていたオーストリアを破りました。しかし、バイエルンなどは未だ、プロイセンに抵抗し、オーストリアに代わり、フランスと結託します。

1870年、プロイセン・フランス戦争で、フランスのナポレオン3世と戦い、プロイセンが勝利しました。プロイセンはフランスのドイツへの影響力を排除し、バイエルンなどの南ドイツを傘下に加え、1871年、ドイツ帝国（ホーエンツォレルン朝）を成立させ、プロイセン王ヴィルヘルム1世がドイツ皇帝に即位しました。ここに、プロイセ

図26-2｜統一前のドイツ

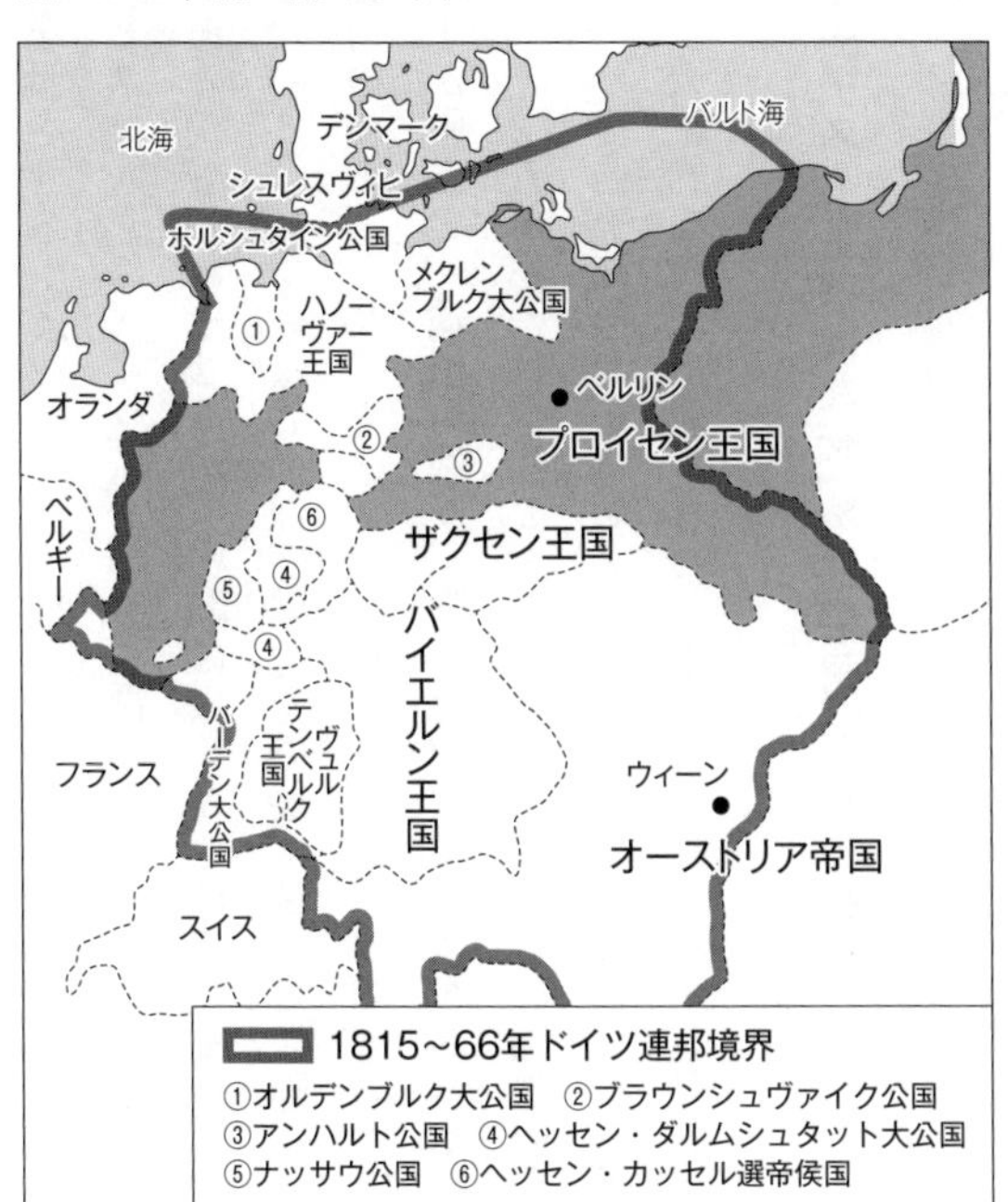

ンを軸とするドイツ統一が完成したのです。

ビスマルクのドイツ統一の手法は「鉄と血」と呼ばれるように、荒々しい好戦的なイメージがあるかもしれませんが、実際にはそうではありません。プロイセンによるドイツ統一に抵抗したバイエルン人などの保守勢力を直接、武力で粉砕しませんでした。彼らの背後にいる外国勢力のオーストリアやフランスを叩き、ドイツ内部の保守勢力を従わせました。同じドイツ人同士が戦うと、遺恨が残り、陰惨な内戦に発展しかねません。

ドイツ人が傷つけ合うことなく、その周りの外国勢力と戦うことによって、最終的にドイツ統一へと合意できたのはビスマルクの類い稀なる平和的戦略の賜物であり、またビスマルクという天才的な宰相に恵まれたドイツ人全体の幸運でもありました。

❖ナチス・ドイツはなぜ「第三帝国」と呼ばれるのか

ドイツ帝国の成立により、プロイセン・ホーエンツォレルン家はオーストリア・ハプスブルク家に代わり、自らが皇帝位の正統な後継者であることを主張したのです。神聖ローマ皇帝位を歴代世襲したハプスブルク家はプロイセンの主張を認めませんでしたが、もはや、それを阻止する力もありませんでした。

このとき、神聖ローマ帝国の皇位継承者として、旧勢力のハプスブルク家と新勢力のホーエンツォレルン家が並び立つことになります。

ヨーロッパ人は、自らの歴史がローマ帝国からはじまるものと捉えています。西ローマ帝国の継承者が神聖ローマ帝国の歴代皇帝であり、この流れの中に、オーストリアのハプスブルク家とドイツのホーエンツォレルン家があります。東ローマ帝国（ビザンツ帝国）の継承者がロシアのロマノフ家です。ヨーロッパの皇室はハプスブルク家とホーエンツォレルン家、そしてロマノフ家の3家だけで、彼らはいわゆる「カエサルの後継者」なのです。

第一次世界大戦（1914〜1918年）でオーストリア帝国とドイツ帝国はともに敗戦し、帝国が解体され、ハプスブルク家とホーエンツォレルン家は帝位を失います。ちなみにロマノフ家皇帝は1917年のロシア革命で退位させられ、翌年、革命軍により、皇帝一家全員が処刑されます。

ヒトラーのナチス国家は「第三帝国」と呼ばれることもあります。ドイツにおいて、962年に発足した神聖ローマ帝国は第一帝国、1871年に発足したドイツ帝国が第二帝国、そして、ナチス・ドイツが第三帝国となります。しかし、ナチス・ドイツは神聖ローマ帝国の系譜とは何らの関係もなく、単に、ドイツ人の統一国家として、歴史上、3番目に位置付けられるという理由だけで、こう呼ばれたに過ぎません。

米ソ冷戦のなかで、1949年、ドイツは西と東に分かれ、ドイツ民族は分断されます。1961年にはベルリンの壁が建設されます。冷戦の終焉とともに、1990年、ドイツは再統一されました。

SECTION 27

オーストリア人

ドイツ人と切り離されたもう1つのドイツ人

❖異民族侵入の防衛の要衝

オーストリアの歴史はオストマルク辺境伯領からはじまります。「オストマルク」とは「東方の（Ost）」「守り（mark）」という意味があります。フランク王国のカール1世が799年、オストマルクを設置し、東方の備えとしたのです。

11世紀頃に、「オストマルク」が「東方の国」を意味する「エスターライヒ（Österreich）」になったとされます。ドイツ語の「ライヒ reich」は「帝国」という意味ですが、「土地」や「国」という意味もあり、この時はまだ、「帝国」ではなく、「国」という意味で用いられていました。

この辺境伯領はウィーンの西方に位置しており、当初、ウィーンを含んでいませんでした。カルパチア山系とアルプス山系の間をドナウ川が流れています。両山系がぶつかり合うエリアにウィーンがあり、その西方にヴァッハウ渓谷があります。このエリアは東方のパンノニア平原（現在のハンガリー）とドイツ南部をつなぐコリドー（corridor＝回廊地帯）でした。

つまり、オストマルク辺境伯領はドイツなどの中央ヨーロッパを、東方のスラヴ人やアジア系などの異民族から防衛するための要衝であったのです。実際に828年、スラヴ人が辺境伯領を奪取しようと大規模な攻撃をしていますが、オストマルクのフランク軍が狭い隘路の地形を巧みに利用し、スラヴ人を撃退しています。

しかし、10世紀には、ハンガリーにいたアジア系のマジャール人が、辺境伯領を越えてドイツ南部に頻繁に侵入しています。

図27-1｜東方と中央ヨーロッパをつなぐコリドー

このマジャール人を撃退したのが東フランク王国のオットー1世（ザクセン朝）です。オットー1世は955年、南ドイツのアウクスブルク近郊のレヒフェルトでマジャール人騎馬軍団を撃退します。ヨーロッパを異民族から防衛したオットー1世はローマ皇帝（神聖ローマ皇帝）に戴冠されます。一方、マジャール人はパンノニアに撤退して定住し、ハンガリー王国を形成します。

オットー1世の子のオットー2世はオストマルク辺

境伯を再建し、976年、南ドイツの有力諸侯であったバーベンベルク家のレオポルドを辺境伯に任命しました。

バーベンベルク家はウィーンを拠点に、領地を発展・拡充させていきます。1156年、オストマルク辺境伯領は公国（オーストリア公国）に格上げされます。

❖多民族国家オーストリアの黎明期

13世紀、オーストリア公のバーベンベルク家が断絶すると、婚姻関係を結んでいたスラヴ人の一派ベーメン人（現在のチェコ人）がオーストリア公位の継承を主張して同国に侵入してついにはウィーンを支配するに至ります。

南ドイツの有力諸侯の1つであったハプスブルク家のルドルフ1世は1278年、ウィーン北部のマルヒフェルトでの戦いでベーメン人を撃退します。これにより、ハプスブルク家がオーストリア公国を所領とすることが決まり、ハプスブルク家発展の基礎が築かれます。

ハプスブルク家はもともと、ドイツ西部のロートリンゲン人（アルマン人）の出自で、10世紀頃、ライン川上流のドイツ南部、現在のスイスに起こった貴族です。ライン川とドナウ川の結節点となる地域一帯を領土とし、水運の利を生かした交易を活発に営んでいました。「ハプスブルク」の語源は「鷹の城」を意味する「ハービヒツブルク（Habichtsburg）」や「浅瀬」を意味する「ハプ（hap）」に由来するという説があります。

ドイツ諸侯の中でも、もともと弱体であったハプスブルク家は、ドイツ諸侯から「操りやすい」という理由で神聖ローマ皇帝に推戴され、ルドルフ1世が1273年、帝位に就きました。ドイツ諸侯に担ぎ上げられたルドルフ1世でしたが、ひとたび皇帝になると、有能さを発揮し、前述のマルヒフェルトの戦いで、ウィーン方面に進撃し、ベーメン人を駆逐しました。

これ以降、ハプスブルク家の本拠地はウィーンに置かれます。14世紀、ルドルフ4世はウィーンの商工業を独占していたツンフト（同業組合）の既得権を打破するために、ツンフト禁止条例を発令し、商工業者の参入をヨーロッパ各地から募り、新規参入業者には、3年間の市民税と財産税を無税とする措置をとりました。

この措置により、ウィーン周辺のスラヴ人、つまり、ベーメン人やセルビア人、ハンガリーのマジャール人、さらにはユダヤ人など、多くの商工業者たちがウィーンやオーストリア各地に移住し、市民権を与えられるようになり、オーストリアの多民族社会の基礎が形成されていきます。こうした政策的な効果もあり、ウィーンはハプスブルク家のもと、急速に発展していきます。

1359年、ルドルフ4世は「オーストリア大公」を称し、オーストリア公国は新たに、オーストリア大公国となります。本来、「大公（Erzherzog）」という称号は存在しなかったのですが、ハプスブルク家はその他の多くの「公（Herzog）」とは格が違うとして、「大公」という位を自称したのです。ハプスブルク家は豊富な財力でドイツ諸侯を懐柔し、1438年以降、神聖ロ

マクシミリアン1世（アルブレヒト・デューラー画、1519年、ウィーン美術史美術館蔵）

ーマ皇帝位を世襲的に独占することが認められます。

❖クロスボーダーする領邦と民族

ハプスブルク家が帝位を世襲して間もない頃、皇帝マクシミリアン1世はブルゴーニュ公の娘と結婚します。ブルゴーニュ公はフランスの貴族で、東北フランスやネーデルラント（オランダ、ベルギー）を領有していました。

ブルゴーニュ公に男子の跡継ぎがなかったため、マクシミリアン1世はブルゴーニュ公領ネーデルラントを譲り受けます。労せずして、広大で豊かな領土を獲得するという幸運に恵まれたのです。

マクシミリアン1世の子フィリップ（ドイツ人とフランス人の混血）はスペイン王女フアナと結婚をします。そして、カルロスが生まれます。スペイン王国に男子の跡継ぎがなかったため、1516年、カルロスがスペインを譲り受けます。カルロス（ドイツ人とフランス人とスペイン人の混血）はスペイン国王としてカルロス1世、神聖ローマ皇帝としてカール5世を名乗り、両位を兼任します。

カール5世の時代に、ハプスブルク家は全盛期となります。カール5世の弟フェルディナントはハンガリー王ラヨシュ2世の姉と結婚していました。ラヨシュ2世がオスマン帝国との戦いで戦死したため、フェルディナントはハンガリー王の地位を継承します。

当時、ハンガリーはベーメンも所領としていたので、ハプスブルク家がハンガリーとともに、チェコも支配します。ナポリ王国、シチリア王国などのイタリアにも領土を拡大していきます。

図27-2｜カール5世時代のハプスブルク帝国領土

ハプスブルク家が政略結婚で領土を次々に拡大していく状況で、「戦争は他家に任せておけ、幸いなオーストリアよ、汝は結婚せよ」という有名な言葉が生まれます。

こうして、近世ヨーロッパに、ハプスブルク帝国というクロスボーダーな領邦が生まれます。この領邦内では、様々な言語を持った民族が集いました。

しかし、領邦内の諸民族は決して融和することはありませんでした。ドイツ人家系のハプスブルク家の統治が強まれば強まるほど、現地の民族は反発を強め、それまで意識されなかったような民族意識を覚醒させていくことになります。

❖ハプスブルク帝国で胚胎された民族意識

反ドイツの民族運動はまず、15世紀、ベーメン（チェコ）で起こります。プラハ大学のヤン・フスの宗教改革からはじまり、彼に共鳴したヤン・ジシュカ率いるベーメン人部隊が支配者のドイツ人と戦います。そして、1419年、フス戦争がはじまります。

ベーメン人はポーランド人のフス派とも連携し、スラヴ民族主義を高揚させて、ドイツ人に対抗しました。1458年、ベーメン人の王が擁立され、ハプスブルク家に対抗しました。この王の死後、1471年、ポーランド王カジミェシュ4世（ヤゲヴォー家）の息子ヴワディスワフが迎えられ、ヴラジスラフ・ヤゲロンスキーとしてベーメン王に即位します。

この時、ハンガリーでも、マジャール人が反ハプスブルクの民族運動を展開し、ハンガリー人はベーメン人とも連携し、ベーメン王ヴラジスラフを共通の国王として擁立しました。ヴラジスラフはハンガリー王ウラースロー2世としても即位します。

ヴラジスラフ（ウラースロー2世）の子が有名なラヨシュ2世です。ラヨシュ2世はハプスブルク家と和睦し、姉をハプスブルク家のフェルディナント1世（神聖ローマ皇帝）に嫁がせています。フェルディナント1世はカール5世の弟です。

しかし、ラヨシュ2世は1526年、モハーチの戦いでオスマン帝国に大敗し、逃走中に溺死します。以後、ハンガリーはオスマン帝国に支配されます。一方、ベーメンはハプスブルク支配に戻ります。ハプスブルク支配への怨恨がベーメン人の中で蓄積され、1618年、三十年戦争が起こります。これはベーメン人だけの戦争にとどまらず、国際戦争となります。

ネーデルラント人もハプスブルク支配に反旗を翻し、1568年、独立戦争を起こします。1581年に北部7州が独立宣言を発し、これがオランダ人国家の礎となります。南部10州はハプスブルク支配に留まり、19世紀にようやく独立し、ベルギーとなります。

このように、ハプスブルクの広範な領邦支配は決して諸民族の融和を生まず、皮肉にも民族意識を強める結果となります。ヨーロッパの民族運動は近代に特有のものと思われがちですが、実際には、すでに近世において、ハプスブルク帝国で胚胎されていたものと見ることができます。その後も、オーストリア・ハプスブルクは諸民族の独立運動に悩まされていくことになります。

図27-3｜反ドイツ・反ハプスブルクの民族運動

ベーメン（チェコ）人

→フス戦争（15世紀）、三十年戦争（17世紀）

ハンガリー人

→反ハプスブルクの王を擁立（15世紀）

ネーデルラント（オランダ・ベルギー）人

→独立戦争（16世紀）

❖ドイツ人とオーストリア人の分離

ハプスブルク帝国はカール5世の時代に全盛を誇りますが、1558年のカール5世の死後、領土が2つに分かれます。カール5世は弟のフェルディナント1世に神聖ローマ皇帝位、オ

図27-4｜カール5世後のハプスブルク

オーストリア系	スペイン系
弟・フェルディナント1世	子・フェリペ2世
ドイツ、オーストリア、東欧など	スペイン、オランダ、ベルギーなど
↓	↓
1918年 消滅	1700年 断絶

ーストリア、ドイツを相続させました。フェルディナント1世にはじまる系譜をオーストリア系ハプスブルクといいます。カール5世は子のフェリペ2世にスペイン、ネーデルラントを相続させました。フェリペ2世にはじまる系譜をスペイン系ハプスブルクといいます。

　オーストリア系ハプスブルクは1618年にはじまる三十年戦争で、フランスに敗北し、ドイツへの支配権を失います。そのため、以後、オーストリア系ハプスブルクは「神聖ローマ帝国」とは呼ばれず、「オーストリア帝国」と呼ばれます。

　三十年戦争後、ハプスブルク家に代わり、ホーエンツォレルン家のプロイセンが台頭します。北部の新勢力のプロイセンと、南部の旧勢力のオーストリアが並び立つこととなり、両者は対立し、戦争となります。オーストリアの女帝マリア・テレジアはプロイセンのフリードリヒ2世と、2回（1740年と1756年）にわたり、戦います。これらの戦争はイギリスとフランスを巻き込んだ複雑な国際戦争となり、最終的にオーストリアが敗北します。

　しかし、これで両者の決着がついたのではなく、フランス革命、ナポレオン時代の混乱を経て、1866年のプロイセン・オーストリア戦争で決戦となります。プロイセンが勝利し、ようやく、プロイセンを中心としたドイツの統一が進められていきます。こうして、ハプスブルク家はドイツ人の盟主としての地位を完全に失います。

1871年、プロイセンが主導したドイツ帝国が成立した時、オーストリアはその中には含まれませんでした（小ドイツ主義）。オーストリア人はドイツ人でありながらも、ドイツ人とは切り離された「オーストリア人」であるとする独自の区分が名実ともに確立されます。

しかし、ドイツ帝国は同じドイツ人国家であるオーストリアに接近し、両者は同盟を形成します。第一次世界大戦前には、オーストリアはパン・ゲルマン主義を掲げるドイツ皇帝とともに、バルカン半島のスラヴ人などに圧力をかけていきます。

第一次世界大戦に敗北したオーストリアでは、ハプスブルク家皇帝が退位させられます。そして、それまで支配していたハンガリーやチェコなどの諸民族が独立していきます。東欧だけでなく、南欧のボスニア・ヘルツェゴヴィナをセルビア人に割譲します。南スラヴ三民族であるセルビア人、クロアチア人、スロヴェニア人はセルブ・クロアート・スロヴェーン王国を建国し、1929年にはユーゴスラヴィア王国と改称されます。こうして、多民族の複合国家であった旧オーストリア帝国は解体されたのです。

❖悲願のアンシュルス

アドルフ・ヒトラーはオーストリア人です。両親もオーストリア人であり、ヒトラーは1889年、リンツ近郊で生まれています。

ヒトラーは著書『わが闘争』の中で、ドイツとオーストリアの統合（アンシュルス Anschluß）は必ず達成されなければならず、ドイツ人とオーストリア人が1つのドイツ人になることは、分断されたドイツ民族の使命であると述べています。統合はオーストリア人としてのヒトラーの悲願だったのです。

世界恐慌が本格化した1930年代初頭、ヒトラーはオーストリアにおいても、ナチ党の党勢拡大活動に力を入れています。ヒトラーが1933年にドイツ首相になり政権を獲得すると、オーストリア・ナチ党も伸長します。

オーストリア・ナチ党は1934年、ヒトラーの指示のもと、クーデターを起こします。首相官邸を襲撃し、首相を射殺、ナチス政権の樹立を宣言しますが、数日のうちに鎮圧されてしまいます。しかし、オーストリア首相はナチス・ドイツから圧力をかけられ、1936年、ヒトラーと会談し、ナチ党員の入閣を認めることを強いられました。

1938年、ナチス・ドイツはオーストリアに進駐し、これを併合し、悲願のアンシュルスを達成します。オーストリア人の多くがヒトラーを熱狂的に歓迎しました。

翌月に行なわれたアンシュルスの是非を問う国民投票では、99・9%のオーストリア人が賛成しました。国際社会も、同じドイツ語を話すドイツ人とオーストリア人が一体となったことは自然なことであるとして、特段、批判しなかったのです。

戦後、ドイツとオーストリアの合邦は禁止されます。1945年から1955年まで、連合国軍がオーストリアを分割占領し、1955年、主権を回復すると同時にオーストリアは永世中立国となります。戦後、一貫して、ナチスに加担した過去が批判され、「オーストリア人はドイツ人とは異なる」という民族意識が国民に教育されました。

SECTION 28

イギリス人

複合民族化していくアングロ・サクソン人

❖アングロ・サクソン人はザクセン人

「アングロ・サクソンの世界支配」と言われます。アングロ・サクソン人はイギリス人とアメリカ人を一括りにした言い方です。英米は近代以後、世界の覇権を握り続けてきました。軍事覇権だけではなく、金融覇権、情報覇権、技術覇権などあらゆる分野において、世界を主導してきました。

19世紀末に活躍したイギリスのセシル・ローズは、アングロ・サクソン民族こそが最も優れた人種であり、アングロ・サクソンによって世界が支配されることが人類の幸福につながると豪語していました。ローズは南アフリカのケープ植民地首相を務め、「できることなら私は、夜空に浮かぶ星さえも併合したい」と述べました。

「世界最強の民族」とされるアングロ・サクソン人とはいったい、どのような民族なのでしょうか。アングロ・サクソン人はゲルマン人の一派であるザクセン人とアングル人のことです。

ザクセン人は5世紀頃、現在のドイツのニーダーザクセン州一帯に居住しました。「ザクセン（Sachsen）」の英語読みが「サクソン（Saxon）」です。

ザクセン人はドイツ（東フランク王国）において、カール大帝をはじめとするフランク人に当初、支配されましたが、多数派であるザクセン人は次第に力をつけ、10世紀にフランク人に代わり、東フランク王位を継承します（ザクセン朝）。962年に、神聖ローマ皇帝になったオットー1世もザクセン人です。

図28-1｜七王国と建国民族

ザクセン朝は1024年に断絶し、ザクセン人は神聖ローマ皇帝位を失ってしまいますが、ザクセン人の有力家系のヴェッティン家がドレスデンを中心としたドイツ東南部ザクセン領を守り、1356年の金印勅書で選帝侯となります。16世紀にルターを保護したことで有名なザクセン選帝侯フリードリヒはヴェッティン家の出身です。

ザクセン人は1866年の普墺戦争で、プロイセン人に反発しオーストリア側で参戦し、敗北します。以降、ザクセン人はプロイセン人に屈服します。

このように、ザクセン人はドイツの中で、重要な歴史的な歩みをたどりましたが、本来の領地であったドイツよりも、英米などの外地に渡った一派が躍進します。

ザクセン人は6世紀にイギリス南部にウェセックス王国を建国します。9世紀前半、エグバート王の時に強大化し、アングル人の諸王国を征服、統一しました。以降、アングル人はザクセン人（サクソン人）に同化していきます。

❖アングル人とは何か

アングル人はザクセン人と同じゲルマン人ですが、別の一派で、アンゲルン半島に居住していました。しかし、アングル人はザクセン人から直接的に派生したとする見方もあり、両者は民族的にはもともと近接していたことは間違いありません。アンゲルン半島はユトランド半島の東側の付け根に位置し、現在のドイツのシュレースヴィヒ＝ホルシュタイン州の一部です。

アングル人も5世紀から6世紀にかけて、イギリスに渡り、先住民であったブリトン人（ケルト人の一派）を駆逐し、ノーサンブリア王国、マーシア王国を建国します。

アングル人やザクセン人などが建国した王国は主要なものだけで7つありました（前ページ図28-1参照）。そのため、古ギリシア語の「ヘプタ（「7」の意味）」と「アーキー（「国」の意味）」を合わせて、「ヘプターキー（「七王国」の意味）」と呼ばれます。

「イングランド」とは「アングル人の国」のことです。「イングリッシュ」は「アングルの人々」や「アングル人の言葉」という意味です。「イングリッシュ」が日本人には「イギリス」と聞こえたのです。ザクセン人よりも先に、アングル人がイギリスに入り、当初、アングル人の王国が優勢であったこともあり、「アングル人の国」という言い方が定着します。

そもそも、アングル人の「アングル」は「釣り針」を意味するという説、「湾」や「水辺」を意味するという説などがあります。アンゲルン半島の「アンゲルン」は「アングル人の住むところ」という意味です。

図28-2｜アングロ・サクソン人の移動

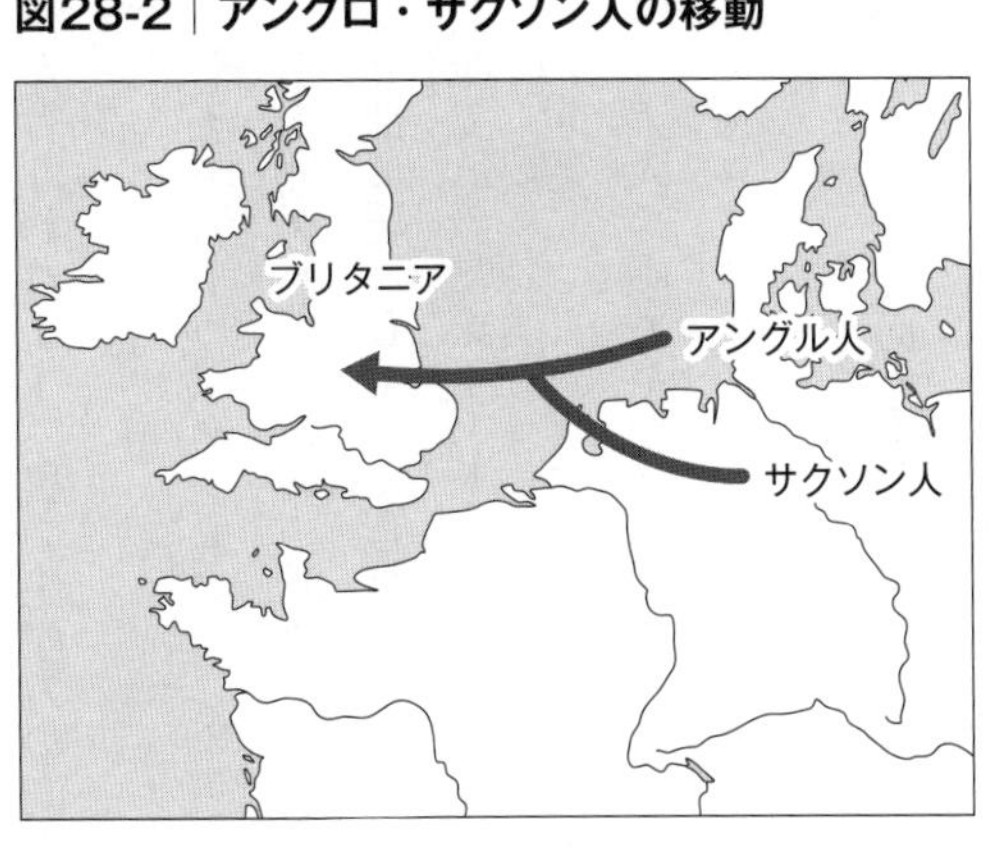

なぜ、5世紀から6世紀に、ドイツ北部にいたアングル人やザクセン人が一斉にイギリスに渡ったのかという理由についてですが、北欧で、ノルマン人やデーン人の勢力が拡大し、それに押されて、北海を渡ったということが1つの理由です。

また、この時代にヨーロッパ全域で温暖化がはじまり、イギリスでもブドウが収穫され、ワインが製造できたといいます。イギリスのような北方地域でも、作物の増産が見込まれ、森林地帯を伐採し、大規模な開墾が行なわれます。農業生産力の向上がアングル人やザクセン人の移住を大規模に誘発したのです。

七王国の1つ、ケント王国（357ページ図28-1参照）を建国したのはジュート人です。ジュート人もゲルマン人の一派ですが、アングル人やザクセン人とは異なる一派で、ユトラント半島北部に居住していました。アングル人やザクセン人と同じ時期にイギリスに移住します。少数派であったジュート人はアングロ・サクソン人に同化していきます。

17世紀に、イギリス人がアメリカ新大陸に入植し、アングロ・サクソン人はイギリス人とアメリカ人の両方を指すようになります。これが今日においても、「世界の支配者」と呼ばれるアングロ・サクソン人のルーツです。

❖イギリス人のもう1つの血脈

しかし、イギリス人はアングロ・サクソン人の血統だけを受け継いでいるのではなく、ノルマン人（SECTION31参照）の血統も濃く受け継いでいます。

アングロ・サクソン人は七王国の分裂の時代を経て、827年、ウェセックス王国のエグバート王が七王国を統一します。そして、エグバート王の孫のアルフレッド大王の時に最盛期を迎えます。

同時期に、ノルマン人の動きが活発になります。デーン人はデンマーク系ノルマン人で、デンマーク・ユトランド半島からたびたびイングランドに侵入していました。アルフレッド大王は893年、これを撃退、アングロ・サクソン王国を防衛します。
しかし、アルフレッド大王の死後、デーン人の侵入を防ぎ切れず、1016年、デンマーク王カヌート（クヌート）がイングランドを征服し、デーン朝を創始します。デーン朝はデンマーク、ノルウェー、イングランドを領有します。

図28-3｜ノルマンディー公国

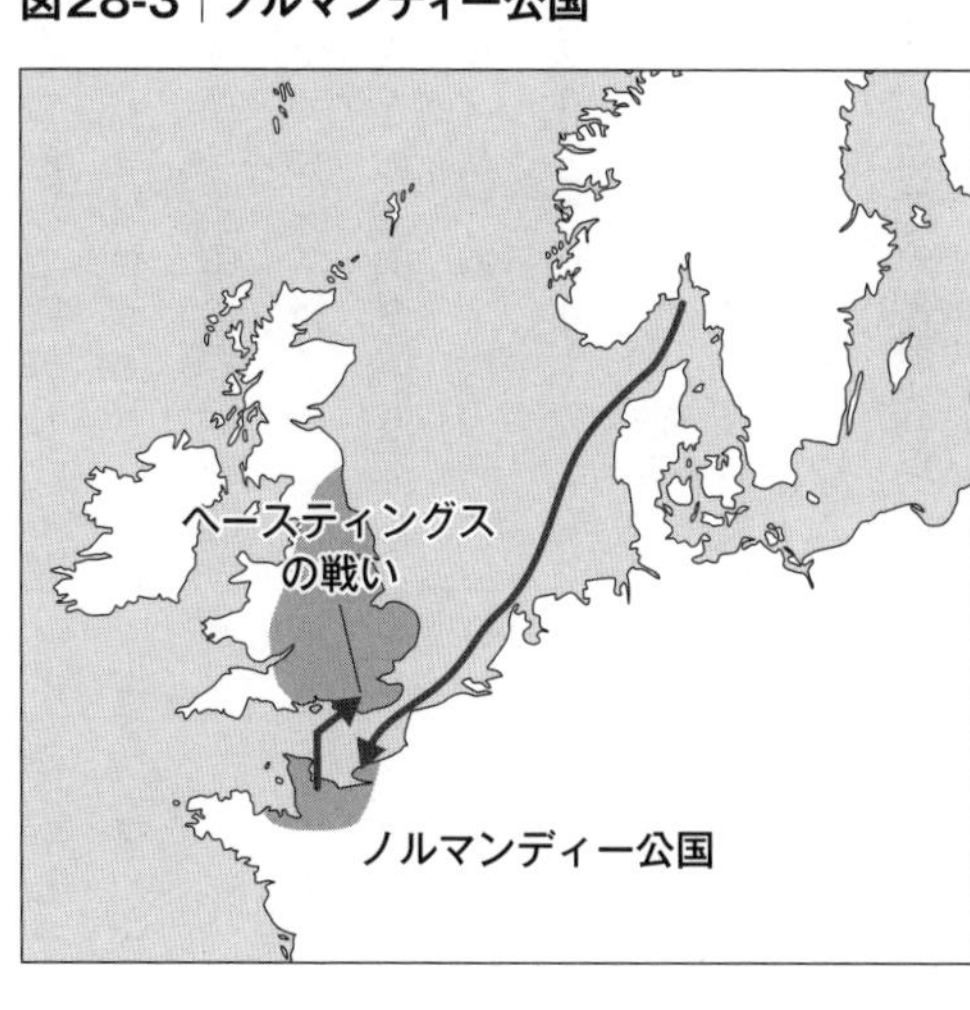

カヌートの死後、アングロ・サクソン人の王国が一時的に復活しますが、ノルマン人の侵入は止みません。北フランスに、ノルマンディー公国というノルマン人領邦があり、イングランドに野心を持っていました。ヴァイキングの首領の1人であったロロは911年、北フランスに侵入しました。西フランク（フランス）王のシャルル3世はノルマン人の勢いに抗しきれず、逆に彼らを懐柔しようとし、ロロをノルマンディー公に封じます。
ロロの5代後のノルマンディー公ウィリアムは1066年、ドーヴァー海峡を越え、デーン

人との抗争で疲弊したイギリスを攻撃します。ヘースティングズの戦いで勝利、これを「ノルマン・コンクエスト」といいます。ウィリアムはノルマン朝を創始、ウィリアム1世となり、イギリス王室の端緒を開きます。

ノルマン人はこのようにイギリスで支配者層を構成するものの、多数派のアングロ・サクソン人との混血を繰り返し、早くも12世紀には、ノルマン人はアングロ・サクソン化されます。ウィリアム1世の時代には、北フランスにあったノルマンディー公国のノルマン人はフランス人化していました。ウィリアム1世はイギリスにやって来た時、フランス語しか話せませんでした。しかし、彼らの言語であったフランス語はイギリスで、ほとんど浸透せず、依然、アングロ・サクソン人の英語が強かったのです。

アングロ・サクソン人が多数派であったため、英語が強かったのですが、もう1つの理由として、英語が習得容易な簡便な言語であったということが挙げられます。英語はフランス語やドイツ語などと比べて、文法や発音がシンプル、単語の性別もなく、実用的です。実用重視で合理主義的姿勢というものがアングロ・サクソン人の大きな特徴でした。アングロ・サクソン人はノルマン人に政治的に支配されましたが、文化的には逆に、彼らを支配したのです。

❖複合民族としてのイギリス人

ノルマン朝はドーヴァー海峡を挟み、イギリスと北フランスにまたがっていた国で、フランスとの交通が盛んでした。ノルマン人のイギリス征服により、フランス人の血もアングロ・サクソン人にもたらされました。

このように、アングロ・サクソン人はノルマン人やデーン人などの北方ゲルマン人と混血し、さらにはフランス人とも混血するなど、多様な民族の血を吸収していきます。

5世紀から6世紀にかけてのアングロ・サクソン人のイギリスへの移住よりも前に、イギリスに住んでいた先住民族はケルト人です。アングロ・サクソン人は先住のケルト人をイングランド島の周辺部に駆逐し、ケルト人はスコットランド人・ウェールズ人・アイルランド人となったと一般的に考えられています。イギリスでは、このように、アングロ・サクソン人とケルト人を分ける考え方が浸透していますが、実際には彼らを分けることなどできません。

アングロ・サクソン人がイギリスに移住した時、ケルト人との間に軋轢はありましたが、彼らと交流し、混血もしたと考えるのが自然です。近年の遺伝子分析によっても、イギリスにおけるアングロ・サクソン人とケルト人を明確に区分することはできないという結果が出ています。

イギリス人は純粋なアングロ・サクソン人であるという民族主義的な解釈がありますが、実際にはそうした解釈は成立しません。先住ケルト人はアングロ・サクソン人によって、イングランド島の周辺部に駆逐されたという従来の「一掃説（wipe-out theory）」も実際には相当、疑わしく、むしろ、ケルト人とアングロ・サクソン人は漸次、不可分に融合していったと捉えるほうが実態に近いでしょう。

総じて、イギリス人とは、アングロ・サクソン人を基礎に、ケルト人の血、その他、ノルマン人やフランス人などの血も含む複合民族だと言うことができます。

アングロ・サクソン人というものは民族の純粋な血統として、もはや存在しませんが、それは概念的に捉えられ、政治的に利用されることがしばしばあります。イギリスやアメリカ、また、オーストラリアを加えた総体概念として捉えられる時、また、アイルランド人やスコットランド人などのケルト人が分離運動を起こす時に、敵対概念としてイギリス本土人を一括りにする時など、「アングロ・サクソン人」が利用されるのです。

❖イギリス人の領域枠の意識

ノルマン朝の3代目王のヘンリー1世には、男子の世継ぎがなく、娘のマティルダを王位継承者としました。しかし、マティルダは従兄との王位継承戦争に巻き込まれたため、父王の死後、ほんのわずかな期間、在位したに過ぎず、追放されてしまいます。

マティルダはフランス人貴族のアンジュー伯と結婚しており、男子がいました。このマティルダの子が力をつけ、イギリスに攻め込み、イギリスの王位継承権を獲得、1154年、イギリス国王ヘンリー2世となります。ヘンリー2世は女系王として、プランタジネット朝を創始します。ちなみに、「プランタジネット」とはマメ科の植物で、後の時代に、これを家紋としため、アンジュー家の家名になります。

　アンジュー家の出自はフランク人であり、ノルマン人のノルマンディー公国の南側に位置するアンジュー地方を所領にしていました。アンジュー家は1152年、婚姻関係にあったアキテーヌ伯領をも継承します。こうして、アンジュー家の領土はイギリスとフランスにまたがる広大なものとなり、「アンジュー帝国」とも呼ばれます。また、アンジュー伯として、カペー朝のフランス王の臣下でありながら、国王を凌ぐ力を持ちます。

　アンジュー帝国のようなクロスボーダーな領邦があったとはいえ、イングランド島と大陸は海によって隔絶されていることから、また、英語とフランス語の言語の相違からも、イギリス人とフランス人という民族の相違は意識されていたと考えられます。

　アンジュー家をはじめとする支配層はノルマン朝と同様に、短期間でイギリス化（アングロ・サクソン化）されます。英語が宮廷で使われ、彼らは自らをイギリス人と明確に意識するように

図28-4｜プランタジネット朝・アンジュー帝国（ヘンリー2世時代）

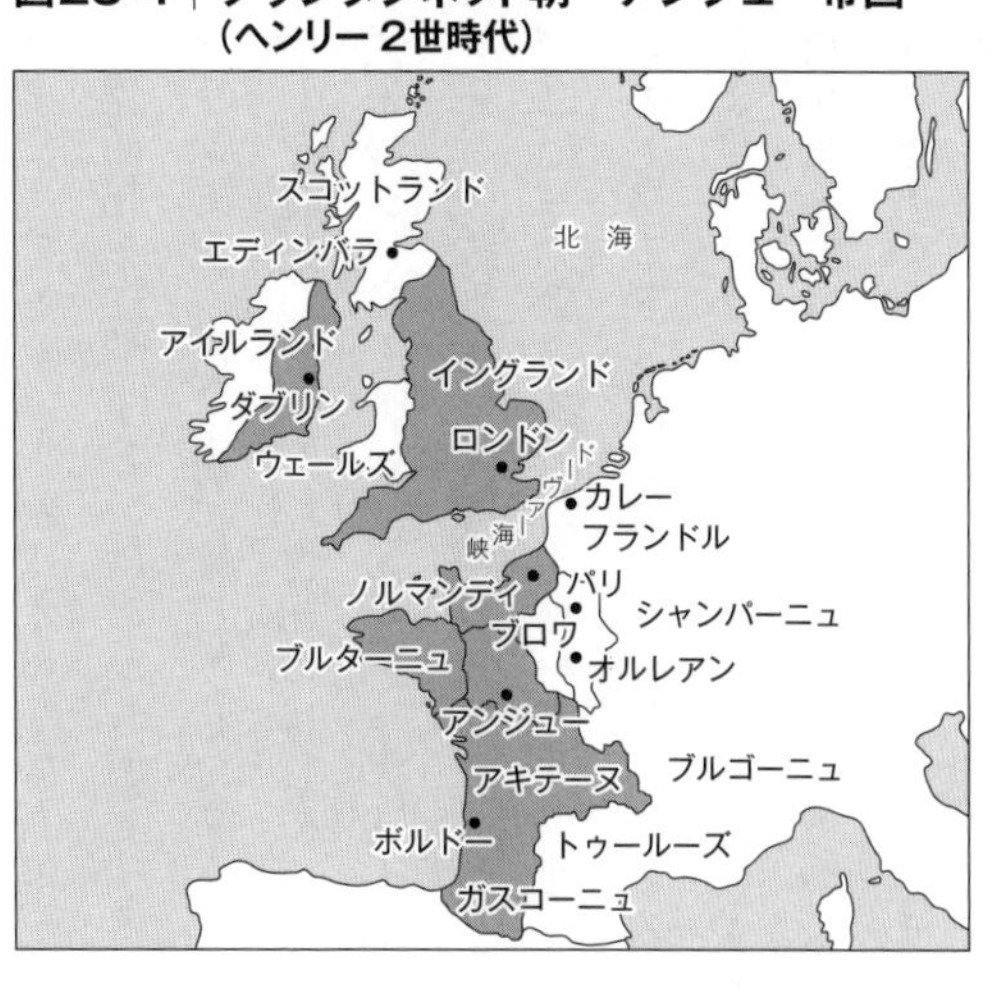

なります。アンジュー家はイギリス人の王室と大陸でも認知され、それがゆえに、イギリス人が大陸領邦を支配するのはおかしいとするフランス人の疑問や不満も募りました。

フランス王（カペー朝）はこうしたフランス人の民族感情に便乗し、アンジュー帝国の領土切り崩しを企図します。13世紀のはじめ、フランス王フィリップ2世はプランタジネット朝の第3代王のジョンと戦い、ノルマンディー地方やアンジュー地方などを奪います。そのため、ジョン王は「失地王」と呼ばれます。

14世紀、フランス王シャルル4世が継承者を残さず没すると、プランタジネット朝の第7代王のエドワード3世は自らの母がフランス王家の出身であることを理由に、フランス王位を要求します。フランス（ヴァロワ朝）はこれを認めず対立、英仏百年戦争がはじまります。

百年戦争では、イギリスが次第に劣勢に追いやられ、１４５３年にイギリス領であったアキテーヌ地方の中心地ボルドーを占領されます。イギリスはカレーを除いて、フランス本土の領土を失いました。

こうして、大陸との接合性を事実上、失ったイギリスはそれとともにイングランド島の領域枠の意識が強く共有されて、国や民族のかたちが明確になります。大陸の煩雑な抗争に巻き込まれるリスクから解放され、内政を充実させ、イギリス人の国家としての新たな歩みと指針を得ることになったのです。

❖イングランド人に抵抗したウェールズ人

イギリス国旗は「ユニオン・ジャック」と呼ばれます。「ジャック」は船につける旗章のことです。ユニオン・ジャックは1801年、大ブリテンおよびアイルランド連合王国が成立した時、イングランド、スコットランド、アイルランドの旗を組み合わせてデザインされました。イギリスは今日でも、イングランド、ウェールズ、スコットランド、北アイルランドの諸邦から成る連合王国です。

ところが、ウェールズの旗だけはユニオン・ジャックには含まれていません。スコットランドは1603年にイングランドと合邦、アイルランドは1801年に併合されました。ウェールズはそれよりもずっと以前の1282年にイングランドに併合され、歴史的に長い間、イングランドと一心同体と見なされたため、ウェールズの旗は別個、ユニオン・ジャックに取り入れられることはなかったのです。

ウェールズ人はもともとスコットランド人やアイルランド人と同じく、ケルト人の一派です。今日でも、英語とは異なるケルト語系のウェールズ語を母語にしています。

ウェールズ人は5世紀からはじまるアングロ・サクソン人の侵入に抵抗し、征服を免れました。この時代、アングロ・サクソン人と勇敢に闘ったアーサー王の伝説がウェールズ人に伝承されています。ウェールズ語読みで、「アーサー」は「アルスル」です。9世紀前半、サクソン人のエグバート王が七王国を統一した時も、ウェールズ人は抵抗しています。

1066年のノルマン・コンクエストの時もノルマン人と戦い、独立を維持しました。ウェールズでは13世紀、グウィネズ家が各部族を統合しました。グウィネズ家はイングランド国王（プランタジネット朝）のヘンリー3世により、ウェールズ大公（プリンス・オブ・ウェールズ）に封じられます。ヘンリー3世の子のエドワード1世はグウィネズ家をはじめウェールズ人に圧力をかけます。これに反発したウェールズ人は1282年、イングランドに対し、反乱を起こします。エドワード1世はこの反乱を鎮圧し、ウェールズを併合しました。

併合後も、ウェールズ人は独自の民族意識を強く持ち続け、ウェールズ語などの民族文化を守りました。しかし、今日では、ウェールズ語を話すことのできるウェールズ人の割合は著しく減少しているといわれ、その割合はおおよそ、20％とされます。

エドワード1世がウェールズを併合した時に、長男のエドワードをウェールズ大公に任命しました。これ以来、現在に至るまで、イギリス王室の皇太子には、「プリンス・オブ・ウェールズ」の称号が与えられることが慣習となっています。

ちなみに、この「プリンス」には、皇太子や王太子の意味はなく、ラテン語の「プリンケプス（君主）」を語源とする「大公」の意味で使われています。したがって、「プリンス・オブ・ウェールズ」を「ウェールズ皇太子」と訳すのは間違いであり、正しくは「ウェールズ大公」となります。

SECTION 29

アイルランド人、スコットランド人、ウェールズ人

ケルト人の血統と文化

❖ハロウィンとケルト人の死生観

ハロウィンで、仮装をしてカボチャのランタンをつくるのは、ケルト人の古い風習に起源があります。ケルト人は10月31日を1年の終わりとし、作物を神に捧げ、人々は夜火の周りで踊りました。

この日の夜に、死者の霊があの世からやって来ると信じられていました。死者の霊に拐われることのないように、死者の霊と似たような格好をして、人間だと思われないようにしようということで、仮装をする習わしとなったのです。

カボチャのランタン「ジャック・オー・ランタン」をつくるのは、アイルランドのケルト人がはじめたことです。

アイルランドの民間伝承で、悪知恵の働くジャックという男の話があります。ハロウィンの夜、ジャックは悪魔に出会いましたが、悪知恵を用いて、悪魔に魂を取らせないように約束さ

せました。ジャックが寿命を迎えて死んだ時、地獄に落ちますが、以前、出会った悪魔と再会し、「お前の魂は取らないと約束した」と言われ、地獄から追い払われてしまいます。

行くあてもないジャックの魂を哀れんだ悪魔が、地獄の火を分け与えてやったのです。ジャックはその火を、カブをくり抜いたランタンに入れました。ランタンを持ったジャックの霊はいまでもあの世とこの世の間を彷徨っているそうです。

ジャックのランタンは魔除けの火と信じられて、ハロウィンで「ジャック・オー・ランタン」として使われるのです。この習慣が19世紀以降、アイルランド人移民によって、アメリカに伝わります。アメリカでは、カブが実らなかったので、代わりにカボチャを使い、現在のような形になっています。10月31日はキリスト教の「万聖節(オール・ハロウall hallow)」の前夜であることから、「オール・ハロウ・イブ(all hallow eve)」とされ、「イブ(eve)」が「イーン(een)」に変化し、「ハロウィン」となります。

ケルト人はゲルマン人と同じく、6世紀以降、キリスト教化されますが、それ以前、ドルイド教という自然崇拝の多神教を信仰していました。ドルイド教では、霊魂の不滅が強く信じられており、こうした特徴がハロウィンの風習とも結び付いています。カエサルは『ガリア戦記』において、自らの死によって霊魂の浄化を遂げようとする勇敢なケルト人兵について、言及しています。キリスト教化されてからも、ケルト人たちは自然崇拝の思想を継承し、他のヨーロッパ人にはない独自の文化や装飾芸術を生み出していきます。

アイルランドの詩人ウィリアム・バトラー・イェイツ（1865〜1939）は、ケルト人が常に、霊魂の世界である「異界」を抱きながら生きてきたと述べています。イェイツはアイルランド文芸復興の担い手で、ケルト人の神話や伝承に、詩の主題を求め、民族の意識の中に深く眠る「異界」との接触を模索しながら、神秘主義的な作風を形成していきます。

❖ゲール人とゴール人

ケルト人の「ケルト」はギリシア語で「よそ者」を意味する「ケルトイ（keltoi）」に由来しています。古代ローマでは、ケルト人は「ケルタエ（Celtae）」と呼ばれました。

ケルト人はインド・ヨーロッパ語派の一派で、紀元前1500年頃には、ラテン人やゲルマン人などの他のヨーロッパ人よりも先に、ドナウ川やライン川沿岸のヨーロッパ中部に定住しはじめたため、「ヨーロッパの先住民族」とされます。

紀元前7世紀頃には、ブリテン島を含むヨーロッパ全域に分布拡散します。しかし、ローマの勢力拡大により、紀元前1世紀に、ケルト人はローマ人によって支配されます。ローマ人の支配はブリテン島にまで及びます。4世紀には、ゲルマン人がヨーロッパ西部に進出し、5世紀にはアングロ・サクソン人がブリテン島に進出し、ケルト人の勢力は最終的にスコットランド、アイルランド、ウェールズ（イギリス南西部）、ブルターニュ（フランス北西部）などのヨーロッパ端部にのみ残存することになります。その他の地域にいたケルト人はゲルマン人やラテン人などに吸収同化されていきます。

しかし、ヨーロッパ端部に残存したケルト人も長い年月の中で、ゲルマン人（アングロ・サクソン人を含む）やラテン人などの他のヨーロッパ人と混血します。今日では、純粋なケルト人の血統は残っていません。ケルト人は少数民族とされますが、他のヨーロッパ人と孤絶された血統を継承しているわけではないのです。

それでも、前述の文化や芸術に、ケルト人の世界観が残り、さらに言語においても、ケルト語が今日に至るまで受け継がれ、ケルト人のアイデンティティとなっています。スコットランド・ゲール語、アイルランド語、ウェールズ語、ブルトン語などはケルト語です。ケルト語はゲルマン語族の英語とは異なります。ケルト語は言語上、イタロ・ケルト語族に分類され、ゲルマン語よりも、ラテン語に近接しています。

ケルト語は「ゲール語」とも呼ばれます。「ゲール（Gaeil）」とはウェールズ語で「襲撃者」を意味する「ゴイデル（gwyddell）」に由来しています。また、「ゲール人」はケルト人を指します。

紛らわしいのですが、古代では、ケルト人を「ゴール人」とも呼んでいました。「ゴール（Gaule）」はフランス語で、「ガリア」のことです。ガリアはカエサルの『ガリア戦記』にもあるように、イタリア半島よりも北側の全域を指す言い方でした。このエリアに、ケルト人やゲルマン人などの非ラテン人が居住しており、カエサルらローマ人は彼らをまとめて、「ガリア人」

と呼んでいたのです。

「ガリア人」は本来、ケルト人だけでなく、ゲルマン人も含んでいますが、狭義には、ケルト人だけを指すこともあり、特にフランス語で「ゴール人」と表現した時には、ケルト人を指すということが一般的です。このように、「ゲール人」と「ゴール人」はともにケルト人を指しますが、その由来が異なっているのです。

ちなみに「ガリア」はカエサルの時代よりも後、ローマ帝国の属州行政区画の名称として用いられるようになります。この場合の「ガリア」は現在のフランス一帯を指します。

「ゲール語」は図29-1のように、6つの地域で使用されており、それぞれの地域で用法や語彙が異なりますが、言語的に共通の基層をなすものです。ケルト語には、もともと文字がありませんでした。しかし4世紀頃、ラテン文字の影響を受けて、オガム文字がつくられます。

図29-1｜ケルト語が話されている地域

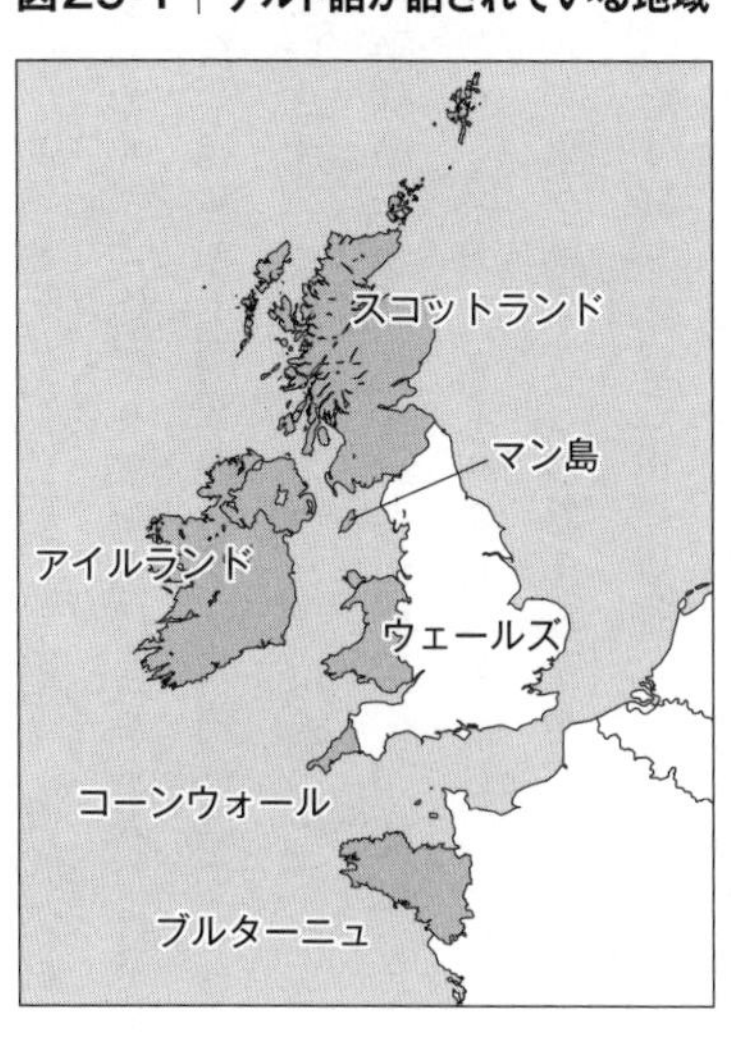

❖ウェールズ人とブルターニュ人

イングランド西方の「ウェールズ（Wales）」は古ゲルマン語の「ヴァルハ（Walha）」（「異

邦人」という意味）から来ています。古代ゲルマン人がケルト人を、このように呼んだのがはじまりです。古代ゲルマン人はケルト人だけでなく、その他の民族も「ヴァルハ」と呼んでいました。ベルギー南部のフランス語を話すワロン人の「ワロン（Wallon）」も「ヴァルハ」から来ています。また、ルーマニアはかつて「ワラキア」と呼ばれており、「ヴァルハ人の国」という意味の「ヴァラヒア（Valahia）」が変化しました。

ケルト系のウェールズ人は英語と異なるウェールズ語を話します。しかし、今日では、ウェールズ語を話すことのできるウェールズ人は約20％しかいません。

ウェールズ人は5世紀以降、アングロ・サクソン人の侵入に抵抗してきました。アングロ・サクソン人と戦ったアーサー王の伝説はウェールズ人によって伝承されました。ウェールズ人は1066年、ノルマン人が侵入してきた時も、彼らと戦いました。長く、独立を維持してきたウェールズ人でしたが、13世紀に、イングランド国王エドワード1世がウェールズ人に圧力をかけます。ウェールズ人は激しく抵抗しましたが、ついに1282年、併合されます。

1485年、テューダー朝を開いたイングランド王のヘンリー7世の祖先はウェールズ人の君主（ウェールズ大公）でした。そのため、ヘンリー7世は挙兵の際に、ウェールズ人に積極的に働きかけて、自軍に加えました。

ヘンリー7世はウェールズ人を重用し、宮廷内において枢要な地位を与えました。エリザベス1世までの歴代のテューダー朝の王に、ウェールズ人は一貫して協力し、大きな政治的な力を持ちました。ウェールズ人はそれまで、イングランドの統治を嫌い、同化を拒み続けましたが、テューダー朝以降、イングランドとの同化が進みます。

1536年の合同法により、これまで事実上併合されていたウェールズを法的に統合し、イングランドとウェールズの単一国家が形成されます。

フランス北部のブルターニュ地方のケルト人の入植は主に、ウェールズ人によって行なわれたと考えられています。5世紀にアングロ・サクソン人のブリテン島への侵攻がはじまり、ウェールズのケルト人はこれに対抗するため、結束しました。ウェールズ人の活動が活発となり、この時期に、コーンウォールを経て南下し、ブルターニュに入植します。ブルターニュ地方では、ウェールズ人が入植する以前の紀元前の時代から、もともとケルト人が居住しており、さらに、ウェールズからのケルト人が重なって居住することになります。

ブルターニュでは、ケルト系の中小の勢力が割拠する時代が長く続きましたが、フランク人の強大化とともに、勢力を結束させる必要が生じ、9世紀半ば、ブルターニュ王国が形成されます。ブルターニュ王国の「ブルターニュ（Bretagne）」は「ブリテン」に由来しています。古代ローマ人はブリテン島に住んでいたケルト人らを「ブリトン人」と呼んでいました。「ブリトン」は「ブリテン」のことですが、この言葉にどのような意味があるのか、語源などははっきりとわかっていません。

ローマ時代から使われていた「ブリトン人」という呼称が、彼ら自身に継承されており、ブリトゥン人の王国という意味を強調するために、「ブルターニュ王国」という国名となったのです。

ブルターニュ王国はイギリスとフランスの両王国に挟まれながらも、巧みな外交により独立を維持してきましたが、百年戦争の結果、15世紀にイギリスが大陸から撤退することになり、フランスの影響力が強くなります。そして、ついに１５３２年、フランスに併合されます。

❖ケルト文化の継承者、アイルランド人

「アイルランド」の「アイル」はケルト語で「エール（Éire）」、英語読みで「アイル」です。「エール」が何に由来する言葉なのか、様々な説があります。アイルランドにいた部族名を表わしているという説やインド・ヨーロッパ祖語の「肥沃な」を意味する「piwer」から来ている（ゲール語では頭の「p」や「f」が落ちる）という説などがあります。

アイルランドには、ローマ帝国の支配も及ばず、５世紀におけるブリテン島へのアングロ・サクソン人の侵攻も、アイルランドには及びませんでした。

しかし、12世紀後半以降、イギリスのプランタジネット朝の支配が及び、アングロ・サクソン人がアイルランドに移住し、ケルト人との混血が進みます。ピューリタン革命で政権を握ったクロムウェルは１６４９年、アイルランドに侵攻し、植民地化をはじめます。これ以降、アイルランドはイギリスに従属させられるようになります。

イギリスはカトリックのアイルランド人を弾圧します。北アイルランド（アルスター地方）では、イギリス人の入植が進み、国教会の住民が多数となります。

18世紀後半、アメリカの独立、フランス革命などの影響で、アイルランドで独立の気運が高まり、これを警戒したイギリスは1801年、アイルランドを併合し、「大ブリテンおよびアイルランド連合王国」となります。しかし、カトリックを信奉するアイルランド人の独立運動は止みませんでした。

1845年、ジャガイモ飢饉と呼ばれる食糧危機（病疫によりジャガイモがヨーロッパ全域で不作となったことをきっかけに起こった）が発生し、多くのアイルランド人がアメリカに移住します。19世紀のアメリカでは、ドイツ人移民に続いて多かったのが、アイルランド人移民でした。

アイルランド人は貧窮していましたが、自治権の獲得など、イギリスに対し政治闘争を続けました。20世紀に入り、アイルランドの独立をめざすシン・フェイン党が結成されます。「シン・フェイン」とは、アイルランド語で「われら自身」を意味します。シン・フェイン党をはじめ独立派がイギリスに激しく抵抗し、ようやく、第二次世界大戦後の1949年に、イギリス連邦から離脱して独立し、アイルランド共和国となります。

しかし、北アイルランドはイギリス連邦に留まり、多数派のイギリス国教会を奉ずるイギリス人住民と少数派のカトリックを奉ずるアイルランド人が対立します。少数派のアイルランド人は政治的・経済的に、差別されました。

図29-2｜アイルランドとイギリス

北アイルランドのアイルランド人はアイルランド本体との合併をめざし、1969年、アイルランド共和軍（IRA）を結成し、70～80年代にテロ攻勢をかけます。90年代に和平が進み、鎮静化しました。

アイルランド人の多くは英語を話すことができますが、母語はアイルランド・ゲール語であり、公用語にも指定されています。しかし、アイルランド人が実際に日常的に使っている言語は、アイルランド方言の英語がほとんどです。アイルランドでは、義務教育でゲール語は必修科目となっており、ゲール語の使用が民族文化を保持するためにも推奨されていますが、英語が使われる割合がアイルランド社会の中でますます増大しています。アイルランド人は気難しい気質のイギリス人と比べると明るくて豪放、悪く言うと酒飲みで粗野なところが特徴です。

❖スコットランド人の反イングランド感情

ています。この「スコット」自体が部族名を指すものなのか、地名を指すものなのかはわかっていません。ローマの帝政時代には、「スコット」という呼称がすでに使われていました。

スコット人は古来、南のイングランドと異なる王国や社会、文化を形成しました。シェークスピアの悲劇でも有名なマクベス王は11世紀半ばの実在のスコットランド王です。

しかし、1707年のイングランドとの合併以降、イギリス化されていきます。スコット人はスコットランド・ゲール語という独自の言語を持っていましたが、その使用が禁止され、英語が使われるようになります。今日、スコットランド・ゲール語はスコットランド西海岸など一部で使用されていますが、近い将来、消滅する言語であるという指摘もなされています。

13世紀末以降、イングランド国王はスコットランドに侵攻しますが、スコットランド人は激しく抵抗し、王国の独立を守ります。

1485年、テューダー朝を創始したイングランド王ヘンリー7世はスコットランドと和睦し、娘のマーガレットをスコットランド国王ジェームズ4世（ステュアート朝）に嫁がせます。ジェームズ4世とマーガレットの孫にあたるのが有名なメアリ＝ステュアートで、その子がジェームズ6世です。1603年、イングランド王のエリザベス1世が死去し、テューダー朝が断絶すると、スコットランド王ジェームズ6世がイングランド王に迎えられて、ジェームズ1世として即位し、スコットランドとイングランドは同君連合（ステュアート朝）となります。ジ

ジェームズ1世（ジョン・ド・クリッツ画、1605年頃、プラド美術館蔵）
イングランドを愛し、イングランド王になってから、スコットランドに1度しか帰らなかった。

エームズ1世はエリザベス1世の遠戚にあたります。

ジェームズ1世はイングランドとスコットランドの統一を望みましたが、両国は強硬に反対します。両国はそれぞれ議会を有しており、国家としては別個の存在でした。それでも、ジェームズ1世は「グレートブリテン王（King of Great Britain）」と名乗り、両国の統合の王として振る舞いました。

同君連合となったものの、スコットランド人の反イングランド感情は根強く、スコットランド人の反乱が続きます。ピューリタン革命中、クロムウェルがスコットランドを征服し、両者の対立感情が頂点に達します。名誉革命によって即位したウィリアム3世は南部のスコットランド人を懐柔しましたが、抵抗を続ける北部のスコットランド人を弾圧し、1692年、北部豪族のマクドナルド一族を虐殺しました（グレンコーの虐殺）。

18世紀に入ると、南部スコットランド人を中心に、イングランドとの完全合同で、経済成長を目指す動きが活発化します。特に、急速に台頭した商工業者が合同を主導しましたが、多くの庶民は合同を否定しました。しかし、ついにスコットランドとイングランドは1707年に統合され、グレートブリテン王国となります。

反イングランド感情は今日でも未だに残っています。スコットランドでは、1990年代、イギリスからの分離独立の要求が強まり、2014年、住民投票が実施されましたが、10%以上の得票差で独立は否決され、イギリスに残留することになります。独立派からは、スコットランドはかつて独立した王国であったにもかかわらず、300年前、イングランドによって、不当な併合を強いられたとする歴史認識があり、スコットランド人としての歴史を取り戻すためにも、分離独立を果たさなければならないとする主張がなされています。

第8章 北欧、ベネルクス三国、スイス

SECTION 30

北欧人①

その祖先スヴェーア人、デーン人、ノール人

❖金髪・碧眼のブロンディズムの遺伝子

北欧には、金髪碧眼の白人的な容姿を持った人が多く、これは民族の遺伝子としてハプログループIと深く関係しているとされます。ハプログループIが高頻度に見られたのは北欧人とバルカン半島人です。ハプログループIはもともと洞窟壁画を残したクロマニョン人の遺伝子です。

ハプログループIの高頻度分布が北欧とバルカン半島の飛び地になっている理由として、ウクライナ方面から紀元前4000年~紀元前3000年頃にやって来た遊牧民インド・ヨーロッパ語派が中央ヨーロッパに進出し、ハプログループIの集団が南北に押しやられて、分断されたと考えられます。このインド・ヨーロッパ語派はハプログループR1bの遺伝子を持ち、ラテン人、ケルト人、ゲルマン人となります。

ハプログループIの遺伝子を持つ民族の言語はインド・ヨーロッパ語に言語交替し、失われています。このことからも、インド・ヨーロッパ語派の征服が急進的であったことがわかります。

ちなみに、同じハプログループIの中でも、I1系統が北欧に、I2系統がバルカン半島に多いという特徴があり、I2系統がより古い層であるということもわかっています。つまり、I1系統はI2系統から派生したと見られます。

欧米人の間では、北欧に対する憧れのようなものがあります。金髪碧眼のいわゆるブロンディズムを体現した美しい容姿、そして、近代において産業化を免れ、世俗とは隔絶された神話的世界、こうしたイメージが北欧について根強くあります。

北欧人はヨーロッパの中でも、他人種と混血せず、純血を最も保った人種と尊ぶノルディキズム（北方人種優位主義）の考え方も、民族主義者の間で信じられてきました。特に、ナチスが、「北方人種はアーリア人としての純血を保った人種」であると称賛しました。

しかし、北欧に行けば、すぐにわかることですが、北欧人のすべてが金髪碧眼なのではなく、色々な人種の血が混じっている民族であることがわかります。肌の色も必ずしも白いわけではなく、褐色肌も少なからず見られます。民族主義者が言うような、北欧人が純血を保った白人という主張に、根拠はありません。

むしろ、北欧はバレンツ海沿岸を経由して、北方アジアと近接しており、古来、アジア系民族が頻繁に侵入した地域であり、「アーリア人としての純血」が保たれていなかった側面もあります。また、北欧人は海洋民族として、内陸民族以上に、外地との接触が頻繁であり、盛んな交流の中で混血も進んでいたものと考えられます。

北欧というと、北方の辺境僻地という先入観があり、外部と隔絶されているかのようなイメージがありますが、歴史的に諸民族の交流の重要な拠点となっていたという事実に着目しなければなりません。

❖北欧人の礎となった三民族

タキトゥスは著書『ゲルマニア』の中で、スカンディナヴィア半島の北欧人について言及しており、彼らを「スヴェーア人」と呼んでいました。「スヴェーア」は「我ら自身」という意味で、他民族から「お前たちは何者だ」と問われた時に、「我ら自身」と答えたことから、このように呼ばれるようになったと推測されます。「スヴェーア」は「スウェーデン」の語源となります。6世紀半ばに、スヴェーア人は諸族を統合し、スカンディナヴィア半島の統一王国を形成します。

一方、ユトランド半島では、デーン人が5世紀後半、諸族を統合し、統一王国を形成します。「デーン」とは古ノルマン語の「谷」を意味する「デニール（danir）」に由来するとされています。また、古ノルマン語で「デーン人の土地」を意味する「ダンメルク（Danmörk）」が「デンマーク」の国名となります。デーン人の王国は7世紀半ばに強大化し、スカンディナヴィア半島のスヴェーア人の王国を一時的に征服しています。

これ以降、ユトランド半島人のデーン人とスカンディナヴィア半島人のスヴェーア人はほとんど区別がつかなくなるほどに混血し、彼らはまとめて「ノルマン人（北方の人）」と呼ばれます。いずれにしても、彼らはゲルマン人の一派です。

デーン人とスヴェーア人はその後も、離合集散を繰り返し、それぞれの王国を建国していますが、両者が民族的に融合し、不可分なものになっていくのは変わりません。ただ、便宜的に、後世の人々がユトランド半島の集団をデンマーク人と呼び、スカンディナヴィア半島の集団をスウェーデン人と呼んだのです。

スカンディナヴィア半島の西側（現在のノルウェー）にいたのがノール人です。「ノール（nor）」は「北方の」を意味します。「ノルウェー」の国名は「北の航路」や「北の道」を意味する古ゲルマン語の「ノルレベク」が英語化したものです。

ノール人は東のスヴェーア人と異なり、部族勢力が分立し、統一されませんでした。そのため、9世紀半ば、スヴェーア人に征服されます。しかし、同世紀後半に、ハーラル1世（美髪王）が出て、ノール人勢力が盛り返していき、ノルウェーを統一しますが、11世紀には、デーン人との抗争に敗れ、征服されます。

ノール人もやはり、デーン人とスヴェーア人との離合集散のなかで混血していき、ノルマン人を構成していきます。「ノール人」はノルウェーに居住していた集団だけを指すのに対し、「ノルマン人」はノール人を含む、デーン人とスヴェーア人の北欧三民族の総称として使われます。

❖北欧三民族の海外植民①——ノール人

北海やノルウェー海に面するノール人は最も海外進出が盛んで、9世紀以降、船団を組み、シェトランド諸島を拠点に、スコットランドやアイルランド、北フランスに進出、さらにフェロー諸島を経由して、アイスランド、グリーンランドに進出しています。

11世紀、グリーンランドに入植した赤毛のエイリークの息子レイフ・エリクソンが北アメリカに到達しています。レイフ・エリクソンはヨーロッパ人として初めて、北アメリカに渡ったとされます。レイフ・エリクソンが上陸した場所は「草原（vin）の地」という意味の「ヴィンランド」と名付けられています。「ヴィンランド」がどこにあたるのか諸説ありますが、現在のカナダのニューファンドランド島と見られています。ニューファンドランド島には、ノール人が使っていたルーン文字が刻まれている遺物や移住の痕跡が発見されています。
しかし、新大陸はあまりにも遠く離れており、その後、移住者が続かず、放棄されます。

図30-1 ｜ノール人の移動ルート

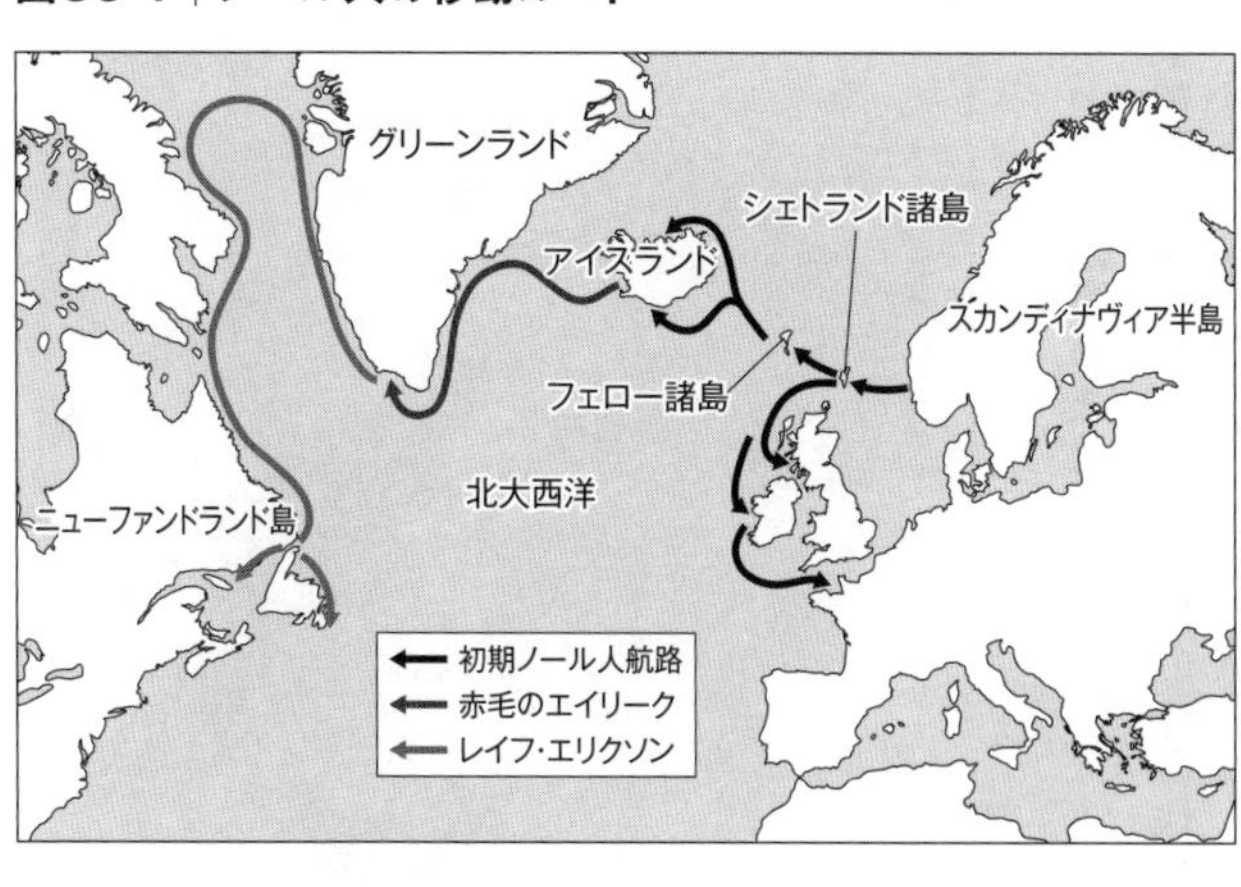

ノール人の有力豪族の首長であったのが、ノルマンディー公国の創始者となるロロです。ロロはノルウェー沿岸部で略奪行為をしたため、ハーラル1世（美髪王）の怒りを買い、所領を没収されます。ロロの集団はノルウェーを離れ、北フランスのノルマンディー地方へ侵攻します。

西フランク（フランス）王シャルル3世はロロを懐柔して、彼に他のノルマン人の侵入を防がせようとします。ロロは911年ノルマンディー公に封じられます。

ロロから数えて5代目のノルマンディー公のウィリアムが1066年、イギリスを征服し、イギリス国王ウィリアム1世となり、ノルマンディー公とイングランド王を兼任します（SECTION28参照）。

ノルマンディーのノール人の有力豪族の1つであ

図30-2｜両シチリア王国

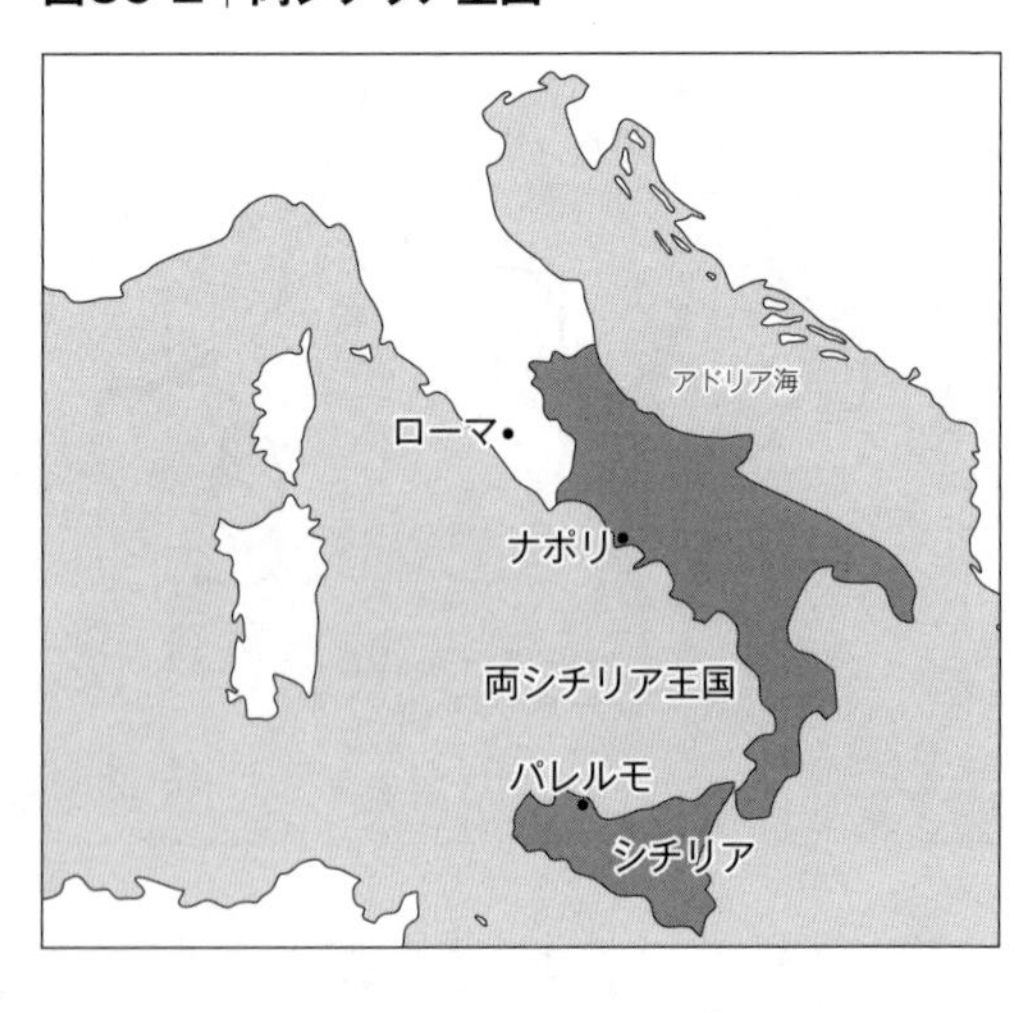

ったオートヴィル家の一族は、11世紀に地中海にも進出します。１１３０年、オートヴィル家のルッジェーロ2世はシチリア島のパレルモを都として王に即位します。シチリア島はイタリア人やフランス人、イスラム教徒などが入り乱れる複雑な地域で、島民は抗争を避けるために、外部の第三者としてのノルマン人に統治を託したのです。

さらに、ルッジェーロ2世は１１４０年頃に、ナポリなどのイタリア半島南部を制圧し、これをシチリアと併せ、両シチリア王国とします。ルッジェーロ2世の両シチリア王国はローマ教皇からも承認されました。

しかし、ルッジェーロ2世の孫の代で世継ぎが途絶え、ノルマン・オートヴィル朝は断絶します。以後、姻戚関係にあったドイツ人（シュタウフェン家）の神聖ローマ皇帝が王位を継承します。

13世紀に、フランスのアンジュー家がパレルモを占領、ドイツ人に代わり、フランス人がナポリなどの南イタリアを含む両シチリアを支配します。しかし、シチリア人は1282年、フランス人に反乱を起こし（シチリアの晩禱事件）、スペインのアラゴン王国がシチリア人反乱軍を支援しました。この結果、両シチリアは、スペイン人が支配するシチリア島とフランス人が支配する南イタリアに分離しました。

❖北欧三民族の海外植民②――スヴェーア人、デーン人

スヴェーア人の有力豪族の首長リューリクがスカンディナヴィア半島から南下し、862年、北ロシアにノヴゴロド国を建国したとされます。リューリクはルス（ルーシ）族の族長と見なされており、この「ルス」が「ロシア」の語源となるとともに、ノブゴロド国がロシア国家の礎となったとされます。「ルス」には、「船を漕ぐ人」の意味があるともいわれます。

しかし、このルス族がノルマン人（スヴェーア人）であったという説について、反論があります。特に、ロシア人学者はルス族は東スラヴ人であったと主張しています。日本の教科書や一般の概説書では、ルス族がノルマン人であったと説明されていますが、ほとんど史料が残っていないため、断定はできません。

ユトランド半島を拠点にしていたデーン人は8世紀末頃からイギリスに進出し、ロンドンも占領します。しかし、9世紀末に、アングロ・サクソン人のアルフレッド大王がデーン人からイギリス南部一帯を奪還することに成功します。ただし、この時、アルフレッド大王はデーン

人を完全にイギリスから駆逐できたのではなく、デーン人の北部支配を認めています。

その後、デーン人とアングロ・サクソン人が一進一退を繰り返しますが、最終的に1013年、デーン人の王スヴェンがイギリスに侵攻し、制圧します。スヴェンが急死したため、その子のクヌート（カヌート）が1016年、イギリス王に即位します。デンマーク王も兼ねたクヌートは両地域を統合し、交易を促進するなど、北海商業圏を拡充しました。

クヌートの勢力は強大化し、これに脅威を感じたノール人やスヴェーア人が結束しはじめると、クヌートはスカンディナヴィア半島にも攻め入り、半島の西南部を支配しました。

クヌートは本国デンマークに在住し、イギリスの統治行政を充分に掌握していなかったこともあり、クヌートの死後、アングロ・サクソン人の王が復活します。以降も、デーン人とアングロ・サクソン人の抗争が絶えず、両者がともに疲弊したところを狙い、ノルマンディー公のウィリアムが1066年、イギリスを征服します。

クヌート後も、デーン人はノール人やスヴェーア人に対して優勢で、スカンディナヴィア半島の西南部を支配し続けました。さらに、バルト海中央にあるゴットランド島を拠点にして、バルト海沿岸地域にも進出しました。これらの地域における交易で栄えたデーン人は13世紀、北ドイツのハンザ同盟諸都市と交易利権を巡り、対立しはじめます。

SECTION 31

北欧人②
強大なバイキングの子孫たちはなぜ衰退していったのか

❖中世を動かしたノルマン人

北欧三民族のスヴェーア人（スウェーデン人の祖）、デーン人（デンマーク人の祖）、ノール人（ノルウェー人の祖）は互いに混血し、分離不可分の同一民族となります。彼らはまとめて「ノルマン人（北方の人）」と呼ばれ、また、「ヴァイキング（入江の民）」とも呼ばれました。

「バイキング＝食べ放題」という言葉は、日本人がつくった和製語句です。１９５７年、東京の帝国ホテルで、北欧のブッフェ形式の「スモーガスボード」が導入されました。日本人にとって、「スモーガスボード」が発音しにくかったため、北欧の人々を表わす古い呼称「バイキング」が使われました。当時、帝国ホテル近くの日比谷映画劇場で上映されていた『バイキング』という海賊物語の映画の中の豪快な食事シーンにも影響されたようです。

ノルマン人あるいはヴァイキングは内陸部の人々にはなかった高度な造船技術や操船技術を歴史的に有し、バルト海や北海のヨーロッパ北部沿岸部の海洋交易で活躍していました。

ヨーロッパ内陸部の発展とともに、物資運搬の需要が急速に拡大し、ノルマン人がそれを請け負いました。ノルマン人は北海・バルト海を横断し、セーヌ川、ライン川、エルベ川、オーデル川などを縦断し、縦と横の動的なラインを組み合わせて、交易ネットワークを形成しました。トラックや鉄道がなかった当時、モノの運搬は海の路を行く船で行なわれていたのです。

ゲルマン人に属するノルマン人のこうした動きを総称して、「第二次ゲルマン人移動」と呼ばれることもあります。

ノルマン人は沿岸地域を略奪した「破壊者」というよりも、海運業によって沿岸部を振興した「創造者」というのが実態です。当初、ノルマン人による沿岸地域の征服拡大が激烈で急進的であったため、また、一部、略奪行為もあったため、海賊というイメージが根強く残ったものと思われます。

彼らヴァイキングは角を生やした兜を装着した屈強な男たちというイメージが一般的ですが、これもつくられたイメージです。ヴァイキングの兜に、角があるものは1つも見つかっていません。彼らは基本的に、交易によって諸民族とつながる友好の民族でした。

水上交易を独占したノルマン人は巨万の富を蓄積し、前節で解説した通り、北フランスやイギリスなどに自らの国を築いていきます。

❖マルグレーテの北欧連合

北欧三国の中では、デンマークがスウェーデンやノルウェーに対し優勢でした。デンマークは大陸とも直接につながり、その地政学的な優位性を活かして、北海とバルト海の両方の海に勢力を拡大していました。

まずデーン人の王（ゴーム老王）が10世紀に王国をつくります（ゴーム朝）。このゴーム朝の第5代王がクヌート（カヌート）です。11世紀には、デンマーク初の本格的な統一王国エストリズセン朝が成立します。

デンマークは1397年、ノルウェー、スウェーデンを支配し、同君連合化（カルマル同盟）しました。3国に君臨したのが有名なマルグレーテ1世です。このマルグレーテ1世はエストリズセン朝末期の王族で、実質的な女王として扱われますが、デンマークでは、女性の王位継承は認められておらず、法的には摂政の立場でした。

マルグレーテはデンマーク王女として、ノルウェー王と結婚しました。マルグレーテの父王が男子の後継ぎを残さなかったので、ノルウェー王妃となっていたマルグレーテが王位には就かなかったものの、事実上の後継者となり、デンマークの実権を掌握しました。

そして、マルグレーテは自分の息子（ノルウェー王との子）をデンマーク王にします。間もなく夫のノルウェー王が死去すると、マルグレーテの息子がノルウェー王位も継承します。マルグレーテの幼少の息子はデンマーク王とノルウェー王を兼任し、このことにより、デンマークとノルウェーの同君連合が成立します。母のマルグレーテは摂政になります。

しかし、マルグレーテの息子は１３８７年、わずか17歳で急死します。マルグレーテは姉の孫（ポメラニア公の一族）を後継者にします。この人物はマルグレーテの又甥に当たります。

一方、この頃、スウェーデンは内紛が続いていました。マルグレーテはスウェーデンを虎視眈々と狙っており、１３８９年、スウェーデンと戦い、制圧します。スウェーデン王を廃位し、又甥を王にしました。この又甥はデンマーク王、ノルウェー王、スウェーデン王を兼任します。１３９７年、マルグレーテの主導でカルマル同盟が結成され、デンマークを中心とする北欧三国の同君連合が成立します。マルグレーテは引き続き、１４１２年に死去するまで摂政として実権を握りました。実質的な女王であったので、「マルグレーテ女王」の通称で呼ばれることもあります。

マルグレーテの又甥も後継者を残さず、死去したため、婚姻関係にあったドイツ人貴族がデンマーク王位を代々世襲します。エストリズセン朝からオレンボー朝（オルデンブルク朝）へと交代します。

さらに、このオレンボー朝が19世紀に断絶すると、姻戚関係にあったグリュックスブルク家のクリスチャン9世がデンマーク王位を継承します。これが現在のデンマーク王室であるリュクスボー朝です。「リュクスボー」はドイツ語読みで「グリュックスブルク」です。グリュックスブルクはドイツ北部のシュレスヴィヒ＝ホルシュタイン州にある郡で、グリュッセルブルク家はここを領地としていたドイツ人貴族の家系です。

クリスチャン9世がデンマーク王に即位した直後に、プロイセン（ビスマルク時代）がデンマークに侵攻します。デンマークは敗北し、グリュックスブルク家はもともとの領地であったシュレスヴィヒ＝ホルシュタイン州の領地をプロイセンに割譲しました。

現在のデンマーク王マルグレーテ2世は、クリスチャン9世から数えて5代目です。デンマーク王室は男系の血統においてはドイツ人です。

❖なぜ、北欧人たちは団結できなかったのか

スウェーデンはカルマル同盟結成以来、デンマークに事実上、支配されてきましたが、16世紀になると、スウェーデン人の反デンマークの動きが活発になります。これに対し、1520年、デンマーク王クリスチャン2世はスウェーデン人独立派を弾圧します。この弾圧は「ストックホルムの血浴」と呼ばれ、多くのスウェーデン人が処刑されました。

スウェーデン人独立派の貴族グスタフ・ヴァーサは民衆を率い、デンマーク軍と戦います。グスタフ・ヴァーサはデンマーク軍の撃退に成功し、スウェーデンを独立させます。1523年、国王に即位し、グスタフ1世となり、ヴァーサ朝が成立します。三十年戦争で活躍し、「北方の獅子」と呼ばれたグスタフ・アドルフもこのヴァーサ朝時代の王です。

スウェーデンはカルマル同盟から離脱し、スウェーデン人独自の国家を形成していきます。一方、ノルウェーはその後もデンマーク支配が続きます。スウェーデンを失ったデンマークの力は弱まり、逆にスウェーデンがデンマークに対し、優勢となっていきます。

しかし、北欧全体の力は17世紀から弱まっていきます。中世の時代に、水上交易で国際的に活躍したノルマン人たちの勢いはすでに過去のものになっていました。北欧が力を失っていく最大の原因は、北欧人たちが団結できなかったことです。

カルマル同盟のような協調の枠組みがありながら、スウェーデン人とデンマーク人は反目していました。そして、「ストックホルムの血浴」のような血で血を洗う民族対立を引き起こしました。ただ、民族対立と言っても、北欧三民族は中世の時代に互いに混血同化し、言語も方言の違いはあったとしても、同じノルマン語を話す民族として、意思疎通も可能で、文化や習俗なども共通していました。

しかし、「海の向こう」という隔絶の感覚がスウェーデン人とデンマーク人にあり、融合することができなかったのです。そのため、カルマル同盟が結成された後、15世紀前半には、デンマークの王都がユトランド半島の東部のコリングからコペンハーゲンに移されます。

コペンハーゲンはスカンディナヴィア半島に隣接するシェラン島の東端部に位置しています。現在では、コペンハーゲンとスウェーデンの都市マルメーを結ぶ全長約8キロのオーレスン橋が掛かっています。

コペンハーゲンの立地には、ユトランド半島とスカンディナヴィア半島を結合させる地政学的な意味がありました。どちらの半島の民族にも偏らない北欧人としての本拠地にふさわしい都市だったのです。それでも、やはり、「海の向こう」という感覚は払拭されず、最終的にカルマル同盟は崩壊します。

その他、北欧人の力が弱まっていく理由として、寒冷地で土地の生産力に乏しく、人口拡大が可能ではなかったことが挙げられます。中世から近世にかけて、ヨーロッパ内陸部では、多毛作導入による農業革命により、食糧が増産され、人口を拡大させていきますが、農耕地が乏しい北欧ではこうした恩恵はありませんでした。

図31-1｜コペンハーゲン周辺地図

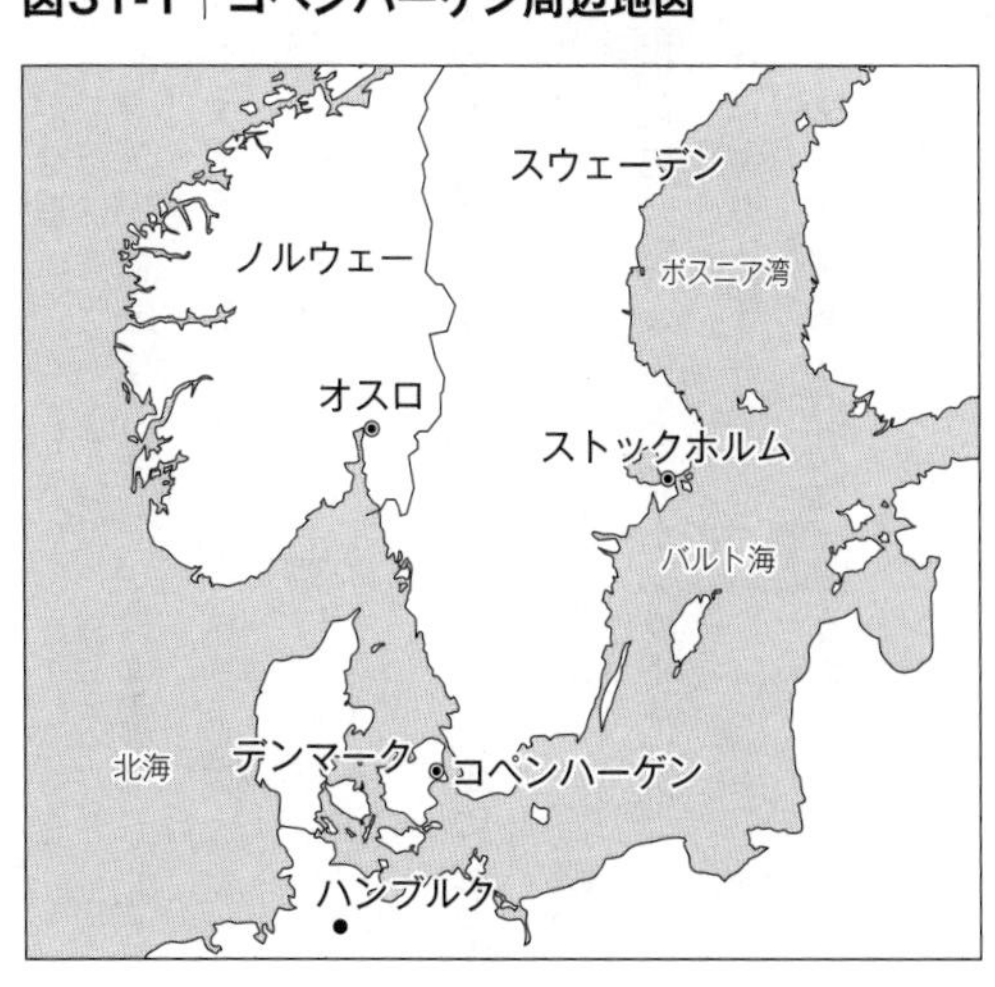

三十年戦争（1618年～1648年）では、北欧はヨーロッパ内陸部に進出すべく、スウェーデン国王グスタフ・アドルフやデンマーク国王クリスチャン4世が活躍しますが、ハプスブルク・神聖ローマ帝国の抵抗も激しく、疲弊しました。スウェーデンはバルト海沿岸のわずかな領地を得たものの、目立った成果を上げること

はできませんでした。

ロシアが台頭するきっかけとなった北方戦争（1700年〜1721年）では、デンマークはスウェーデン憎しの感情からロシア側に立って参戦し、スウェーデンを敗退に追い込みました。以降、ペテルブルグを本拠に、ロシアがバルト海の覇権を握ります。

❖なぜ、フランス人がスウェーデン王になったのか

スウェーデンでは、17世紀の半ば以降、婚姻関係により、ドイツ貴族出身者の王朝が続き、19世紀に、ベルナドット（カール14世ヨハン）を祖とするベルナドッテ（ベルナドット）朝となり、現在に至ります。

ベルナドットは現在に至るスウェーデン王室の祖となる人物ですが、スウェーデン人ではなくフランス人で、ナポレオン軍の指揮官でした。スウェーデン人は自ら進んで、なぜフランス人を王に推戴したのでしょうか。

ベルナドットは軍人で当初、ナポレオンと敵対していましたが、ナポレオンが皇帝に即位すると、態度を変えてナポレオンに追従し、元帥に任命されて活躍します。しかし、ナポレオンとの関係はうまくいっておらず、互いに疑心暗鬼でした。

スウェーデンの老王カール13世には、後継ぎがありませんでした。スウェーデン人たちはナポレオンの勢いに恐れをなし、ナポレオンと連携することを考えていました。そこで、181

0年、スウェーデン議会はベルナドットをスウェーデン王位継承者に指名しました。

ベルナドットが北ドイツでスウェーデン兵捕虜を寛大に扱い、スウェーデン攻撃を差し控えたことなどが評価の理由でした。また、スウェーデン議会はナポレオンの近親者ではないベルナドットが王位継承者になることで、ナポレオンの影響力を直接受けることを避けられると考えました。ベルナドットの軍人としての能力も期待されました。当時、スウェーデンはロシア帝国に攻められ、フィンランドを奪われていました。ロシアとの対抗上もベルナドットが適任でした。

こうして、ベルナドットは老王カール13世の摂政王太子となり、スウェーデンの実権を掌握します。1818年、カール13世の死去によって、カール14世ヨハンとして王位に就きます。

ジャン=バティスト・ベルナドット、カール14世ヨハン（フレデリック・ウェスティン画、1810年代、スウェーデン国立美術館蔵） ベルナドッテ朝の祖。野心家で節操がなく、自分の地位を守るために最終的にナポレオンを裏切る。

ベルナドットには、スウェーデン王としての何の血統の正統性もありませんでしたが、スウェーデン議会は政治的都合や不純な動機で、王位を彼に差し出しました。スウェーデンの支配者層の自己保身の結果といえます。

ベルナドットはナポレオンが劣勢に追い込まれると、イギリスと協調しはじめます。ナポレオンを裏切るに当たり、当時、フランスの同盟国であったデンマーク領のノルウェーを併合することをイギリスやロシアなどに事前に認めさせます。

ベルナドットは1814年、ライプツィヒの戦いでナポレオン軍を破り、デンマークを制圧して、ノルウェーを奪いました。スウェーデンとノルウェーは同君連合となり、スカンディナヴィア半島が統一されます（ノルウェーは1905年に独立）。利口なベルナドットはウィーン会議でも、うまく諸国に根回しをして、自らがスウェーデン王太子にとどまることを認めさせました。その後、ベルナドットは王位を継ぎ、ヨーロッパ大陸のいかなる紛争にも関与しない中立国を国是とし、近代化に尽力し、王朝発展の基礎を築きました。

現在のスウェーデン王カール16世グスタフは、ベルナドットから数えて7代目になります。スウェーデン王室は、男系の血統としてはフランス人です。

❖ノルウェー人の独立

スウェーデンが1523年、カルマル同盟を離脱した以降も、ノルウェーはデンマーク支配が続いていました。1814年、ベルナドットがナポレオン戦争の混乱の中、デンマークからノルウェーを奪い取り、以後、スウェーデン領となります。

1890年代、ノルウェー人の愛国主義が高揚し、スウェーデン人との対立が激しくなります。ノルウェーで国民投票が行なわれ、圧倒的な多数で独立が支持されました。軍事衝突の危機が高まるなか、スウェーデン王オスカル2世（ベルナドットから数えて4代目）は1905年、ノルウェーの分離独立を認めます。

オスカル2世は進歩的な国王で、自由主義に理解を示していました。また、オスカル2世は1901年、ノーベルによるノーベル賞の設立を支援し、授賞式をスウェーデン王室の儀式と位置づけました。オスカル2世がスウェーデン王でなければ、ノルウェー人の分離独立は認められず、戦争になった可能性が高かったでしょう。20世紀になり、ようやく独立を勝ち取ったノルウェー人の愛国意識は北欧三民族の中でも、最も強いでしょう。

スウェーデンのベルナドッテ家はノルウェーの王位継承権を放棄したため、デンマーク王室の一族の者がノルウェー国王に迎えられました。したがって、ノルウェー王室はデンマーク王室と同じ、グリュックスブルク朝（リュクスボー朝）で、現在まで続いています。

2016年、ヨーロッパで移民問題が深刻化し、右翼与党が移民受け入れや難民申請を厳格化し、国民の支持を得ました。そのような状況で、ノルウェー王ハーラル5世は次のように演説しています。「私の祖父母は110年前のデンマークから来た移民です。私たちが、故郷と呼ぶものは、私たちの心の中にあり、国境で位置づけすることはできません」。国王の演説は国内外で称賛されました。

ノルウェーはかつて、デンマークやスウェーデンに支配され、後進的な地域とされましたが、現在、北欧三国ではノルウェーの1人当たりGDPが突出して高く、最も豊かな国となっています。デンマークやスウェーデンが5万ドル台に対し、ノルウェーは7万ドル台にもなります。ノルウェーが豊かな理由は北海とバレンツ海に1960年代に開発された油田を持つためです。しかし、これらの資源は早晩、枯渇すると見られています。

❖サーミ人への過酷な差別

映画『サーミの血』（2016年）で、日本でも、サーミ人への差別の実態が広く知られるようになりました。映画の中で、主人公の少女が進学を希望するも、教師によって「あなたたちの脳は文明に適応できない」と告げられるシーンがあります。そして、少女は家族、故郷、民族を捨てることを決心するというストーリーです。

サーミ人はラップランド地方というノルウェー、スウェーデン、フィンランドの北部とロシアのコラ半島を居住地とし、トナカイを家畜にする放牧民です。現在、サーミ語を話すサーミ人はおよそ7万5000人いるとされます。トナカイ放牧に携わる人口はサーミ人の1割程度とされ、民族衣装などのサーミ人の昔の風俗はほとんど失われつつあります。

映画は1930年代を舞台にしています。当時、スウェーデン政府による民族分離政策が進められて、サーミ人はひどく差別されていました。現在では、そのような政策は改められ、多くのサーミ人がスウェーデン人に同化しています。この映画の監督のアマンダ・シェーネルもサーミ人で、「多くのサーミ人が何もかも捨て、スウェーデン人になったが、私は彼らが本当の人生を送ることができたのだろうかと常々疑問に思っていた」と語っています。

サーミ人はアジア系のウラル語派の遺伝子ハプログループNを半分程度、含みます。一方で、北欧人に多いハプログループIも約30%、含みます。つまり、サーミ人はもともと、この地にやって来たアジア人で、北欧人とも混血した民族です。サーミ語はウラル語族のフィンランド語に近いとされます。

サーミ人はかつて「ラップ人」という蔑称で呼ばれていました。「ラップ」には「辺境の」という意味があり、「サーミ」には「土着」という意味があるとされます。

サーミ人はラップランド地方の先住民族とされます。

フィンランド人の祖となるフィン・ウゴル系民族は中世の時代にも、アジア方面から大量に移住しますが、最初に移住したのは、紀元前3000年頃とされます。サーミ人はフィン人と同じく、紀元前3000年頃にアジアからやって来たとも推測されますが、詳しいことはわかっていません。

図31-2｜サーミ人居住域

SECTION

32

オランダ人

貧しかったバタヴィア人はなぜ、世界の覇者となったのか

❖オランダ人の徹底した個人主義

欧米人は個人主義を尊重しますが、オランダ人の徹底ぶりは別格です。「他人は他人、私は私」で、他人のすることに介入しないことを原則とします。そのため、マリファナ喫煙や売春は自己責任の範囲内でやればよいということで、認められて（放置されて）います。同性愛者同士の結婚も認められています。

英語の「go Dutch」は「割り勘にする」という意味の慣用表現で、オランダ人の吝嗇な習性を揶揄しています。しかし、オランダ人が割り勘にすることが多いのは、吝嗇であるからというよりもむしろ、他人から食事を奢られると、負い目になり、オランダ人が最も大切にしている個人主義を通すことができなくなるということが主な理由です。また、オランダ人がいつも割り勘にしているわけではなく、ケースバイケースです。

オランダ人の個人主義は、商人の国ならではの伝統です。商人たちは自由な交易・通商を求

めるため、権力によって規制が敷かれるのを嫌います。そこで、自分たちのことは自分たちで解決する自治が徹底されました。オランダを代表する画家レンブラントの『夜警』には市民の自警団が街をパトロールする姿が描かれています。国家権力を抑制する観点から、警察組織は最小限に留められ、自警団が主にその役割を果たしたのです。

オランダはもともと、ドイツ（神聖ローマ帝国）の一部でした。オランダは英語でDutchですが、これはドイツ（Deutsche）のことです。つまり、オランダは国名を持っていませんでした。16世紀にオランダが独立すると、イギリスはオランダとドイツを区別するために、「Dutch」はオランダを、「German」はドイツを指すということにしたのです。

オランダの国土のほとんどが標高200メートル以下で、その4分の1が海面より低い干拓地です。そのため、「低地地方＝ニーダーラント（Niderland）」（Niderはドイツ語で「低い」の意味）と呼ばれていました。オランダ語で、「ネーデルラント（Nederland）」になります。

また、オランダ諸州の中で、アムステルダムを擁するホラント州が最も豊かであったので、「ホラント」の俗称がネーデルラントを表わす表現として、慣習的に使われました。日本語の「オランダ」は「ホラント」が訛ったものです。

中世において、オランダ人は極端に貧しく、苦労して干拓事業に励みました。12世紀頃から、干拓事業を開始し、13世紀に本格化させます。干拓地は「ポルダー」と呼ばれ、オランダに多く見られる風車は、干拓地から水をくみ上げて排水するために使われた動力源でした。

❖バタウィ人とフリース人

オランダ人の祖先はバタウィ人（オランダ南部）とフリース人（オランダ北部）です。バタウィ人はゲルマン人の一派で、カエサルやタキトゥスも彼らに言及しています。

オランダ人は古代ローマ時代のバタウィ人を自分たちの祖と考え、自分たちを「バタヴィア人」と呼んでいました。17世紀のはじめ、オランダはインドネシアのジャワ島を植民地化しはじめますが、この時、現在のジャカルタに、オランダ人が自らの民族名にちなみ、バタヴィア城を築いたため、この地は「バタヴィア」と呼ばれていました。

フランス革命期に、オランダ人革命派は共和国をつくり、この時も、国名に「バタヴィア」を使い、バタヴィア共和国（1795年～1806年）としました。バタウィ人の「バタウィ」には「よい（バタ＝bat）土地（アウィー＝awjō）」という意味があるとされます。

一方、オランダ北部にいたフリース人について、プリニウスやタキトゥスが言及しています。「フリース（ラテン語でフリージ）」が何を意味するのか、詳しいことはわかっていません。フリース人が住んでいた地域は「フリースラント」と呼ばれ、今日でもオランダ北部の州の1つに、フリースラント州があります。

フリース人は一般的にゲルマン人の一派とされますが、彼らの言語を考慮すれば、ケルト人とする見解もあります。しかし、6世紀には、フリース人は周囲のゲルマン人によって、ゲルマン化されます。この時以降、フリース人の言語のフリジア語もゲルマン化され、さらに、オランダ語化され、オランダ語の北方方言のように見なされます。同様に、フリース人もオランダ人（バタヴィア人）の北方亜種のように見なされていきます。両者の混血も進みます。

8世紀前半、フランク人によって、オランダは支配されます。バタヴィア人はフランク人からキリスト教などを受容しましたが、フランク化されず、独自の言語や文化を守ります。

図32-1｜フリース人とバタヴィア人居住エリア

バタヴィア人の言語が現在のオランダ語の礎となり、バタヴィア人としての民族意識も次第に確立されていきます。この頃には、「ネーデルラント（Nederland）」という概念は低地地方を表わす地理名でしかなく、「ネーデルラント人」という概念はなく、オランダ人たちは自らをバタヴィア人と意識していました。

9世紀、フランク王国の分裂に伴い、ネーデルラント（ベルギーを含む）は東フランク王国（ドイツ）に属します。962年、東フランク王のオットー1世が神聖ローマ帝国を創始し、ネーデルラントは帝国領となります。バタヴィア人としての民族意識があったとしても、自立することはできず、ドイツ人に支配されていたのです。

❖ドイツ人とフランス人のオランダ支配

13世紀に広く開発された干拓地は牧羊地や酪農地、農耕地に使われ、食糧増産が可能となり、人口が増加しました。人口増加により、商業も発展し、ネーデルラント（ベルギーを含む）で都市も発展しました。都市を中心に、ネーデルラント諸州が形成されていくのもこの頃です。

ネーデルラントは神聖ローマ帝国の属領として、ドイツ人に支配されましたが、14世紀になると、フランス人に支配されます。

フランス東部を領地としていたブルゴーニュ公は婚姻により、ベルギーを領地にしていたフランドル伯を継承します。ブルゴーニュ公領はもともとカペー＝ブルゴーニュ家が継承していましたが、断絶したため、1363年、フランス王ジャン2世（ヴァロワ家）が末子フィリップ豪胆公にブルゴーニュ公領を与えます。以後、ブルゴーニュ公領をヴァロワ＝ブルゴーニュ家が継承していきます。

そして、このフィリップ豪胆公が1369年、フランドル女伯と結婚し、フランドル（ベルギー）を領有します。その後、ヴァロワ＝ブルゴーニュ家はフランドルを拠点に、ネーデルラント北部（オランダ）にも進出し、15世紀の半ばには、ネーデルラント全域を制圧しました。

フランス人のネーデルラント支配が確立するかに見えましたが、ヴァロワ＝ブルゴーニュ家は男子の後継ぎが途絶えます。遺児マリーと結婚していたハプスブルク家のマクシミリアン1世（神聖ローマ皇帝）がネーデルラント全域を継承し、ハプスブルク家の支配がはじまります。

一方、ヴァロワ＝ブルゴーニュ家の本拠であったブルゴーニュはフランス王が領有することで、ハプスブルク家とフランス王家（ヴァロワ家）は折り合いをつけました。

ハプスブルク家のカール5世は弟のフェルディナント1世に神聖ローマ皇帝位、オーストリア、ドイツを相続させ、子のフェリペ2世にスペイン、ネーデルラントを相続させました。ネーデルラントはスペイン・ハプスブルク家によって支配されます。

16世紀後半、スペイン王フェリペ2世のネーデルラントへの圧政が続きます。この頃、オランダでは急速に商業が発展し、アムステルダムには銀行、証券会社、保険会社などの金融機関が立ち並び、豊富な資金がヨーロッパ中から集まりました。

オランダは強い経済力を背景に、スペインと独立戦争を戦います。しかし、オランダ軍はスペイン軍に比べると弱小で連戦

図32-2｜ネーデルラント支配の変遷

962年～	神聖ローマ帝国支配
1369年～	ヴァロワ＝ブルゴーニュ家（フランス人）支配
1482年～	ハプスブルク家（ドイツ人）支配
1556年～	スペイン・ハプスブルク家支配
1581年	独立

ウィレム1世（アドリアン・キー画、1579年頃、アムステルダム国立美術館） 当初、スペインに服従しており、ハプスブルク家に反旗を翻すのは無謀と考え、反対していたが、1568年、オランダ軍が蜂起すると意を決し、独立戦争の先頭に立った。オランダ王室の祖。

連敗しました。正面からでは勝てなかったため、商船を改造して軍船にし、沿岸都市に駐留するスペイン軍を神出鬼没で襲う作戦をとりました。この作戦が成功し、次第にスペインを追い詰めていきます。

そして、オランダは1581年、独立します（1648年のウェストファリア条約では、列国から正式に独立を承認）。オランダ人は独自のオランダ国家を持つようになります。一方、南ネーデルラントのベルギーはハプスブルク家支配のまま、とどまります。

❖オランダ人はなぜ、共和国の伝統を捨てたのか

この独立戦争で、オランダ軍を率いて戦ったのがナッサウ家のウィレム1世です。このナッサウ家が現在のオランダ王室に至るまで受け継がれていますが、この家系はオランダ人ではなく、ドイツ人の家系でした。ナッサウはドイツ西部のラインラント・ファルツ州の地方都市で、ナッサウ家はこの地を治めるドイツ人貴族でした。

ナッサウ家は16世紀初めに婚姻に基づく相続で、オランダ南部のブレダを獲得し、オランダと深く関わるようになります。ウィレム1世よりも3代前のナッサウ家当主ヘンドリック3世は神聖ローマ皇帝からホラント州、ゼーラント州、ユトレヒト州の総督に任命されています。

さらに、ナッサウ家は16世紀半ば、婚姻に基づく相続で、南フランスのオランジュ公（オランダ語でオラニエ）領を獲得しました。これ以降、ナッサウ家は「オラニエ＝ナッサウ家」と名乗り、家柄として格上であったオラニエ家を優先し、「オラニエ公」と呼ばれるようになります。

したがって、オラニエ＝ナッサウ家は男系でドイツ人、女系でフランス人です。ちなみに、ナッサウ家が領有していたオランジュ公領は1713年、ルイ14世によって、フランスに併合されます。そのため、オラニエ公の称号は名目上のものとなります。

この家系から出たウィレム1世がオランダ独立戦争を指揮し、彼の子孫たちがオランダの共和国総督の地位を世襲していきます。

ウィレム1世から数えて8代目のオランダ総

図32-3｜ナッサウ家の勢力拡大

督ウィレム5世の時代、フランス革命が起こります。1802年、オランダはナポレオンにより占領され、ウィレム5世は総督の座を追われます。ナポレオンが没落すると、オラニエ＝ナッサウ家が復活します。しかし、この時、共和国の総督として復活したのではなく、王国の王として復活しました。

ナポレオン失脚後、1815年からはじまる保守協調のウィーン体制のなかで、諸国はオランダが共和国になることを認めません。フランス革命後の共和国政府がヨーロッパを大混乱に陥れたことに対するヨーロッパ諸国の警戒は強く、共和派勢力を徹底的に弾圧しなければならない状況の中で、オランダ人も共和国の伝統を捨てねばなりませんでした。

オランダは王国となることを認める代わりに、南ネーデルラント（ベルギー）の併合が認められました。ベルギーは1830年に独立するまで、オランダ王国の支配下に置かれます。

こうして、ウィレム6世が1815年、オランダ王ウィレム1世として王位に就き、オランダ総督を代々引き継いできたオラニエ＝ナッサウ家は王室となります。このウィレム1世から数え、現国王のウィレム＝アレクサンダーは7代目になります。

❖新教徒の移民受け入れ

16世紀の半ば、オランダでも、プロテスタント（新教・カルヴァン派）が拡がります。カルヴァンは商工業者に向けて、従来のカトリック教義とは異なる新しい教義をつくります。従来のカトリック教義の価値観では、カネを貯め、利益を追求することは卑しいこととされていました。このような考え方に対し、カルヴァンはすべての職業は神から与えられたものであり、それに精励することで得られる利得は神からの恩恵であるとして、利益の追求を認めました（「営利蓄財の肯定」）。カルヴァンの教義は商人の国オランダで、熱狂的に支持されました。

一方、ネーデルラントを支配していたスペイン王フェリペ2世は異常なほどの敬虔なカトリック教徒でした。カルヴァン派新教徒の多かったネーデルラントに対し、カトリック政策を強要したため、それに反発したオランダ人が前述の通り、1568年、独立戦争を起こします。

フェリペ2世は新教徒を厳しく弾圧します。1576年、新教徒の拠点であったアントワープは、スペイン軍によって略奪・破壊されました。それ以降、新教徒の商工業者はオランダのアムステルダムに逃れます。

オランダはネーデルラントだけではなく、ヨーロッパ中の新教徒を積極的に受け入れました。特に、スペインやフランスなどのカトリック教国からの新教徒の移住者が多く、この時代に、オランダ人は様々な移民たちと混血していきます。

オランダは最も多く、新教徒を受け入れた国となり、人口は急拡大し、独立戦争後、アムステルダムは世界の金融センターに発展します。その金融は証券・株式発行による直接型金融で、今日のような公開された証券・株式の取引がなされる市場が歴史上はじめて現われました。17世紀に入るとアムステルダム証券取引所は空前の賑わいを見せはじめました。

オランダは巨額の資金を集め、積極的な海外進出を展開し、ジャワ島、香料諸島、台湾、マラッカを制圧し、新大陸方面にも進出します。ハドソン川の毛皮貿易の集積地として、ニューアムステルダム（後のニューヨーク）を建設します。ニューヨークのウォール街はニューアムステルダムの城壁（ウォール）のあった場所です。17世紀前半は「オランダの黄金時代」です。

1618年、ドイツで起こった三十年戦争において、デンマークやスウェーデン、フランスなどがハプスブルク勢力（神聖ローマ帝国やスペイン）と戦うための資金支援を行なったのはオランダの金融機関でした。オランダは豊富な資金力でデンマークやスウェーデンを動かし、敵対勢力であったハプスブルク家に対し、代理戦争をさせていたと言っても過言ではありません。

しかし、イギリスの台頭により、オランダの覇権は奪われていきます。1652年から1674年まで、3回に渡り、イギリス・オランダ戦争（英蘭戦争）が起こります。3回ともオランダが敗北しました。オランダはあくまで商業大国であり、イギリスとの海軍力の差は歴然としており、しょせんイギリスの敵ではありませんでした。

経済的に成功を収めたオランダ人は経済利益にのみ関心を注ぎ、その利権を維持し、守るための軍事に予算を回さず、バランスの取れた覇権構造を長期的な視野で形成することをしなかったのです。イギリス人が軍艦建造の予算を確保し、着実に海軍力を増強していた時、オランダ人は小型の商業船の建造に力を注ぎ、軍の装備の強化を怠り、敗北を招いたのです。

SECTION 33

ベルギー人

大国に支配され、引き裂かれた「ベルガエ人」

❖「ベルガエ」と「フランドル」

『ガリア戦記』の中で、カエサルはベルギー一帯に住んでいた人々を「ベルガエ人」と呼んでいます。この「ベルガエ」が現在の「ベルギー」の由来となっています。「ベルガエ」はケルト語で「戦士」を意味する「belgoe」から来ているという説、同じくケルト語の「沼地」を意味する「bol」と「森林」を意味する「gai」の合成語から来ているという説があります。

ベルガエ人がケルト人であったのか、ゲルマン人であったのか、はっきりとしたことはわかっていませんが、ベルガエ人の言語がケルト語とゲルマン語の双方に深く影響を受けていることから、ケルト人とゲルマン人の混血であった可能性が高いと考えられます。カエサルは、ベルガエ人はケルト人とは風習が異なると述べ、彼らをゲルマン人と位置づけていました。

いずれにしても、ローマ帝国時代に、ベルガエ人は周囲のゲルマン人と同化していきます。それとともに「ベルガエ人」の呼称は失われ、中世には、「フランドル人」や「ネーデルラント人」と呼ばれるようになります。

「フランドル」はベルギーからフランス北部にかけての地域名で、事実上、ベルギーの中世古名といえます。この呼称は8世紀頃に定着します。「フランドル」の名称は「洪水」を意味する古ドイツ語の「フラウマ（flaumaz）」に由来しています。この地域の沿岸は常に北海の海水で水浸しになっていたため、こう呼ばれたのです。フランス語で「フランドル（Flandre）」、英語で「フランダース（Flanders）」、オランダ語で「フランデレン（Vlaanderen）」となります。

フランス語の「フランドル」が定着するのは、5世紀末、フランク人のクローヴィスがベルギーを征服し、以後、フランク化されていくからです。

一方、「ネーデルラント」は16世紀、オランダの国名になる前、オランダとベルギー全体を指す地方名でした。ベルギーは「南ネーデルラント」と呼ばれることもあります。

9世紀、フランク王国が分裂すると、ベルギーの大部分は西フランク王国（フランス）に属します。ベルギーには、西フランク王（フランス王）に臣従するフランドル伯が設けられます。864年、最初にフランドル伯に任命されたボードゥアン1世の出自については詳しくわかっていませんが、おそらく、フランドル人ではなく、フランス王に近かったフランク人であろうと思われます。以後、フランドル伯はフランス王に臣従しながらも、神聖ローマ帝国（ドイツ）にも接近し、巧みな外交により、事実上、独立していきます。また、周辺の貴族と婚姻し、領土を広げていきます。

❖なぜ、オランダ人とベルギー人の仲は悪いのか

ベルギーは11世紀頃、イギリスから原料の羊毛を輸入し、毛織物製品を生産し、経済発展していきます。12〜14世紀、フランドルのアントワープ、ブリュージュ、ガンはヨーロッパ有数の商工業都市となります。フランドル人はタペストリーを織ることを得意としていました。タペストリーの手芸により培われた高度な技術が絵画における精緻な技法にも活かされ、15世紀にはヤン・ファン・エイク、ロヒール・ファン・デル・ウェイデン、ヒエロニムス・ボスらフランドル人の画家たちが数多く輩出されることになります。

イギリスとフランスは隣接するフランドルへの支配を画策し、百年戦争（1339年〜1453年）を起こします。百年戦争中の1369年、婚姻により、フランスのヴァロワ＝ブルゴーニュ家がフランドルを領有します。ヴァロワ＝ブルゴーニュ家は百年戦争の混乱の隙を突いて、15世紀の半ばには、ネーデルラント全域を支配しますが、家系が断絶し、婚姻関係にあったハプスブルク家のマクシミリアン1世がネーデルラントを継承します。こうして、フランドルはオランダとともに、ハプスブルク家の支配に服することになります。

ところで、ベルギー人のビール消費量はヨーロッパ随一とされますが、ベルギーで、ビール醸造が本格化するのは、百年戦争の期間中の14世紀末以降です。ベルギーは寒冷で土地が痩せており、良質な葡萄を栽培できなかったため、ワイン醸造の代わりに、ビールが醸造されました。

1556年、カール5世の子のフェリペ2世がスペイン王に即位すると、ネーデルラント支配を強化します。フェリペ2世は熱心なカトリック教徒で、カルヴァン派の多かったネーデルラント北部7州（オランダ）を弾圧したため、オランダ独立戦争が起こります。

ネーデルラント南部10州はカトリック教徒が多く、最初、北部7州とともに戦いますが、同じカトリックのハプスブルク勢力に恭順していきます。オランダ人とベルギー人が互いに仲が悪いのは、この宗教上の相違を理由とする部分が大きく、特に、オランダ人は独立戦争で、ハプスブルク家に恭順したベルギー人を裏切り者と見なし、差別の対象にするようになります。

しかし、ハプスブルク支配を嫌い、オランダへ亡命してきたベルギー人は寛大に受け入れられ、オランダ人に同化していきました。特に、新教徒の多かったアントワープ市民の半数以上がオランダに亡命しました。アントワープは人口を失い、衰退し、アムステルダムに覇権を奪われていきます。

❖音楽革命

ベルギーは19世紀まで、ハプスブルク家によって支配され、ナポレオン戦争後の1815年、ウィーン議定書でオランダ王国に併合されます。

オランダ国王ウィレム1世はカトリック教徒であるベルギー人を差別・弾圧しました。学校でカトリック教育をやめるよう強制し、オランダ語教育も強制しました。政府や軍の要職はオランダ人が独占しました。そして、ベルギー人の不満が爆発し、1830年、フランスで七月革命が起きたことに影響され、ベルギー独立革命が起こります。

ブリュッセルの中心部にある王立ラ・モネ劇場は独立革命の象徴として、ベルギー人に大切にされています。この劇場で上演されたフランソワ・オーベールの『ポルティチの唖娘』でナポリの独立と民衆革命を賛美するシーンがあり、これに感化された観衆が立ち上がり、唱和し、街頭に出て、独立を呼び掛け、人々が一斉に応えました。ベルギー独立革命は、この劇場からはじまったので、「音楽革命」とも呼ばれます。ラ・モネ劇場はもともと15世紀に造幣局があった場所だったため、フランス語の「通貨」を意味する「la monnaie」が名称となります。

ブリュッセルを中心に、オランダ軍との激しい市街戦が続き、少数戦力ながら、ベルギーの革命軍が優位に立ちます。イギリスが介入し、オランダに軍を退くように迫りました。オランダは最終的にイギリスの圧力に屈します。

1830年、ベルギーは独立を宣言し、翌年、ベルギー王国となります。古代ローマ時代の呼称「ベルガエ」を国名に採用したのは、この時が初めてではありません。1789年、フランス革命の影響を受けて、ブラバント革命が起こり、ハプスブルク家支配から独立した時、「ベルギー合衆国」が建国されました。オランダ人が「バタヴィア人」という民族の古名を使ったのと同様に、ベルギー人もまた、「ベルガエ人」という民族名を使ったのです。

ベルギー合衆国がどうなったかというと、内部分裂の結果、早くも1790年には崩壊し、ハプスブルク・オーストリアの支配が復活します。そして、前述のように、1815年のウィーン会議で、ハプスブルク・オーストリアはベルギーを手放し、オランダに譲ります。ところが、オランダは15年しかベルギーを支配できず、ベルギーは独立していくのです。

イギリスがベルギーの肩を持ち、オランダに独立を認めさせました。独立後、イギリスはイギリス王室と縁戚関係にあるザクセン＝コーブルク＝ゴータ家のレオポルトをベルギー国王に推します。1831年、レオポルトはレオポルド1世として即位します。

ザクセン＝コーブルク＝ゴータ家という家系はドイツのザクセン家から派生し、この分家が後の時代に、コーブルク（ドイツ、バイエルン州北部の都市）とゴータ（テューリンゲン州の郡）を領有し、ザクセン＝コーブルク＝ゴータ家となったのです。生粋のドイツ人家系です。

18世紀に、この家系の女性、ヴィクトリアがイギリス王室に嫁ぎます。そして、生まれた子がヴィクトリア女王です。さらに、ヴィクトリア女王の夫もこの家系出身のアルバート公です。

イギリス王室はザクセン＝コーブルク＝ゴータ家と深い縁戚関係にあります。イギリスは自分たちの息のかかったレオポルド1世をベルギー国王に推すことで、ベルギーに対する影響力を確保しようとしました。ベルギー王国は大国イギリスの都合で生み出されたと言っても過言ではありません。

1920年、3代国王のアルベール1世は第一次世界大戦の敵国であったドイツに由来する「ザクセン＝コーブルク＝ゴータ」の王朝名を忌避し、使用を禁止しました。そして、家名をベルジック家（「ベルギー」をそのまま取った）と変更し、今日に至ります。今日のベルギー国王フィリップ・ド・ベルジックはレオポルド1世から数えて7代目になります。ベルギー王室はドイツ人の血統です。

❖フランデレン人とワロン人

ベルギー内部には、オランダ語を話す北部のフランデレン（フランドルまたはフラマン）人とフランス語を話す南部のワロン人がいます。両者は昔から対立しており、かつて、16世紀、ハプスブルクのフェリペ2世はこの対立を煽動して、両者を服属させ、ベルギー（ネーデルラント南部10州）をオランダ独立戦争から脱落させました。

周辺国の言語や文化に影響を受け、小国に生きる民族が引き裂かれるというのは古今東西、共通しており、いわば、彼らの宿命のようなものです。

フランスやドイツに近かったワロン人のエリアで、１８３０年の独立以降、産業革命が進展し、工業地帯を形成し、ベルギーの近代化を牽引していきます。ワロン人が政治的な主導権も握り、フランス語が実質的公用語とされました。オランダ語を話すフランデレン人のほうがワロン人よりも人口が多く、フランデレン人の不満が強まり、「言語戦争」と呼ばれる主導権争いが続くことになります。この争いは言語だけではなく、政治や経済にも及んでいます。

さらに、南東部はドイツに近接しているので、ドイツ語を話す人々もいます。１９９３年、

図33-1｜ベルギーの言語エリア

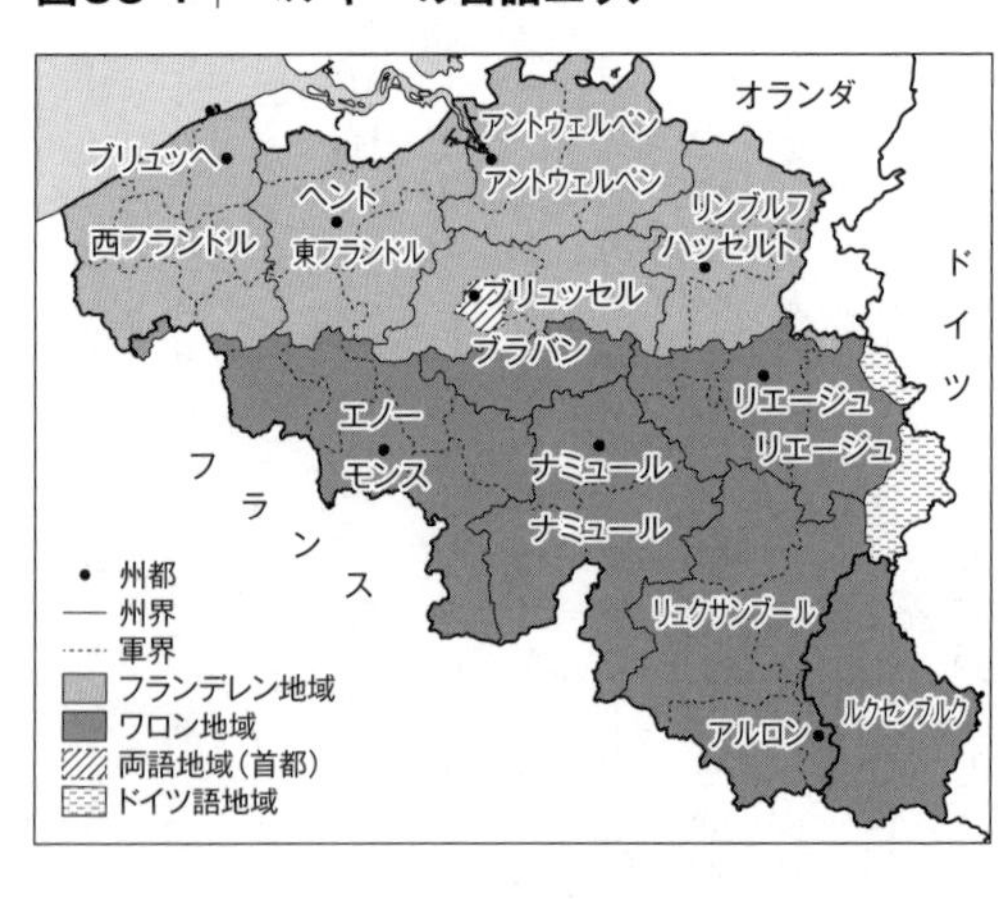

ベルギー政府は憲法を改正し、連邦制に移行します。図33-1は言語エリアを表示したもので、連邦制においては、東にあるドイツ語地域がワロン地域に含まれることになります。

フランデレン地域とワロン地域の2つの地域は、それぞれ5つの州に分かれています。オランダ語の「フランデレン」はフランス語の「フランドル」のことで、中世の古名が残っています。今日、「フランデレン（フランドル）」といえば、ベルギー北部のフランデレン人居住地域を指します。中世の「フランドル」はベルギー全体を指していましたが、今日の「フランデレン（フランドル）」は連邦制への移行という経緯があるため、連邦内の北部のみを指すようになっています。

また、ベルギー憲法では、首相を除いた閣僚はフランデレン人とワロン人を同数とすることが決められています。

SECTION 34

スイス人、ルクセンブルク人、ミニステート

大国から派生したもう1つの血脈

❖スイス人の祖ヘルウェティイ人

スイスは主にEU加盟国からの移民が多く、ヨーロッパの中でも、人口増加率が最も高い国の1つで、多民族化が進んでいます。住みやすさ、安全な環境、行き届いた公共サービスなどが人々を惹き付ける主な要因となっています。人口は約860万人です。

スイス人の約60%がドイツ語を話すドイツ人です。彼らのドイツ語は方言の強い「スイス・ドイツ語」と呼ばれます。約20%がフランス人、約6・5%がイタリア人と続きます。

古代ローマ時代、スイスの地は「ヘルウェティア」と呼ばれていました。これは、スイスに住んでいたケルト人の一派のヘルウェティイ人に由来する名です。ヘルウェティイ人は紀元前15世紀頃にスイスに定住します。カエサルの『ガリア戦記』でも言及されており、勇猛な部族であると記されています。「スイス」の別名として、ラテン語名の「ヘルウェティア（ヘルヴェティア）」は現在でも使われています。

「ヘルウェティイ」の語源について、古ケルト語の「エルウ（elw）」で「繁栄」を意味し、「エトゥ（etu）」で「土地」を意味するとされ、「エルウェトゥ（ヘルウェティイのこと）」で「繁栄の土地」という意味になります。「スイス」の名は建国を主導した中部のシュヴィーツ州に由来します。古ドイツ語の「シュヴィーツ（Schwyz）」は「牧畜」を意味します。

カエサルはヘルウェティイ人と戦い、ガリア侵攻の足場となるアルプス山脈北部（スイス）を制圧していきます。スイスの中部にアヴァンシュという街がありますが、ローマ帝国はこの街（ローマ人は「アウェンティクム」と命名）を本拠として、アルプス北部を直轄支配します。

5世紀、ゲルマン人の一派アルマン人がスイスに移住し、スイス人の多数派を形成していきます。アルマン人はドイツ西部を主な居住地としていましたが、ローマ帝国の衰退とともに、アルプス方面へ南下し、スイスにも勢力圏を拡げたのです。

このほか、スイス西部に、同じく、ゲルマン人の一派ブルグント人が侵入します。ブルグント人はフランスのブルゴーニュ地方からスイス西部にブルグント王国を形成します。このブルグント人はフランス化されていったため、現在でも、スイス西部はフランス語の話者が多数派になっています。

また、スイス南部に、イタリア語の話者が多くいるのはランゴバルド（ロンバルド）人に由来します。ランゴバルド人はイタリアを支配したゲルマン人の一派です。ランゴバルド人の勢力がスイスにも残存し、イタリア化された彼らがイタリア語話者として現在まで続いていると考えられています。

スイス人はケルト人の一派のヘルウェティイ人がもとになっていますが、その後、ゲルマン人がスイスに流入し、ゲルマン民族と同化します。スイスはドイツ、フランス、イタリアの大国に挟まれ、それらの国々に支配圏を形成したアルマン人、ブルグント人、ランゴバルド人などのゲルマン人諸派が侵入し、スイス人が形成されていくのです。

❖スイス人の苛烈な独立運動

前述の通り、5世紀以降、ゲルマン人の一派のアルマン人がスイス人の多数派となりますが、このアルマン人から発祥するのがハプスブルク家です。ハプスブルク家は10世紀頃、ライン川上流のドイツ南部やバーゼルを中心とするスイス北部を領有していました。11世紀にハプスブルク家はバーゼルとチューリッヒの中間に位置するアールガウ州の中央部に、ハビヒツブルク城を築いています。このハビヒツブルク城がハプスブルクの家名になります。

ハプスブルク家は強大化し、ルドルフ1世が1273年、神聖ローマ皇帝に推戴されます。ルドルフ1世はウィーンを征服し、これ以降、ハプスブルク家の本拠地はウィーンに置かれます。ハプスブルク家はスイスに圧政を敷いたため、これに抵抗したシュヴァイツ、ウリ、ウンターリンデンの3つの州が1291年、「盟約者同盟」を結成します。この同盟の結成日8月1日がスイスの建国記念日とされています。

3つの州はハプスブルク家と激しく戦います。他の州も同盟に加わり、身分の貴賤を問わず、独立軍として結束しました。

この戦いの中で生まれたのがウィリアム・テルの伝説です。ウリ州のウィリアム・テルが自分の子供の頭に乗せたリンゴを射抜いて見せ、ハプスブルクの代官を懲らしめる話ですが、実話ではありません。民間で伝承された伝説が19世紀に、シラーの戯曲やロッシーニのオペラでリバイバルされます。スイス人の苛烈な独立運動がこうした伝説を生んだのです。

巧みなゲリラ戦で、ハプスブルク軍を各地で撃破したスイス人は14世紀後半、事実上、独立します。しかし、ハプスブルク家は独立を認めず、皇帝マクシミリアン1世が1499年、スイスに侵攻します。スイス人はこの時も、ハプスブルク軍を撃退し、独立が確定します。そして、三十年戦争後の1648年、ウェストファリア条約で、独立が名実ともに国際承認されました。

スイスは15世紀後半に、ハプスブルク家と対立していたフランスに傭兵を出すようになっていました。スイス人傭兵はフランス軍の中で経験を積み、軍事情報をも取得していました。農耕地に乏しいスイスでは、穀物が不足しており、肥沃なフランスから穀物を輸入せねばならず、その見返りとして、スイス人傭兵が送られたのです。

スイス人傭兵は勇敢に戦い、名を馳せました。その後、ローマ教皇庁にも要請され、スイス人傭兵は今日まで続く、バチカンの護衛兵となります。

❖スイス人の中立国としての意志

スイスは中立国として有名で、EU（ヨーロッパ連合）に加盟していません。NATO（北大西洋条約機構）にも加盟せず、中立を貫いています（国際連合には2002年、加盟）。

スイスが中立国になったのは17世紀の三十年戦争の時です。この戦争で、スイスは反ハプスブルク陣営のスウェーデンやフランスに傭兵を送っていたため、ハプスブルク軍に侵攻される危険性がありました。そこで、スイス諸州は結束して連邦軍を結成するとともに、武装中立を宣言し、中立国の領土侵犯は不当な侵略行為になると国際社会に訴える戦略をとります。

大国に挟まれているスイスは大国によって政治利用されやすく、中立を表明することで、大国の介入を排除する合理的戦略を打ち出したのです。

しかし、スイスは男子国民皆兵制など、独立戦争時以来の強固な国防体制を持っています。中立国といっても、他国から攻撃されない保障などなく、国防を強化しているのです。

ナポレオン没落後のウィーン会議で、スイスは再び中立国であることを表明し、1815年のウィーン議定書で永世中立国となり、国際承認されました。スイス人は、国境を接するオーストリア、ドイツ、フランス、イタリアにとって、スイスがどの勢力とも連携しない武装中立地帯であることが安全保障上、有効であることを諸国に積極的にアピールしています。

第二次世界大戦では、中立政策をとるスイスは危機を迎えます。大戦がはじまると、中立を再宣言するとともに、国民総動員令が発布されます。1940年、ドイツは中立国であったベルギー、オランダ、ルクセンブルクに侵攻します。そして、フランスにも侵攻し、フランスはあっさりと降伏しました。

スイスはもはや絶体絶命の危機でした。しかし、スイスはイギリス・アメリカなどの連合国に助けを求めず、そのことをドイツにも約束し、代わりに、ドイツがスイス侵攻をしないように約束を取り付けました。実際に、ドイツ軍の侵攻はありませんでした。スイスはユダヤ人の亡命も拒否するなど、冷徹さも貫いています。

また、スイス人は山岳部を中心とするゲリラ戦に徹底的に備えており、そのことがドイツ軍にスイス侵攻を躊躇させるに充分な効果があったとされます。スイス人は単に中立を唱えていただけではなく、巧みな外交努力を行ない、国民が一丸となった防衛体制を構築することで、ようやく、その中立政策を維持できたのです。中立や平和は、それを言うだけでは実現可能なものではないことを、スイス人が教えてくれています。

❖ルクセンブルク人はいつ独立したのか？

「ベネルクス三国」という言い方があります。これはベルギー、ネーデルラント（オランダ）、ルクセンブルクの頭文字を取った言い方です。

ルクセンブルクは人口約57万人を擁する大公国です。公国とは、公爵が君主となっている国です。公爵は貴族の中でも最も格上で国王に次ぐ存在です。ちなみに、貴族の階級には、公爵を頂点に図34-1のような序列があります。

ルクセンブルクは中世以来、神聖ローマ帝国（ドイツ）の一部でした。したがって、ドイツへの帰属意識がもともと強く、ルクセンブルク人というのは実質ドイツ人です。ルクセンブルク語はドイツ語をベースに、一部、フランス語やオランダ語を取り入れた混成型の言語です。

図34-1｜爵位序列

1. **公爵**（Duke デューク）
2. **侯爵**（Marquess マークィス）
3. **伯爵**（Earl アール）
4. **子爵**（Viscount ヴァイカウント）
5. **男爵**（Baron バロン）
6. **准男爵**（Baronet バロネット）
7. **ナイト**（Knight ナイト）

※（　）内は英語

　ナポレオンの失脚後、1815年のウィーン会議で、ルクセンブルクは大公国として正式に成立し、大公にオラニエ＝ナッサウ家のオランダ国王が就き、オランダとの同君連合になりました。1830年にベルギーが独立した際、オランダ本土と分断されますが、ルクセンブルク大公はオランダ国王が兼任する状態が続きます。

　3代目のオランダ国王兼ルクセンブルク大公ウィレム3世（ルクセンブルク語でギヨーム3世）が1890年に死去した際、オランダ王位をウィルヘルミナ女王が継ぎます。しかし、ルクセンブルク大公位については、女子の相続権が認められていなかったため、ウィルヘルミナ女王は大公位に就くことができませんでした。

図34-2｜ルクセンブルク地図

そこで、オラニエ＝ナッサウ家の王族アドルフがウィルヘルミナ女王とは別に、ルクセンブルク大公に即位することとなり、オランダとの同君連合が解消されました。事実上のルクセンブルク大公国の自立・独立です。独立ルクセンブルクの初代大公アドルフが今日のルクセンブルク大公の祖で、6代目の現大公アンリに至ります。ルクセンブルク大公はオランダ王室と同じオラニエ＝ナッサウ家（ルクセンブルク語読みでオランジュ＝ナッソー家）の家系です。

ルクセンブルクは立憲君主制ですが、大公は行政権を執行する権限があります。

❖ミニステート①──リヒテンシュタイン公国、モナコ公国

ルクセンブルク大公国をはじめ、領土の面積、人口などの規模の小さい国家がヨーロッパには7つあります（図34-3参照）。これらはミニステート（極小国家）と呼ばれ、その中でも、公国には公爵などの君主がいます。バチカン市国の君主はローマ教皇です。

近代国民国家はその形成の過程で、諸侯たちの封土（小領土）を吸収・併合してきましたが、そこから漏れたものがミニステートとして、今日でも残っています。

リヒテンシュタイン公国はかつて神聖ローマ帝国（ドイツ）の領邦国家の1つで、その生き残りです。1867年、永世中立国となり、1871年に成立したドイツ帝国に加わらず、独立を維持しました。

図34-3｜ヨーロッパのミニステート

ミニステート	主要民族	公用語
ルクセンブルク大公国	ドイツ人	ルクセンブルク語
リヒテンシュタイン公国	ドイツ人	ドイツ語
モナコ公国	イタリア人	フランス語
アンドラ公国	スペイン人	カタルーニャ語
サンマリノ共和国	イタリア人	イタリア語
マルタ共和国	多民族混血	マルタ語
バチカン市国	イタリア人	イタリア語

リヒテンシュタイン人はスイス人と同じく、ドイツ人（アルマン人）が約85%を占めます。その他に、イタリア人が続きます。リヒテンシュタイン人のドイツ語はスイス人のドイツ語のような方言色の強いものではなく、標準ドイツ語です。

モナコ公国は12世紀にはジェノヴァ共和国の一部でした。13世紀にモナコの港市がつくられ、同世紀末からグリマルディ家というジェノヴァ人豪族が支配者となります。モナコ人はイタリア人であり、それは今日まで変わりません。

しかし、歴代のモナコ公は独立君主でありながら、フランス王に服従したため、フランスの影響を強く受け、社会や文化がフランス化され、フランス語が公用語となり、現在に至っています。

1815年のウィーン会議で、モナコはイタリアのサルデーニャ王国の保護下に入り、事実上、独立が失われます。1858年、サルデーニャはプロンビエールの密約により、イタリア統一戦争でフランスの支援を得る代わりに、サヴォイアとニースをフランスに割譲することを約束し、これにより、モナコ公国はフランス領になります。

モナコ公はこれを不服とし、1861年、フランス・モナコ保護友好条約を締結し、モナコ領土の95%をフランスに売却する代わりに、モナコ公国の独立をフランスに認めさせました。

❖ミニステート②――アンドラ公国、サンマリノ共和国、マルタ共和国

フランスとスペインの国境に位置するアンドラ公国の人口は約7万7000人（2019年時点）で、アンドラ人の大半が民族的にはスペイン人です。ポルトガル人が10%程度、フランス人が5%以下程度と続きます。

公用語はカタルーニャ語です。カタルーニャ語はスペイン東部のカタルーニャ州にいるカタルーニャ人の言語で、スペイン語とフランス語の中間的な言語です。スペイン語の方言とされることがよくありますが、言語学的には必ずしも方言ではなく、独立言語であると指摘されています。

アンドラ公国もスペインとフランスの大国の狭間で巧みな外交によって、生き延びました。アンドラは13世紀以来、宗教権を持つウルヘル司教と世俗領主との共同統治がなされていました。ウルヘルはスペイン・カタルーニャ州の街です。

16世紀末、フランス王（ブルボン朝初代のアンリ4世）が世俗領主権を継承し、ウルヘル司教（スペイン人）との共同統治が続けられました。アンドラはその共同統治の原則により、フランスとスペインの両方から併合されなかったのです。今日では、共同領主の地位をウルヘル司教とフランス大統領が継承しています。

サンマリノ共和国は中世以来、住民自治を貫いていました。国民はイタリア人で、人口は約3万4000人（2019年時点）です。1631年、ローマ教皇が正式に独立を承認し、世界最古の共和国となります。19世紀のイタリア独立戦争で、サンマリノは義勇軍を派遣して、代わりに、イタリア王国に独立を維持することを認めさせました。

シチリア島の南部に位置するマルタ共和国のマルタ人はイタリア人の血統をベースに、北アフリカのアラブ人の血も混ざっています。その他、かつて、ノルマン人やスペイン人に征服されたことから、彼らの血も受け継いでいます。マルタ人は混血民族です。マルタ人の外見はイタリア人に近く、少し、アラブ人に雰囲気が似ている印象です。

公用語は主にマルタ語で、英語が用いられることもあります。マルタ語はアラビア語の方言とされますが、アラビア語との相違は大きく、逆にイタリア語からの借用が多く、言語学上、アラビア語とは別言語とも指摘されています。実際、マルタ語でアラブ人と会話はできません。

カトリックの騎士修道会のマルタ騎士団が16世紀、マルタ島をオスマン帝国との戦いの本拠としています。マルタ騎士団がマルタ島を支配しますが、1798年、ナポレオンの侵攻により、マルタ騎士団は島から追放されます。その後、イギリスが島を領有し、1815年、ウィーン会議で正式にイギリス領となります。戦後、反イギリス独立闘争が起こり、1964年、独立します。

これらのミニステートは人口が少ないため、国民1人当たりのGDPが高い傾向にあります。しかし、軍備などを整える予算はないため、他国に国防を委ねています。たとえば、リヒテンシュタイン公国はスイスに、モナコ公国はフランスに、アンドラ公国はフランスとスペインに、バチカン市国はイタリアに有事の際には頼ることになっています。また、バチカン市国の治安はイタリアの警察が担当しています。

ルクセンブルク大公国やリヒテンシュタイン公国はユーロ圏における富裕層向けのプライベート・バンキングの中心地となっています。独自の税優遇措置や情報秘匿性という利点を大いに活かし、巨額の資金を集めています。

第9章 ロシア、バルカン半島

SECTION 35

ロシア人

ロシア国家のはじまりがノルマン人起源であるのは本当か

❖「スラヴ」は「奴隷」の意味

ロシア人や東欧人、バルカン半島人はスラヴ人です。「スラヴ（slav）」は英語では「スレイブ（slave）」で「奴隷」の意味です。

古代ギリシア人がその勢力を拡大していくなかで、バルカン半島北部のスラヴ人と出会い、「お前たちの話している言葉は何だ」と聞くと、「言葉（スラヴ）だ」と答えます。「スラヴ」とい

『ローマの奴隷市場』（ジャン・レオン・ジェローム画、1884年、エルミタージュ美術館蔵） ローマ帝国時代の奴隷市場の競りの様子。美しい女奴隷は途方もない値段で売られた。

うのはスラヴ語で「言葉」という意味です。「スラヴ」と聞いたギリシア人は「では、お前たちをスラヴ人と呼ぼう」ということになりました。

古代ギリシア人は大量のスラヴ人を奴隷にしました。次第に、ギリシア語の「スラヴ」は「奴隷」と同義の意味を持つようになります。

ローマ帝国もまた、多くのスラヴ人を奴隷にして酷使しました。ローマ帝国では、「スラヴ（slav）」は「スクラヴス（sclavus）」というラテン語に変化します。これも意味は「奴隷」です。

ギリシア・ローマ時代以来、スラヴ人の女奴隷が好まれ、スラヴ人が多く居住していたウクライナやバルカン半島で「スラヴ人狩り」が行なわれました。スラヴ人は肌が白く、金髪で、今日でも美女が多い民族です。ギリシア人やローマ人はスラヴ人部族を襲い、美女たちを略奪しました。美女は市場で売られ、金持ちの性奴隷にされました。

中世以後、ゲルマン人やイスラム教徒もまた、盛んに「スラヴ人狩り」を行ないました。13世紀、チンギス・ハンによって急拡大したモンゴル人はロシア・東欧へと攻め入ります。モンゴル兵たちは見たことのない金髪のスラヴ人女性の美しさに狂喜し、女たちを奪い合いました。チンギス・ハンの幕僚に、スブタイという勇猛な武将がいましたが、スブタイはチンギスが止めるのも聞かず、東欧の奥地へと進攻し、スラヴ美女たちを連れ去りました。

スラヴ人を最も組織的に奴隷化したのは、16世紀に全盛期を迎えるイスラムのオスマン帝国でした。

バルカン半島に居住していたスラヴ人は「南スラヴ人」と呼ばれ、今日のセルビア人、クロアチア人、スロヴェニア人、マケドニア人、モンテネグロ人などに当たります。南スラヴ人は一時期を除いて、統一勢力とはならず、細分化された部族勢力が各地に割拠していました。バルカン半島の複雑な地形が居住者たちを分断させたのです。

そのため、外部から強大な勢力が侵攻してくると、南スラヴ人は容易に征服され、隷属民として従属させられました。

❖スラヴ人の遺伝子、金髪碧眼との関係

スラヴ人の言語の祖語は紀元前10世紀頃にウクライナ西北部からベラルーシで成立したと考えられており、スラヴ人としてのまとまった集団もまた、同時期・同地域に現われたと考えられます。

黒海やカスピ海の北方地域で、クルガン文化が紀元前5千年紀から紀元前3千年紀に栄え、

この地がSECTION13でも解説した通り、インド・ヨーロッパ語派の源郷とされます。クルガン文化のエリアはスラヴ人の集団が居住していたエリアと広く重複します。そのため、クルガン文化人とスラヴ人に連続的なつながりを見出し、スラヴ人をインド・ヨーロッパ語派の純粋な子孫と見る考え方もかつてありましたが、必ずしもそうではありません。

クルガン文化人の人骨の遺伝子には、ハプログループR1bが高頻度で検出されています。一方、スラヴ人には、R1aが高頻度で検出されており、両者の遺伝子の型は異なっています。クルガン文化人がそのまま、スラヴ人になったとは考えられないのです。

研究者たちは、スラヴ人はもともとウクライナ西北部からベラルーシに居住していたのではなく、それ以前、バルト三国やフィンランド付近に居住していた可能性が高いと指摘しています。そして、スラヴ人は紀元前10世紀頃にウクライナ西北部からベラルーシに南下し、まとまった集団を成し、この地域における遺伝子型をR1bからR1aに上書きしたとされます。つまり、この地域は後から、スラヴ化されたといえるのです。

バルト語派の民族はスラヴ語派やフィン人と同じく、R1aが高頻度で検出されています。このことは、これらの民族が、同じ祖先を持っている可能性を裏付けています。

スラヴ人には、金髪碧眼が多いため、北欧人（北方人種）ともともと同族であったとする考え方が19世紀後半から20世紀初頭にかけてありました。しかし、北欧人はゲルマン人の血統であり、スラヴ人とは遺伝子の型も異なります。スラヴ人に金髪碧眼が多いのは、金髪碧眼と強い相関関係があるハプログループIが、R1aと並んで高頻度に検出されることが原因です。同様に、北欧人にも、ハプログループIが高頻度に検出されることは共通しています。

たとえば、スラヴ人の代表の1つであるロシア人の平均値として、ハプログループR1aが46〜48%で検出され、ハプログループIが18%前後で検出されています。さらに、アジア系ウラル語派に高頻度に見られるハプログループNも20%以上で検出されています。一方、西ヨーロッパ人に多いハプログループR1bは6%以下にとどまります。

スラヴ人は紀元前8世紀頃には、ウクライナからロシア、東欧、バルカン半島方面に広範囲に移住拡散しています。古代ギリシア人とスラヴ人が邂逅するのはこの時期です。

4世紀後半からはじまるゲルマン人の大移動のなか、東欧やバルカン半島のスラヴ人はゲルマン人と混血し、その純血はほとんど失われていきます。一方、ロシア方面に拡散居住していたスラヴ人はゲルマン人の侵入をほとんど被らなかったため、スラヴ人の純血を一定レベルで保持しました。

9世紀に入ると、ハンガリーを中心とするパンノニア平原に、アジア系のマジャール人が侵入し、居住します。このことによって、バルカン半島から東ヨーロッパ全域に拡がっていたスラヴ人がマジャール人を間に挟んで、南北に分断されることになります。南北のスラヴ人は独自の言語や歴史を発展させていくことになります。

❖「ノルマン人起源説」を巡る論争

「ロシア（Russia）」の語源は「ルス（Rus）」に由来します。「ルス」はルス（ルーシ）族というノルマン人の一部族の名とされます。ノルマン人はヨーロッパ北方の海上の覇権を握り、911年、北フランスにノルマンディー公国をつくります。さらに、別のノルマン人一派のルス族が族長のリューリクに率いられ、ロシアに入り、スラヴ人を征服します。862年、リューリクはノルマン人国家のノヴゴロド国を建設します。

ノヴゴロド国は882年、リューリクの親族であったオレーグが建国したキエフ公国に継承されます。さらに、15世紀にモスクワ大公国、17世紀にロマノフ朝へと継承されていきます。つまり、ロシアの王朝はルス族の来襲以来、ノルマン人に起源があると、一般的な概説書で説明されています。しかし、ロシアの学者はこのノルマン起源説を否定しています。彼らは、ノルマン人側の史料には「ルス」の部族名が存在しないことを指摘し、ルス族がノルマン人であったという証拠はないと主張しています。

12世紀に書かれたロシア側の歴史書『原初年代記』に、ルス族が「ヴァリャーグ（ヴァイキング・ノルマン人のこと）」であったということが記されているため、一般的に「ノルマン人起源説」が信じられています。しかし、ロシア人学者は、『原初年代記』は史実というよりはむしろ、伝承を記したものであるので、証拠にならないと主張します。

ロシア人学者は、ルス族はノルマン人ではなく、スラヴ人であったと言います。かつて、スラヴの部族に、「ルス」という呼称を持つものがあったとする指摘、また、「ルス」はスラヴ人部族が居住していた地名に由来しているという指摘、スラヴ人部族が「ルス」という地域国家を建設していたという指摘などがなされています。

ロシア人学者が「ノルマン人起源説」を否定するのは、19世紀の帝政ロシア時代からの流れです。当時もいまも、民族主義者にとって、ロシア国家の起源が外来民族であっては、極めて都合が悪いのです。「反ノルマン説」はロシア人学者のみならず、ポーランドなどの東欧人学者にも拡がりました。「反ノルマン説」はソ連時代にも、共産党の重要な党活動の1つとして、盛んに喧伝されました。

ロシア人学者によると、ルス族は交易によって栄えたスラヴ人の一族で、バルト海沿岸にも進出し、ノルマン人とも頻繁に交易を行ない、ノルマン人の造船技術や海洋技術を身に付けていたとされます。こうしたことから、先進的なルス族をノルマン人と結び付け、彼らを「外来」とする錯誤が何らかのかたちで生じたと考えられています。

あるいは、遠方の地に対する憧憬の念を誘発するため、『原初年代記』で、ルス族を「外来」と意図的に演出したとする見方、また、ルス族自身が自らをノルマン人と偽ったとする見方もあります。

ただし、ルス族がノルマン人であったと断定する証拠がないのと同じく、ルス族がスラヴ人であったと断定する証拠もありません。いずれにしても、ルス族の出自ははっきりしないというのが事実です。その意味において、ロシア国家の起源もはっきりしません。日本の歴史教科書や概説書では、ルス族がノルマン人と断定されていますが、この点については注意が必要です。

❖「タタールの軛（くびき）」からの解放とロシア人の民族意識

ノヴゴロド国を建国したリューリクの出自ははっきりとしませんが、次のキエフ公国やモスクワ大公国はスラヴ語を使うスラヴ人国家であったことは間違いありません。

13世紀、モンゴル人のチンギス・ハンの孫はロシアを征服します。モンゴル人によるロシア支配は「タタールの軛（くびき）」と呼ばれる苛烈を極めたものでした。

軛とは、牛や馬を御する時にその首に付ける道具で、ロシア人がモンゴル人に押さえつけられていたことを形容しています。「タタール」とはモンゴル人のことです。「タタール」という言葉は一説によると、「地獄からの使者」を意味するラテン語の「エクス・タルタロ」に由来するともいわれ、また、「タルタル」がモンゴルの一部族だった「韃靼（だったん）」の音とよく似ていたことに由来するともいわれます。いずれにしても、ロシア人などのヨーロッパ人にとって、モンゴル来襲は未知の脅威でした。

15世紀になり、ようやくモンゴル人の勢力が弱まり、ロシア人が独立しはじめます。この時、ロシア中部のモスクワ大公イヴァン3世が分裂していたロシア人を統一します。モスクワ大公の家系はリューリク家の血統を引く分家で、キエフ公国から派生した勢力です。

イヴァン3世はモンゴル人との戦いを聖戦と位置づけ、ロシア人勢力を巧みに結集させ、その勢力を一気に増大させました。モンゴル人のハン（王）はイヴァン3世に対し、モンゴル人への貢納を拒否しました。イヴァン3世はまず、それまで続けられていたモンゴル人の貢納を拒否しました。モンゴル人のハンは勅使を派遣し、真意を問い質します。イヴァン3世は貢納請求書を受け取るや否や、勅使の前でそれを破り捨てました。こうして、ロシア人とモンゴル人の対立が決定的となりますが、既にモンゴル人勢力は衰えており、イヴァン3世は彼らをロシアの中央部から追い出すことに成功し、200年続いた「タタールの軛」から、ロシア人を解放しました。

イヴァン3世は1480年、ツァー（皇帝）を名乗ります。1453年、ビザンツ帝国（東ローマ帝国）がオスマン帝国に滅ぼされ、ビザンツ皇帝位が空位状態でした。イヴァン3世はビザンツ帝国最後の皇帝コンスタンティノス11世の姪ソフィアを妻とします。ビザンツ皇帝家と血縁関係を結ぶことで、自らがローマ帝国の継承者となろうとしたのです。

イヴァン3世はモスクワをローマ、コンスタンティノープルに続く、「第3のローマ」としました。孫のイヴァン4世の時に、ツァーの世襲が正式に内外に認められ、「モスクワ大公国」を改め、「ロシア・ツァーリ国（事実上のロシア帝国）」とします。以後、ロマノフ朝に至るロシア人の帝位の継承が歴代、続きます。1917年、ロシア革命でロマノフ朝が崩壊した時、帝位は廃止されます。

❖ハイブリッド化されていくロシア人

イヴァン4世は16世紀に活躍し、反対者を容赦なく弾圧し、独裁的な恐怖政治を展開したため、「雷帝（グロズヌイ）」と呼ばれ、恐れられました。イヴァン4世は至るところに密偵を張り巡らし、少しでも自分に反逆する気配があれば、強迫的な手段で反対者を処刑に追い込みました。

イヴァン4世はロシア独特のツァーリズム（皇帝専制主義）を確立させます。ロシアにとって、ツァーリズムは避けられない宿命でした。ロシアはスラブ人のみならず、モンゴル人やトルコ人などのアジア人などが集まる多民族国家です。イヴァン4世はシベリアにイェルマークらの遠征隊を派遣するなど領土を大きく拡大させ、諸民族を取り込みます。

ロシアでは、様々な民族集団が部族社会を形成しており、彼らが覇を競い合い、複雑に混在する状況のもと、西洋的な商業国家のように法や社会のルールに従うというよりは、むしろ力の強弱が物事を決める基準になっていました。そのため、統治者たるロシア皇帝は絶対的な力を持たなければなりませんでした。

イヴァン4世のような暴虐非道な皇帝でも、指導者は統率力に優れたカリスマ性の持ち主であることが要請されたのです。少しでも皇帝が軟弱な姿勢を見せれば、部族勢力が増長し、国土を分断させ、戦乱に巻き込みます。平和のためにも強い皇帝が必要とされました。

こうした社会風土がロシア独特のツァーリズムを生み、それが今日のロシア政治にも受け継がれているのです。

イヴァン4世の死（1584年）後、動乱が頻発し、帝位の簒奪者や僭称者が続きます。約30年の動乱期を経て、1613年、ロマノフ家のミハイル・ロマノフが新たにツァーに選出され、ロマノフ朝を創始しました。ロマノフ家はリューリク家の血統を引いていませんが、イヴァン4世の妃アナスタシア・ロマノヴナがロマノフ家の出身であったため、リューリク家の縁戚関係にありました。このことによって、ミハイル・ロマノフの帝位継承が正統とされたのです。

ロマノフ朝は18世紀前半に活躍したピョートル1世の時代に、西欧化・近代化を進め、躍進します。

ピョートル1世はロシアの中央政府に従わない地方勢力を抑えます。彼らはコサックと呼ばれるトルコ人の武装勢力で、古来より自給自足の部族生活を営み、ロシア帝国の支配を拒んでいました。ピョートル1世はロシア南方のヴォルガ河流域のコサックを鎮圧し、支配を固めました。また、ロシア西方のウクライナ・コサックの反乱を鎮圧し、ウクライナを征服します。

18世紀後半、女帝エカチェリーナ2世はカザフスタン地方のコサック長プガチョフの反乱を鎮圧し、中央アジア北部をロシアの支配圏に入れました。

これ以降、ロシア人は中央アジア方面に本格的に入植し、現地のトルコ人と混血し、新たなハイブリッドな民族が大量に生まれることになります。様々な民族を取り込んだロシアの人口は19世紀後半に1億人を超え、ヨーロッパ随一の人口を擁する大国となります。

❖ソ連体制下の民族問題と現在

１９１７年のロシア革命で政権を握ったレーニンは「民族自決の原則」を布告します。この布告に基づいて、フィンランド、バルト三国（エストニア、ラトヴィア、リトアニア）、ポーランドが独立を達成します。

しかし、レーニンらソヴィエト政権の民族独立の承認は一部に止まり、中央アジアのトルコ人などの独立を認めませんでした。中央アジアのトルコ人はトルコ民族の統一国家をつくるという目標を掲げ、ソヴィエト政権にゲリラ闘争を挑むも、壊滅させられました。その後、ソ連の彼らに対する弾圧と支配は過酷を極めました。

第二次世界大戦がはじまると、ソ連は１９４０年、独立国であったバルト三国に侵攻し、一方的に併合しました。

ソ連の共産主義者たちはロシア帝国の周辺民族の支配を「帝国主義」と激しく批判していました。また、周辺民族を酷使することは「労働搾取」であるとして、激しく批判していました。こうした考えを、スターリンも１９２０年に著した論文『ロシアの民族問題に関するソヴィエト権力の政策』の中で、はっきりと述べています。

それにもかかわらず、ソ連はロシア帝国の遺産ともいえる周辺民族の支配を継承しています。彼らはその矛盾を明確に説明することはできませんでした。この矛盾の構造は中国の共産党政権にも、まったく同様に当てはまります。

1985年からはじまるゴルバチョフのペレストロイカで、それまで、ソ連体制下において抑圧されてきた非ロシア人の諸民族の不満が一気に吹き出しました。予想を超える民族主義の高まりのなか、もはやコントロール不能となり、ソ連を解体させる直接の原動力になります。

図35-1｜ソ連の崩壊（1991年）に伴い独立した諸国

ソ連の崩壊によって、図35-1の国々が独立します。ソ連時代末期の1990年の人口は2億8862万人でしたが、新しく成立したロシア連邦の人口は1億4850万人（1992年）となります。ロシアでは、この人口は今日までほとんど変わっていません。

ロシア連邦国家統計庁（2018年調査）によると、ロシア国内における各民族の人口に占める割合はロシア人が77・7％、タタール人が3・7％、ウクライナ人が1・4%となっています。そのほか、約200の少数民族が存在します。しかし、ロシア人が8割近い人口を占めるということは実際にあり得ないでしょう。この数字はロシア人の血が少しでも入っている混血者をすべて、ロシア人に含めて数えられています。

シベリアや極東アジアにまで至る広大なロシアの領地において、ロシア人は必ずと言ってよいほど、アジア系民族と混血しています。純粋なロシア人など、ほとんどいません。ロシア人は自らを「白人（コーカソイド）」としていますが、東に向かうにつれて、アジア系民族の容貌を持つ人々も多く見られます。

かつて、アロー戦争の混乱の隙を突いて、ロシアは1860年、中国から、ウスリー川以東の沿海州を奪います。そして、沿海州の南端の地にウラジオストクを建設します。現在、これら極東地域では、ロシア人とアジア系民族の割合が9：1になっているとされます。かつて、ロシア人はアジア系民族をこの地域から駆逐したとされますが、両者が混血同化したケースも少なからずありました。何を基準にロシア人と分類するかは難しいところです。

SECTION 36

ウクライナ人、ベラルーシ人

民族差別と迫害の過酷な歴史

❖「ルーシ」の正統な継承者はウクライナ人なのか

ウクライナ人はスラヴ人で、ロシア人と民族的にはほとんど同じであるものの、ロシア人を民族や国家の正統な後継者とはせず、簒奪者と見なします。

ウクライナ人もロシア人もリューリクが率いたルーシ族に共通の起源を持ちます。ルーシ族はロシア北部に862年、ノヴゴロド国を建国します。その後、リューリクの親族であったオレーグはビザンツ帝国との交易の拠点となっていたキエフに南下して制圧します。キエフはドニエプル川の中流に位置する現在のウクライナの首都です。

オレーグは882年、ノヴゴロドからキエフに本拠を移します。これがキエフ公国のはじまりです。この時代、ロシアやウクライナに王は存在せず、各地に豪族らが割拠し、分裂状態でした。豪族らは「公」を意味する「クニャージ」を名乗っていました。

キエフ公国の君主も「クニャージ」を名乗りましたが、キエフ公国は他の公国よりも国力が強く、主導的な立場にあったため、君主は「大公」を意味する「ヴェリーキー・クニャージ」を名乗っていました。ちなみに、ノヴゴロド国は「王国」でもなく、「公国」でもないのは、リューリクが王でも公でもなく、ルーシ族の族長という立場に過ぎなかったからです。

キエフ大公位はオレーグの死後、リューリクの息子に引き継がれ、以後、歴代、リューリクの血筋の者が引き継ぎます（リューリク朝）。

15世紀、ロシア中部のモスクワ公国が強大化します。モスクワ公もまた、「ヴェリーキー・クニャージ」を名乗っていたため、モスクワ公国は一般的に「モスクワ大公国」と呼ばれます。モスクワ大公イヴァン3世がロシア人勢力を統一し、この中にウクライナ人も取り込まれていきます。そのため、ウクライナ人から見れば、キエフ公国の本流に対し、地方勢力に過ぎなかったモスクワ大公国には、正統性がないということになります。傍系が力と暴力によって、自分たちを強制的に従わせたと捉えているのです。

キエフ公国は正式には「キエフルーシ」と呼ばれており、「ルーシ」の名を引き継ぐルーシ族の正統という意味が込められています。ウクライナ人は自分たちこそが「ルーシ（ロシア）」であり、ロシア人がそれを勝手に自称するべきではないと考えています。ウクライナ人は自分たちの歴史はロシア人によって奪われたと主張しているのです。

しかし、ロシア人にも言い分があります。ロシア人がキエフ公国を滅ぼしたのではなく、13世紀に、モンゴル人が滅ぼしました。そして、モンゴル支配から、いち早く勢力を回復したのがモスクワ大公国です。また、モスクワ大公は傍系ではあるものの、リューリクの血統を引いているリューリク家の一族であり、「ルーシ」を継承する充分な正統性があるとされるのです。

いずれにしても、ウクライナ人とロシア人は同じ民族で、不可分一体の共通の歴史を歩んできたのであり、両者を民族的に区分することは困難です。

❖誇り高いコサックが民族の原点

キエフ公国はバルト海と黒海を結ぶドニエプル川流域を支配し、交易によって栄えます。10世紀末、キエフ大公ウラディミル1世はビザンツ帝国（東ローマ帝国）と連携し、自らギリシア正教に改宗し、ビザンツ文化を受容します。この時、ギリシア正教のみならず、キリル文字をも受容し、これを基礎にロシア文字が形成されていきます。

ウラディミル1世はビザンツ皇帝の妹と結婚します。この時、リューリク家が皇帝家と姻戚関係になったことが、ビザンツ帝国崩壊後、モスクワ大公イヴァン3世がツァー（皇帝）位を継承する根拠となります。

ウラディミル1世の時代に、キエフ公国は全盛期を迎えますが、11世紀後半、トルコ系の遊牧民がキエフ公国に侵入し、混乱の中、各地で内乱が頻発するようになります。12世紀以降、イタリアを中心とする地中海交易が活発化し、ドニエプル川流域の交易が相対的に衰退し、キエフ公国は荒廃していきます。

『トルコのスルタンへ手紙を書くザポロージェのコサック』(イリヤ・レーピン画、1891年、国立ロシア美術館蔵) ドニプエル川下流の地ザポロージェに本拠を置くウクライナ・コサック。降伏をすすめてきたオスマン帝国に対し、コサックのアタマン(首長)が「このウスノロのバカタレが」とスルタンを罵る返書を口述筆記させている。それを聞いた仲間たちが腹を抱えて笑っている。

そこにチンギス・ハンの孫バトゥが率いるモンゴル人が襲来します。1237年、モンゴル軍はロシアに入り、1240年、キエフを占領します。街は徹底的に破壊されて、キエフ公国は滅亡しました。ウクライナ人はロシア人とともに、「タタールの軛」の時代に入ります。

この時期、ウクライナから南ロシアの各地に、コサックという騎馬武装集団が現われます。コサックはもともとトルコ人の馬賊たちでした。「コサック」はトルコ語で、「自由な人」を意味します。トルコ人馬賊に、モンゴル人も加わります。このモンゴル人は何らかの理由で、モンゴル正規軍から離れた者、正規軍に不満を持っていた者、あるいは正規軍に最初から属さず、馬賊として活動していた者などです。

当初、コサックはトルコ人やモンゴル人のアジア系の混成集団でしたが、ウクライナ人などのスラヴ人もコサックに加わるようになります。ウクライナ人の一部はモンゴル人支配を嫌い、自らコサックの一団に参入することにより、モンゴル人に抵抗したのです。こうして、黒海に注ぐドニエプル川やドニエストル川流域で、無数のコサック集団ができあがります。

コサックはトルコ人集団をベースにしながら、モンゴル人やウクライナ人、ロシア人を取り込んでいき、多層な混血民族集団へと変化していきます。

ウクライナ人の愛国主義者たちはモンゴル人やロシア人に決して屈することのなかった誇り高いコサックこそが、自分たちの民族の原点であると主張します。ウクライナの国歌の歌詞には、「われらは自由のために魂と身体を捧げ、兄弟たちよ、われらがコサックの氏族であることを示そう」とあります。

❖ロシア帝国のウクライナ支配

しかし、実際には、ウクライナ・コサックは一部を除いてほとんどが、17世紀末にロシア帝国に屈しています。

ロマノフ朝のピョートル1世はウクライナ・コサックと大規模な戦争をし、大砲の火力でコサックの騎馬兵を打ち破ります。ピョートル1世はウクライナをロシア帝国に編入するとともに、コサック兵をロシア帝国の軍隊に編入します。こうして、ロシアのウクライナ支配がはじまります。

18世紀後半、女帝エカチェリーナ2世は黒海方面へと進出し、オスマン帝国からクリミア半島を奪います。クリミア半島は黒海の制海権を握る上で重要な戦略拠点でした。ロシアがクリミア半島を得たことで、ウクライナ支配が確立し、北のバルト海と南の黒海をつなぐ物流動脈が形成され、交易が活発になり、国力を急速に増大させます。

先述したように、エカチェリーナ2世は1773年、カザフスタン地方のコサック首長プガチョフの反乱を鎮圧し、中央アジア北部をロシアの支配圏に入れます。

ウクライナはピョートル1世とエカチェリーナ2世によって、従属させられました。そのため、ウクライナ人は「われらを拷問したピョートル1世、われらに止めを刺したエカチェリーナ2世」と2人の皇帝を形容します。

ピョートル1世はウクライナ語を禁止します。ウクライナを「小ロシア」とする呼び方はこの時に定着します。「小ロシア」はウクライナをロシアの従属地域とする蔑称としての意味が込められています。エカチェリーナ2世はウクライナ語禁止政策を引き継ぎ、帝国の行政統治をウクライナに徹底し、ロシア化を推進していきます。

ウクライナから中央アジア北部に分布していたコサック勢力はロシア人によって支配されますが、彼らの勢力は完全に消滅したのではありません。コサック集団は中央のロシア帝国に不満を持つロシア人やウクライナ人やモンゴル人などの非ロシア人の逃亡先となり、帝国の辺境にあって、半ば独立した勢力となっていました。

ザポロージェのコサックなどはその代表で、ロシア帝国も彼らに簡単に手を出すことができず、半ば自治権を認めていました。コサック集団もロシア正教に帰依し、税を帝国に納めるなどして、一定のレベルで連携をしていたのです。

ウクライナは肥沃な穀倉地帯で、小麦を豊富に産出していました。ロシア人はウクライナ人を農場で強制労働させます。ロシアには、「農奴」と呼ばれる奴隷的な農民階級があり、多くのウクライナ人が農奴に貶められて、搾取され、差別されたのです。

ウクライナ人はロシア人に監視され、行動を制限されていました。19世紀後半から20世紀初頭にかけて、ウクライナ人の民族運動が活発化しますが、ロシア帝国は出版や新聞による言論を厳しく統制し、反抗的な者を容赦なく、シベリアへ流刑にしました。

この頃から、ウクライナ人たちは自分たちをロシア人と区別するため、「ルーシ」の呼称を改め、「ウクライナ」を用いるようになります。「ウクライナ」は中世ルーシ語で、「国」という意味があるとされます。しかし、ロシア人は「ウクライナ」を「国」とは解さず、「辺境」という意味であると主張しています。

❖悲劇のウクライナ人、第二次世界大戦、チェルノブイリ

1917年、ロシア革命でロシア帝国が崩壊し、レーニンの率いるソヴィエト政権が誕生すると、ウクライナは独立し、ウクライナ人民共和国が成立します。この時、はじめて「ウクライナ」という名称が正式な国号の中で用いられました。

しかし、ソヴィエト政権はウクライナの独立を認めず、軍事侵攻し、１９１７年、ウクライナ・ソヴィエト戦争が勃発します。４年に及ぶ激戦の末、ソヴィエト軍がウクライナを制圧します。１９２２年、ウクライナは正式にソヴィエト連邦に編入されます。ウクライナ人はソ連時代も弾圧され、多くのウクライナ人の知識人や民族運動家が処刑されました。

レーニンの死後、スターリンが独裁を強めていくなか、ウクライナ支配を強化していきます。ソヴィエト政権は１９３２年から１９３３年にかけて、強制的な農業集団化政策により、ウクライナ農民の土地を没収し、強制労働に従事させます。推定で４００万人から１０００万人のウクライナ人が餓死したとされています。ウクライナ人にとって、スターリン時代が最も悲惨な時代とされ、ウクライナ人のロシアへの憎悪が刻み込まれていきます。

第二次世界大戦がはじまると、ドイツが侵攻し、ウクライナが独ソ戦の舞台となり、国土が焦土と化します。ウクライナ人の死者は、兵士や民間人合わせて、８００万人から１４００万人と推定され、大戦中の最大の犠牲者を出した民族とされます。ウクライナ人の５人に１人が死亡した計算となります。ドイツが約５００万人の犠牲者、日本が約３００万人の犠牲者ということと比較しても、ウクライナの被害がどれほど甚大であったかがわかります。

一般的な統計では、ウクライナ人の犠牲者は「ソ連の犠牲者」として表記されるため、気付きにくいのですが、「ソ連の犠牲者」の多くがウクライナ人です。つまり、このことは、ソ連軍が危険な前線にウクライナ兵を意図的に投入し、ドイツ侵攻の際、ウクライナの民間人が危険に晒されても守らなかったということを意味しています。世界史の中で、これほど多数の犠牲者を一度に出すような経験をした民族はウクライナ人だけです。

1953年、スターリンが死ぬと、ウクライナ懐柔政策がはじまります。ソ連によって懐柔されたウクライナ人は法外な給与が支給され、飼い慣らされ、特権化します。一方、多くのウクライナ農民はスターリン時代と同じく、搾取され続け、貧困にあえいでいました。

1971年、キエフの北110キロ、ウクライナ北部に位置するチェルノブイリ市近郊で原子力発電所が建設されはじめます。ソ連は原発をウクライナに置くことを一方的に決定し、周辺のウクライナ人に何の説明もないまま、1978年、原子炉を稼働させます。そして、1986年4月26日、チェルノブイリ原発事故が発生しました。弱い立場のウクライナ人が原発の負の側面をすべて引き受けさせられたのです。

❖出口の見えないウクライナの混乱

1991年、ソ連崩壊とともに、ウクライナは独立しました。独立後、西部ウクライナ人と東部ロシア系住民との対立が表面化します。東部ロシア系がロシアの支援を背景に、豊富な資金力で勢力を拡大し、固い団結をしているのに対し、西部ウクライナ人は利害の調整が進まず、一枚岩になっていません。

ロシア系住民の多い東部はドネツク州を中心に、ウクライナからの分離独立を目指し、武装

図36-1｜ウクライナ国内のロシア語を第一言語とする人の割合

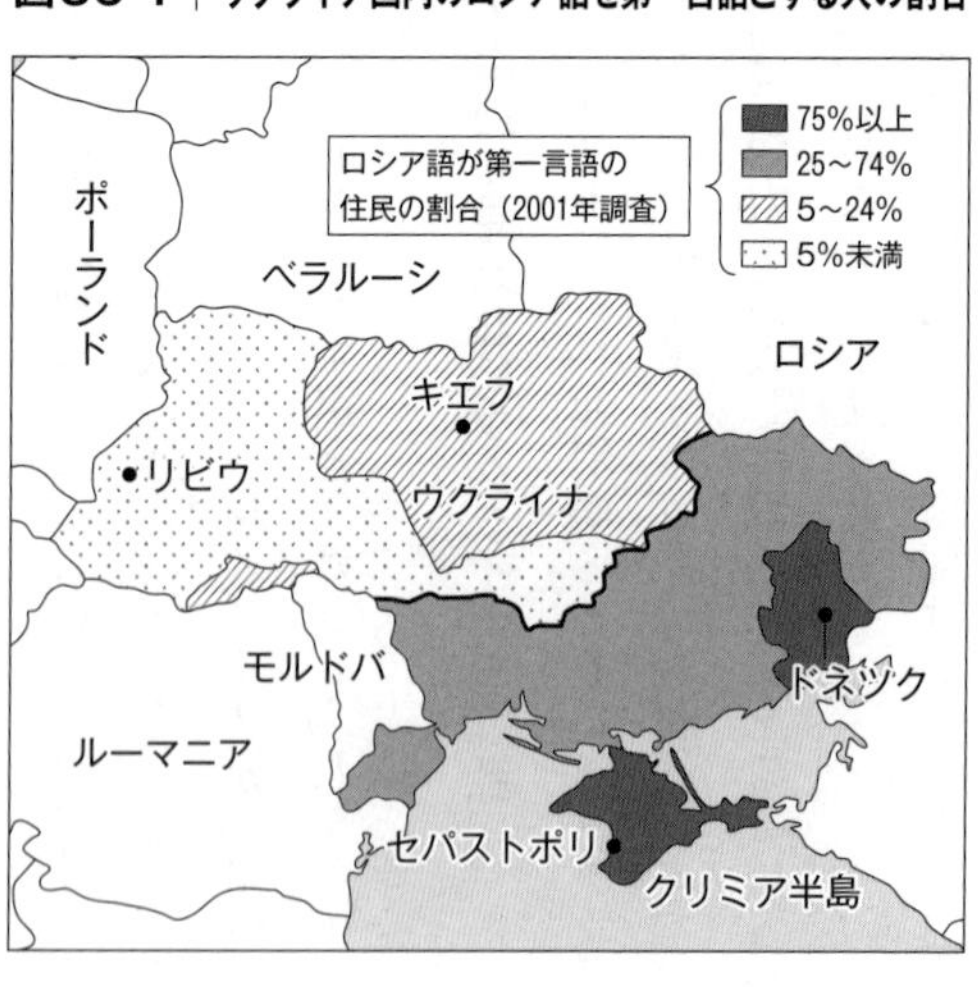

勢力を結成します。ウクライナ東部には、資源採掘地や重化学工場が集中しています。東部の分離を認めると、ウクライナはそれらをすべて失ってしまいます。

２０１４年、マイダン革命（後段詳述）の勃発とともに、ウクライナ東部で、ロシア系住民とウクライナ人との対立が激化し、ウクライナは内戦状態になります。ロシアのプーチン政権は住民保護という名目で、ウクライナに軍事介入しました。

この混乱のなか、ロシアはウクライナ南部のクリミア半島でロシア系住民のデモを煽り、意図的に混乱を引き起こし、軍事介入の口実をつくります。そして、住民投票を経て、２０１４年3月18日、クリミア半島をロシアへ編入しました。ロシアにとってクリミア半島の奪還は歴史的悲願でした。19世紀のクリミア戦争での激闘の舞台となった歴史的因縁の地セバストポリで、クリミア帰還の大祝典が行なわれました。

ロシアにとって、いまも昔もクリミア半島は死活的に重要な戦略拠点です。ロシアは現在、クリミアに基地を置き、黒海全域の制海権を握り、西方のバルカン方面、南方のトルコ、ジョージア（グルジア）、アルメニア方面に睨みを利かせています。

クリミア半島併合後も、ロシアはウクライナへの介入を強め、親ロシア派を支援し、内戦が激化しました。ウクライナ人とロシア系住民は言語も宗教も近い同じ東スラブ民族ですが、互いに殺し合い、多くの犠牲者が出ています。

ウクライナ問題は、ウクライナ人の迫害の歴史から生じているロシア人への激しい憎悪とも深く関連しており、感情的にも、妥協できないのです。その後も、ウクライナ政府軍と親ロシア派は戦闘と停戦を繰り返し、今日に至ります。

ロシアのプーチン政権は２０１４年から続く紛争をウクライナ人同士の「内戦」と位置づけていました。２０２２年、プーチン大統領はウクライナ東部の親ロシア派の独立を承認し、彼らの要請に基づき、軍事介入をしました。ウクライナ軍は善戦し、首都キエフを守りましたが、ウクライナ東部はロシアの事実上の支配下にあります。

❖ロシアとの確執、ゼレンスキーに至るまで

ゼレンスキー政権以前のウクライナもまた、様々な問題を抱えていました。ゼレンスキー大統領以前に、ユシチェンコ（２００５年～２０１０年）、ヤヌコーヴィチ（２０１０年～２０１４年）、ポロシェンコ（２０１４年～２０１９年）の３人の大統領がいました。

ユシチェンコ（ユーシェンコ）は中央銀行総裁時代にインフレを抑制したことで、国民の支持を獲得し、首相を務め、最終的に大統領となります。２００４年、大統領選挙の際、ダイオキシン毒を何者かに盛られ、顔が一変したことで知られます。ユシチェンコは親露派の与党候補ヤヌコーヴィチと選挙戦を戦っており、敗北と伝えられたものの、ヤヌコーヴィチ陣営の不正疑惑が発覚します。民衆が抗議行動を起こし（オレンジ革命）、同年、再選挙が実施されました。

この再選挙で、ユシチェンコが勝利します。ユシチェンコは民主化・西欧化を進めますが、首相のティモシェンコ（「美しすぎる首相」として知られる）と次第に対立をするなどして、内政を混乱させ、２０１０年の大統領選挙で敗退します。

ヤヌコーヴィチはティモシェンコとの決選投票で勝利します。ヤヌコーヴィチは親露政策を進め、ＥＵとの連合協定締結の署名を撤回し、西側諸国と距離を置こうとします。

２０１３年末、これに反発した野党や市民が抗議デモを起こします。ヤヌコーヴィチは武力鎮圧をしたため、デモは過激化しました。一部の過激化した勢力が武装闘争を展開し、キエフは騒乱状態になります。これは「マイダン革命」と呼ばれます。「マイダン」はウクライナ語で「広場」の意味で、キエフ独立広場で行なわれた反政府デモが発端となっているため、こう呼ばれます。民衆の武装闘争は過激化し、ヤヌコーヴィチは２０１４年2月にキエフを脱して、ロシアに亡命します。

この混乱の隙を突くかたちで、ロシアは3月にクリミア半島に侵攻します。また、ロシアはウクライナ東部のドネツク州とルハンシク州の一部におけるロシア系住民と呼応して、「ドネツク人民共和国」と「ルガンスク人民共和国」というかたちで、ウクライナから分離独立させます。ウクライナは事実上の内戦状態に陥ります。

この混乱の中で行なわれた大統領選挙に勝利したのがポロシェンコです。ポロシェンコはユシチェンコ政権やヤヌコーヴィチ政権で外相や経済相を務めた実力者で、その実務的な手腕が評価されて、ティモシェンコに大差をつけて当選しました。

ポロシェンコは内戦状態になっている国内をまとめなければなりませんでした。ポロシェンコは強大な軍事力を誇るロシアと直接対決する路線をとらず、構造改革によって経済を向上させて、国内を建て直し、EUと北大西洋条約機構（NATO）への加盟を目指す路線を歩みます。

2015年、ドイツとフランスの仲介によって、ポロシェンコはロシアとミンスク合意を結びます。この合意は、ドンバス地方の「ドネツク人民共和国」と「ルガンスク人民共和国」に自治権を与えるとするもので、親露派の多い同地域の事実上の分離独立を認めたと言っても過言ではない合意でした。ポロシェンコはロシア軍のさらなる攻撃を防ぐために、ロシアに譲歩するしかなかったのです。しかし、国内からは批判に晒されました。

また、ポロシェンコ政権の改革は汚職が原因で、ほとんど進みませんでした。政権の要人らは「オリガルヒ」と呼ばれる産業・金融界を支配する少数の新興財閥と癒着しており、彼らの利権のためにだけ動きました。オリガルヒは前政権のユシチェンコ政権やヤヌコーヴィチ政権の中枢にも食い込んでいました。「オリガルヒ」の名称は「寡頭制」を意味するギリシア語の「オリガーキー」に由来します。オリガルヒは1990年代のソ連崩壊後に、国営企業の民営化で莫大な利益を得て、急成長し、ロシアだけでなく、ウクライナでも多く生まれました。

ウクライナのオリガルヒとして有名なのがリナト・アフメトフとイーホル・コロモイスキーらです。アフメトフはエネルギーやガス、農業、メディア、通信などの事業を手がけており、コロモイスキーは石油ガス、銀行、国営メディア、化学や冶金、輸送などを手がけています。

2019年の大統領選挙で、俳優出身のゼレンスキーが立候補し、こうしたオリガルヒと政権の癒着を厳しく糾弾して、支持を拡大し、圧勝します。

ところで、コロモイスキーは2022年、ロシアのウクライナ侵攻の際に、ロシアから「ネオナチ」と批判されて有名になったアゾフ大隊に資金提供していることでも知られています。他にも、ドニプロ大隊やアイダール大隊などの国粋主義組織に資金提供をしています。コロモイスキーはユダヤ人です。

これまで、ポロシェンコ政権などはオリガルヒと強く癒着し、協調体制が取られていましたが、ゼレンスキー大統領の登場で、そのような協調体制が崩れ、ウクライナ内政に混乱が生じたところを、ロシアに狙われたという側面もあります。ロシアはウクライナを少し突くだけで、内部から自壊するだろうと考えていたかもしれません。

（注）日本政府は2022年3月31日、ウクライナの首都キエフの名称表記について、ウクライナ語の発音に基づくキーウに変更すると発表しました。「キエフ」が「キーウ」、「チェルノブイリ」が「チョルノービリ」に変更されました。世界中に、現地発音と異なる地名の英語表記、ドイツ語表記、スペイン語表記などは多くあります。これでは、そうした表記を全部、現地におうかがいを立てて、現地表記しなければならないことになります。

2008年に「グルジア」が「ジョージア」に変わりました。これは、グルジア侵攻でグルジアがロシアと国交断絶し、それまでロシア語読みであった国号の「グルジア」の読み方を変更し、英語読みの「ジョージア」と改め、彼らがその変更を国際社会にも求めたからです。今回、ウクライナ側がそう求めたわけでもないのに、日本政府がわざわざウクライナ政府におうかがいを立てています。世界の地名・人名をどう発音するかは、それぞれの国の判断であり、他国におうかがいを立てるようなものではありません。今後、われわれ日本人は、北京を「ベイジン」と発音表記させられるのでしょうか。習近平を「シージンピン」と発音表記させられるのでしょうか。本書では、従来の表記で統一しています。

❖ベラルーシ人はどのように、ロシア人から分離したのか

ベラルーシの「ベラ」は「白」を意味しているので、かつて日本では、「白ロシア」と呼ばれていました。モンゴル人が来襲した時、彼らは方角を色で表現し、西を「白」としたことか

ら、「ベラルーシ」という呼称となったという説などがありますが、その名称の由来ははっきりとわかっていません。

ベラルーシ人はその名の通り、ルーシ（ルス）族を祖先に持つ民族で、ロシア人と同族でした。しかし、14世紀、リトアニア大公国が勢力を拡大させ、ベラルーシを領有します。この時、リトアニア大公国の一部となったベラルーシはロシア本体とは切り離され、18世紀まで、ロシアと異なる歴史を歩むことになり、両者の区分も明確になっていきます。

リトアニア大公国の人口のほとんどはベラルーシ人で、支配者層のリトアニア人は少数でした。リトアニア人はすぐにルーシ化され、リトアニア大公国は実質、ルーシ国家になります。

1386年、リトアニア大公のヤギェウォはポーランド女王ヤドヴィガと結婚し、ポーランド・リトアニア連合王国（ヤギェウォ朝）が形成されます。ヤギェウォ朝は民族的には、ベラルーシ人とポーランド人の連合です。東欧の中でも、ポーランド人は民族的にロシア人に最も近いとされますが、正確には、ベラルーシ人に近いといえます。ヤギェウォ朝時代に、ベラルーシ人とポーランド人の混血が進んだからです。

ヤギェウォ朝は強大化しますが、1572年、王統が断絶し、貴族や地主などの支配層が構成する議会で、国王を選出する選挙王制が行なわれます。選挙王制で政治が混乱してポーランドは弱体化し、18世紀末、ロシア、プロイセン、オーストリアの3国によって分割され、国家が消滅します。この時、ロシアがポーランドから奪い取り、併合した領土がベラルーシです。

以後、ベラルーシ人はロシア帝国の下、ロシア人によって支配されます。

ロシア帝国はウクライナ人を弾圧したのに対し、ベラルーシ人には自治権を認めるなど、一定のレベルで寛容さを示しました。ベラルーシ人が帝国に恭順していたからです。また、ベラルーシ語はロシア語とほとんど同じであるため、ウクライナ語禁止のような言語統制が敷かれることもありませんでした。しかし、ベラルーシ人はかつて、ポーランド国家に属していた「亡国の民」と見なされ、明らかに差別されました。ウクライナ人と同様、ベラルーシ人の多くが農奴として酷使されたのです。

ベラルーシ人はポーランドの国教であったカトリックを信奉していましたが、ロシア帝国に併合されて以降、ロシア正教会（東方正教会）に改宗する者が増え、今日では、ベラルーシ人のほとんどがロシア正教を信奉しています。

一方、ロシア帝国の併合後、ベラルーシ領域内で、ルーシ人よりもポーランド人に近いと考える人々も多くあり、彼らはロシア正教会への改宗を拒み、カトリック信仰を貫きました。そのため、帝国から弾圧され、多くがポーランドへ亡命します。

1919年、ロシア革命の影響で、ベラルーシ社会主義共和国が成立し、1922年には、ソ連邦の一共和国として組み込まれます。1991年、ソ連の崩壊に伴い、ベラルーシ共和国として独立します。1994年以来、ルカシェンコ大統領の独裁政権が続いており、2020年、不正選挙に反発した民衆が大規模な反政府デモを起こしました。

SECTION 37

バルカン半島人①
スラヴ化の浸透と拒絶、遺伝子、言語、文化

❖バルカン半島人と北欧人の共通遺伝子

バルカン半島における南スラヴ人は美しい金髪碧眼の白人的な容貌の特徴を最も強く備えた民族です。南スラヴ人に、金髪碧眼と相関関係のあるハプログループＩが北欧人と同じ高頻度で観察されています。

金髪碧眼の南スラヴ人と北欧人は、容貌もよく似ており、両者を見た目だけで区別するのは難しいでしょう。なぜ、ハプログループＩの高頻度分布地域は北欧と南欧で離れているのでしょうか。

ハプログループＩは1万年以上前のクロマニョン人の遺伝子で、ヨーロッパ人の最も古い遺伝子の基層を成しています。ハプログループＩはもともと北欧、中欧、南欧にかけて広く分布していましたが、R1aを高頻度に持つスラヴ人の拡大によって、南端と北端に追いやられ、飛び地分布になってしまったと考えられます。

その後、南部ではスラヴ化され、北部ではゲルマン化され、南スラヴ人と北欧人は異なる民族カテゴリーに区分されるようになりますが、遺伝子の基層はハプログループIで共通しているのです。南スラヴ人はクロアチア人、ボスニア人、セルビア人、モンテネグロ人などが代表です。

図37-1｜ハプログループI分布とR1aの拡散

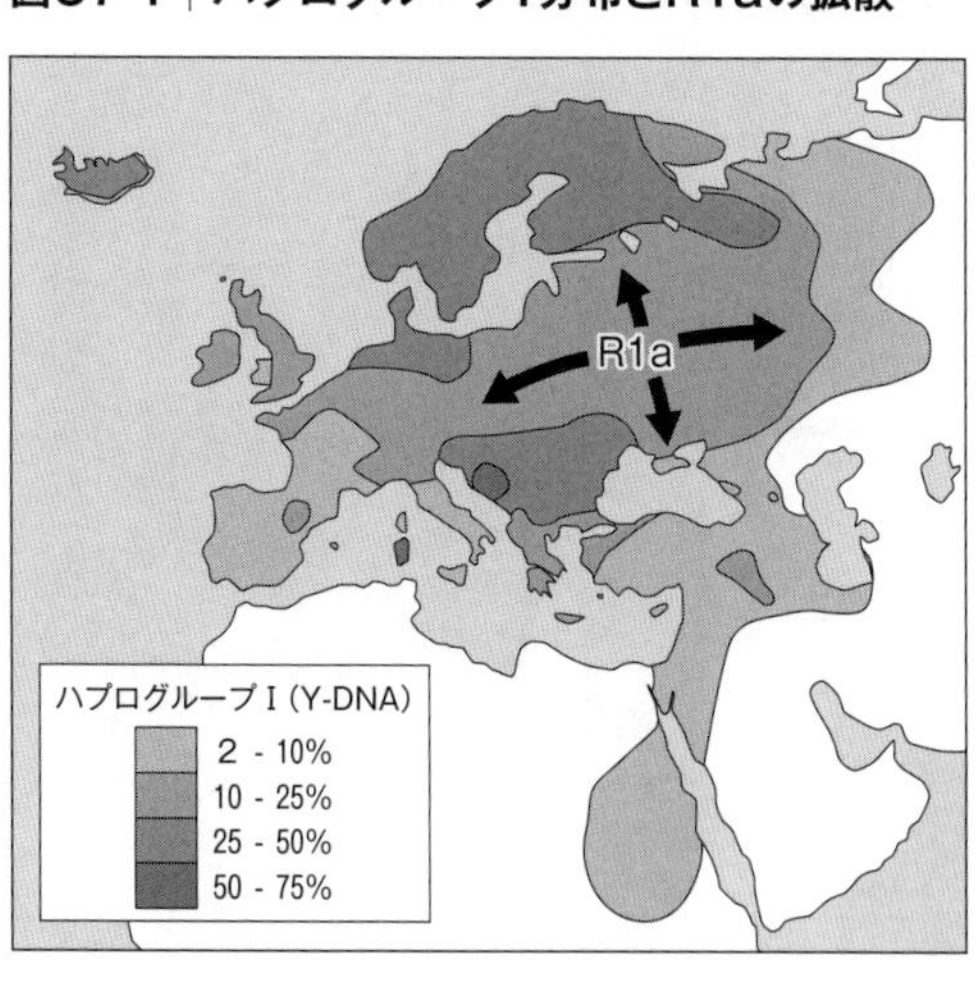

スラヴ人は紀元前8世紀頃、ウクライナからバルカン半島に南下して、移住しています。その後も、漸次、スラヴ人はバルカン半島に移住し、その勢力を増大させますが、紀元前4世紀以降、アレクサンドロス大王のマケドニア・ギリシア人がバルカン半島を統一し、勢力を拡大すると、スラヴ人は彼らに従属しました。

紀元前1世紀以降、ギリシア人に代わりローマ帝国が進出すると、南スラヴ人はローマ帝国に従属します。ゲルマン人の一派ゴート人などもバルカン半島に進出しています。

6世紀、ユスティニアヌス帝がビザンツ帝国

図37-2｜バルカン半島諸国

（東ローマ帝国）の全盛時代を築きます。南スラヴ人はギリシア・マケドニア時代からユスティニアヌス時代までの千年間、従属を強いられ、その勢力はほとんど拡大しませんでしたが、ユスティニアヌス帝の死後、ビザンツ帝国が衰退していくなか、ようやく南スラヴ人も歴史の表舞台に現われはじめます。

南スラヴ人は7世紀から8世紀にかけて、バルカン半島各地で、新たなスラヴ人移住者を積極的に取り込みながら勢力を拡大し、クロアチア人、スロヴェニア人、ボスニア人、セルビア人、モンテネグロ人などの今日の南スラヴ諸族の原形となる集団を形成していくのです。

彼らは正教会を受容し、ビザンツ帝国と連携・協調しながら、勢力の地盤を固めていきます。ビザンツ帝国からは辺境の防備という名目で、自治権を付与され、南スラヴ人は半ば独立した勢力として、バルカン半島各地に割拠していました。

❖バルカン半島のスラヴ化

バルカン半島人がスラヴ化されていくのは、民族の血だけではなく、言語や宗教などの文化によるところも少なくはありません。

ビザンツ帝国の保護のもと、独自の発展を遂げていたコンスタンティノープル教会は自らの教えを正統なキリスト教であるとして、「正教」と称します。コンスタンティノープル総主教は東ヨーロッパ世界のキリスト教（東方教会）の統括者であり、西ヨーロッパのキリスト教の統括者ローマ教皇に対抗していました。

9世紀、「スラヴの使徒」と言われたキュリロス兄弟によって、スラヴ人に「正教」が布教されます。キュリロス兄弟は布教にあたって、スラヴ人が文字を持っていなかったため、ギリシア語をもとに、スラヴ語を表記するための文字を考案しました。この文字は兄弟の名にちなみ、「キリル文字」と呼ばれます。厳密には、キュリロス兄弟が創案した文字はキリル文字の基礎となるグラゴル文字でした。グラゴル文字がその後、改良されてキリル文字となるのです。

「正教」は一般的に「ギリシア正教」とも呼ばれますが、この呼び方は西ヨーロッパ側からの呼び方で、カトリックに対する、ギリシアの一地方のローカル宗教という侮蔑的な意味が含まれ、東側が自ら「ギリシア正教」という言い方をしたことはありません。東側はあくまで、「正教」と自らのキリスト教を呼んでいました。また、「正教」の言語がギリシア語やそれに基づいてつくられたキリル文字であったことから、西側が「ギリシア正教」と呼んだということもありました。

ギリシア人はスラヴ人ではありません。ギリシア文化を引き継いだビザンツ帝国の支配層もスラヴ人ではありません。彼らはスラヴ人に、ギリシア正教やギリシア文字をもとにしたキリル文字を与えました。しかし、〝与えられた〟スラヴ人が圧倒的多数であったため、多数が少数を飲み込む形で、〝与えた〟ギリシア人やビザンツ帝国支配層がスラヴ化されていくのです。

スラヴ人と彼らの混血も進みます。そして、ギリシア人はしばしば、スラヴ人と同等視され、スラヴ人のカテゴリーに入れられることもあります。彼らが民族の血統においても、文化的にも一体化していくなか、「ギリシア正教」は「スラヴ正教」とも呼ばれるべきものになるのです。

キリル文字はロシア語をはじめとするスラヴ諸民族の文字として、現在も使われています。ロシア語、ウクライナ語、ベラルーシ語、セルビア語、モンテネグロ語、ブルガリア語、マケドニア語などの文字はキリル文字です。

南スラヴ人の言語でも、スロヴェニア語、クロアチア語はラテン文字です。スロヴェニアやクロアチアはカトリック圏であるため、ラテン文字が使われたのです。同じくカトリック圏のポーランド語、チェコ語、スロヴァキア語もスラブ語でありながら、ラテン文字が使われています。

❖アレクサンドロスの栄光は誰のものか——ギリシア人、マケドニア人、ブルガリア人

ギリシア語は、ギリシア文字が使われており、独自の言語とされます。独自の言語を用いるギリシア人は一般的にはスラヴ人のカテゴリーに含まれませんが、前述の通り、含まれることもあります。

図37-3｜マケドニアの領域

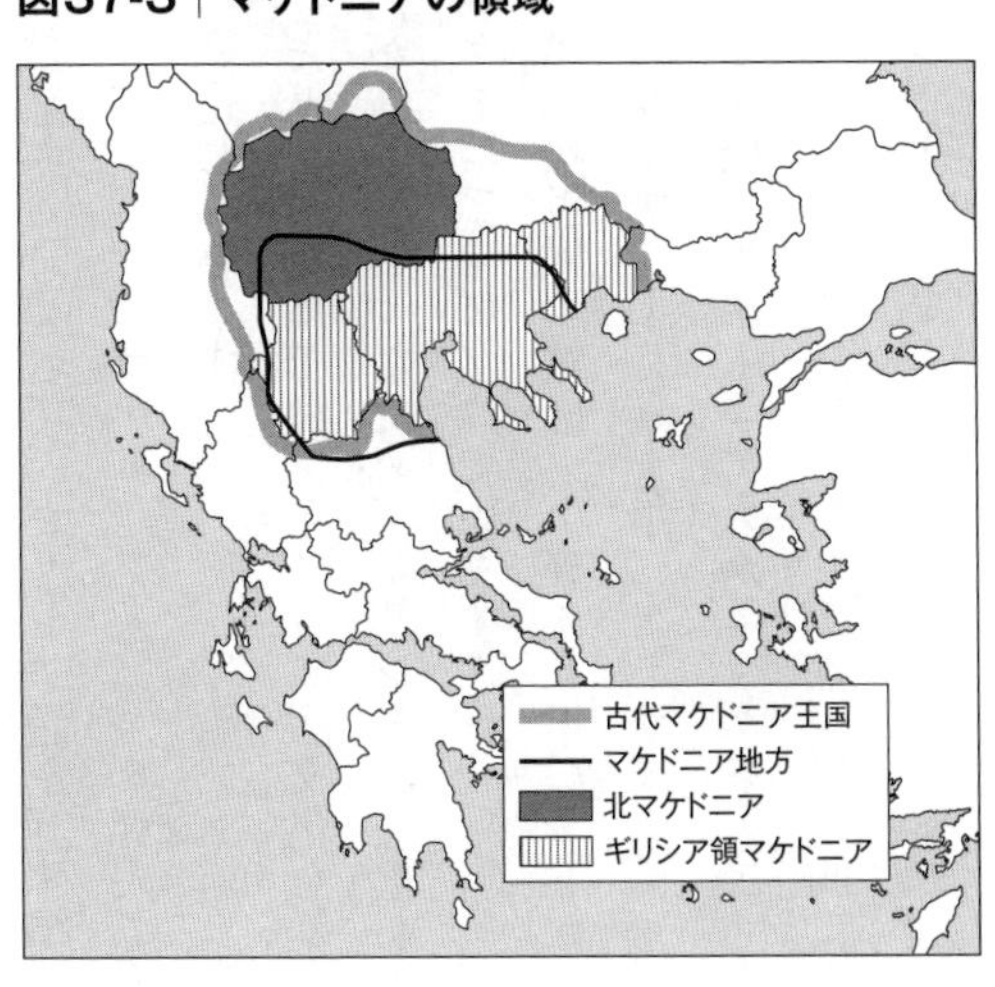

一方、マケドニア人はスラヴ人のカテゴリーに含まれることが多く、これはマケドニア語がキリル文字を使用するスラヴ語族であることが大きな要因となっています。

マケドニアの正式な国号は「北マケドニア共和国」です。「北」が付くのは、マケドニア地方全体のうち南マケドニアはギリシアが領有し、北マケドニアをマケドニアが領有しているためです。

アレクサンドロス大王時代の古代マケドニア人はギリシア語を話すギリシア人でした。しかし、中世において、スラヴ人がマケドニアへ移

住拡散するにつれて、ギリシア語を話す純粋なマケドニア人の血統が失われていきます。したがって、現代のマケドニア人はスラヴ人であり、古代のマケドニア人とはまったく異質な民族に変化しています。

ギリシア本体では、ギリシア語文化を維持することができたものの、北マケドニアはスラヴ化が強く起こったため、ギリシア語文化が維持できず、スラヴ語に入れ替わり、それが今日のマケドニア語に至っています。

第二次世界大戦後、1945年、ユーゴスラヴィア連邦が成立すると、マケドニアも連邦に加わります。1991年、ユーゴスラヴィアの解体によって、マケドニアは分離独立します。

この時、マケドニア人が「マケドニア」を国号に使用したことで、ギリシア人が反発しました。ギリシア人は自分たちこそが民族的に正統な「マケドニア」であり、マケドニア人はユーゴスラヴィア人に過ぎないと主張したのです。アレクサンドロス大王の生誕地ペラはギリシア領です。

これに対し、マケドニアはペラを含むテッサロニキ地方（南マケドニア）の返還をギリシアに要求し、両国は対立しました。また、マケドニアは主要幹線道路や空港に「アレクサンドロス」の名を用いました。ギリシア人は「歴史の略奪」と激しく批判し、両国間の対立は不買運動にまで発展します。

しかし、1993年、マケドニアがギリシアに譲歩し、「マケドニア旧ユーゴスラビア共和国」

の国号を用いることになります。さらに、2019年、「北マケドニア共和国」と改称し、また、首都空港の「アレクサンドロス大王空港」を「スコピエ国際空港」に改名し、ギリシアとの協調路線がとられました。マケドニアがこのようにギリシアに譲歩したのは、EU加盟を目指したからです。ところが、フランスが改革の遅れているマケドニアの加盟に難色を示し、2022年現在、加盟は実現していません。

また、マケドニアがEUに加盟するのに、ブルガリア（2007年加盟）が条件を付けてきました。マケドニアは中世のブルガール帝国の一部であったことがあり、この時に、マケドニア人はブルガリア人化し、マケドニア語もブルガリア語の一方言に化したと、ブルガリアが主張しました。この歴史認識を、マケドニアが認めるならば、ブルガリアはマケドニアのEU加盟を認めるとしたのです。マケドニアはブルガリアの条件を飲みました。実際に、マケドニア語はキリル文字を使用し、隣国のブルガリア語とよく似ています。

ブルガリア人はトルコ系ブルガール人を祖先にするため、厳密には、スラヴ人とはされませんが、実際にはスラヴ化されていくので、スラヴ人のカテゴリーに含まれることが一般的です。ブルガール人は7世紀にブルガール王国（ブルガール帝国）を築き、短期間で多数派であったスラヴ人とも同化していきます（SECTION41で詳述）。

ブルガリア語はスラヴ語族に属し、文字はキリル文字です。ブルガリア国家のはじまりとなったブルガール帝国の建国者がトルコ系であったというだけで、民族や言語において、ブルガリア人は実質的には南スラヴ人といえます。

❖「ヴラフ」と呼ばれた異邦人――ルーマニア人、モルドバ人

ルーマニア人はイタリア人やフランス人と同じ、ラテン人です。「ルーマニア」とは「ローマ人の土地」を意味します。ローマ人の入植者がルーマニアを開拓し、彼らの子孫がルーマニア人となります。

古代には、ローマ語（ラテン語）が使われていましたが、中世以降、スラヴ人との混血が進み、スラヴ化されるにつれ、キリル文字が使われるようになりました。

しかし、19世紀に、ルーマニアの保守主義者たちが民族のアイデンティティを古代ローマ人に求めたことで、ラテン文字復興の動きが広がり、１８６０年、キリル文字を使用禁止にし、ラテン文字が公用文字となります。しかし、宗教的にはルーマニアも東方正教会に属します。１８５９年には、ルーマニア公国が成立し、国号に「ルーマニア」が用いられました。

それまで、ルーマニアは「ワラキア」と呼ばれていました。「ワラキア」とは「ヴラフ人の国（Valahia）」という意味です（「ヴァラヒア」という読みが「ワラキア」になった）。「ヴラフ」は古ゲルマン語の「ヴァルハ（walha）」（「異邦人」という意味）から来ています。

ルーマニア人はワラキアと東北のモルダヴィア（現在のモルドバ）に分布していました。「モルダヴィア」はこの地に流れるモルドバ川に由来し、スラブ語で「黒い川」を意味します。中世

において、ハンガリーによって支配されていましたが、14世紀に、ワラキア公国とモルダヴィア公国が独立します。両公国が1859年に合併して、前述のようにルーマニア公国が成立し、さらに、1881年、ルーマニア公カロル1世が国王に即位し、ルーマニア王国となります。

「ドラキュラ伝説」で有名なワラキア公が、15世紀に活躍したヴラド・ツェペシュです。ヴラド・ツェペシュはオスマン帝国と激しく戦い、敵を串刺しの刑にして見せしめにしたため、「串刺公」と呼ばれ、恐れられていました。

19世紀、アイルランドの作家ブラム・ストーカーは残忍なヴラド・ツェペシュをバルカン半島にあった吸血鬼伝説に結び付けて、小説『ドラキュラ』を創作しました。ヴラド・ツェペシュの父ヴラド2世はハンガリー王ジギスムントにより、ドラゴン騎士団の団員に任じられたことで、「ドラクル公（Dracul）」と呼ばれており、ここから「ドラキュラ」という名称がつくられます。ブカレストの北方にある「ドラキュラの城」とされるブラン城が観光地化されて、人気がありますが、ヴラド・ツェペシュはこの城に住んだことはなく、ブカレスト郊外の宮殿に住んでいました。

ヴラド・ツェペシュらの抵抗の甲斐なく、ワラキア公国とモルダヴィア公国は最終的にはオスマン帝国によって支配されます。オスマン帝国に約400年間も支配され、ようやく、1878年、露土戦争（ロシア・トルコ戦争）でオスマン帝国が敗北したことにより、1859年に成立していたルーマニア公国の独立が正式に承認されます。

第二次世界大戦の混乱のなか、軍部クーデターが起き、ルーマニア国王は退位させられます。軍部政権はヒトラーと結んで枢軸国として参戦しました。

大戦末期、ソ連軍によって占領され、1947年、ソ連の影響下で社会主義国としてのルーマニア人民共和国が成立します。

また、同年、ルーマニアはモルドバをソ連に割譲させられ、同じルーマニア人でありながら、民族が引き裂かれることになります。モルドバは1991年、ソ連解体に伴い独立し、モルドバ共和国となり、現在に至ります。

❖なぜ、北アフリカ人の遺伝子を多く持つのか――アルバニア人、コソヴォ人

アルバニア人とコソヴォ人はイリュリア人という独自の古代民族を共通の祖先に持っています。

かつて、イリュリア人は紀元前1000年頃、バルカン半島西部に定着したと考えられています。古代ギリシア人は彼らを「イリュリオイ（Illyrioi）」と呼んでいました。これは「蛇」を意味する「イリュア（ilur）」から来ているとされますが、なぜ、イリュリア人が「蛇」とされたかなど、詳しいことはわかっていません。

ちなみに「アルバニア」は「白い土地」で、「アルバス（albus）」は「白い」を意味するラテン語です。アルバニアの地質が白い石灰岩質で覆われていたため、こう呼ばれました。イリュリア人はインド・ヨーロッパ語派に属します。イリリュア語はギリシア語とは異なる独自の言

語です。一方、イリュリア語はイタリア語に近く、民族的にも北イタリア人と近接しているという指摘もなされています。しかし、イリュリア人の起源について、未だはっきりとわかっていません。

中世以降、バルカン半島の民族がスラヴ化されていきますが、イリュリア人だけがスラヴ化されず、強固にイリュリア言語を保持し続け、これが現代のアルバニア語に至っています。民族の遺伝子としても、イリュリア人はスラヴ人に特徴的なR1aを低頻度にしか有しておらず、逆に、イタリア人など西ヨーロッパ人に特徴的なR1bを多く有しています。

しかし、イリュリア人のすべてがスラヴ化されなかったわけではありません。イリュリア人はもともとアルバニアだけでなく、クロアチアやスロヴェニア方面まで広く分布していました。バルカン半島北西部のイリュリア人は北から押し寄せるスラヴ人によってスラヴ化されました。南西部のイリュリア人だけが独自の民族文化を保持することができたのです。

アルバニアは国土を峻険な山脈に囲まれています。2000メートル級のディナラ・アルプス山系が連なり、外部からの侵入者を阻んでいました。この地政学的な特徴によってアルバニアのイリュリア人は存続することができました。このほかにも、イリュリア人が部族意識を強く持ち、彼らの文化や伝統に固執したことも、外部文化の影響を排除できた理由として挙げられます。

アルバニアは、陸との交通は遮断されていましたが、海上交通のネットワークにつながっていました。アドリア海を挟んで対岸にイタリアがあります。アルバニアはアドリア海の中継交易の拠点でした。今日、アルバニア人の遺伝子は、北アフリカ人（ベルベル人）に高頻度に観察されるE1b1bが約35％、アラブ人に高頻度に観察されるJ系統が20％強、そして、西ヨーロッパ人に高頻度に観察されるR1bが20％弱と続きます。金髪碧眼と相関関係の強いIも10％以上、観察されています。

アルバニア人が北アフリカ人やアラブ人の遺伝子を多く有するのは、古くから地中海交易で彼らと接触し、混血を繰り返した結果と考えられます。特に、オスマン帝国時代、アルバニアは地中海交易の拠点として重視され、帝国が直轄支配しました。オスマン帝国支配の影響で、アルバニア人は今日でもイスラム教徒が大半ですが、信仰は篤くはありません。

バルカン諸国は19世紀にオスマン帝国から独立していきますが、アルバニアだけは帝国の支配が強固に及び、1913年にようやく独立します。

この時、アルバニア人居住者の多いコソヴォはセルビアに併合されます。前年のバルカン戦争で、セルビアの快進撃があり、列強はセルビアを納得させるために、コソヴォを与えざるを得なかったのです。しかし、このことがアルバニア人の不満を誘発し、その後の大きな問題（コソヴォ紛争）に発展します。

第二次世界大戦後、アルバニアは人民共和国となり、労働党第一書記のホジャが共産主義独裁体制を敷きます。1991年、国名をアルバニア共和国と改称し、改革開放路線がとられます。

一方、コソヴォは第二次世界大戦後、ユーゴスラヴィア連邦の中に組み入れられます。コソヴォのアルバニア人は1991年、ユーゴスラヴィアからの完全独立を要求し、紛争が起こります。セルビア人のミロシェヴィッチ大統領は1998年にセルビア治安部隊を派遣して、コソヴォ解放軍の掃討作戦を実施し、アルバニア系住民への虐殺行為を行ない、国際社会から厳しく非難されます。そして、アメリカ（クリントン政権）の主導により、NATOが介入し、コソヴォ空爆に踏み切ります。

コソヴォはもともとセルビア人の領域でしたが、1389年のコソヴォの戦いで、セルビア人がオスマン帝国に敗退し、この地域からセルビア人が駆逐されてしまいます。代わりに、オスマン帝国に協調的なアルバニア人がやって来て、定住しました。セルビア人はアルバニア人によって奪われた土地を奪還するという使命に燃えて、コソヴォを徹底的に弾圧したのです。

2000年、セルビアの総選挙で、ミロシェヴィッチ大統領が落選し、紛争が緩和されていきます。2008年、コソヴォは一方的に、分離独立を宣言しました。

SECTION
38
バルカン半島人②
民族の重層と錯綜、南スラヴ人の消えない闇

❖気候変動による民族の台頭

「バルカン (balkan)」とは、古トルコ語で「山脈」を意味するとされます。バルカン半島はかつて、ビザンツ帝国(東ローマ帝国)の本拠地でした。ビザンツ帝国は6世紀、ユスティニアヌス帝の時代に全盛期を迎え、かつてのローマ帝国の領土をほとんど回復し、地中海世界の再統一を果たしました。しかし、ユスティニアヌス帝時代にはすでに度重なる遠征のため、帝国財政が悪化し、広大な領域の経営を維持することは困難になっていたのです。

それでも、ビザンツ帝国には、無理をしてでも広大な領域を維持しなければならない理由がありました。それは食糧の確保です。ヨーロッパ地域は慢性的な食糧難に苦しんでおり、食糧をエジプト、チュニジアなどの北アフリカから輸入せねばなりませんでした。

ところが、4世紀から5世紀にかけ、ローマ帝国の弱体化とともに、ゲルマン人が各地で割拠し、地中海地域が分断され、食糧を充分に輸入確保することができなくなっていました。ユ

スティニアヌス帝は食糧調達のルートを再構築するために、無理な対外拡大政策を取り、帝国を再統一せざるを得なかったのです。

ユスティニアヌス帝の時代の末期、550年頃から、ヨーロッパの温暖化がはじまります。この温暖化はイギリスでも、ブドウが大量に収穫され、ワインが製造できたというほどの急激なものでした。作物の増産が見込まれたヨーロッパでは、内陸部の森林地帯が伐採され、大規模な開墾が行なわれていきます。この開墾事業を主導したのが西ヨーロッパにおけるゲルマン人、東ヨーロッパやバルカン半島におけるスラヴ人でした。

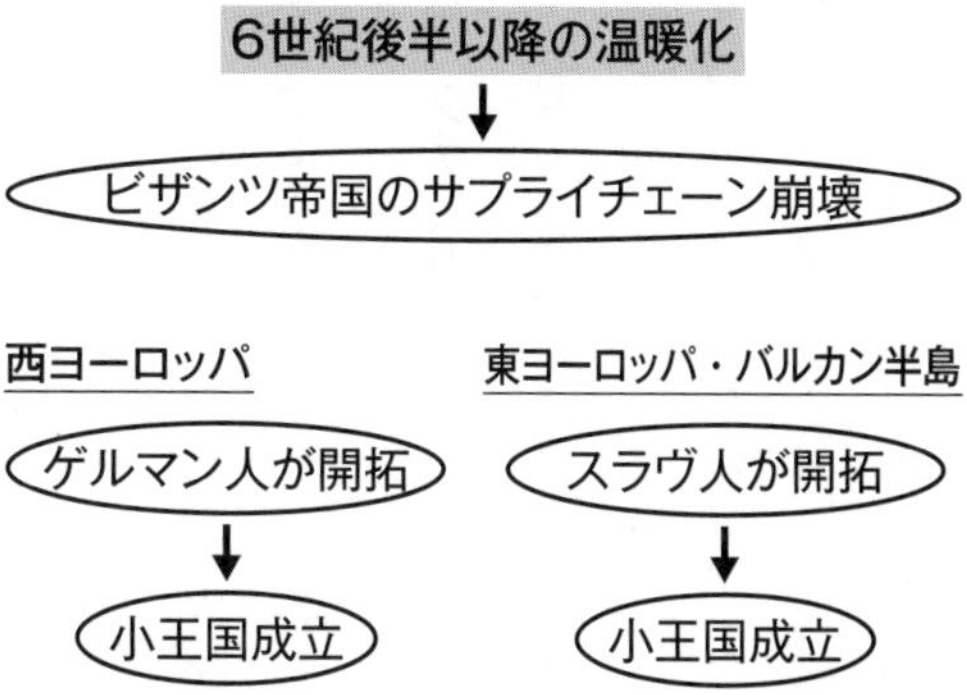

6～7世紀、ヨーロッパの農業生産力が増強されると、ヨーロッパはビザンツ帝国の食糧調達のサプライチェーンに依存する必要がなくなります。ビザンツ帝国は高いコストをかけて、広大な領土を維持するインセンティブを失い、領土を縮小していきます。大開墾事業によって、新たにヨーロッパの食糧供給を担ったゲルマン人やスラヴ人は食糧増産とともに人口を急拡大させ、ヨーロッパ各地で、小王国を建国していきます。

バルカン半島では、南スラヴ人によって、クロアチア、

図38-1 | ゲルマン人とスラヴ人の台頭

6世紀後半以降の温暖化

↓

ビザンツ帝国のサプライチェーン崩壊

西ヨーロッパ	東ヨーロッパ・バルカン半島
ゲルマン人が開拓	スラヴ人が開拓
↓	↓
小王国成立	小王国成立

スロヴェニア、ボスニア・ヘルツェゴビナ、セルビア、モンテネグロなど、現在のバルカン諸国家につながるような小王国が形成されていきます。山岳地帯のバルカン半島では、その地政学的な特徴から、ヨーロッパ内陸部と比べ、民族の統合が進まず、各地で部族が割拠する状態が続きました。この分断は現在に至るまで続いています。

❖南スラヴ人の中核――セルビア人、モンテネグロ人①

セルビア人は南スラヴ人の中核的な存在で、旧ユーゴ諸国の中で突出して人口が多く、700万人を超えます。「セルビア」は「スラヴィア」と同じで「スラブ人の国」を意味します。

セルビア人は7世紀に、バルカン半島中西部に彼らのコミュニティを形成しました。セルビア人は当初、ビザンツ帝国と協調し、正教会を受容しましたが、11世紀末、ビザンツ帝国が衰退すると自立し、12世紀に独自のセルビア正教会を打ち立て、セルビア王国を建国します。

14世紀に、セルビア人はオスマン帝国と激しく戦いますが、次第に追い込まれていきます。セルビア人は15世紀には完全に、オスマン帝国に従属させられるようになり、その他の南スラヴ人も従属させられます。以後、約400年に及ぶオスマン帝国支配が続きます。

17世紀後半、オスマン帝国はオーストリアのハプスブルク帝国との戦争に敗北します。その結果、1699年、カルロウィッツ条約でハンガリー、北ルーマニア、クロアチアを割譲させられ、1718年、パッサロヴィッツ条約でルーマニアや北セルビアを割譲させられます。

この時、セルビア人の本拠地であったベオグラードがオスマン帝国の辺境となります。ベオグラードを挟んで南北のセルビア人が連携し、オスマン帝国に抵抗しました。セルビア人兵士がゲリラ闘争を得意とするのは、この時代から培われた伝統です。

19世紀に入ると、セルビア人の闘争は激化し、1830年、セルビアは自治を獲得し、公国となります。露土（ロシア・トルコ）戦争後の1878年、ベルリン条約により、セルビアはモンテネグロとともに正式に独立を承認されます。

クロアチア人などのハプスブルク帝国における南スラブ人も、セルビア人の動きに影響を受け、民族的自覚を強めていきます。そして、南スラブ人の統一をどう進めていくのかという議論も起こります。南スラヴ人全体を統一する大ユーゴスラビア主義、それとは反対に、セルビア人やクロアチア人などの各民族の個別の独立を目指す方式などが主張されました。

南スラブ人の統一運動の高まりとともに、それを阻害しているオーストリアに対する敵対感情も高まります。1908年、オーストリアがボスニア・ヘルツェゴヴィナを併合したため、セルビア人の反オーストリア感情が極限に達し、1912年から1913年の2度にわたるバルカン戦争となります。この戦争で、セルビアは勝利し、以後、セルビア人が南スラブ人統一の主導的役割を果たしていきます。

そして、1914年、有名なサラエボ事件が起こります。オーストリアの皇太子フランツ・フェルディナントが軍の演習を観閲するため、ボスニアの首都サラエボにやって来たところを、セルビア人の民族主義者により、射殺されます。この事件を契機として、第一次世界大戦が勃発します。

オーストリア帝国は大戦で敗北し、崩壊します。オーストリアからクロアチア人とスロヴェニア人、ボスニア人が自立してセルビア人と合流し、さらに、マケドニア人も合流し、セルブ・クロアート・スロヴェーン王国が成立します。この王国は1929年、「ユーゴスラヴィア王国」と改称します。「ユーゴスラヴィア」とは「南スラヴ」を意味します。

❖ユーゴスラヴィアの理想と現実――セルビア人、モンテネグロ人②

ユーゴスラヴィア王国はセルビア人の王を戴くセルビア人中心の国家であったため、成立当初から、クロアチア人やスロヴェニア人の反発を招きました。南スラヴ人統一の理想に燃えて統一国家をつくったものの、宗教や言語の違いから、民族の融和は容易でなかったのです。

北部のスロヴェニア人やクロアチア人は工業を営み、比較的豊かであったのに対し、セルビア人は農民で貧しい者が多数でした。それにもかかわらず、セルビア人が政治的な主導権を握っていたため、反発を招いたのです。こうしたなかで、1934年、国王が分離主義者によって、暗殺されます。

第二次世界大戦が勃発すると、ユーゴスラヴィア王国はドイツを中心とする三国同盟に加入しますが、これに反対する軍部がクーデターを起こします。しかし、軍部はドイツ軍が進攻してくると、あっさりと降伏します。こうした危機のなかで、反ファシズムのパルチザン闘争の指導者ティトーはソ連の支援でゲリラ闘争を続けます。戦後、国王の権限がすべて剥奪され、王国が崩壊し、ティトーを首班とするユーゴスラヴィア連邦人民共和国の建国が宣言されます。ティトーは大統領として、独自の社会主義体制の中で、自治権を大幅に認めるなど、民族間のバランスをとりました。ティトーがセルビア人ではなかったことも、民族間の配慮が行き渡った理由です。ティトーの父親はクロアチア人、母親はスロヴェニア人、クロアチアで生まれ育っています。

1980年に、ティトーが死去すると、それまで抑制されていた民族間の対立が表面化します。こうしたなかで、セルビア人のミロシェヴィッチ大統領が大セルビア主義を掲げ、他民族への強硬策をとったため、1991年、スロヴェニアとクロアチアが独立し、マケドニアもこれに続きます。翌年、ボスニア・ヘルツェゴヴィナが独立します。2006年には、モンテネグロが独立し、ユーゴスラヴィアは完全に解体されます。

ティトー　本名はヨシップ・ブロズ。「ティトー」という通称はコミンテルン書記局員時代のコードネーム。若い時から党活動や組合活動に従事し、叩き上げられる。パルチザン闘争の指導者としてカリスマ性を発揮し、人々から慕われた。

図38-2｜旧ユーゴスラヴィアの諸国

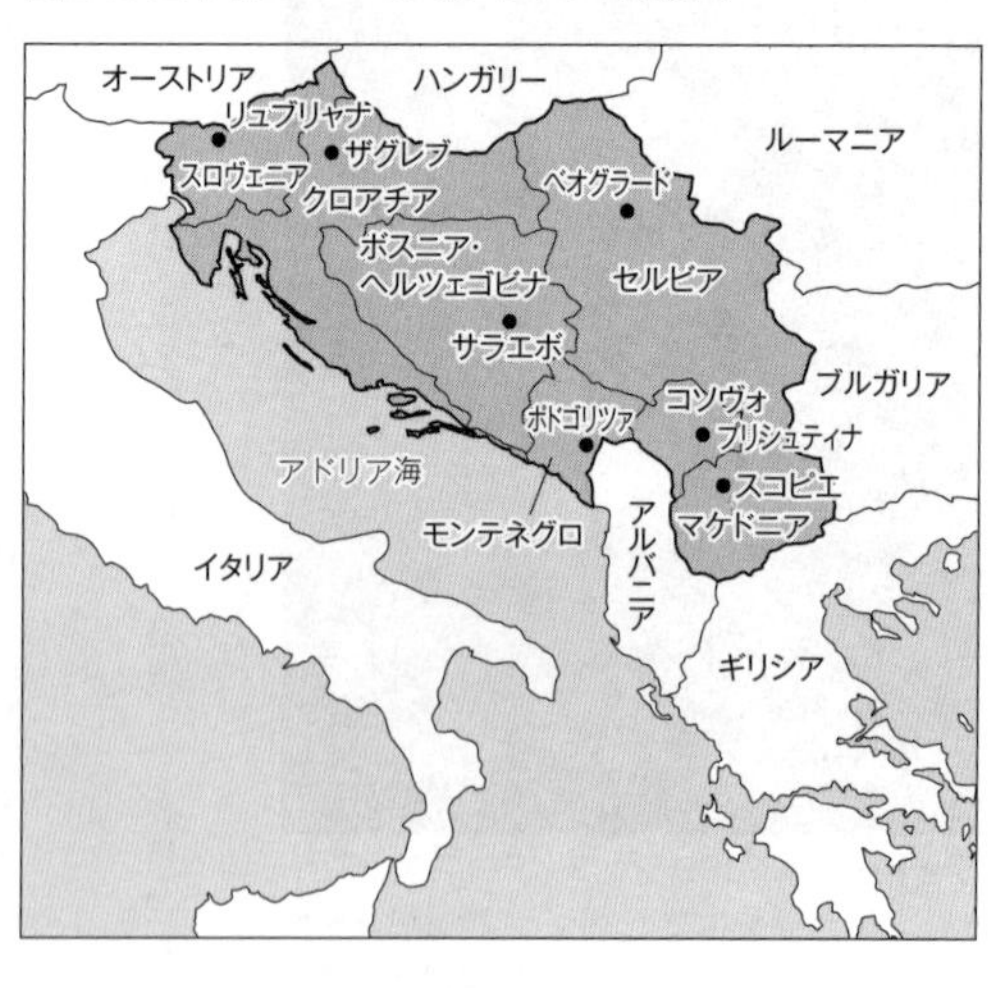

クロアチアやボスニア・ヘルツェゴヴィナでは、セルビア人が多数、存在していました。そのため、国内のセルビア人がユーゴスラヴィア連邦から独立することに反対し、暴動を起こします。ユーゴスラヴィア政府はセルビア人保護を名目にこれらの国に介入し、ユーゴスラヴィア内戦となります。内戦は民族同士が殺し合う陰惨なものとなりましたが、1995年、ようやく和平合意が成立します。

モンテネグロ人は最後まで（2006年まで）、セルビア人と連邦を形成していました。モンテネグロ人の祖先はアルバニア人と同じく、イリュリア人とされます。そのため、モンテネグロの民族主義者は、自分たちはセルビア人と民族が異なるという主張をしています。

しかし、アルバニア人がイリュリア人の血脈を維持したのに対し、モンテネグロ人はスラヴ化されたので、南スラヴ人の中に含まれます。言語的にも、モンテネグロ語はセルビア・クロアチア語という南スラヴ諸民族が使っている語族に属します。したがって、モンテネグロ人がセルビア人と異なる民族であると言うのは難しいでしょう。「モンテネグロ」はイタリア語のヴェネツィア方言で「黒い山」を意味します。

❖なぜ、イスラム化されたのか――ボスニア人

ボスニア人は「ボシュニャク人」とも呼ばれます。ボスニア人はセルビア人やクロアチア人と同じ南スラヴ人で、言語もセルビア・クロアチア語で同じです。しかし、宗教が異なります。ボスニア人の多くはイスラム教を信仰しています。

ボスニアは南部のヘルツェゴヴィナ地方と併せて、「ボスニア・ヘルツェゴヴィナ」と呼ばれます。「ヘルツェゴヴィナ」は「公」を意味するドイツ語の「ヘルツォーク（Herzog）」から来ています。15世紀、オスマン帝国に対する抵抗運動を指導したこの地域の公爵であったスチェパン・ヴクチッチ公を記念して、「ヘルツェゴヴィナ」と呼ばれるようになったのです。ちなみに「ボスニア」はこの地を流れるボスナ川に由来します。ヘルツェゴヴィナは14世紀にボスニア王国の領土に組み入れられ、ボスニアと一体化していきます。

ローマとコンスタンティノープルの教会勢力が拡大されるなか、9世紀に、南部のセルビアは正教会に帰順し、北部のクロアチアはローマ・カトリック教会に帰順しました。両教会勢力に挟まれたボスニア・ヘルツェゴヴィナは緩衝地帯と見なされ、両教会勢力が互いに進出しませんでした。

また、地政学的にも、ボスニアの険しい山岳地帯に、両勢力の影響が及びにくかったということもあり、ボスニア・ヘルツェゴヴィナは独立した勢力圏となり、その宗教もまた、土着信仰に基づいた異端的なボスニア教会が形成されていきます。しかし、このボスニア教会は教義を確立させることができず、影響力は弱いままで、人々にあまり信仰されていませんでした。

15世紀以降、オスマン帝国の支配がはじまり、イスラム教が入ってきます。半ば無宗教であったボスニア人は一気にイスラム教へと傾斜していくことになります。イスラム教で結ばれる南スラヴ人がボスニア人であるとする観念も新たに生まれます。ボスニア・ヘルツェゴヴィナはオスマン帝国のイスラム化政策が最も成功した地域でした。

ボスニア人はイスラム教徒になることによって、オスマン帝国において、セルビア人などの他の南スラヴ人よりも優位に立ちました。セルビア人はボスニア人を裏切り者と見なし、民族的な対立が強まる原因となります。

1878年のベルリン条約で、オーストリアがボスニア・ヘルツェゴヴィナの統治権を獲得します。1908年、オーストリアは同地域の併合を強行し、セルビア人の反発を招きます。そして、1914年、サラエボ事件へと発展します。

第一次世界大戦後、ボスニア・ヘルツェゴヴィナはセルブ・クロアート・スロヴェーン王国に加わり、さらに、第二次世界大戦後、ユーゴスラヴィア連邦にも加わります。

1991年、スロヴェニア、クロアチア、マケドニアがユーゴスラヴィア連邦からの分離独立を宣言し、ユーゴスラヴィア内戦が勃発するなか、ボスニア・ヘルツェゴヴィナも1992年、独立を宣言し、ボスニア内戦となります。ボスニア・ヘルツェゴヴィナには、ムスリムのボスニア人だけでなく、セルビア人も多数居住しており、彼らはセルビアの支援を受けて、ボスニア人と戦います。ボスニアの首都サライェヴォはセルビア人によって包囲され、破壊されます。

図38-3｜二構成国・三民族

セルビア人はボスニア人を大量虐殺したため、国際的批判に晒されます。アメリカがNATO軍を主導して、セルビア人勢力の軍事拠点を空爆します。1995年、セルビア人勢力は追い詰められ、同年、和平に合意します。

この和平により、ボスニア・ヘルツェゴヴィナは図38-3のように、二構成国・三民族によって編成されることになり、現在に至ります。ボスニア・ヘルツェゴヴィナの二構成国はそれぞれ、独自の大統領、政府、議会を持ちます。スルプスカ共和国の「スルプスカ」は「セルプスカ」と同じで、「セルビア」の形容詞形です。

バルカン半島北西部のクロアチア人とスロヴェニア人はビザンツ帝国から離れていたため、正教会の影響を受けず、ローマ・カトリックを受容します。そのため、クロアチア人とスロヴェニア人は東方正教のキリル文字ではなく、カトリック圏のラテン文字を用います。こうした文化と言語の相違が、彼らがセルビア人と同じ南スラヴ人でありながら、区別・区分される指標となります。

❖民族の分岐点――クロアチア人、スロヴェニア人①

では、クロアチア人とスロヴェニア人はどう違うのでしょうか。彼らはもともと、南スラヴ人の中でも、部族が異なり、また、異なる歴史を歩みます。

北部のスロヴェニア人はカール大帝の時代の8世紀にフランク王国の支配を受け、10世紀には神聖ローマ帝国の領土に組み入れられます。以降、スロヴェニア人は神聖ローマ帝国（17世紀からオーストリア帝国）の支配を受け、自らの国家を持つことはありませんでした。中世以来、ドイツ人との混血も進みます。

スロヴェニアはその歴史のほとんどにおいて、オーストリアの一部だったので、今日でも、スロヴェニアの街はオーストリアの街と雰囲気がよく似ています。

しかし、スロヴェニア人はスロヴェニア語を使い続け、民族のコミュニティを強固に持っていたため、オーストリア化（ドイツ化）されませんでした。「スロヴェニア」という「スラブ」

を意味する表現が民族の名称となり、盛んに用いられました。特に、スロヴェニア人は19世紀に、民族主義を高揚させ、オーストリア帝国の支配に対抗したのです。

一方、南方のクロアチア人は独自の国家を早期に建国しました。10世紀に、南スラブ人の初の王国であるクロアチア王国を建国します。スロヴェニアと異なり、神聖ローマ帝国の支配がクロアチアには直接及ばなかったのです。しかし、この王国は12世紀には、ハンガリーによって支配されます。

15世紀後半、クロアチアはオスマン帝国の支配下に入ります。一方、スロヴェニアは神聖ローマ帝国領に留まりました。ここが、オスマン帝国の一部となったクロアチアと、ヨーロッパに留まり続けたスロヴェニアの大きな分岐点でした。スロヴェニアの街並みや社会風土はオーストリアと似ているのに対し、クロアチアは今日でも、旧ユーゴスラヴィアの影響が強く残り、西欧化されていません。

スロヴェニア語はセルビア・クロアチア語族に含まれません。セルビア・クロアチア語族はセルビア、モンテネグロ、クロアチア、ボスニア・ヘルツェゴヴィナなどで話されている言語ですが、スロヴェニア語はこの中に入らず、独自の言語体系を持っています。しかし、南スラヴ語族という大括りのカテゴリーの中には、スロヴェニア語も含まれます。つまり、スロヴェニア語は南スラヴ言語であるものの、クロアチア語とは異なるのです。

❖消えない憎悪感情──クロアチア人、スロヴェニア人②

「クロアチア」はスラヴ語の「山」を意味する「gora」から来ており、「山の民」という意味になります。国際的には、「クロアチア」の呼称が用いられていますが、本来の正式な国名は「フルヴァツカ共和国（Republika Hrvatska）」です。「フルヴァツカ」とはクロアチア語で「友」を意味します。ちなみに、ヨーロッパでは、ネクタイを「クラバッタ（クロアタ）」と呼びますが、これは「クロアチア」のことです。クロアチア人傭兵が御守りとして、身に付けていたスカーフが次第に形を変えてネクタイとなったのです。

クロアチアはオスマン帝国の支配を受けますが、オスマン帝国が第二次ウィーン包囲で敗北し、１６９９年のカルロヴィッツ条約を締結させられると、クロアチアはハンガリーなどとともに、オーストリア帝国（ハプスブルク帝国）に編入されます。一方、セルビアやボスニアはオスマン帝国領に留まります。

19世紀、クロアチア人もスロヴェニア人も民族意識を高揚させ、オーストリアからの分離独立を目指します。南スラヴ人を統合する国家を形成する運動も起こります。

第一次世界大戦でオーストリア帝国が崩壊し、１９１８年、クロアチアやスロヴェニアを含むセルブ・クロアート・スロヴェーン王国が成立します。しかし、王国内において、クロアチア人とセルビア人の対立が次第に先鋭化し、１９３０年代には、純粋なクロアチア人の国家建設を目指す民族主義集団のウスタシャも結成されます。ウスタシャはナチスと連携し、セルビア人と激しく対立します。セルビア人も民族主義集団のチュトニクを結成し、両集団で陰惨な殺し合いをし、政治が混乱を極めました。

一方、ナチスは反抗的なクロアチア人やスロヴェニア人を大量に逮捕し、収容所に送り、強制労働させせました。ナチスによる弾圧が強まるなか、ティトーらの反ファシズムのパルチザン闘争が人々に支持されていきます。

第二次世界大戦後、クロアチア人のティトーがユーゴスラヴィア連邦を建国します。ティトーはクロアチア人とセルビア人の互いへの憎悪感情を巧みに抑え、連邦をまとめていましたが、1980年、ティトーが死去すると、もはや誰にも抑えることはできませんでした。クロアチアとスロヴェニアは1991年、独立を宣言します。

しかし、クロアチア人とセルビア人の互いの憎悪感情は強く、両者の内戦が泥沼化します。1995年、クロアチアはアメリカの了解を得て、セルビア人勢力の掃討作戦を実行します。セルビア人勢力はクロアチアから撤退し、内戦は終結します。

一方、スロヴェニアでは、独立が宣言された後も、混乱はありませんでした。セルビア人勢力は北部のスロヴェニアには、ほとんど及んでいなかったからです。スロヴェニア人の中では、旧ユーゴスラヴィアへの敵対感情から、自らを古代ウェネティ族（北イタリア人）の子孫と主張し、スラヴ人であることを否定し、セルビア人らと決別すべきと考える人々もいました。

第10章 東欧、バルト三国

SECTION 39

ポーランド人
ポラン族の子孫、なぜ、彼らは亡国の民となったのか

❖従属を強いられたポーランド人

キュリー夫妻は1898年、放射性物質の新元素ポロニウム（polonium）を発見します。この「ポロニウム」はマリー・キュリーの祖国ポーランドにちなんで名付けられた名前です。マリーはポーランド人で、フランス人のピエール・キュリーと結婚しました。

新元素の発見はマリーの功績が大きく、夫のピエールは「君が名を決めるとよい」と言った

ため、マリーは祖国の独立と復興を願って、「ポロニウム」としたのです。マリーはフランス人と結婚し、フランスに住んでいましたが、心は常にポーランド人であったのでしょう。

ポーランドに限らず、東欧はロシア、ドイツ、オーストリアのような強国の狭間にあり、従属を強いられてきました。それは言わば地政学的な宿命でした。長い従属の歴史のなかで、東欧人は独特の強い祖国愛を育んできたのです。

「東欧三国」とは、ポーランド、チェコスロヴァキア（一国と見た場合）、ハンガリーを指す総称です。ポーランド人、チェコ人とスロヴァキア人はスラヴ人（西スラヴ人）です。ハンガリー人はマジャール人というウラル系民族がベースになっており、スラヴ人のカテゴリーに含まれません。ただし、ハンガリー人もスラヴ化しています。言語的には、ポーランド人、チェコ人は同じ西スラヴ語を話すため、7割程度、意思疎通ができるとされます。ところが、ウラル語族のハンガリー語を話すハンガリー人とは意思疎通ができません。

また、西スラヴ語のポーランド語と東スラヴ語のロシア語も共通点が多くあるため、ポーランド人とロシア人は互いにおおよその話の内容がわかるとされます。ポーランド語とロシア語のイントネーションがよく似ているため、私たち日本人はポーランド人に「あなたはロシア人か」と間違って尋ねます。すると、ポーランド人の多くが半ば怒りを込めて、ロシア人ではないと強く否定するのです。ポーランド人は歴史的な背景から、ロシア人を敵視していることが多く、ロシア人と間違われることを嫌います。

第二次世界大戦中、ソ連軍はポーランドに侵攻し、ポーランド人将校約1万5000名を捕虜にし、ソ連に連行しました。その後、彼らは行方不明となります。1943年4月、ナチス・ドイツがソ連に侵攻した際、ロシア西部のスモレンスク近郊のカティンの森で、ドイツ軍が大量の遺体が埋められた穴を見つけたことにより、ポーランド人将校が銃殺されていたことが発覚したのです。ポーランドの映画監督アンジェイ・ワイダは自らの父も同事件の犠牲者であり、映画『カティンの森』(2007年)で、事件の陰惨さを描きました。

ソ連はポーランド軍のエリートである将校を抹殺し、ポーランドの軍機能を消失させることを狙ったのです。ソ連は「ドイツが虐殺した」と説明し、戦後も、ポーランドがソ連の衛星国となったため、真相が隠蔽されていました。1990年、ようやく、ゴルバチョフがソ連の犯行であったことを認め、ポーランドに謝罪しました。こうしたこともあり、ポーランド人は同じスラヴ人でありながらも、ロシア人を激しく敵視するのです。

❖強勢を誇ったピアスト朝とヤギェウォ朝

ポーランド人はかつて、ポラン族、シレジエン族、ポメラニアン族、マソヴィアン族、ヴィストラン族などの部族に分かれていました。これらの部族の中で、ポラン族が強大化し、中核的な存在になったので、「ポラン」がポーランド人全体を指す呼び方になったのです。「ポラン」はラテン語で「平原」を意味する「プラヌス(planus)」から来ています。英語では「plain」

です。

スラヴ人はもともとバルト三国やフィンランド付近に居住していたと考えられており、紀元前10世紀頃にウクライナ西北部からベラルーシに南下し、まとまった集団を形成していきます。そして、スラヴ人の集団は紀元前8世紀頃、ポーランドを含む東欧全域に拡散していき、右記のようなポーランド人部族も形成されていくのです。

ポラン族が主導し、9世紀には各部族が統合されます。そして960年、ポーランドの最初の王朝であるピアスト朝が成立します。ピアスト朝は神聖ローマ帝国に接近し、カトリックに改宗しました。歴代王は熱心なカトリック信徒で、ポーランドのカトリック化が進み、今日に至ります。現在でもポーランドはカトリックを国教としており、ポーランド人の9割がカトリック教徒です。

ポーランドは19世紀にロシア領となりますが、カトリック信仰は揺るがず、むしろ、カトリックがロシア正教に抵抗する精神的な砦となり、信仰が強まりました。カトリックの影響で、ポーランド語ではラテン文字が用いられます。ポーランド語はロシア語などと同じスラヴ語派に属しながらも、キリル文字は使われません。こうした文化と歴史の相違がポーランド人とロシア人を隔てる大きな壁となります。

13世紀には、モンゴル人がポーランドに侵入します。ポーランド西部のリーグニッツで、バトゥの率いるモンゴル軍と戦い、大敗します。この戦いはワールシュタットの戦いと呼ばれま

図39-1 ｜ ヤギェウォ朝の成立

す。「ワールシュタット」とはドイツ語で、「死体の山」を意味します。ポーランド人はモンゴル人の支配を受けますが、14世紀に勢力を盛り返し、名君のカジミェシュ大王（カジミェシュ3世ヴィエルキ）が出て、強大化します。しかし、大王の死によって、ピアスト朝は断絶します。

　同時期、バルト海東南岸のリトアニア人はドイツ騎士団と戦いながら、統一国家を形成し、リトアニア大公国となります。1386年、リトアニア大公ヤギェウォはポーランド女王ヤドヴィガと結婚し、ポーランド王とリトアニア大公を兼ね、ヤギェウォ朝を創始しました。ヤギェウォはポーランド王として、ヴワディスワフ2世を名乗ります。

　ヤギェウォ朝はベラルーシやウクライナ西部を含む広大な領域を版図にしていました。王都はポーランド南部のクラクフに置かれます。

強大化したヤギェウォ朝は1410年、ドイツ騎士団をタンネンベルクの戦いで破ります。この時代は未だ、ロシア人勢力は分断されて、まとまっておらず、ヤギェウォ朝は専ら西方のドイツ人勢力と対立していたのです。

ドイツ騎士団は北方ドイツ人のプロイセン人によって構成されていた勢力です。プロイセン人は本来、北方ドイツの盟主として、自らの国家をつくることができる力を持っていましたが、タンネンベルクの戦いで敗退したため、15世紀の100年間、活躍の機会を奪われました。プロイセン人がドイツ人の国家として、プロイセン公国を建国するのは16世紀です。

しかし、1572年、ヤギェウォ朝が断絶すると選挙王政となり、貴族や諸侯が地方で割拠する分断の時代に入ります。ポーランドは貴族同士の内部争いが常態化し、国家の意思統一がなされず、急速に衰退していきます。

❖ロシアに操られ王位に就いたポーランド貴族

ロシアでは、17世紀後半、ピョートル1世が出て、近代改革を進めていきます。ピョートル1世はウクライナを制圧して西進、ポーランドにも圧力をかけます。

18世紀の後半、エカチェリーナ2世はポーランド貴族を手なずけ、ポーランドに対する浸透工作を進めます。その「手なずけ」の手法は金銭で買収するのが主でしたが、エカチェリーナ2世自身が〝枕営業〟をしていたという事実があります。エカチェリーナ2世はポーランド貴

スタニスワフ2世アウグスト（マルチェロ・バッチャレッリ画、1764年、ポズナニ国立美術館） エカチェリーナ2世の愛人で、2人の間に、娘のアンナが生まれている。スタニスワフ2世は教養のある人物で文化芸術を保護し、政治的には、近代改革に着手しようとするが、貴族の反対で進めることができなかった。

族スタニスワフ・アウグスト・ポニャトフスキと肉体関係を持ち、自身の愛人にしたうえで、１７６４年、スタニスワフ2世として、ポーランド王に即位させます。

ロシアの傀儡であったスタニスワフ2世を通じて、ポーランドへのロシアの影響力が強まるなか、プロイセン王フリードリヒ2世は危機感を募らせていました。16世紀末以降、ポーランドの衰退に反比例して、プロイセンが強大化していました。プロイセンはタンネンベルクの戦いの雪辱を果たそうと、ポーランドに対し復讐心を抱いていました。

フリードリヒ2世はポーランドがロシアに奪われることを警戒し、１７７２年、オーストリアのヨーゼフ2世を誘い、ロシアを含む3国でポーランドを分割することを提案します。

エカチェリーナ2世はプロイセンの提案に反対でしたが、プロイセンがオーストリアと組んで、ポーランドに侵攻するようなことがあれば、ポーランドを奪われてしまうことにもなりかねません。また、この頃、ポーランド王のスタニスワフ2世がエカチェリーナ2世に反抗的な動きを見せていたこともあり、ロシアとポーランドの関係も悪化していました。

こうしたことを踏まえ、エカチェリーナ2世はプロイセンの提案に応じざるを得ませんでした。ポーランド分割は3回にわたり行なわれ、1795年、ポーランドはついに消滅します。

この時、ポーランド人は黙って国が分割されるのを見ていたわけではありません。愛国者コシチューシコは祖国解放の軍を率いて戦います。コシチューシコとともに戦ったのは農民などの一般人がほとんどで、貴族らは右記3国に買収されており、見て見ぬふりをしていました。ポーランドが消失したのは、支配者層の貴族たちが完全に腐敗していたことが最大の原因です。彼らはプロイセンやロシアが行なった近代改革を何一つ行なわず、祖国の危機に際しても、自己保身にのみ走っていました。

コシチューシコはフランス革命の渦中にあったパリに渡って、ポーランドの窮状を訴え、革命派に支援を約束させましたが、実際には援軍は来ませんでした。コシチューシコらの蜂起軍は3国により、鎮圧されてしまいます。

❖独立後も、ロシアとドイツに蹂躙

ナポレオン時代の1807年、ポーランドはナポレオン帝国の属国ワルシャワ大公国となります。ナポレオン戦争後、ウィーン議定書により、1815年、ポーランドはロシア領と認められてポーランド立憲王国となります。「立憲王国」とは名ばかりのものに過ぎません。

ロシア支配からの解放を目指し、ポーランドでも民族主義運動が起こります。1830年、フランスの七月革命の影響を受けて、ワルシャワで独立闘争軍が蜂起しましたが、ロシア軍によって鎮圧されます。この知らせを聞いて、ポーランド人のショパンは『革命のエチュード』を作曲したとされます。

ポーランドは第一次世界大戦中、ロシア革命が勃発したことを受け、1918年、独立を達成します。国家主席に就任したピウスツキはかつてヤギェウォ朝が版図としていた領域、ベラルーシやウクライナ西部を回復すべきと主張していました。

そして、革命で混乱するソヴィエト・ロシアの隙を突いて、ベラルーシやウクライナに侵攻します。しかし、ソヴィエト軍が反撃したため、1920年、ソヴィエト・ポーランド戦争となります。翌年、両国は和平に合意し、ポーランドはソヴィエトから、ベラルーシとウクライナの、それぞれ一部を獲得するに止まり、当初の目標であったベラルーシや西ウクライナの全域の獲得は果たせませんでした。

第二次世界大戦では、ポーランドはナチス・ドイツとソ連の両方から侵攻されます。ナチスはスラヴ人はもともとバルト三国地域にいたのにポーランドに南下し、ドイツ人の東方生存圏を奪ったとして、スラヴ人であるポーランド人をポーランドから駆逐しようとしました。ナチスの主張は間違いではありませんが、スラヴ人がポーランドに移住したのは紀元前8世紀頃のことであり、その時代には、ゲルマン人もドイツにいなかったのです。

ヒトラーは、ドイツ騎士団が1410年、タンネンベルクの戦いで敗北し、ドイツ人の東方生存圏を失ったことを痛恨の極みと考えており、それをポーランド人からドイツ人の手に取り戻すことは歴史的な使命であるとして、ポーランド侵攻に強くこだわったのです。

第二次世界大戦後、ドイツ軍を駆逐したソ連軍がポーランドに介入し、共産党による支配がはじまり、ソ連の衛星国とされます。1991年のソ連崩壊とともに、社会主義体制を放棄して、新たにポーランド共和国となります。今日、ポーランド政治は民族主義の色彩を強めており、反EUや反移民などを掲げる右派政党の勢力が拡大しています。

SECTION 40

チェコ人、スロヴァキア人

放浪者と蔑まれたベーメン人

❖チェフの子孫であるチェコ人

スラヴ民族の起源を表わすレフ、チェフ、ルスの3兄弟の伝説があります。3兄弟は狩りに出かけ、それぞれ違う獲物を追いかけ、レフは北へ、チェフは西へ、ルスは東へ行きます。3兄弟はポーランド人、チェコ人、ロシア人の祖先となったという伝説です。

「レフ（Lech）」の名からポーランド部族のシレヒア族（シレジエン族）が形成され、「チェフ（Czech）」の名からチェコ人（チェック人）が形成され、「ルス（Rus）」の名からロシア人が形成されたとされます。

3兄弟の伝説は13世紀末に編纂されたポーランドの年代記である『ヴィエルコポルスカ年代記』で記述されました。あくまでも伝説・伝承に過ぎませんが、14世紀にはすでにポーランド人、チェコ人、ロシア人が共通の祖先や言語を持つ民族であることが明確に認識されていたということが重要です。

図40-1｜チェコとスロヴァキア

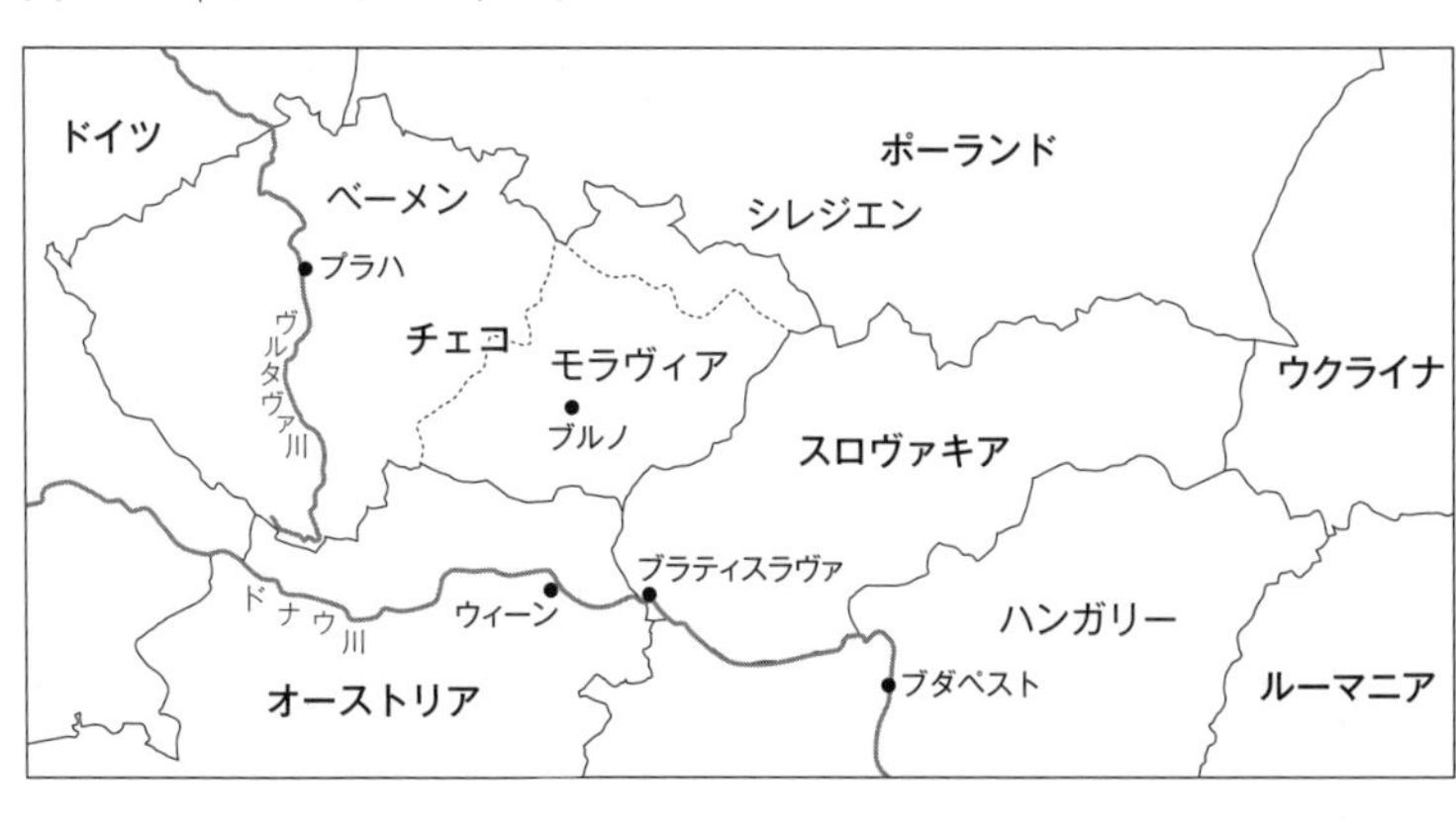

チェコ人はチェコのみならず、スロヴァキアにも拡散します。西側のチェコ人、東側のスロヴァキア人はチェコ語とスロヴァキア語をそれぞれ話しますが、両者の話者が互いの自国の言語で会話しても意味が通じるほど近い関係にあり、チェコ人もスロヴァキア人も同じ民族です。そのため、民族名として「チェコ人」を使う場合、スロヴァキア人も含まれます。

チェコとスロヴァキアはもともと同じ国家でした。1989年の東欧革命で、民主化（ビロード革命）が達成されるなか、スロヴァキア人が分離独立を要求しはじめます。1993年、連邦が解消され、分離独立します。チェコの首都はプラハ、スロヴァキアの首都はブラティスラヴァです。

「スロヴァキア」の名は「スラヴ」から来ています。バルカン半島のスロヴェニアも「スラヴ」から来ているので、似たような名前になり、紛らわしいのです。

チェコ人はフランク人に従っていましたが、9世紀に、初めての王国であるモラヴィア王国を建設します。チェコスロヴァキアはチェコの西部のベーメン地方、東部のモラヴィア地方、北部のシレジエン地方、スロヴァキア地方によって構成されます。これら四地方のうち、モラヴィアが勃興し、他地方を統一し、モラヴィア王国となったのです。

「モラヴィア」は同地方を流れるドナウ川の支流モラヴァ川に由来します。モラヴァ川は有名なモルダウ川とは別の川です。モルダウ川はエルベ川の支流でプラハ市内を流れ、チェコ語で「ヴルタヴァ（ブルタバ）川」と呼ばれます。「モルダウ」はドイツ語の呼び方で、「ヴルタウ」が変化したものです。ちなみに、チェコ人の作曲家スメタナの交響詩『我が祖国』の第二曲に有名な「モルダウ」がありますが、作曲当時、チェコはオーストリア帝国の支配下にあり、公用語のドイツ語名が付けられました。

モラヴィアはモルダヴィアとも違います。モルダヴィアはルーマニア北東部とモルドバを合わせた地域の名で、現在、この地域には、モルドバ共和国があります。

❖なぜ、ルクセンブルク人がベーメン王になったのか

モラヴィア王国は東フランク王国（ドイツ）と対抗するため、ビザンツ帝国と連携し、正教会（東方教会）を受容し、繁栄しました。しかし、10世紀の初頭、東方から侵入してきたウラル系のマジャール人（ハンガリー人のもととなる）に侵攻され、滅ぼされます。

11世紀、チェコ西部ベーメン地方の有力豪族プシェミスル家がチェコ人をまとめ、復興します。プシェミスル家はヴルタヴァ川（モルダウ川）流域のプラハを中心に、モラヴィア王国に続く、チェコ人の第二の王国ベーメン王国を建国します。ベーメン王国はモラヴィア地方やスロヴァキア地方も含むチェコスロヴァキア全域を版図にしました。

しかし、ベーメン王はハンガリー王国と対抗するため、神聖ローマ皇帝に臣従しました。この時、チェコ人はそれまで信奉していた正教会を捨て、カトリックを受容しています。

「ベーメン」という地名は古代において、チェコスロヴァキアに居住していたケルト人の一派のボイイ族に由来します。「ボイイ（Boii）」とは、インド・ヨーロッパ語の「打つ」を意味する「ベイ（bhei）」から変化し、「戦士」という意味があるのではないかと見られています。

そして、「ボイイ族の土地」という意味で、ゲルマン語の「ベーメン（Böhmen）」となります。ラテン語では、「ボヘミア（Bohemia）」です。ケルト人のボイイ族は西に追われましたが、地名だけがそのまま残ったのです。

ベーメン王国は13世紀後半に活躍した王プシェミスル・オタカル2世の時代に強大化します。南方のオーストリア方面に領土を広げ、神聖ローマ皇帝を脅かす存在になります。オタカル2世はオーストリア公であったバーベンベルク家が断絶したことを受け、婚姻関係を理由にオーストリア公位の継承を主張し、ウィーンにまで侵攻しました。

当時の神聖ローマ皇帝はハプスブルク家のルドルフ1世でした。この時のハプスブルク家はまだ弱体で、スイスやドイツ南部を領有する諸侯に過ぎず、他のドイツ諸侯から「操りやすい」という理由で、皇帝に担ぎ上げられて、1273年、帝位に就きました。

しかし、ルドルフ1世は有能な人物で、1278年、軍勢を率いてオーストリアに進撃し、ウィーン北部のマルヒフェルトの戦いで、ベーメン人勢力と戦います。ハプスブルク軍の陽動作戦に引っ掛かったベーメン軍は壊滅し、オタカル2世は戦死します。この戦いで、ハプスブルク家がオーストリアを領有することになります。

ベーメン王国では、オタカル2世の後、二代の王が続きますが、1306年、プシェミスル家が断絶します。ベーメン人は1310年、ルクセンブルク家のヨハンを王に迎えます。ルクセンブルク家は現在のルクセンブルクを領土とする伯爵家です。

1308年、ルクセンブルク伯ハインリヒ7世が神聖ローマ皇帝に擁立されていました。ルクセンブルク伯は弱小のドイツ諸侯でしたが、やはり、他のドイツ諸侯から「操りやすい」という理由で、皇帝に担がれました。

ハインリヒ7世の息子のヨハンがプシェミスル王族の女性と結婚し、ベーメン王となります。当時、ルクセンブルク家が帝位を有していたことから、ベーメン人はルクセンブルク人（実質ドイツ人）を迎え入れたのです。

❖なぜ、ベーメン人は浮浪者（ボヘミアン）となったのか

ベーメンを得たルクセンブルク家は次第に強大化していきます。ベーメン王ヨハンの子のカレル（カール）は1346年、神聖ローマ皇帝に選出され、さらに翌年、ヨハンの死によって、ベーメン王とルクセンブルク伯の位も継承します。カレルは神聖ローマ皇帝としてカール4世を名乗り、ベーメン王としてカレル1世を名乗りました。

カール4世は神聖ローマ帝国の首都機能を自領のベーメンのプラハに移し、プラハ城の拡張工事や今日でも街のシンボルとなっているカレル橋の建設などを行ないます。また、プラハ大学を創設します。プラハ大学は神聖ローマ帝国内の最初の大学です。

街が整備され、「黄金のプラハ」と呼ばれるようになるのは、この時代です。プラハはローマやコンスタンティノープルと並ぶヨーロッパ最大の都市に発展し、神聖ローマ帝国を牽引する力を持ちました。プラハ大学神学教授のヤン・フスはイギリスの神学者ウィクリフの影響を受け、ローマ・カトリック教会を攻撃しました。

当時、ベーメン人の民族主義者は神聖ローマ帝国からの独立を目指していました。ベーメン人の独立気運がフスによって、宗教的な情熱と結び付く事態となっており、これに対処するため、1414年、神聖ローマ皇帝ジギスムント（カール4世の子）の主催で、コンスタンツ公会議が開催されます。公会議でフスを異端とし、火刑に処します。

また、神聖ローマ帝国はベーメン人に対する弾圧を強化したため、1419年、ベーメン人は神聖ローマ帝国に反乱を起こし、フス戦争となります。フス戦争は15年以上にわたる激戦となりましたが、決着がつかず、和睦が結ばれ、一応、フス派は信仰の自由を勝ち取ります。しかし独立することはできず、神聖ローマ帝国のベーメン支配は続きます。16世紀、ルクセンブルク家が断絶すると、ベーメンはハプスブルク家に支配されます。ハプスブルク家によって搾取され、急速に衰退していきます。

ベーメンでは、宗教改革の影響を受け、ルター派の新教徒が急増します。神聖ローマ皇帝フェルディナント2世（ハプスブルク家）がカトリックを強制したことに反発し、1618年、ベーメンの反乱が起こり、三十年戦争の原因となります。この戦争で、ベーメンの荒廃は決定的となり、ヨーロッパで最も貧しい国に転落していきます。

ベーメン人は神聖ローマ帝国の弾圧を逃れるため、フランスなどに亡命します。彼らはフランス語で「ボエーム（Bohème）」と呼ばれ、貧しい放浪者として暮らしたため、「ボエーム」に「放浪者」や「浮浪者」というニュアンスが加わるようになります。ドイツ語の「ベーメン」、英語の「ボヘミアン」などにも、そのようなニュアンスが加わります。イタリアの作曲家プッチーニのオペラ『ラ・ボエーム』はパリの屋根裏部屋で暮らすボヘミアンたちの物語です。

ハプスブルク家によって支配され続けたベーメン人は、19世紀になり、民族主義運動を強めていきます。1848年のフランス二月革命の影響がオーストリアにも波及し、ウィーン三月革命がはじまり、ベーメン人はオーストリアからの独立を要求しました。オーストリアは独立を認めませんでしたが、ベーメン人の自治権を大幅に認めます。

チェコ人の思想家のフランチェシェク・パラツキーはスラヴ人の連帯を目指すスラヴ民族会議を開催します。しかし、オーストリアは過激化する民族主義運動を鎮圧し、スラヴ民族会議も解散させました。1918年、第一次世界大戦で、オーストリアが敗北したことにより、ようやく、ベーメンはチェコスロヴァキア共和国として独立を達成しました。

❖ベーメン人とドイツ人

ズデーテン地方はチェコスロヴァキアのドイツとの国境地帯で、ナチス・ドイツが割譲を要求したことで有名です。1938年、ミュンヘン会談でイギリスやフランスが容認したため、ドイツに割譲されました。

ズデーテン地方には、もともとドイツ人居住者が多くいました。人口過小であったベーメン王国は12世紀頃から、ドイツ人を積極的に受け入れました。そのため、中世の時代から、ズデーテンでは、ドイツ人がベーメン人よりも圧倒的多数であり、ドイツ語が使われていました。

こうした経緯もあり、第一次世界大戦後のパリ講和会議で、アメリカは、ズデーテン地方は民族自決の観点からドイツに帰属させるべきと主張していました。しかし、ドイツを敵視するフランスの反対で実現しませんでした。

そして、1938年、ナチスはズデーテンのドイツ人を保護しなければならないという名目で割譲を要求したのです。ナチスの要求はさらに続き、第三帝国として、かつての第一帝国（神聖ローマ帝国）の領土の一部であったベーメンはドイツに帰属すべきとされ、１９３９年、チェコスロヴァキアは一方的にドイツに併合されました。１９４５年、ドイツが降伏すると、チェコ人はドイツ人に報復するため、ズデーテン地方のドイツ人を殺し、強制労働させます。チェコスロヴァキア政府は彼らを国外追放することを決定します。

２５０万人のドイツ人を追放する際に、抵抗するドイツ人は容赦なく殺され、老人や子供も死亡し、25万人の犠牲者が出たとされます。１９８９年、チェコスロヴァキアのハヴェル大統領はこの時のことをドイツに正式に謝罪しました。

ドイツ人により、長く支配されてきたチェコ人は第二次世界大戦後、ソ連の衛星国にされてしまいます。１９６８年、民主化を求める「プラハの春」はソ連によって弾圧されました。１９８９年、東欧革命のなかで、チェコスロヴァキアは社会主義を放棄します。

しかし、チェコ人とスロヴァキア人の対立が強まります。スロヴァキアは山岳地帯で、土地が痩せており、工業化も遅れていたため、チェコが主導的な立場にありました。チェコ人が政府要職のほとんどを占め、スロヴァキア人は半ば従属させられており、不満が高まっていました。そして、１９９３年、スロヴァキアは分離独立します。

独立後、スロヴァキアでは、改革が順調に進み、大きく経済発展し、１人当たりＧＤＰにおいて、チェコと遜色のないレベルに達します。それまで根強くあった民族間の対立感情も緩和され、現在、両国は良好な関係を構築しています。

SECTION 41

ハンガリー人、ブルガリア人、フィンランド人

ウラル系民族とは何か

❖ハンガリー人の祖先はアジア人なのか

ハンガリー人は一般的にアジア系とされますが、近年、疑義が呈されています。ハンガリー人の主要構成民族のマジャール人はウラル山脈からやって来た騎馬遊牧民のウラル系民族ですが、この民族が必ずしもアジア系とはいえないという指摘がされているのです。

ウラル系民族はウラル山脈に居住していましたが、そのうちウラル山脈北部やロシア北部一帯にいた一派（サモエード系）はアジア人のモンゴロイド、ウラル山脈の西南部にいた一派（フィン・ウゴル系）はモンゴロイドとコーカソイドの混合型または極めてコーカソイドに近いとされることから、ウラル系民族がアジア人とはいえないというのです。

しかし、これは後の時代に、ウラル系民族がコーカソイド化（白人化）されたに過ぎないのであって、もともとウラル系民族はアジア人です。その意味において、やはり従来の定説通り、マジャール人はアジア人であったと捉えるべきです。

図41-1｜ウラル系民族の拡散

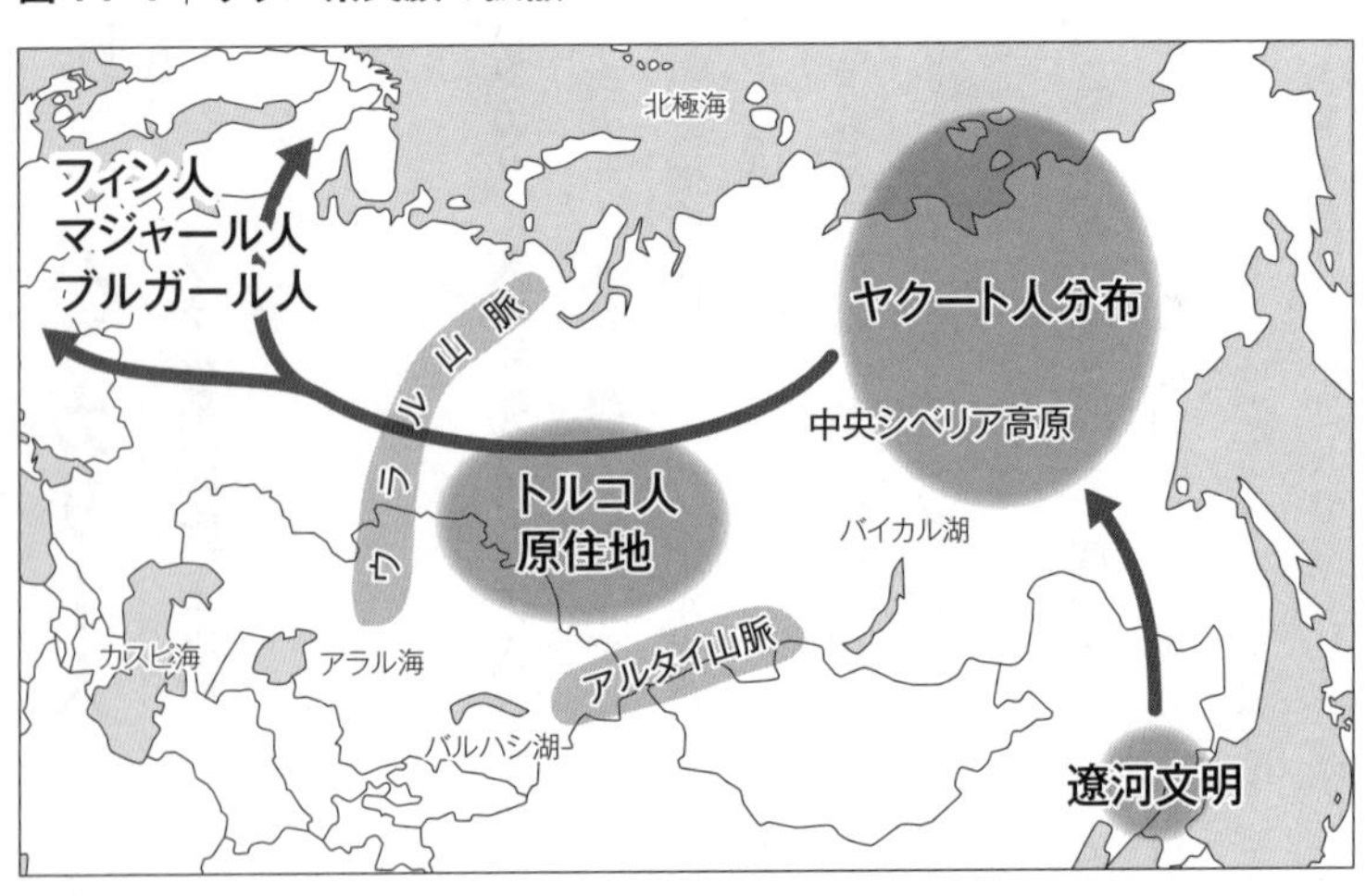

ウラル系民族の遺伝子はY染色体のハプログループNが高頻度に観察されるのが大きな特徴です。ハプログループNは約2万年以上前、東アジアにおいて発祥したと考えられています。中国東北部の遼河流域の遼河文明の遺跡人骨からも、ハプログループNが高頻度に観察されています。東アジアからユーラシア北部、ウラル山脈を経由して、東欧や北欧まで拡散していったとされます。その西走の過程で、ウラル系民族はコーカソイド化されていったといえるのです。

アジア人の騎馬遊牧民はモンゴル系、トルコ系、ツングース系に大別できますが、ウラル系民族はこれらのうち、どの系統に近いのでしょうか。今日、ウラル系民族に特徴的なハプログループNが最も高頻度（約90％）に観察されるのはヤクート人です。ヤクート人は今日のロシア連邦の東北部のサハ共和国の主要構成民族です。

ヤクート人はウラル系民族の原型を留めている民族ですが、中世において、ウラル語を捨て、テュルク語（トルコ語）に言語転換しています。そのため、ヤクート人はトルコ系とカテゴライズされています。ヤクート人の例が端的に示すように、ウラル系民族はトルコ化していき、中世以降、彼らは事実上、トルコ人と扱われたのです。

しかし、ウラル系民族とトルコ人は、民族の遺伝子が異なります。ウラル系民族のハプログループNに対し、トルコ系（原トルコ人）はハプログループC2が高頻度に観察されます。

ヤクート人のように、言語的にトルコ化されてもウラル系民族の純血を高度に保持した一派がいる一方で、マジャール人のように、言語はトルコ化されなかったものの、トルコ人と混血を繰り返し、民族の血統の上で事実上、トルコ化された一派もいます。マジャール人はウラル山脈を離れる以前、5世紀頃からトルコ人のバシキール人、オグール人（ブルガール人の祖）、クマン人などと混血しています。

このように、ウラル系民族は言語的にも遺伝子的にも、隣接していたトルコ人と強い相関性を持っており、両者は一心同体の不可分性を長い歴史のなかで形成してきたのです。

❖ウラルとトルコの融合による「ハンガリー」

ウラル語とテュルク語（トルコ語）などのアルタイ語はかつて同族と見なされ、「ウラル・アルタイ語族」と一括りにされていました。しかし、両者の言語的同系性を示す証拠が乏しいとされ、今日では、両者は別々の言語として扱われています。

これに対し、両者には多くの類似が見られ、言語的相関性を否定することはできないという批判もあります。ウラル語からアルタイ語が派生したとさえ指摘されています。特に、トルコ人の原住地はウラル山脈とアルタイ山脈に挟まれた地域で、その地理的条件からも、ウラル系民族の言語の影響を大きく受けたとされています。

「ハンガリー」の語源からも、ウラル系民族とトルコ人との強い相関性をうかがうことができます。9世紀、ハンガリーに侵入してきたマジャール人は自分たちを「オノグル（Onogur）」と名乗りました。「オノグル」はトルコ語で、「十本の矢」や「十部族」を意味します。これが「ウンガーン（Ungarn）」というドイツ語になり、無声語頭のhを補い、「ハンガリー（Hungary）」に変化します。

「十部族」はマジャール人などのウラル系民族の7部族とトルコ系民族の3部族で構成されていました。「ハンガリー」は両民族の融合によって生み出された言葉なのです。「十部族」はこの地域のスラヴ人などの白人を支配し、王国を形成していきます。

ローマ時代、ハンガリーは「フンガリア」と呼ばれていました。この「フンガリア」が転じて、「ハンガリー」となったとする説が一般に流布していますが、これは俗説とされています。「フンガリア」は「フン人の住む地」を意味していました。

アジア系遊牧民のフン人を率いていたアッティラ王は破竹の勢いでヨーロッパに進撃しますが、451年、フランスのパリ東方カタラウヌムの戦いで、西ローマ帝国軍に敗北し、パンノニア（ハンガリー）まで撤退します。フン人はそこに定住し、以後、この地は「フンガリア」と呼ばれます。アッティラの兄ブレダはアッティラとともに兄弟で共同王となります。「ブレダ」の名に由来するブダ城が今日のハンガリーの首都ブダペストの起源です。

しかし、前述のように、「ハンガリー」と「フンガリア」に関連性はなく、また、フン人とマジャール人ら「十部族」とも関係がありません。

「十部族」は次第に、主導的な地位にあったマジャール人に統合されていき、マジャール人以外の他の部族もすべてまとめて、「マジャール人」と呼ばれるようになります。ただ、前述のように、この時代以前の5世紀頃から、マジャール人はすでにトルコ人と混血しています。

マジャール人の「マジャール」が何を意味する言葉なのか、よくわかっていません。「マジャル」はペルシア語の「ムガル」、つまり「モンゴル」が転訛したものではないかとも指摘されていますが、その可能性は低いでしょう。また、いつから、そう呼ばれはじめたのかもわかっていません。

❖マジャール人は白人化され、消滅している

マジャール人は長い年月を経て、現地のヨーロッパ人と混血を繰り返しながら、白人化され

ていき、今日のハンガリー人を形成していきます。この過程のなかで、本来のマジャール人の遺伝子で、ウラル系民族に特徴的なハプログループNやトルコ系（原トルコ人）のハプログループC2が薄められていきます。

今日のハンガリー人の平均的な遺伝子構成は東欧人に特徴的なR1aが約26％、西欧人に特徴的なR1bが約19％、金髪碧眼と相関関係にあるIが約25％であるのに対し、Nが約3％、C2が0・2％以下しかありません。この遺伝子配分からも明らかなように、マジャール人は事実上、白人化されて消滅したと言っても過言ではありません。

それでもハンガリー国家が自らの主要構成民族がマジャール人であると言い続けるのは、マジャール語（ハンガリー語）を保持しているからです。ウラル語族のマジャール語はインド・ヨーロッパ語族には属さず、言語的に周辺から孤立しています。血統の上で、ほぼ消滅しているマジャール人が言語においては、その継承性を明確に維持しており、そのことがハンガリー人のアイデンティティになっているのです。

9世紀、ハンガリーに侵入したマジャール人はアールパードという首長に率いられていました。このアールパードの子孫が歴代、首長を継承します。

955年、アールパードの孫タクショニュがレヒフェルトの戦いで、ドイツ王のオットー1世（後に神聖ローマ皇帝）に敗退します。タクショニュは敗退したものの、マジャール人勢力を再建し、カトリックを受容し、ローマ教皇に接近します。

タクショニュの孫イシュトヴァーン1世は1000年、ローマ教皇からハンガリー王に戴冠され、ハンガリー王国（アールパード朝）を創始します。この時代、マジャール人は白人との混血が進み、その容貌も相当変化していたと考えられます。

1301年、アールパード朝は断絶し、マジャール人の血統を引く王朝は消滅します。ハンガリー人貴族はアールパード家の姻戚関係にあったベーメン（チェコ）王家、バイエルンのドイツ人貴族、フランス王家などから王を迎えました。一時期、ハンガリー王はポーランド王やベーメン王も兼ねました。ハンガリー王国はハンガリー人という枠組みを超えた多層民族の王国となります。

しかし、15世紀に、貴族同士の内部抗争が激化し、衰退していき、16世紀、オスマン帝国に支配されます。1699年のカルロヴィッツ条約で、オスマン帝国はハンガリーをハプスブルク・オーストリアに割譲します。

オーストリアによる支配が長く続きますが、19世紀になると、民族独立運動がはじまります。1848年ウィーンの三月革命の影響で、コッシュートら民族主義者が独立戦争を起こし、翌年、独立を宣言します。しかし、オーストリアとロシアの挟撃に遭い、失敗します。

1867年、プロイセン・オーストリア戦争で敗退したオーストリアは、ハンガリーにやむを得ず、自治を認めます。そして、オーストリア＝ハンガリー帝国（二重帝国）となります。第一次世界大戦後の1919年、ハンガリーは完全独立を達成します。

❖血統も言語もスラヴ化されたブルガリア人

ブルガール人は古代において、「オグール人」と呼ばれていました。彼らはトルコ人の一派です。5世紀以降、オグール人はマジャール人とも混血したため、ウラル系民族の血も入っています。

オグール人はウラル山脈を越えて、ヴォルガ川流域に到達し、6世紀の中頃には、この地を勢力圏とします。さらに、黒海北部を経由し、東ヨーロッパに侵入します。彼らはビザンツ帝国などのヨーロッパ人から「ヴォルガ川流域から来た人」という意味で「ブルガール」と呼ばれ、以降、この呼称が定着します。ブルガール人の首長はモンゴル人やトルコ人の王と同じく、「ハン」を称していました。

ブルガール人は681年、ドナウ川を越えて、ブルガリア王国（帝国とされることもある）を建国します。ビザンツ帝国にも王国の存在を認めさせています。この王国が現在のブルガリアの基礎となります。ブルガリア王国は11世紀、ビザンツ帝国に滅ぼされますが、12世紀末に再興し、第二次ブルガリア王国となります。しかし14世紀末、オスマン帝国に滅ぼされ、以後、約500年間、オスマン帝国の領土に組み込まれます。

ブルガール人もやはり短期間で白人化（南スラヴ人と同化）されていきます。9世紀にはギリシア正教を取り入れ、スラブ語を公用語とし、キリル文字を使用します。ブルガール人はマジャール人と異なり、自らの言語であるテュルク語を保持せず、言語まで白人化されていきます。隣接するビザンツ帝国と激しく戦いながらも、彼らの文化を全面的に受け入れたのです。

9世紀、キュリロス兄弟が「正教」をスラヴ人に布教するにあたり、文字を作成します。キュリロス兄弟はこの時、グラゴル文字をつくりました。9世紀、ブルガリア王のボリス1世はキュリロス兄弟の弟子の宣教師たちを招き、布教させます。その際、弟子たちがブルガリアで、複雑なグラゴル文字を簡素化した文字を改良します。これが今日でも使われているキリル文字です。

スラヴ人の文字であるキリル文字はブルガリアで生まれました。本来、スラヴ人ではないブルガリア人がスラヴ文化を先導するということになったのです。キリル文字は「ロシア文字」と一般的に言われますが、その成立過程を見れば、「ブルガリア文字」と言ってよいくらいです。

今日のブルガリア人の遺伝子は南スラヴ人に高頻度に観察されるハプログループIが最も多く、40%~50%、次いでアラブ人に高頻度に観察されるハプログループJが30%程度と続きます。Jの割合が高いのはオスマン帝国支配が長く続き、中東人との混血が頻繁であったからだと考えられます。ブルガリア人に黒髪で浅黒い肌の人が多い(特に南部)のは、かつてのブルガール人の名残ではなく、アラブ人(オスマン人や現在のトルコ共和国人)との混血によるものです。

バルカン半島において、現在のトルコ共和国に隣接しているのはブルガリアとギリシアです。ギリシア人も同じく、Jが高頻度で観察されます。

一方、トルコ人（ブルガール人）としてのハプログループC2はほとんど観察されません。原ブルガール人は消滅し、ほぼ、コーカソイド化されたのです。

そのため、ブルガリア人は「ブルガール」というアジア系トルコ人に由来する名を残しながらも、南スラヴ人に分類され、ブルガリア語もスラヴ語族に属します。

ブルガリア人は19世紀、民族主義を高揚させ、オスマン帝国から独立を目指します。1877年、露土戦争でロシア側に立って戦い勝利し、自治を獲得します。1908年、青年トルコ革命の混乱のなか、ブルガリアは独立を宣言します。

❖フィン人の白人化は緩やかだった

フィンランドの主要構成民族のフィン人もウラル系民族です。同じウラル系民族のマジャール人はヨーロッパ中央に進出しましたが、「間抜けなフィン人は行くところを間違えて、寒いフィンランドに来てしまった」と語られます。

フィン人とエストニア人はバルト・フィン系に属し、共通の祖先を持ちます。彼らはウラル山脈方面から紀元前2000年頃、バルト海周辺へ到達していたと見られています。これよりももっと古い紀元前4000年頃〜紀元前3000年頃、すでに到達していたという見方もあります。いずれにしても、ヨーロッパに最も早い時期にやって来たアジア人がバルト・フィン系です。

バルト・フィン系はエストニアからサンクトペテルブルクをはじめとするロシアのイングリア地方、そしてフィンランド一帯に定住しますが、18世紀にロシア帝国のピョートル1世がサンクトペテルブルクを建設し、ロシア人がイングリア地方に進出すると、分布エリアが南北に分断されます。北側がフィン人、南側がエストニア人となり、今日に至ります。

フィン人のフィンランド語とエストニア人のエストニア語は同系列の言語ということもあり、互いにコミュニケーションが可能です。

フィン人もマジャール人と同様に、白人化されていきますが、その混血の度合いは極めて緩やかなものでした。フィン人は北方の辺境という地政学的な特殊性において、近代に至るまで部族社会を維持しており、民族の血統も一定レベルで維持することができたのです。

このことは、フィン人の遺伝子として、ウラル系民族に特徴的なハプログループNが60％以上で観察されていることからも明らかです。そのほか、白人に特徴的なハプログループＩが約30％、R1aが約5％、R1bが約3・5％と続きます。フィンランド人の容貌は金髪碧眼と相関関係のあるハプログループＩが強く作用していることもあり、北欧人やロシア人と似ていますが、黒髪黒眼の人の割合が多いようにも感じます。

歴史家タキトゥスをはじめ古代ローマ人はフィン人を「フェンニ」と呼んでいました。しかし、この「フェンニ」が本当にフィン人を指していたのかどうかわからないとも指摘されています。「フェンニ」は「湖沼」を意味する「フェン（fen）」に由来するとされますが、これも本当かどうかはわかっていません。フィンランドには、湖が大小合わせて10万以上あります。いずれにしても、中世にフィンランド一帯にいたフィン人を「フェンニ」と呼ぶことが定着し、「フェンニ」が転じて「フィン」となったのです。

フィン人たちは自分たちのことを「スオミ」と自称していました。「スオミ」は「湿地」を意味する「スオマー（suomaa）」から来ているという説や「人」を表わす「スオマ（ćoma）」から来ているという説があります。「スオミ」よりも他称の「フィン」が一般化したため、「フィン」や「フィンランド」が主に使われるようになります。

フィンランドは10世紀、スウェーデンの領土に組み込まれ、スウェーデン人により支配されます。これ以降、フィン人はキリスト教化され、また、スウェーデン人ら北欧人とも混血していきます。スウェーデンの支配は19世紀はじめまで続いたため、今日でも、スウェーデン語がフィンランド語と並び、フィンランドの公用語になっています。

１８１５年のウィーン議定書で、スウェーデンはフィンランドをロシアに譲り、その代わりにデンマークからノルウェーを獲得します。１００年余りのロシア帝国の支配を経て、フィンランドはロシア革命を機に、１９１７年、共和国として独立します。しかし、その後もソ連との戦争が続き、祖国防衛を掲げる民族主義が高揚します。フィンランドは辛うじて独立を維持します。

SECTION 42

バルト三国人
ウラル系を基層にしながら白人化された民族

❖バルト三国人の遺伝子

バルト三国はエストニア、ラトヴィア、リトアニアの三国を指します。この三国の民族は遺伝子の構成において、ほぼ同じです。ウラル系民族に特徴的なY染色体ハプログループNが約40%程度、観察され、スラヴ人に特徴的なハプログループR1aも約40%程度観察されます。そして、金髪碧眼と相関関係のあるハプログループIが20%足らず観察されます。

バルト三国人はフィン人と同様に、紀元前2000年頃かそれ以前に、この地にやって来たウラル系民族の血統が基層にあります。そして、その後、スラヴ化されていき、ハプログループR1aやIが加わっていったのです。

フィン人はハプログループNが60%以上の高頻度で観察されるのに対し、バルト三国人は約40%程度の中頻度で観察されるのは、フィン人よりも南方に居住していたバルト三国人が地理的にスラヴ化されやすかったためと考えられます。

図42-1｜バルト三国と周辺国

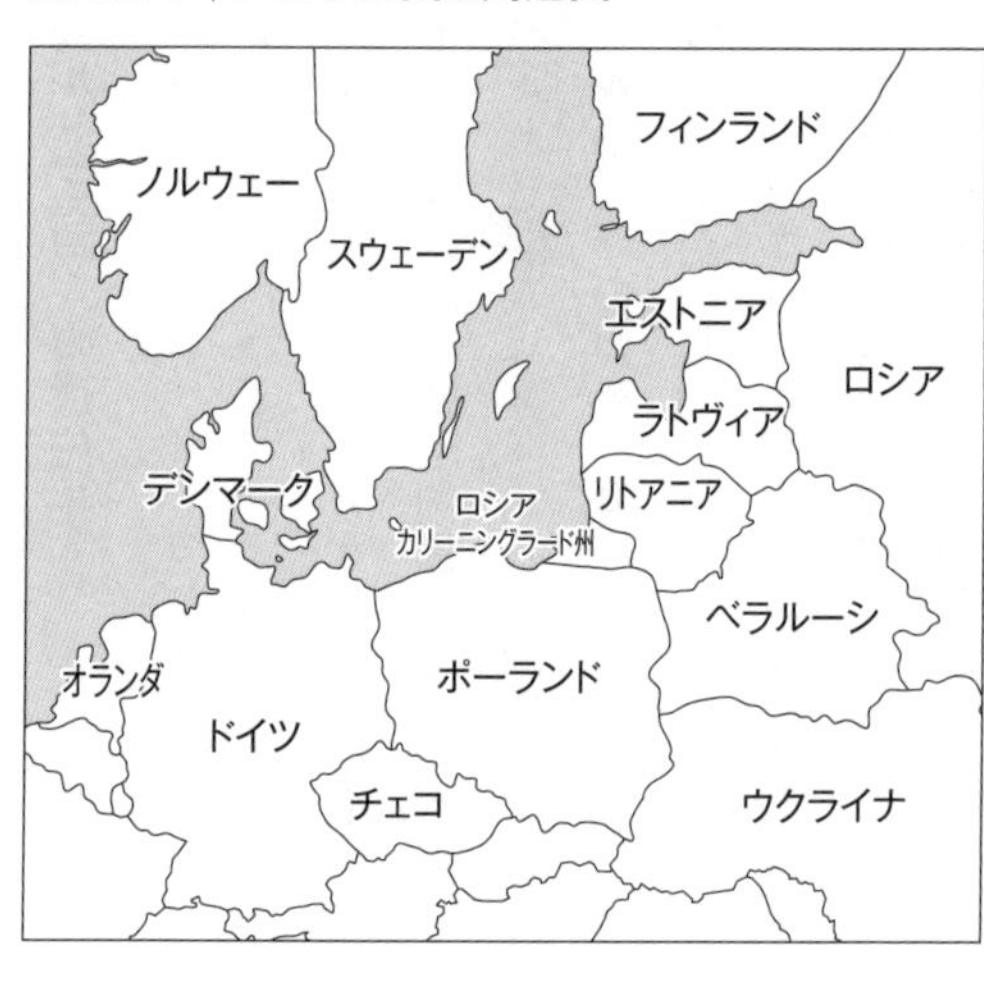

また、バルト三国人において、R1aが約40%程度観察されるのに対し、フィン人において、R1aが約5%しか観察されず、バルト三国人がスラヴ化された度合いが圧倒的に強かったことがわかります。一方、フィン人は北欧人に特徴的なハプログループIを約30%持っており、ロシア人よりも北欧人に近いということがわかります。

かつて、バルト三国人がスカンディナヴィア人種（北方人種）に分類されることがありましたが、この人種に特徴的なハプログループIは20%足らずしかなく、その意味で、バルト三国人は必ずしもスカンディナヴィア人種に含まれるとは言えず、やはり、スラヴ人に近いのです。

バルト三国人の遺伝子はそれぞれ、ほとんど同じですが、言語系列が異なります。三国で最も北側に位置するエストニアの言語はフィン人と同じウラル語族に属します。ラトヴィアとリトアニアでは、インド・ヨーロッパ語族のバルト語が使われます。ラトヴィア人とリトアニア人は通訳なしで会話できますが、言語系統の異なるエストニア人と会話ができません。

こうした言語区分から、一般に「バルト人」と言う場合、バルト語を話すラトヴィア人とリトアニア人を指し、エストニア人は含まれません。三国の人々を総称したい時には、「バルト三国人」という言い方をします。ちなみに、「バルト」はリトアニア語で「白い」を意味する「バルタス（baltas）」から来ていると指摘されています。

バルト語はスラヴ語に近接しています。両者は共通の祖語（バルト・スラヴ語）を持ち、そこから分化したと考えられています。バルト語とスラヴ語の近接はバルト人とスラヴ人の民族の遺伝子（高頻度のR1a）における近接とも符号しています。

ただし、バルト語はキリル文字ではなく、ラテン文字を使用します。中世において、ロシア人文化圏の影響力よりも、ドイツ人文化圏の影響力のほうが強かったため、先にラテン文字が普及したのです。ちなみに、ウラル語族のエストニア語もラテン文字が使われますが、同じくドイツ人文化圏の影響を受けたためです。

❖バルト三国人とドイツ騎士団

バルト人はかつて、バルト地域のみならず、ロシアの飛び地カリーニングラード州やポーランド北部にまで、分布していました。この地域のバルト人は「西バルト人」あるいは「古プロイセン人」と呼ばれます。古プロイセン人はドイツ人のプロイセン人とは異なります。

13世紀、バルト人である古プロイセン人は東方植民を進めていたドイツ騎士団に征服され、ドイツ人により支配されます。古プロイセン人はドイツ人に同化し、18世紀までに、民族の血統や言語は消滅してしまいます。

ドイツ騎士団のドイツ人は「プロイセン」の名を継承し、16世紀、バルト地域を含む東北ドイツにプロイセン公国を樹立します。1701年にプロイセン王国となります。

もともと「プロイセン」は地名で、ロシア領カリーニングラード州やポーランド北部（第二次世界大戦前の東プロイセン）一帯を指しており、この地に先住していたバルト人を「古プロイセン人」と呼んだのです。「プロイセン」の語源については様々な説がありますが、スラヴ語で「前ロシア」という意味の「ポ・ルス（po rus）」から来ているという説が有力です。「ルーシ（Rus）」の前方の地域という意味の「ポ・ルス（po rus）」が「プルス（Prus）」に転化し、バルト語の「プロシア」、ドイツ語の「プロイセン」になったと考えられています。

図42-2｜ドイツ騎士団領とリトアニア大公国、その周辺（14世紀）

こうして、古プロイセン人が絶えてしまったため、バルト人として残るのはラトヴィア人と

リトアニア人だけになります。しかし、両民族は同じ民族や言語でありながらも、文化的にはかなり、異なります。

ラトヴィアは長くドイツ騎士団領の一部に属し、ドイツ人に支配されました。ドイツ騎士団領の北方の拠点がリガ（ラトヴィアの首都）に置かれていました。リガはハンザ同盟に加わり、バルト海やロシア内陸との交易で繁栄しました。こうした経緯で、ラトヴィア人はドイツ人の文化的影響を強く受け、ドイツ式の建築や商慣行、プロテスタント文化などを受容します。

ドイツ騎士団の支配を受けたのはエストニアも同じで、エストニア人はウラル系民族でありながらも、ドイツ文化を受容します。エストニアのタリン（現在の首都）もリガと同様に、ハンザ同盟に加わっていました。

一方、リトアニア人はドイツ騎士団に対抗し、その居住領域のほとんどをドイツ人から防衛することに成功しています。リトアニア人は1410年、タンネンベルクの戦いで、ドイツ騎士団を破っています。リトアニア人はポーランド人と連携（ヤギェウォ朝）したため、ポーランドのカトリック文化の影響を強く受けました。

三十年戦争（1618年～1648年）で、事実上の戦勝国となったスウェーデンがエストニアとラトヴィアを支配します。さらに、北方戦争（1700年～1721年）で、スウェーデンとロシアが戦い、ロシアが勝利して、エストニアとラトヴィアを支配します。リトアニアは三度のポーランド分割（1772年、1793年、1795年）により、やはり、ロシアが支配します。

図42-3｜バルト三国支配勢力の推移

	エストニア	ラトヴィア	リトアニア
13世紀	ドイツ騎士団	ドイツ騎士団	リトアニア大公国
15世紀	ドイツ騎士団	ヤギェウォ朝	ヤギェウォ朝
17世紀	スウェーデン	スウェーデン	ポーランド（弱体化）
18世紀	ロシア帝国	ロシア帝国	ロシア帝国

❖アジア人勢力を取り込んだリトアニア

13世紀から14世紀にかけて、リトアニア大公国が台頭します。リトアニア大公国はリトアニアのみならず、ウクライナ、ベラルーシ、ロシア西部にまたがる広大な領域を支配し、1386年には、ポーランドを併合します。リトアニア大公ヤギェウォ（ヤゲロー）はポーランド女王と結婚し、ポーランド王とリトアニア大公を兼ね、ヤギェウォ朝を創始しました。タンネンベルクの戦いで、ドイツ人勢力を撃破したのは、このヤギェウォです。

リトアニア大公国が急速に強大化したのは、この地に流入してきたアジア人勢力を取り込んだからです。彼らはチンギス・ハンの子孫たちが形成したモンゴル国家に属する遊牧民で、モンゴル人を中心にトルコ人やウラル系民族も混ざっており、「リプカ・タタール人」と呼ばれました。「リプカ」というのは彼らの言語で「リトアニア」を意味したとされており、リプカ・タタール人たちがリトアニア語で「菩提樹」を意味する「リプカ（lipka）」を「リトアニア」と混同し、これらの語が同義になったといわれています。

リプカ・タタール人の騎馬隊はリトアニア大公国の軍の主力部隊として活躍し、リトアニアの強大化に大きく貢献します。この過程で、ベラルーシ人やウクライナ人勢力を取り込んでいきます。ベラルーシ人はロシア人と同族ですが、14世紀にリトアニア大公国に支配されて以来、ロシア本体のロシア人と切り離され、18世紀にロシアに併合されるまで、ロシアと異なる歴史を歩みます。

図42-4｜白人とアジア人の複合民族王国

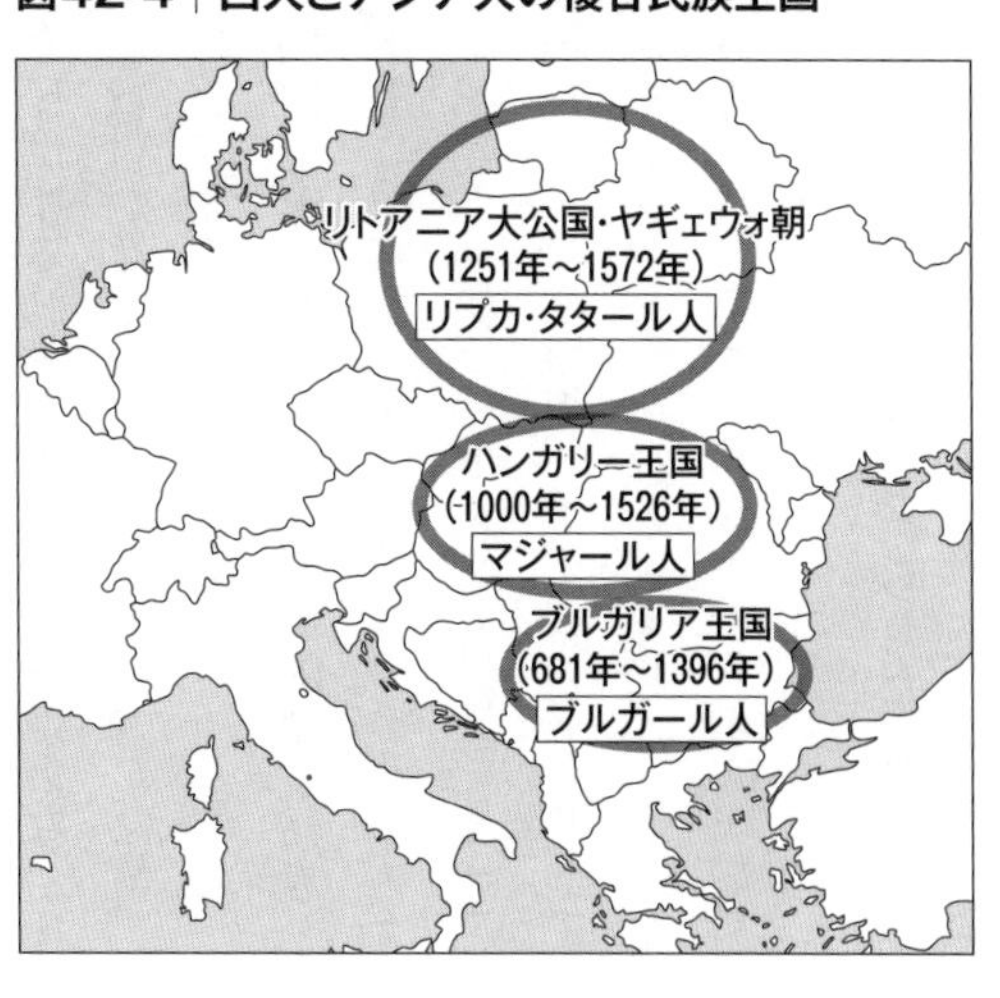

リトアニア大公国はベラルーシを併合した後、この地を監視支配するため、ベラルーシに近い南東部に、ヴィリニュス（現在のリトアニア首都）を建設します。リトアニア大公国は白人だけにとどまらず、リプカ・タタール人などのアジア人も含めた複合民族国家として発展しました。

東ヨーロッパ地域では、図42-4のように、ブルガリア王国やハンガリー王国でも、アジア人との連携融合がなされました。

このように、東ヨーロッパでは、中世以来、アジア人の入植が進み、アジア人とヨーロッパ人の連携融合が社会基盤を形成し、西ヨーロッパを圧倒する強大な力を持つ背景となっていました。しかし、彼らは武断政治を横行させ、商業を根付かせることができなかったため、利益性に乏しく、近世以降、西ヨーロッパに大きく遅れを取ることになります。

14世紀末、ヤギェウォ朝が創設されると、リトアニア勢力（リプカ・タタール人を含む）はキリスト教に改宗し、圧倒的多数であったスラヴ系のポーランド人と同化していきます。

ヤギェウォ朝はベーメン（現在のチェコ）をも支配し、強勢を誇りましたが、16世紀に王統が断絶します。その後、ポーランドとリトアニアは分裂し、混乱期に入ります。そして、18世紀、プロイセン、ロシア、オーストリアの干渉を受け、分割されてしまいます（ポーランド分割）。この時、リトアニアやベラルーシはロシアが獲得し、以後、ロシアによって支配されます。

❖ロシア人支配に苦しめられた歴史

リトアニア人がリトアニア大公国により、中世の時代に、自らの国家を持っていたのに対し、ラトヴィア人やエストニア人は自らの国家を持つことができず、他国に支配され続けました（530ページ図42-3参照）。最終的には、リトアニアも含めたバルト三国はロシア帝国により、支配されます。

ロシア帝国はウクライナに対して、過酷な弾圧を加え、ウクライナ人を差別しましたが、バルト三国に対しては、帝都サンクトペテルブルクに近接し、バルト海に面する地政学的に重要な地域ということもあり、懐柔分離政策を用います。具体的には、三国の貴族たちを優遇し、地域管理に当たらせる一方で、農民たちを酷使し、搾取しました。農民はロシア本国の農民と同じく、「農奴」と呼ばれ、奴隷扱いされました。

1917年、ロシア革命が勃発し、レーニンらのソヴィエト政権が発足し、民族自決権を保障します。翌年、ソヴィエト政権はドイツとブレスト・リトフスク条約を締結し、第一次世界大戦の戦線から離脱するとともに、バルト三国を放棄します。そして、リトアニア、ラトヴィア、エストニアがそれぞれ独立します。

1939年、ソ連のスターリンはナチス・ドイツと独ソ不可侵条約を締結します。この条約交渉で、秘密議定書が交わされており、ドイツとソ連によるポーランド分割とともに、バルト三国のソ連併合が認められていました。

第二次世界大戦がはじまると、ソ連は1940年、秘密議定書にもとづいてバルト三国に侵攻し、これを併合します。三国は再び、ロシア人の支配に服することになったのです。ソ連に抵抗したパルチザンはもちろん、ソ連に批判的な市民も強制収容所に入れられ、強制労働させられました。シベリア送りにされた人も少なくありません。

バルト三国には、ロシア語が強制され、ロシア人男性が大量移住し、現地の女性と結婚するといったロシア化政策も進められます。ソ連の支配はロシア帝国以上に過酷でした。

ゴルバチョフのペレストロイカ時代、バルト三国で急速に独立の気運が高まります。まず、リトアニアが1990年、独立を宣言します。ラトヴィアとエストニアでも独立の動きが加速するなか、ソ連の保守派は翌年、ゴルバチョフに対しクーデターを起こしますが、失敗します。この混乱のなかで、ラトヴィアとエストニアも独立を宣言しました。ロシア人支配の長い歴史が断ち切られたのです。

三国の国名の語源について、エストニアの「エスト（Esto）」には、「東方」という意味があります。スカンディナヴィア人が古ノルマン語で、エストニア人を「東方の人」という意味の「エイスター（Eistr）」と呼んだことから、この呼び名が「エストニア」に転化していきます。

また、スカンディナヴィア人はラトヴィア人を「ラトガリアン（Latgalians）」と呼んでいました。「ラトガル（latgal）」は古ノルマン語で、「砂地」を意味するとも指摘されていますが、なぜ、ラトヴィア人が「砂地」と結び付いたかなど、くわしいことはわかっていません。「ラトガル」が転じて、「ラトヴィア」となります。

リトアニアを流れるネマン川はかつて、「リエタ（lieta）」（「流れ」の意）と呼ばれており、これがラテン語で「リトゥア（Lituae）」と表記され、「リトアニア」の呼称となります。

第3部

アメリカ、オセアニア、アフリカ

人類共通の祖先は黒人だったというのは本当か

❖アボリジニは人類の原始型なのか進化型なのか

アボリジニやパプア人など、オセアニアの先住民族オーストラロイドは原始人種的な特徴を持っています。目の上の額が大きく隆起し、そこから頭頂部にかけての額部が後退しています。そして、顎が前に出ています。この頭蓋の形は類人猿に見られる特徴です。また、大きな歯や厚い頭蓋骨、短く大きい鼻や分厚い瞼や唇なども初期人類と共通する特徴です。

こうした特徴のため、オーストラロイドは現生人類のホモ・サピエンスの初期型・原始型であると見られることがありました。

しかし、遺伝子解析の結果、オーストラロイドは初期人類（原始型）ではなく、西ユーラシア人（イラン人やアラブ人などのコーカソイド）、または東ユーラシア人（東南アジア人や南インド人などのモンゴロイド）から派生した進化型であることがわかったとされます。オーストラロイドが進化型であるにもかかわらず、原始型の身体的特徴を持つのは、オセアニアの過酷な自然環境への適応によって、身体が変化したからだと説明されます。

しかし、このような進化型説に反対する見解も多くあります。今日のオーストラロイドはアジア系などとの他人種との混血が進んでいるため、彼らの一部を遺伝子解析の対象にしても、正確なことはわからないと、反対者は異を唱えているのです。

オーストラロイドの起源をどう捉えるかという問題は人類全体の起源をどう捉えるかという問題にも直結します。

現生人類（ホモ・サピエンス）は約20万年前、黒人（ネグロイド）からはじまったとされます。アフリカの黒人が人類の共通の祖先であり、いまから約10万年前〜5万年前に、彼らの中の一部がスエズ地峡を渡り、全世界に拡散して、コーカソイドやモンゴロイドへと変化していったと考えられています。これを「アフリカ単一起源説」と言い、最近の研究では、最も有力視されています。ちなみに、ラテン語で「ホモ（homo）」は「人」、「サピエンス（sapiens）」は「賢い」という意味です。

暑いアフリカを離れた人類は皮膚の色を変えていきます。寒冷な地域では、紫外線を遮断する皮膚のメラニン色素は必要とされず、色素を減らしていき、黒人が白人や黄人に変化したというのです。

ホモ・サピエンスはアフリカを出た後、その一部がイラン、インド、東南アジアを経て、オセアニアに約7万〜5万年前に到来しました。この集団がオーストラロイドです。他の大陸と隔絶されたオーストラリアなどのオセアニア地域にやって来たホモ・サピエンスは最も後の（新しい）時代のホモ・サピエンス、つまり、進化型でなければ話の辻褄が合いません。

そのため、アフリカ単一起源説を支持する研究者はオーストラロイドの身体的特徴を、過酷な環境への適応によって身体が変化した結果であると主張するのです。つまり、オーストラロイドはもともとイラン人やアジア人のような容貌を持っていましたが、オセアニアにやって来て、今日のアボリジニに見られるような容貌に「進化」したというのです。

この「進化」説はなかなか納得することが難しいうえに、アフリカ単一起源説を擁護するための無理矢理な強弁のように思えてしまいます。オーストラリアなどの厳しい環境によって、古い人類の特徴に「進化」することなど本当にあり得るのか、それは実際には「進化」ではなく退化ではないのか、理解に苦しむところです。

❖アフリカの原人（ホモ・エレクトス）が人類共通の祖先なのか

オーストラロイドの存在を考えれば、人類の起源と拡散をアフリカ単一起源説で捉えることは難しいとわかります。むしろ、人類は世界各地にその起源を多元的に持ち、多発的に進化していったと考えることもできます（多地域進化説）。

オーストラロイドはその中でも、進化が遅く、古い人類の特徴を多く残している原始型のホモ・サピエンスである可能性を否定することはできません。

人類は猿人（アウストラロピテクス）↓原人（ホモ・エレクトス）↓旧人（ホモ・ネアンデルターレンシスなど）↓新人（ホモ・サピエンス）と進化しました。多地域進化説においては、ネアンデルタール人など世界各地の旧人がそれぞれ、新人へと進化したとされます。

しかし、1987年、アメリカの人類学者レベッカ・キャンの発表以降、DNAパターンの解読が進み、ネアンデルタール人など旧人からホモ・サピエンスへと発展した遺伝子上の形跡が見当たらないとされています。

また、女系遺伝子であるミトコンドリアDNAを遡及していくと、すべてのホモ・サピエンスの共通祖先に当たるDNAをもつ母親が20万年前のアフリカのホモ・サピエンス集団にいたことがわかりました。こうしたことから、現在、アフリカ単一起源説がほとんどの研究者によって支持されています。

しかし、前述のように、アフリカ単一起源説でオーストラロイドの存在を説明するには無理があり、アメリカの人類学者ミルフォード・H・ウォルポフなどの多地域進化説を唱える研究者はこの矛盾を根拠に、アフリカ単一起源説

図03-1｜2つの人類進化説

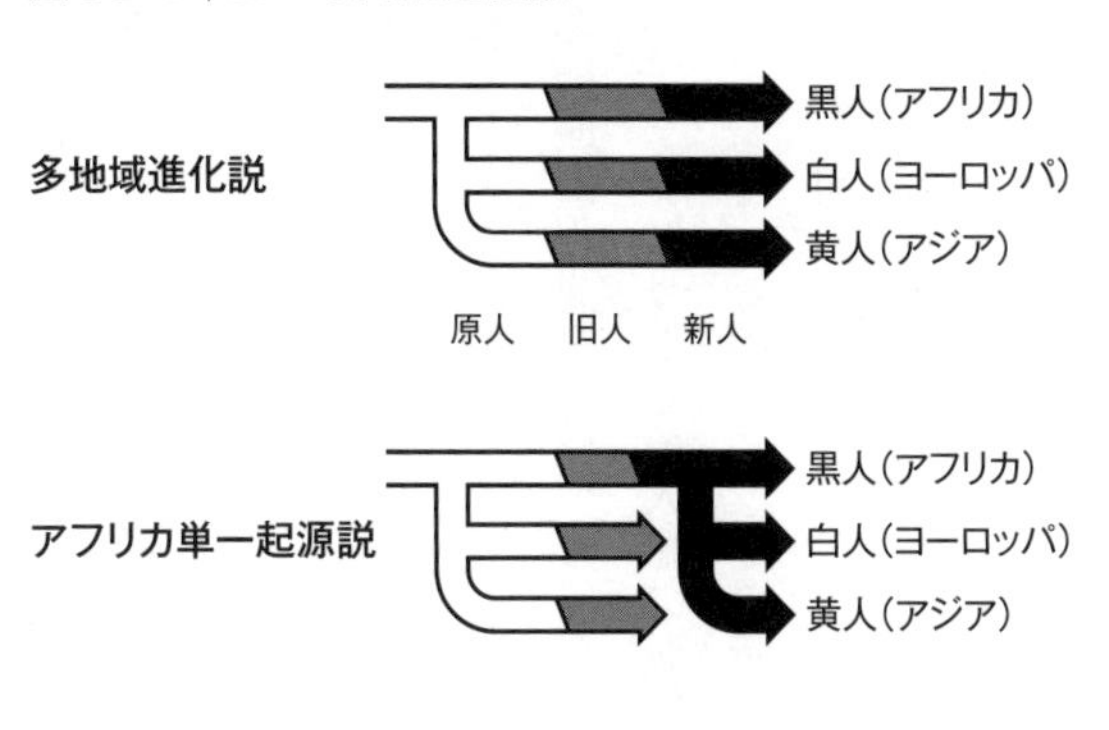

を否定しています。

また、DNAの遡及分析で十万年単位の時期特定は不可能であり、百万年単位以上の大きな単位測定にならざるを得ないとも指摘されています。ホモ・サピエンスが約10万年前〜5万年前、アフリカから全世界に拡散したという年代には、大きな疑問があるとされているのです。アフリカから人類が派生するのは数十万年前の単位ではなく、もっと以前のことである可能性があるといいます。

多地域進化説を支持する研究者もやはり、人類はアフリカに共通の祖先を持つと考えていますが、アフリカからの人類の派生の時期について、アフリカ単一起源説の研究者らと異なる見解を示しているのです。その時期は北京原人やジャワ原人に代表されるホモ・エレクトスの時代よりも前の約200万年前〜100万年前であった可能性があるとされます。現代人の共通祖先は15万年前のアフリカに誕生したホモ・サピエンスではなく、それよりももっと以前のアフリカにいた原人（ホモ・エレクトス）に行き着くと主張されているのです。この説により、多くのDNA遡及の分析結果がアフリカに帰属することも説明できるとされます。

ウォルポフら多地域進化説の研究者は、原人がアフリカから世界各地に散らばり、原人が旧人へ進化したり、原人の進化型が旧人やホモ・サピエンスの原始型に進化するなど、地域的にも時期的にも多元的な進化があったという説を打ち出しています。

そのうえで、ウォルポフはアボリジニについても詳細に述べており、ジャワ原人と共通する

図03-2｜2つの仮説におけるアフリカ分岐

原人 → 旧人 → 新人(ホモ・サピエンス)

→ 世界各地への拡散
(約200万年前～100万年前)
多地域進化説の分岐点

→ 世界各地への拡散
(約10万年前～5万年前)
アフリカ単一起源説の分岐点

多くの身体的な特徴や文化的特徴から、アボリジニはジャワ原人から派生し、東南アジアやオセアニア各地でそれぞれ独自にホモ・サピエンスへと発展したと結論付けています。つまり、アフリカ起源のホモ・サピエンスがオーストラロイドの直接の祖先ではないとして、アフリカ単一起源説を否定する最大の論拠としているのです。

このような多地域進化説が本当であるならば、ジャワ原人を介して、オーストロネシア語派などのアジア系民族とオーストラロイドは共通の祖先を持っているということになります。

アフリカ単一起源説の論者はオーストラロイドがイランやインドを経て、オセアニアに到達した証拠として、インド南部にいるヴェッダ人(ヴェッドイド)とオーストラロイドとの近似を例に挙げて、ヴェッダ人はインドに残ったオーストラロイドであると捉えていました。しかし、最近の研究で、両者の頭蓋骨の形態に大きな差異があることが指摘されており、両者が必ずしも連続的な関係を持つものではないことがわかっています。これはアフリカ単一起源説を崩す1つの材料になっています。

さらに、多地域進化説を強硬に主張する研究者は、オーストラロイドはジャワ原人から派生したものでさえなく、オーストラリアにもともと何十万年も前からいた地域独自の「前ホモ・サピエンス」なるものから派生した存在であり、それらの痕跡をまだ発見できていないだけのことであると説きます。人類の発展に関し、遺伝子解析など最新鋭の技術で多くのことが解明されている一方で、まだ解明されていないことも多くあります。

❖「虚構」を築き上げたホモ・サピエンス

新人のホモ・サピエンスよりも1つ前の進化段階にある旧人（ネアンデルタール人）は新人と変わらないレベルにまで進化していました。旧人の脳容積は1500cc程度で、新人と変わりません。旧人が背広を着て、横に座っていたとしても、誰も旧人とは気づかないといわれます。

現在、学術上、旧人と正式に認定されているのはネアンデルタール人のみです。ドイツのハイデルベルク近郊で発見されたハイデルベルク人は原人よりも脳容積が大きく、旧人に近づいてきていますが、学術上は原人に分類されます。あるいは原人と旧人をつなぐ存在と見られています。

かつて、ジャワ島のソロ人、南アフリカのローデシア人なども旧人とされていましたが、ソロ人はジャワ原人に近く、ローデシア人は新人に近いとされています。北京原人の進化版とされた周口店上洞人は新人です。

ネアンデルタール人は1856年、ドイツ西部のデュッセルドルフ近郊のネアンデル谷（「谷」

はドイツ語で「タール」）で発見されました。この化石人骨と同型、つまり旧人の化石人骨はヨーロッパや中東各地で発見されていますが、その他の地域では発見されていません。

ネアンデルタール人は芸術を解さない野蛮人であるとされていましたが、近年の研究ではそうでないことがわかっています。

新人はスペインのアルタミラ洞窟壁画、フランスのラスコー洞窟壁画などを残していますが、旧人は壁画を残していないとされてきました。しかし、2018年、ネアンデルタール人は幾何学模様の洞窟壁画を残していたとする研究論文がアメリカ科学誌『サイエンス』に掲載されました。この論文によると、ネアンデルタール人はスペインのラ・パシエガ洞窟、マルトラビエソ洞窟、アルダレス洞窟の3か所に壁画を描いたとされ、年代測定法によって、これらの壁画は、新人がヨーロッパに現われる約4万5000年前よりも前の6万5000年前頃のものであるというのです。絵画などの芸術表現はこれまで、ネアンデルタール人にはなく、彼ら旧人は新人と比べ、粗野で野蛮であったとされてきましたが、こうした説が覆されています。

ネアンデルタール人などの旧人はアフリカから来た新人に滅ぼされたと推測されています。どのように滅ぼされたかについては様々な説があります。戦争によって滅ぼされたという説、混血によって吸収されたとする説、新人がもたらした疫病によって滅んだという説などです。

2017年にベストセラーとなった『サピエンス全史』で、著者のユヴァル・ノア・ハラリ氏は、なぜ旧人が滅び、新人だけが生き残ったのかという疑問に答えています。ホモ・サピエンス（新人）は言語という「虚構」を築き上げ、宗教などの共通の神話を紡ぎだす力を獲得します。新人は「虚構」という集合的想像の力によって、不特定多数の他人と理想や目的を共有し、団結して協力することができ、旧人、あるいは残存していた原人に勝つことができたというのです。

ハラリ氏はホモ・サピエンスのこうした大規模な協力体制が社会や国家へと発展していく原形となるものだと説いています。

ただ、ホモ・サピエンスについて、その他にも、多くの疑問が残ります。なぜ、サピエンスはアフリカで現われたのか。なぜ、ヨーロッパや中東、アジアではなく、アフリカなのか。アフリカのどの地域で現われたのか。ヨーロッパや中東のネアンデルタール人が進化において、アフリカよりも遅れたのはなぜか。アフリカには、進化の優位性があるのか。もし、あるとするならば、その後の有史において、アフリカ文明がヨーロッパ文明やアジア文明に遅れるのはなぜか、など多くの疑問点について、今後の人類学が解明していくべき課題があります。

第11章 北アメリカ、オセアニア

SECTION 43
アメリカ人
白人ナショナリズムの歴史的淵源と原合衆国人の血統

❖なぜ、スペインはイギリスの進出を放置したのか

「アメリカ人」という言い方は民族としてのカテゴリーを示すニュアンスよりも、むしろ国民としてのカテゴリーを示すニュアンスが強まります。アメリカ人には、多種多様な民族が含まれます。しかし、ここでは、国民としてのアメリカ人ではなく、アメリカ合衆国を建国した白人たちを中心に、アメリカ人を追及していきます。白人だけをアメリカ人として、黒人やア

ジア系の人をアメリカ人から除外するつもりは毛頭なく、あくまでも建国の祖としてのアメリカ人の民族ルーツや変遷に焦点を当てます。

スペインの支援で、クリストファー・コロンブスが1492年、カリブ海の西インド諸島に到達した後、イギリス王の公認で、ジョン・カボットが1498年、北米大陸の東海岸を探検します。そして、イギリスはこの地の領有を宣言しました。

しかし、イギリスが北米大陸を領有したからといって、新世界に積極進出しようとしていたわけではありません。イギリス王ヘンリー7世はカボットを財政的に支援したのではなく、単に航海を公認したというだけです。新航路の開拓に関心があったブリストル港の商人たちがカボットを財政的に支援したのです。ブリストル港の商人たちは西回りでアジアに到達することができれば、交易で儲けることができると考えていました。カボットは探検した新大陸をアジアの一部と考えていました。

ちなみにこの時期、フランスはイタリアの領土獲得（イタリア戦争）に奔走しており、新世界に目を向けることはありませんでした。フランス人のジャック・カルティエがセントローレンス川流域を探検し、カナダの領有を宣言するのは1534年のことです。

スペインはラテン・アメリカ地域の植民地化を進めていましたが、メキシコやフロリダよりも北側には進出しようとはしませんでした。北米大陸は荒野が広がるばかりで、原住民もほとんど居住しておらず、労働力を確保することができなかったからです。

コロンブスが新大陸に到着した時期、新大陸全体の人口は3000万人から4000万人と見られています。そのうち北米大陸の人口は1割くらいしかなく、ほとんどの原住民がメキシコ以南の地域に居住していました。その中でも、マヤ文明やアステカ文明を含むメソアメリカ文明圏に人口が集中しており、新大陸全体の人口の3分の2程度が同地域に居住していたと考えられています。

スペインは富や人口が集中していたメキシコ以南のラテンアメリカを植民化することに注力し、その権益が脅かされない限り、イギリスなどが北米大陸に進出しても、半ば放置していたのです。ちなみに原住民人口が少なかったアルゼンチン、チリなどの南部ラテンアメリカで植民地化が実質的に進むのは19世紀以降です。原住民人口が少なかったため、これらの地域では、原住民よりも、白人の血を濃く受け継ぐ人々が多いのです。

❖なぜ、イギリス人は移住に積極的関心を示したのか

イギリスは1498年、早くも北米大陸の領有を宣言したものの、開拓を行なうための労働力もなく、その後、100年以上の間、植民地化は進みませんでした。その意味でも、イギリスはまだスペインに対抗することのできる有力な開拓者ではなかったのです。

それでも、イギリスは何とかして新大陸の植民地化を進めようとしました。エリザベス1世の側近で愛人でもあったウォルター・ローリーは1584年、東海岸の探索を開始します。ス

ペイン領フロリダより北側の東海岸一帯は「ヴァージニア」と名付けられました。この名は未婚のエリザベス1世にちなんだものです。

１５８７年、ローリーは１１５人の入植隊を送り込みます。しかし、入植隊はその後、行方不明となります（ロアノーク島集団失踪事件）。１６０２年、行方不明となった入植隊を探し出す捜索隊が派遣されましたが、足取りをつかむことができませんでした。入植隊は大陸の奥地に分け入り、先住民たちに同化していったと今日では考えられています。

ローリーの新大陸植民地計画の失敗を批判する声が強まり、その後、植民計画は数年間、頓挫しますが、ヴァージニアの植民地化は１６０７年以降、本格化します。ヴァージニア会社という特許会社が設立され、金銀の探索で投資家から資金を募りました。しかし、ヴァージニアでは金銀は発見されなかったため、タバコ生産に業務を切り替え、これが成功したことにより、新大陸に対するイギリス人の関心を呼び覚ましました。

ヴァージニア植民地の経営がイギリスの北米大陸における植民地化成功の最初の例とされますが、これは投資家の実利目的によって達成されたものでした。

この成功がイギリス人の貧困層に夢と希望を与えました。16世紀末以降、イギリスを中心にヨーロッパ全域で貧困層が急増します。ヨーロッパの人口は16世紀に約５０００万人程度でしたが、17世紀に1億人に達します。医学が発展し、細菌という概念が人々の間で共有され、衛生上の意識が向上して清潔な生活空間が保たれるようになりました。これにより感染症で死亡していた乳幼児の率が激減、人口の増大につながりました。

しかし、倍増する人口を養う食糧や物資の供給能力がヨーロッパにはありませんでした。農業革命と呼ばれる農業技術や経営方法の変革によって、食糧生産力が急向上するのは18世紀からです。食糧増産などの供給能力向上がない状態で人口増加が起こり、増大した人口は飢餓や貧困に追いやられ、「17世紀の危機」と呼ばれる混乱が発生しました。

特にイギリスは、土地が痩せていて農耕地が少なく、次男以後の子供たちに相続させる土地がありませんでした。多くの困窮した人々はイギリス国内に住む場所すらなく、海外へ新天地を求めました。ヴァージニア植民地の成功は貧困層が大挙して新大陸へと移住するインセンティブとなったのです。

イギリスの貧困層は「ピューリタン」と呼ばれました。これは、エリザベス1世が彼らの熱心な信心を皮肉って、「ピュアな人たち」と言ったのがはじまりとされます。ピューリタニズム（清教）は貴賤の別なく、「神の前の平等」を掲げていたため、貧困層に幅広く浸透していました。一方、イギリスの上層階級はイギリス国教会を奉じていたため、平等主義を掲げるピューリタンを弾圧しました。

経済的な理由に加え、新大陸への移住は、こうした宗教弾圧を逃れてピューリタン信仰の自由を確保するための手段でもあったのです。

❖イギリス人の北米大陸支配権が確立するまで

1620年以降、ピューリタンたちはイギリスから逃れ、新大陸へ渡ります。彼らは「ピルグリム・ファーザーズ（巡礼の始祖）」と呼ばれます。最初の集団はマサチューセッツ州のボストンの南のプリマスに上陸しています。

ピューリタンたちは先住民のインディアンと戦いながら、苦労して荒地を農地に開拓します。砂糖、コーヒー、綿花、タバコなどの商品農作物を農園で作り、イギリスをはじめとするヨーロッパに輸出し、財を成す者が現われます。

イギリス人の成功に倣い、オランダ人もまた1624年以降、北米大陸に渡り、ニューアムステルダム（後のニューヨーク）やニュージャージーに植民地を形成し、それらの地域を「ニューネーデルラント」と名付けます。

スウェーデン人も1638年以降、デラウェアに植民地を形成し、「ニュースウェーデン」と名付けます。ニュースウェーデンには、スウェーデン人だけでなく、フィンランド人やドイツ人も多く入植しました。しかし、ニュースウェーデンは1655年、オランダのニューネーデルラントに編入されます。

1682年以降、フランス人はルイジアナに植民地を形成し、カナダと併せて「ニューフランス（ヌーベルフランス）」としました。

このように、17世紀に、ヨーロッパ人が先住民のインディアンを駆逐しながら、北米大陸を急速に植民地化し、ヨーロッパに続く第二の白人世界を築きつつあったのです。この時はまだ、イギリス人が北米大陸において主導権を握っていたわけではありません。

17世紀の半ば、イギリスとオランダは、交易上の利権の衝突で、英蘭戦争を戦います。イギリスの国王チャールズ2世の弟ヨーク公（後のジェームズ2世）は軍艦を北米大陸に派遣し、オランダの植民地ニューアムステルダムを奪取します。ニューアムステルダムはヨーク公にちなみニューヨークと改称されます。

この戦争で、ニューヨークを含むニューネーデルラント全域がイギリスの北米13植民地（ニューイングランド）に組み込まれ、イギリスの東海岸地域における支配権が確立します。

オランダは北米植民地を失いましたが、そのことを重要視していませんでした。オランダはイギリスによるニューネーデルラ

図43-1｜ヨーロッパ人の北米植民地化

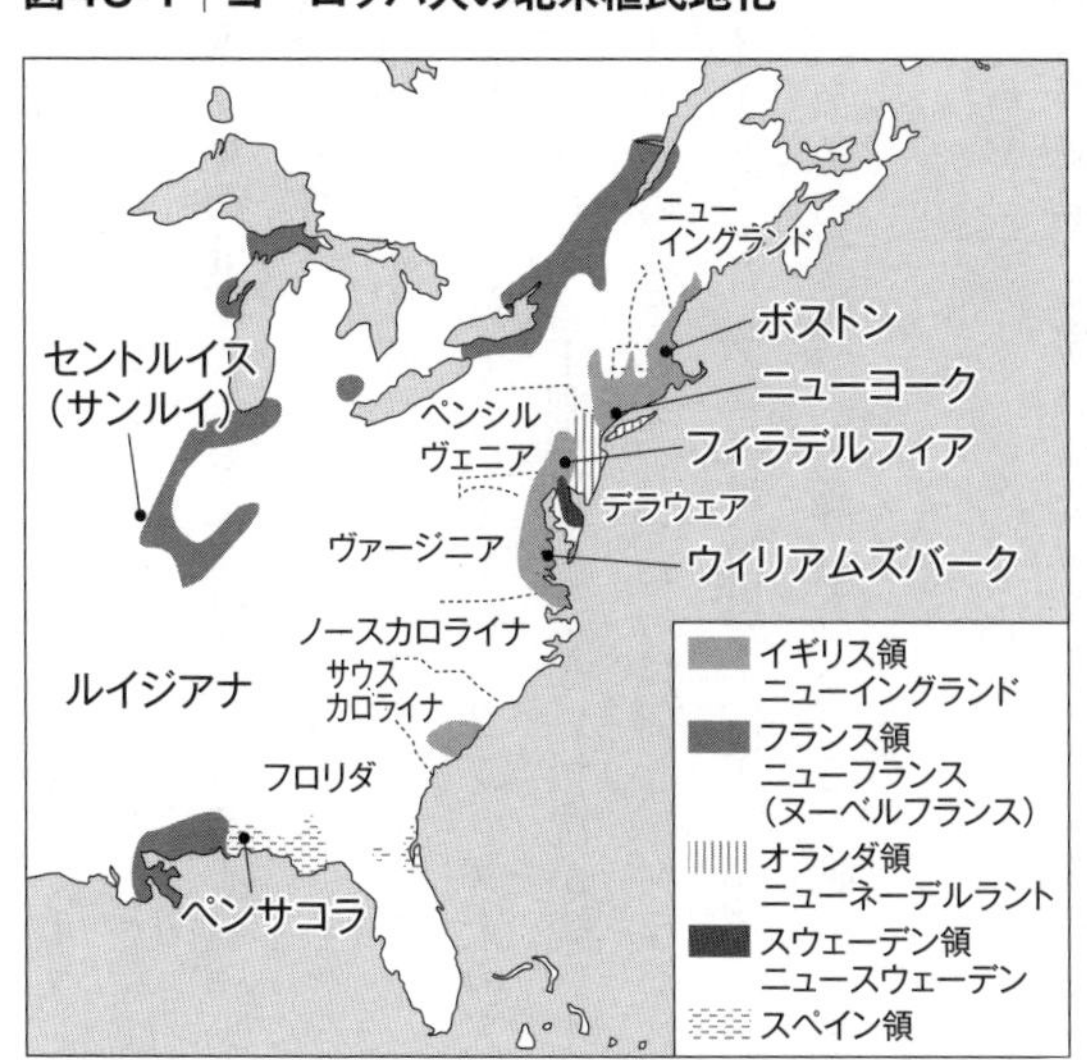

ント併合を認める代わりに、交換条件として、南米大陸のイギリス領スリナムを要求します。オランダの要求が受け入れられて、スリナムはオランダ領になります。オランダは土地の痩せた寒冷地の北米よりも、砂糖プランテーションで確実な利益を出せる熱帯のスリナムを重要視したのです。

以後、北米大陸において、イギリスとフランスの二大勢力が残ります。地図上では、フランスが広域を支配していますが、フランス人の入植はほとんど進んでおらず、イギリスの13植民地と比べれば、1割にも満たない状況が続いていました。18世紀前半には、イギリス人入植者が100万人を超えていたのに対し、フランス人入植者は7万人をようやく超える程度でした。

イギリスとフランスは17世紀末以降、北米大陸の支配権を巡り、100年間、抗争します。「第二次英仏百年戦争」と呼ばれる、この戦いに勝利したイギリス人が北米大陸の支配者となります。

❖『緋文字』に描かれたWASPの異端排斥

17世紀の前半から、イギリス人のみならず、オランダ人やフランス人などの他のヨーロッパ人が入植を進めていったものの、入植者の数としては、イギリス人が他を圧倒していました。

荒野を耕し、新天地を開拓するのは想像を絶する苦難で、多くの入植者たちはそれを乗り越えることができませんでした。当初、入植者の多くが過酷な環境に耐えられず、新大陸を去っていきました。

イギリス人入植者たちが自ら進んで、そのような苦難に立ち向かうことができたのは、ピューリタンとしての宗教的情熱があったからです。また、経済的な理由として、フランスやオランダには、肥沃な土地が充分にあり、フランス人やオランダ人はあえて、そこから離れる必要がなかったということも挙げられます。

イギリス人ピューリタンの子孫はＷＡＳＰ（ワスプ）というアメリカ合衆国を主導していく中核層になります。「ＷＡＳＰ」はWhite Angro-Saxon Protestantの頭文字をとった略称で、白人でアングロ・サクソン系、プロテスタント信者である人々を指します。オランダ、ドイツ、北欧のプロテスタントたちも一定数、北米大陸へ移住しており、彼らもまた、ピューリタン入植者と協力して開拓を進めたため、ＷＡＳＰの中でも一定数、アングロ・サクソン系でない白人も含まれています。

彼らは、自らの生存圏を築くことは神から与えられた「マニフェスト・ディスティニー(Manifest Destiny＝明白なる使命)」であると考えました。領土拡張は宗教的な使命であり、神の名のもと、異教徒のインディアンを迫害・虐殺することも正当化しました。

入植者は先住民であるインディアンを民族浄化の対象にし、情け容赦ない大量虐殺を行ないます。17世紀後半、インディアン側は部族間で同盟を組み、白人入植者らと戦争をはじめます。銃で武装した白人入植者はインディアンを追い詰めていき、各地で民族浄化を行ないます。

インディアン絶滅政策は18世紀にも引き継がれ、ジョージ・ワシントンは植民地軍司令官時代に、インディアン部族の集落に対し、焦土作戦を指揮・実行しました。

スペインの白人入植者たちは、中南米でインディアンや黒人と混血しました。特に、スペイン人はインディアン女性を好み、彼女らを半ば性奴隷にして、メスティーソと呼ばれる混血児を生ませました。これに対し、イギリス人入植者は他人種と混血をしませんでした。これは、ピューリタンの宗教戒律が大きく影響しています。

新天地を築き、神と共に生きていこうとする当時のピューリタンたちにとって、宗教的な戒律は精神の支えでした。ピューリタンたちは戒律を先鋭化させて、極端ともいえる理想主義を生み出し、異端分子や異質なものを排除しようとしました。

アメリカの文学者ナサニエル・ホーソーンの小説『緋文字（The Scarlet Letter）』（1850年出版）は当時のピューリタンの精神的状況をよく表現しています。この小説は17世紀のアメリカのピューリタン社会を舞台に、不倫の末に出産をする女性を主人公にしています。不義の子を産んだ主人公はピューリタンの戒律により、姦通（adultery）の罪を表わす「A」の緋文字の入った布を胸に付けることを強制されます。街の人々からの激しい誹謗に晒されながら、生きていく主人公の姿や内面を描いています。「密通した男の名を言え」と執拗に迫る牧師に対し、主人公の女は黙秘を続けます。ホーソーンはピューリタンの戒律の急進性とその矛盾を描写しました。

このような厳格な戒律が現実としてどこまで守られていたかは疑問ですが、建前として理想主義が掲げられ、自分たちを正当化し、他民族を異端として排除するための理論として大いに活用されました。この考え方はWASPに属する人々に広く共有されていました。他民族との混血は受け入れられるものではなく、それは戒律への挑戦と見なされました。

一方、カトリックを奉ずるスペイン人入植者には、このような排他的な戒律はありませんでした。カトリックは博愛主義の傾向が比較的に強かったのです。また、スペイン人入植者はコンキスタドール（征服者）をはじめ、宗教的情熱よりも経済利益の追求が勝っていました。

❖「アメリカ人」の誕生

新大陸へ渡った貧困層が土地を開拓し、農産物出荷で収益を上げたとしても、イギリス本国が重い税を徴収したため、移民たちには利益がほとんど残りませんでした。イギリスは移民の開拓を支援しながらも、生かさず殺さず、税金を搾り取ったのです。

イギリスとフランスの新大陸を巡る争いはフレンチ・インディアン戦争（1754年～1763年）を最後に、イギリスが勝利します。イギリスはフランスとの戦争で乱費した資金を調達すべく、砂糖法、印紙法、タウンゼント諸法など植民地に次々と税を課します。

ボストン茶会事件などを経て、移民たちは反発を強め、イギリス本国の支配を排除するべく立ち上がりましたが、当初、本国の横暴に対し、抵抗し、小競り合いをするだけという軽い考

『デラウェア川を渡るワシントン』（エマヌエル・ロイツェ画、1851年、メトロポリタン美術館蔵） ワシントンは軍を撤退させると見せかけて、極寒の悪天候の夜中に、秘かに河を渡り、敵の側面を突いた。この奇襲作戦は大成功した。

えではじめられました。彼らは「独立戦争」という大仰な考え方を持っていなかったのです。

移民の中には、イギリス本国と商売上の取引をする業者が多く、イギリスとの関係が絶たれることで、被害が生じます。本国の行政支援が絶たれることに対する懸念もありました。彼らは未だイギリスの一部という意識のままで、「アメリカ人」という意識は持っていなかったのです。

移民たちの意識を大きく変えたのが思想家トマス・ペインです。ペインは1776年、『コモン・センス』を著し、イギリスからの独立とアメリカ国家の樹立の必要性と大義名分を唱えました。また、イギリスとの関係を切ったとしても、アメリカは自由貿易により、大きな利益を獲得できるとして、人々の懸念を払拭し、「独立は得か損か」という議論に決着をつけました。

こうして、一気に独立気運が高まり、イギリスとの戦争が本格化、アメリカ独立戦争となります。移民たちはワシントンの指揮のもと、総力を挙げて挑みました。

イギリスは外交的孤立に加え、アメリカ軍のゲリラ戦法にも悩まされました。アメリカ軍は各地における自発的な志願兵により、構成されており、それぞれの地の利を活かした陽動作戦を展開し、イギリス軍を翻弄しました。この時代のアメリカは、まだ行政機能を集約したような中核都市が各地にできておらず、イギリス軍は攻撃ターゲットを定めることができませんでした。アメリカ軍は広大な領域に散在しながら、局所的かつ散発的にイギリス軍を奇襲攻撃し、追い詰めました。

1781年、ヨークタウンの戦いでアメリカ側の勝利が確定し、1783年、パリ条約でイギリスが独立を承認し、正式にアメリカという国家が誕生するとともに、「アメリカ人」もまた誕生したのです。新しい国のかたちを決めるため、憲法制定議会が開かれます。1787年、合衆国憲法が制定され、初代大統領にワシントンが選出されました。

アメリカは独立後、地主階級が農業経済を中心に、国家経営を行ないます。タバコ、綿、藍などの商品作物が主力で、ヨーロッパ向けに輸出されました。南部地域を中心に大農場が編成され、これらの広大な農園に黒人奴隷が投入されます。白人の地主たちはイギリスの奴隷商から盛んに黒人奴隷を買い入れました。

黒人奴隷の労働力によって、アメリカの農業基盤が強化され、白人は富を蓄積し、利権を握る有力者が各地で台頭します。有力者たちは民主党を組織し、大きな政治的な力を持ち、第三代大統領ジェファソン以降の歴代大統領を輩出します。西部開拓なども、奴隷労働力の酷使と表裏一体の関係にありました。

西部開拓で、白人は先住民のインディアンと対立し、インディアンの「絶滅政策」が進められていきます。7代目大統領アンドリュー・ジャクソンは1830年、「インディアン強制移住法」を制定し、インディアンの部族の多くをミシシッピ川以西の辺境の地へ移住させます。ジャクソンは「インディアンは滅ぼされるべき劣等民族である」と合衆国議会で演説していま す。

インディアンが行き着いた先が現在のオクラホマ州でした。彼らの言葉で「オクラ」は「人々」、ホマは「赤い」を意味します。黒人でも白人でもないインディアンは自分たちを「赤人」としていました。

❖原合衆国人の血統は受け継がれているのか

1776年、アメリカが独立宣言を発布した時、東部13州における白人の人口は約300万人と推定されています。この300万人の白人がアメリカ合衆国の建国に携わった「原合衆国人」であると言うことができます。

この原合衆国人の中には、ドイツ系が1割程度、オランダ系や北欧人が5%程度含まれていたと推定されていますが、そのほとんどはイギリス人でした。原合衆国人はイギリス人であるとする一般理解は間違っていません。

南北戦争（1861年〜1865年）時代の合衆国人口は約2300万人に増加します。その内、約2000万人分が建国に携わった白人たち（原合衆国人）が自己増殖した数で、この時代までに、外部からやって来た移民が約300万人であると見られています。つまり、アメリカ合衆国初期のアメリカ人はほぼ、原合衆国人の子孫といえます。

1900年に、合衆国人口は約7600万人に到達します。南北戦争時代から19世紀末までに、外部からやって来た移民は約1600万人であると見られています。この時代、外部からの流入率が高くなります。

南北戦争後、かつて奴隷として人口に含まれなかったアフリカ系黒人も合衆国人口に含まれるようになったため、原合衆国人の子孫だけの自己増殖ではなく、黒人が人口に加わっています。当時の合衆国人口に占める黒人人口の割合は1割から2割程度と見られています。

また、19世紀の合衆国の拡大の中で、旧フランス領のルイジアナ、旧スペイン領のフロリダを併合したことによって増大した人口は移民として数えられず、合衆国内の人口増加として数えられています。この地域の住民はもちろん、原合衆国人ではありません。

この時代において、原合衆国人の子孫がアメリカ全体の中で、どのくらいいたのか、移民との混血なども含めると、ほとんど判別がつかない状態になっています。アメリカの人口増加において、原合衆国人の子孫が自己増殖した部分だけでなく、移民の子孫も増加していることも考慮せねばなりません。

南北戦争後、アメリカは急速に経済発展します。従来の黒人の労働力だけでは足りず、中国人移民の労働力にも頼るようになります。

アロー戦争後、1860年に締結された北京条約で、中国は事実上開国させられ、中国人の海外渡航が可能になります。中国人労働者が安価な契約労働者として、アメリカに連れていかれ、奴隷同様の扱いを受けます。

白人は急増する中国人をはじめとする非白人移民を差別しました。彼らは安価な労働力を提供したため、白人労働者と利害が対立し、中国人排斥運動が起こります。そして、1882年、中国人労働者移民排斥法が成立します。

2000年に、合衆国人口は2億8142万人に到達します。1900年から1999年までの100年間の移民は約4600万人と見られています。外部からの流入率は19世紀に比べれば、低く推移しています。

アメリカにおいて、建国に携わった原合衆国人やその子孫だけでなく、それ以外の人々も合衆国の歴史の大部分を形成してきた内部者であるといえます。それは、人種や民族を問わず、移民全体にいえることなのですが、白人と非白人というカテゴライズを内部者と外部者に、そのまま適用しようとする人々がいます。「アメリカは、白人がつくった国であるのに、黒人やヒスパニック、アジア系が治安悪化、雇用機会の侵蝕などの問題を引き起こし、白人社会を棄損している」と主張され、白人の不満が鬱積しています。

一部の急進派は「合衆国の歴史はWASPによってつくられた」と主張しますが、正しくは「建国の歴史」がWASPによってつくられただけであって、合衆国の歴史全体は様々な人種や民族によってつくられています。アメリカは移民を積極的に受け入れて人口拡大し、国家の歴史を形成してきたという事実を否定することはできません。

しかし、「アメリカは、白人がつくった国」という感覚が、白人の間で常に共有され、白人ナショナリズムが形成される土壌となっています。われわれ日本人はアメリカを「多民族国家」「人種の坩堝」とイメージしますが、白人にとっては、そうしたイメージは、われわれが考える以上に希薄です。

アメリカは人種の多様性を寛容に認めてきたとする定型的な図式が経済成長の低迷とともに、すでに通用しなくなっているという現実があります。

❖ドイツ人移民、アイルランド人移民、イタリア人移民

19世紀において、ヨーロッパからの白人移住者がほとんどでした。そのうちドイツ人（オーストリア人を含む）の累積移住者が約550万人、アイルランド人が約400万人、イギリス人が約300万人、イタリア人が約100万人、ロシア人と東欧人が合わせて約100万人、カナダ人が約100万人です。ドイツ人移民、ロシア人移民、東欧人移民などの中には、ユダヤ人が一定数含まれていました。

図43-2｜主要な移民の定住地域

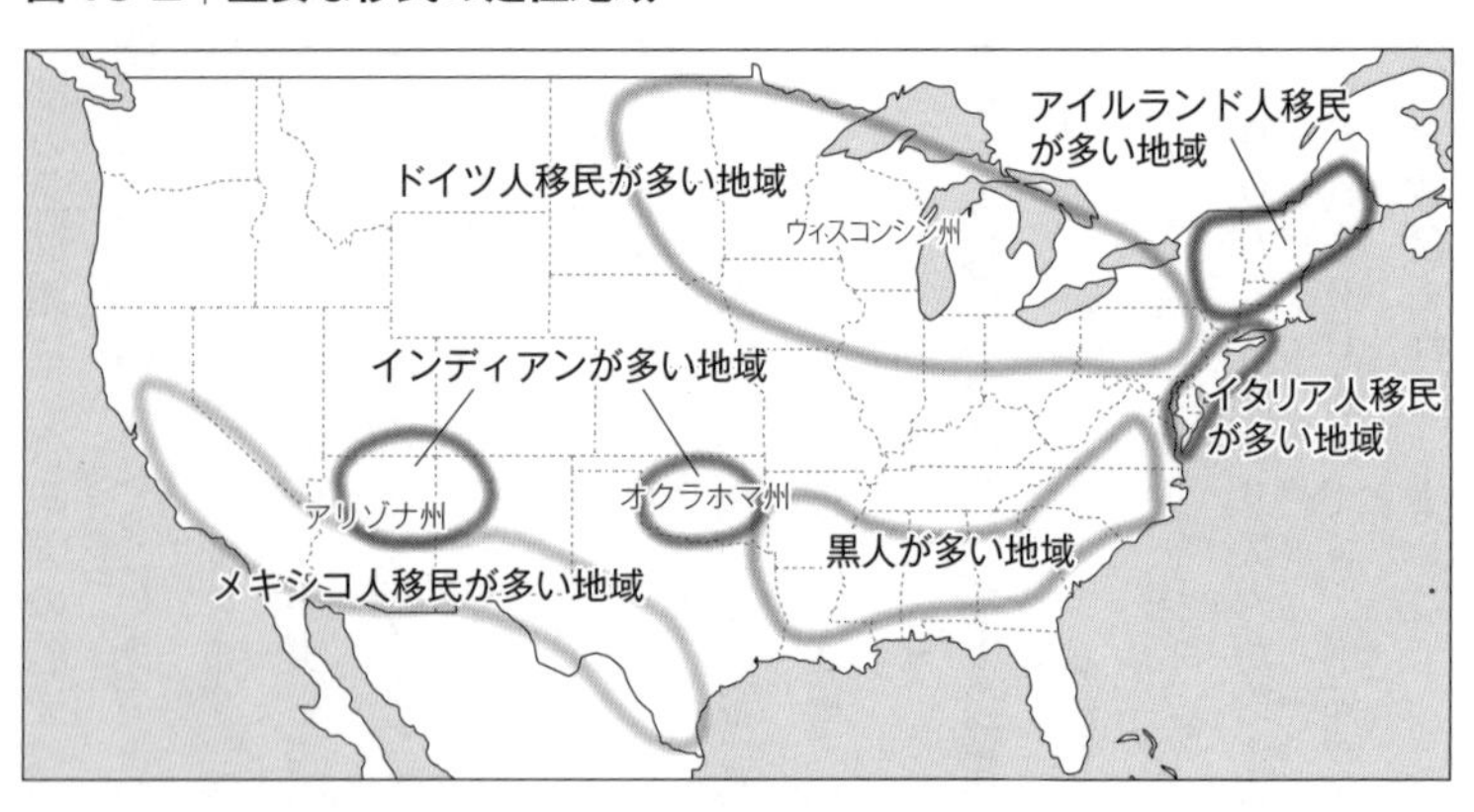

アメリカ建国後の発展期において、最も多いのはドイツ人移民です。たとえば、トランプ前大統領の祖父は1885年、ドイツのラインラント＝プファルツ州からやって来たドイツ人移民でした。

ドイツ人移民はウィスコンシン州などの北部に多く移住しました。これらの地域の人々の中には、ドイツ人の苗字を残す人が多くいます。外見については、今日、ほとんど他のアメリカ人と区別がつきませんが、第二次世界大戦の時代には、明らかにドイツ人的な外見を持ち、ドイツ語訛りの英語を話す人が多くいたようで、彼らは警戒され、逮捕される者もいました。

19世紀、辺境の開拓のため、アメリカは移民を積極的に募りました。ドイツでは、19世紀に人口が急激に増大し、かつてイギリスで起きたような土地不足が生じ、多くのドイツ人が困窮して、アメリカへ渡ったのです。

ドイツ人移民に続いて多かったのが、アイルランド人移民でした。バイデン大統領の5代前の祖先は1830年頃に、アイルランド北西部バリナからアメリカのメリーランド州に移住したアイルランド人移民です。その他にも、レーガン大統領やケネディ大統領、マイク・ペンス前副大統領などもアイルランド人移民の子孫です。

アイルランドで、1845年から1849年にジャガイモ飢饉という食糧危機が起こり、困窮したアイルランド人が大量にアメリカへ移住します。アイルランド人移民は非常に貧しく、カトリックを信奉していたため、プロテスタントが多いアメリカ社会の中で差別されました。

イタリア統一が達成された後の1860年代以降、イタリア人移民がやって来ます。イタリア統一王国はイタリア北部のサルデーニャ王国が中心となり建国されたため、サルデーニャをはじめ、北部人が優遇され、ナポリ地方などのイタリア南部や島嶼部の人々は冷遇され、北部人の支配を嫌った彼らはアメリカへ移住したのです。

イタリア人移民の多くはニューヨーク州やニュージャージー州などの都市部に定住します。彼らは非常に貧しく、イタリア人独自のコミュニティを形成していました。職を得ることができなかった者がほとんどで、闇商売などで食いつないでおり、彼らは連帯し、イタリア系マフィア集団を形成していきます。20世紀前半、こうしたマフィアの組織を取り仕切っていたのが、アル・カポネです。

イタリア人移民もアイルランド人移民同様に差別されました。しかし、イタリア人移民は芸能に秀でた者が多く、歌手や俳優などを多く輩出します。19世紀後半から本格化したイタリア人移民の流入は、20世紀に入ると、さらに増大して400万人規模に達します。ヨーロッパからの移民の中では、イタリア人移民が最大規模になります。

ロシア人移民は1917年のロシア革命の勃発で、この時期に集中して急増し、300万人規模に達し、イタリア人移民に次いで多い移民集団となります。

20世紀、アジア人やラテンアメリカからのヒスパニック移住者が急増します。かつて制定された中国人移民や日本人移民などを制限禁止する移民法は、第二次世界大戦後、解除され、移民急増の原因となります。特に、20世紀後半、隣国のメキシコからの移民が急増し、1000万人規模のメキシコ人がやって来ており、その流れが今日まで続いています。メキシコ人移民を警戒して（実際にはメキシコ人以外の中米諸国が多い）、トランプ前大統領はメキシコとの国境に、壁を建設しました。

SECTION 44

カナダ人

フランス系とイギリス系の分断の危機を越えて

❖白人総合の民族

フランスの探検家ジャック・カルティエが1534年、カナダに到着した際、先住民族のインディアンたちに、「ここはどこだ」と尋ねました。彼らは「カナタ」と答えます。「カナタ」とは現地のインディアンの言葉で「村」を指し、これがもととなり、「カナダ」の呼称となります。

16世紀以降、フランス人やイギリス人の入植が進みます。今日、カナダ人はイングランド人を祖先とする人が約20%、スコットランド人やアイルランド人を祖先とする人がそれぞれ約15%、フランス人を祖先とする人が約15%、ドイツ人を祖先とする人が約10%、イタリア人を祖先とする人が約5%、中国人を祖先とする人が約5%、その他、ウクライナ人や東欧人、オランダ人、インド人などが数%ずつ続きます。

カナダ人の多くはイギリス人（アングロ・サクソン系）かケルト人、フランス人（ラテン系）ということになります。ドイツ人（ゲルマン系）やイタリア人（ラテン系）を考慮に入れるならば、カナダ人とは広範囲にヨーロッパ人の血脈を取り込んだ白人総合の民族と言うことができます。

カナダはアメリカと異なり寒冷なため、大規模な農地がなく、黒人奴隷を使うことがありませんでした。また、ラテンアメリカ地域と隣接していないため、メキシコ人などのヒスパニックもほとんど移住しませんでした。この他、インディアン先住民族の子孫はカナダの人口全体の約4％います。

近年、バンクーバーやトロントではアジア系人口が急増しており、増大は今後も続くと見られています。カナダ人は民族差別を許さないという社会風潮が強くあり、教育なども徹底しています。そうした環境が歓迎されて、アジア系移民急増の呼び水になっている側面があります。

カナダが民族差別を厳しく排斥しようとするのは、かつて、白人たちがインディアン先住民族を迫害し、彼らを絶滅寸前まで追い込んだ歴史を反省しているためです。2021年、カナダ政府は白人至上主義団体「プラウド・ボーイズ」をテロ組織に指定しました。「自らのイデオロギーに反する人々に対し、公然と暴力的な行為を正当化しようとしている」とし、組織の資産凍結、SNSなどの情報規制を行なっています。

現在のカナダでは、国民の約7割が英語の話者、約2割がフランス語の話者、両言語を話すことができるバイリンガルは約2割います。オタワなどの都市部住民にバイリンガルが集中しています。フランス語はケベック州で使われており、その他の地域では、英語が使われています。カナダでは、英語とフランス語の2つが公用語に定められています。これは、フランス語の話者が多いケベック州に配慮して1969年にとられた法的措置です。道路標識や公文書などは原則、英語とフランス語の並記となっています。

カナダ政府はフランス系への社会的、政治的配慮として、バイリンガル教育を実践しなければならないとしていますが、教育の現場で実際に、両語を並記したり、言い換えたりすることは困難で、ケベック州ではフランス語で、その他の地域では英語で、教育が行なわれているのが現状です。

❖どの民族がカナダをつくったのか

11世紀、北欧のノール人(ノルマン人)がアイスランド、グリーンランドを経由して、カナダに到達しています。彼らが上陸した場所はニューファンドランド島と見られています。しかし、その後、移住者が続かず放棄されます。

ジャック・カルティエらの探険隊が1534年、フランス王フランソワ1世により北米に派遣され、セントローレンス川流域を調査します。フランスはこの地をフランス領とすると宣言します。カルティエに続き、サミュエル・ド・シャンプランは1608年、アンリ4世の命で、セントローレンス川中流域を探索し、ケベック植民地を形成し、「ヌーヴェル・フランス」としました。

フランスはカナダで、インディアンからビーバーの毛皮を買い、それらをヨーロッパで高値で売り、収益を上げました。ケベックに続き、モントリオールにも、植民地が形成されます。さらに、五大湖地方に達し、ミシシッピ川流域に南下して、ルイジアナを領有し、ヌーヴェル・フランスの領域は拡大され続けました。

ヌーヴェル・フランスはイギリスのニューイングランド植民地を取り囲んだ形となります。17世紀の後半以降、北米を巡るイギリスとフランスの植民地抗争（第二次英仏百年戦争）は激化します。最終的に、18世紀半ばのフレンチ・インディアン戦争でイギリスが勝利し、1763年のパリ条約で、フランスはカナダをはじめとする新大陸の植民地をすべて失います。

イギリスはカナダ全域をイギリス領カナダ植民地とします。しかし、イギリスはカナダのフランス系住民に寛容な姿勢をとります。1774年、イギリスはケベック法を制定し、フランス語の使用やカトリック信仰を認めます。イギリスは税さえ徴収できれば、カナダで余計な抗

図44-1｜フランスの北米植民

争を引き起こしたくないと考えていました。特に、アメリカ独立戦争が勃発する前年で、イギリスは独立勢力への対応に追われていました。

1775年、独立戦争が起きると、アメリカはカナダにも独立勢力に加わるよう呼びかけましたが、イギリスの寛容政策のため、カナダには独立気運はなく、呼びかけは無視されました。怒ったアメリカ革命軍はカナダに侵攻します。当初、カナダも含めて、北米全体で、イギリスから独立すべきと考えるアメリカ人は少なくありませんでした。アメリカ革命軍は北上し、モントリオールを占領します。

フランス系住民の多いモントリオールで、革命軍は非協力的な者を逮捕・処刑し、横暴に振る舞ったため、住民の革命軍に対する反発が増幅されました。

さらに、アメリカ革命軍はケベックに侵攻します。フランス系のケベック市民たちは革命軍を撃退するために、この街を守備していたイギリス軍に積極的に協力します。本国フランスはアメリカ革命軍を支援していましたが、ケベック市民は革命軍を侵略者と見なしたのです。この戦いで、革命軍を率いていたモンゴメリー将軍は戦死します。ケベック民兵のゲリラ戦法によって、革命軍は多くの死傷者を出し、撤退します。

このケベックの戦いが、カナダが合衆国に併合されず、別々の国家として歩むことになる分岐点であったということができます。以降、フランス系住民はカナダを守ったのは自分たちだと考えるようになります。カナダはアメリカ合衆国の独立後も、イギリス植民地として留まります。

❖カナダ人に自治を認めたイギリスの思惑

独立戦争から合衆国の成立にかけて、イギリス本国に忠誠を誓うアメリカのロイヤリスト（王党派）は独立勢力の支配を嫌い、カナダへ移住します。こうして、18世紀後半、カナダにおいて、イギリス系住民が急増し、フランス系住民と人口の上で拮抗することになります。

アメリカから移住してきたイギリス系住民は、主に現在のノバスコシア州やニューブランズウィック州、オンタリオ州に居住します。フランス系住民の多いケベック州と明確に異なるイギリス系のエリアが形成されていきます。イギリス本国はこれらの区域を別々に統治するため、行政を分離しました。

この分離化によって、利権区分なども明確化されたため、フランス系住民とイギリス系住民との間で抗争は特に生じませんでした。カナダに対するイギリスの統治は非常に巧妙でバランスの取れたものだったのです。かつて、イギリスはアメリカに重税を課したため、合衆国の独立となったことなどを反省し、カナダに対する徴税は抑制的に行なわれていました。

7月1日は独立記念日「カナダ・デー」となっています。1867年7月1日、カナダは自治領となります。オタワに首都が置かれます。イギリス本国の税徴収はなくなり、カナダは財政の自主権を持ちますが、防衛、関税、外交権など国家的重要事項の権限は与えられず、未だ独立国家とはいえない状態でした。しかし自治が認められ、一応、イギリス支配から脱却できたことにより、この日が「独立記念日」とされるようになります。

この１８６７年というタイミングでイギリスがカナダの自治を認めたのは、カナダがアメリカ合衆国に併合される危険があったからです。１８６５年、南北戦争が終わり、アメリカ合衆国が政治的に強大化し、アメリカがカナダを狙いはじめていました。イギリスは先手を打ち、カナダに自治権を認める代わりに、イギリス連邦の下に置いたのです。

カナダが自立すると同時に、それまで、フランス系住民とイギリス系住民の調整役を担ってきたイギリスの支援がなくなり、両者の対立が先鋭化しはじめました。ケベック分離主義者の動きも活発化し、カナダはいつ分断されてもおかしくない状況が続きました。

ちなみに、１９７０年代にも、ケベック分離主義者の活動が活発になりましたが、二度の住

図44-2｜カナダの州

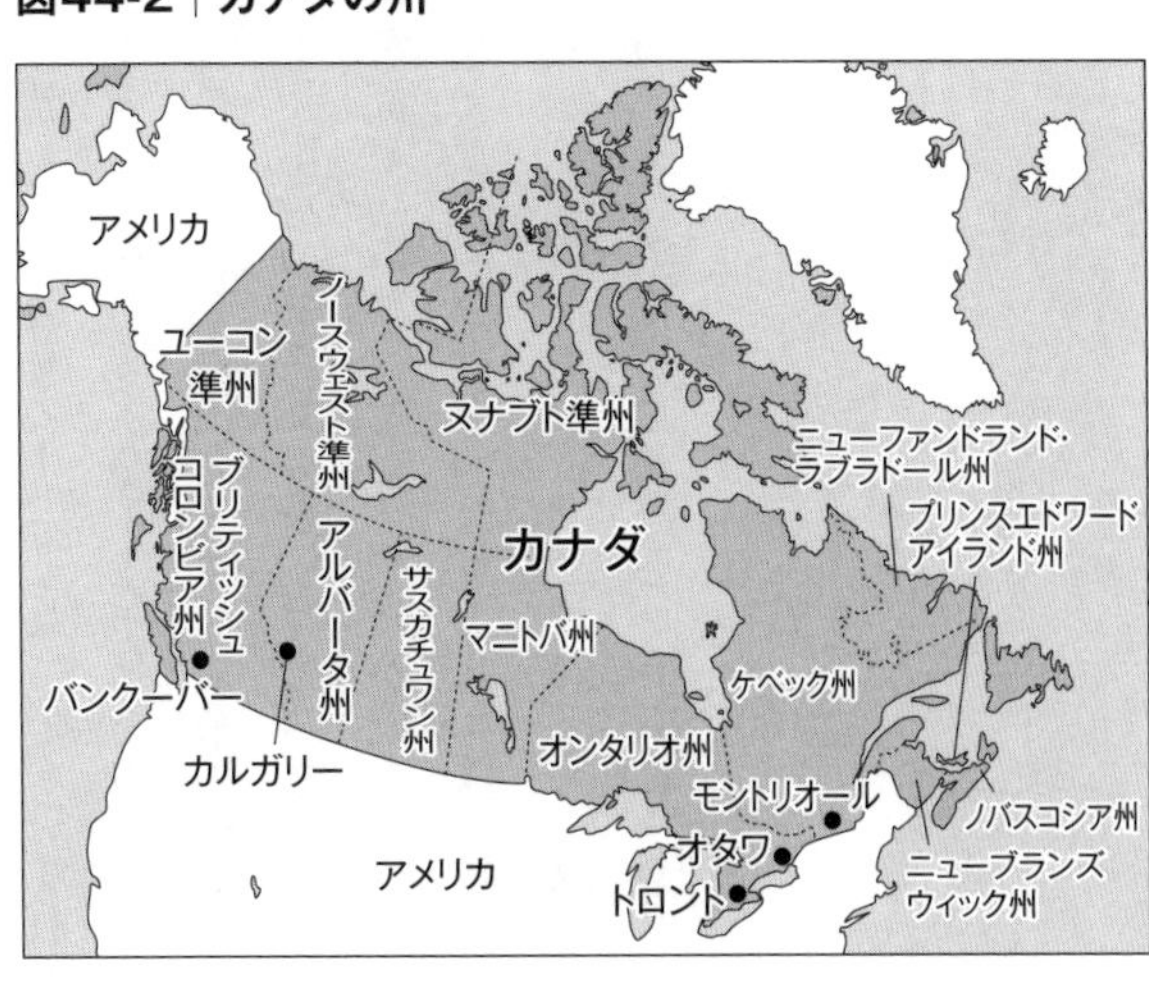

民投票（1980年と1992年）で、いずれも、ケベックの分離独立は否決されています。

1896年から1911年までの15年間、連邦首相を務めたサー・ウィルフリッド・ローリエはフランス系住民とイギリス系住民を和解させることに尽力しました。ローリエ自身はケベック州出身のフランス系住民でしたが、むしろ、イギリス系住民に肩入れしながら、経済利益の分配を巧みに行ない、両者が協力することで利益を得られることを説きました。両者の立場を超えた政治を行なったローリエは「最初のカナダ人」と讃えられます。

第一次世界大戦で、カナダはイギリス陣営として参戦協力し、戦後の1926年、イギリスはカナダに外交権を付与し、さらに1931年のウェストミンスター憲章で、正式に独立を承認しました。

SECTION 45

オーストラリア人、ニュージーランド人

白人の入植拡大

❖地の果てへ

オーストラリアは1787年から流刑地とされ、イギリスから囚人が送られました。1783年、イギリスは独立戦争でアメリカを失ったため、オーストラリア大陸を第二のアメリカにしようと狙いました。イギリスには、アメリカ開拓の経験があり、どのような荒地でも開拓できるという自信がありました。しかし、地の果てといえるような未踏の地に、誰も行きたがらず、イギリスは囚人を利用したのです。

1787年、最初にオーストラリアに送られたのは約750名の囚人とその家族でした。家族も共に送ったのは子孫を残させるためでした。女性の囚人もいました。これら囚人はイングランド人のみならず、アイルランド人、ウェールズ人、スコットランド人も含まれていました。彼らを護送したのは数百人の軍人でした。

翌1788年、囚人らの船はシドニー南方のボタニー湾に到着します。1月26日、シドニー

図45-1 ｜ オーストラリアの州と主な都市

に上陸し、イギリスはこの地の領有を宣言します。この1月26日は「オーストラリア・デー」と呼ばれる建国記念の祝日になっています。

彼らは何もない荒地に、シドニーの街を建設しはじめます。食糧は漁に頼り、自給自足でした。文明と隔絶された生活は困難を極めました。この場所には、先住民のアボリジニが住んでいたため、入植者は火器で彼らを脅し、土地を奪いました。抵抗するアボリジニは容赦なく殺されました（後段で詳述）。

入植者たちは主にアザラシ猟と捕鯨に力を入れました。アザラシやクジラの油を採取するのが目的でした。石油が普及していない当時、その油は照明ランプのオイルや石鹸などに使われました。アザラシの毛皮も高値で売れました。アザラシは乱獲されたため、短期間のうちに絶滅寸前になってしまいます。

アザラシ猟と捕鯨が成功し、その基地が整備され、シドニーの建設も進みます。次第に、オーストラリアの価値が見直されるようになり、囚人以外の一般人も積極的に入植するようになります。オーストラリア人は「流刑者の子孫」と揶揄されることもありますが、流刑者は最初の数団だけで、それ以降の移民は一般人です。

捕鯨基地はシドニーをはじめとする東オーストラリア沿岸だけでなく、南や西の沿岸にも建設されます。アメリカやイギリス本国もアザラシ猟や捕鯨を開始したので、オーストラリアはそれらの漁船に物資を補給し、利益を上げました。

わずか30年で、シドニーは学校や病院、銀行や市場などが整備された街に変貌していきます。また、南部のメルボルンの街も建設されます。1837年、時のイギリス首相メルバーン卿にちなんで、「メルボルン」と名付けられます。「シドニー」はこの地を探索したジェームズ・クックのパトロンであったシドニー卿にちなんで名付けられています。

ところで、オーストラリアの首都はキャンベラです。1901年、オーストラリアが自治領となった時に、首都をシドニーにするか、メルボルンにするかで、両住民が激しく争いました。10年間も議論し、中間の地に新しい首都キャンベラを建設することで妥協しました。

❖オーストラリア人の祖先はほとんどすべてイギリス人

19世紀に入ると牧畜が開始され、羊毛の輸出でオーストラリアは躍進します。オーストラリアの羊毛生産は世界一となり、経済を牧畜へ特化していくことになります。

オーストラリアの発展とともに、移住者も急増しました。この時代において、イギリス人移住者が全体の95%程度を占め、残りの5%の大部分がドイツ人、ほんの少数ながらイタリア人、ギリシア人、オランダ人の移住者もやって来ます。

20世紀には、イタリア人、ギリシア人を含むバルカン諸国人などの南ヨーロッパ人の移民が増えます。オーストラリアの人口は現在、約2500万人強で、イタリア系住民が約25万人、バルカン諸国系住民が約35万人います。近年、中国人やベトナム人の移住者も急増しています。オーストラリアは北アメリカと比べても、イギリス人移民の割合が圧倒的に大きく、イギリス人によってつくられた国家といえます。

19世紀の半ばから、中国人の移民がやって来ます。中国はアロー戦争後、1860年に締結された北京条約で開国させられます。困窮する中国人が年間数万人規模で新天地を求めて、オーストラリアを目指したのです。安い中国人労働者が白人労働者の雇用を奪っていったため、移民に対する反発が増幅されて、白豪主義の白人優位思想が拡がります。1888年、中国人移住制限法が制定されています。

オーストラリアは戦後、白豪主義を改め、中国人などのアジア人移民を積極的に受け入れ、人口を拡大させることによって、経済を発展させていこうとする政策に転換します。

オーストラリア移住民の大部分を占めるイギリス人移住者は白人としての純血をほとんど保ちました。しかし、アメリカ移住民のイギリス人ピューリタン（WASP）のように、宗教的な戒律を意識して、他人種との混血が忌避されたのではありません。

イギリス人は19世紀にオーストラリアに移住しています。彼らは17世紀にアメリカに移住したピューリタンのような宗教的な動機を持っていませんでした。アメリカの移住者は異端を排除しようとする宗教戒律によって、インディアン絶滅政策などの民族浄化を行ないましたが、オーストラリアの移住者は先住民を虐待迫害したものの、絶滅政策を敢行すべきという考え方を持ちませんでした。

オーストラリアには、先住民のアボリジニやトレス海峡諸島民（マレー・ポリネシア系）がいました。移住者は実際には、彼らを性奴隷にして、頻繁に交配し、多くの混血児を生ませています。しかし、混血の人々を白人社会から排斥し、白人が表面上、集団的に純血を保ちました。この時にも、白人優位思想である白豪主義が大きな役割を果たしています。

つまり、白人の側から一方的に、先住民の集団に白人の血が注ぎ込まれましたが、白人の集団には、先住民の血は注ぎ込まれなかったのです。そして、白豪主義に基づく極端な人種隔離政策で、混血や先住民との共存が否定されて、白人の純血だけが保たれたのです。

中南米において、スペインの白人入植者たちが一定の白人優位思想を持ちながらも、混血や先住民と緩やかに共存してきたことと対照的です。

❖伝説の「テラ・アウストラリス・インコグニタ」

オーストラリア大陸の存在について、スペイン人は17世紀初頭には情報を得ていました。この情報はオランダ人にも渡り、両者は1605年、探索をはじめます。古代ギリシア人やローマ人も、南方に大陸が存在すると信じ、ラテン語で「南方にある未知の大地」という意味の「テラ・アウストラリス・インコグニタ」(Terra Australis Incognita)と呼んでいました。この伝説の大陸の存在を明らかにしようと、スペイン人とオランダ人が同時に探索をはじめたのです。

スペインの探検家キロスの船団は1606年、オーストラリア東方のバヌアツ諸島に到達しますが、悪天候のため、進めなくなります。しかし、離ればなれになった副官のトレスの船がニューギニアとオーストラリアの間の海峡を通過し、ニューギニアの西端に到達しています。海峡は彼の名にちなみ、「トレス海峡」と名付けられます。

この時、彼らはまだ、ニューギニアの南に、オーストラリア大陸があることに気づいていなかったのです。トレスはニューギニアから北上し、フィリピンへ向かっています。

一方、オランダ人のウィレム・ヤンスゾーンは同年、ヨーク岬半島に到達します。彼がオーストラリア大陸に最初に到来したヨーロッパ人となりました。ヤンスゾーンは北部地域一帯を探索し、これが大陸であることを認め、伝説の「テラ・アウストラリス・インコグニタ」の実在を証明しました。しかし、ヤンスゾーンはオーストラリアには、交易に値する資源や物品はないと報告したため、関心を示されることなく、放置されます。

ヤンスゾーンに続き、オランダ人のアベル・タスマンが1642年から1643年にかけて、オーストラリア大陸とその周辺を調査し、大陸南方のタスマン島やニュージーランドを発見します。タスマンはオーストラリアを「ニューホランド大陸」と名付けましたが、やはり、価値のあるものはないと報告しています。

100年以上、オーストラリアは放置され続けましたが、ようやく、1770年、スコットランド人のジェームズ・クックがシドニー南方のボタニー湾に到着します。クックはオーストラリアやニュージーランドを二度にわたって探索し、これらの地域の全貌を明らかにします。イギリスはオーストラリアの領有を宣言し、入植計画が練られはじめます。そして、1787年、前述のように、約750名の囚人とその家族がオーストラリアに送られることになります。

図45-2｜オーストラリアとその周辺

19世紀に入り、「テラ・アウストラリス・インコグニタ」のラテン語名にちなみ、「オーストラリア」の呼び名が定着し、1824年、イギリスは正式にこの呼称を定めるとともに、「流刑植民地」としての扱いをやめ、一定の自治を認めます。イギリスはアメリカに重税を課すなどして抑圧し、独立戦争が起こったことを反省し、オーストラリアには寛容な統治を施しました。そのため、オーストラリアでは、独立運動は起こりませんでした。

1901年、イギリスはオーストラリアの完全自治を認め、1931年、世界恐慌のなかで、イギリスがウェストミンスター憲章を定め、イギリス連邦を発足させます。オーストラリアも、その一員となります。これが実質的な独立とされます。1942年、イギリスは正式にオーストラリアの完全主権を認めます。

『クック提督のボタニー湾上陸』（エマニュエル・フィリップス・フォックス画、1902年、ビクトリア国立美術館蔵）

❖ニュージーランド人の祖先もイギリス人

ヨーロッパ人として、ニュージーランドを発見したのはオランダ人のアベル・タスマンです。この地はオランダ語で、「ニウゼーラント（Nieuw Zeeland）」と名付けられます。「新しい海の土地」という意味です。後に、英語読みで「ニュージーランド」となります。オランダ人はオーストラリアと同様に、ニュージーランドを価値のない土地と見なし、放置しました。

1769年、クックがニュージーランドに到達し、イギリスの領有を宣言しました。しかし、オーストラリアとは異なり、ニュージーランドへの入植計画は進みませんでした。ポリネシア系の先住民族のマオリ人が強大な勢力を築いており、侵入は容易ではなかったのです。

イギリス人は最初にマオリ人らと交易を行ないます。イギリス人は農産物などの食糧と引き換えに、彼らに鉄砲を与えます。そして、マオリ人の部族間の抗争を煽ります。マオリ人は分断され、次第に弱体化していきます。また、オーストラリアと同様に、マオリ人は白人の持ち込んだ病気に罹患し、多くの者が死にました。

イギリスは1840年、マオリ人とワイタンギ条約を結び、彼らを騙して、ニュージーランド全土の土地所有権をわずかな金額で買い取ります。

イギリスはニュージーランドに、広大な砂糖プランテーションを形成します。これ以降、イギリス人の入植が進みます。すでにオーストラリアでの入植の成功例があり、一気に移住者がやって来ます。イギリス人移住者が増大すると、オーストラリアと同様に、牧畜が始められます。イギリスはニュージーランドにも大幅な自治を認めました。

土地から追い出されたマオリ人はイギリスに反発し、1859年、蜂起しました。そして、マオリ戦争が起こりますが、イギリス軍が一部のマオリ人を買収・懐柔しながら、戦いを優位に進めていきます。蜂起は鎮圧され、マオリ人は土地を失います。一方で、アボリジニの迫害とは異なり、イギリス人はマオリ人の居住区域を認めるなど、共存も模索されていきます。

イギリス人の本拠は、もともと北島の北部の都市オークランドに置かれていました。オークランド周辺が開発され、1841年、ニュージーランドの首都と定められました。1850年代、南島で金脈が発見され、南島の管理の重要性が高まると首都を南方へ移すべきだという議

図45-3｜ニュージーランドの主な都市

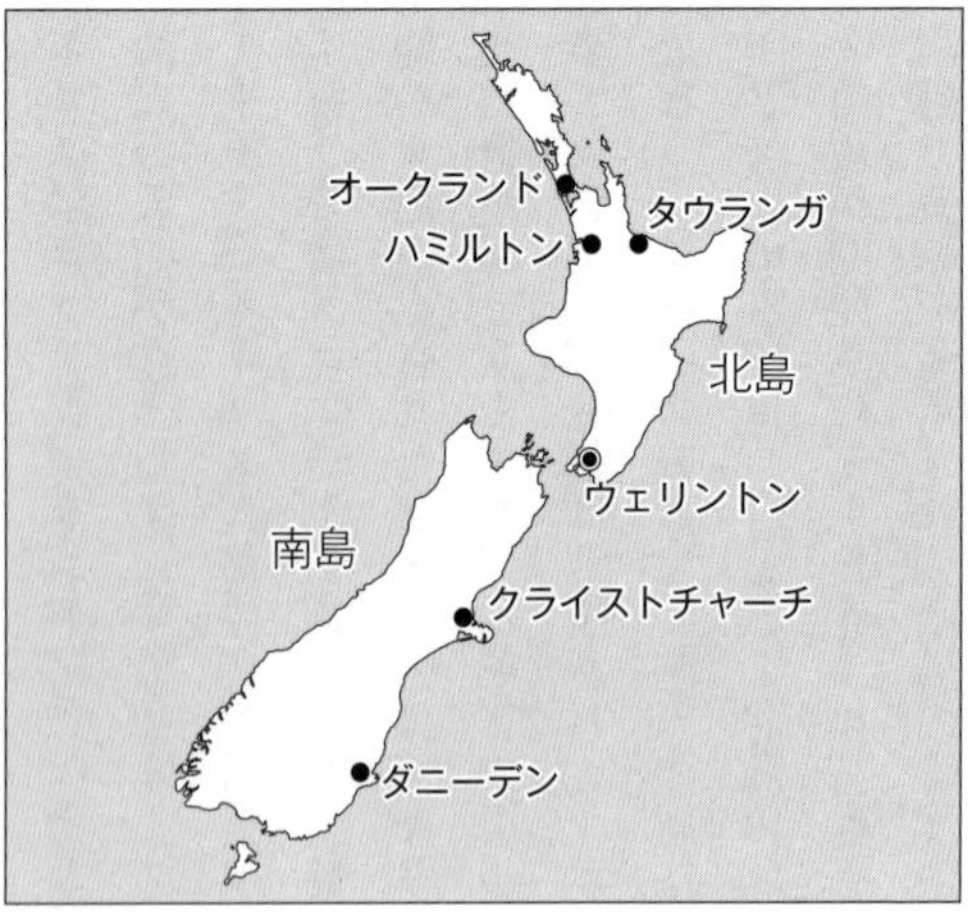

論が起こります。そして、建設された新首都がウェリントンです。

１８６５年、ウェリントンに首都が移り、今日に至ります。しかし、経済の中心はオークランドにあり、それは現在でも変わりません。１８７０年代には、イギリスから借款し、ウェリントンやオークランドにおける鉄道や道路などの都市インフラ整備が行なわれます。

１９０７年、イギリスは正式にニュージーランドを自治領として認めます。１９３１年のウェストミンスター憲章で、イギリス連邦の一員となり、オーストラリアと同様に、実質的な独立国となります。１９４７年、ニュージーランドは正式に独立を宣言し、イギリスも、これを認めます。

SECTION 46

パプア人、アボリジニ

アジアとオセアニアの境界で見られる人類の歩み

❖民族のせめぎ合いの分界線

ニューギニア島に、アジアとオセアニアを分ける境界線があります。東経141度線とフライ川を境に、島の西部がインドネシア領でアジア領域、島の東部がパプアニューギニア領でオセアニア領域となっています。

この島はかつて19世紀の終わりに、オランダ、ドイツ、イギリスによって分割され、植民地支配されていました。植民地とはいえ、密林の島の使い途はほとんどなく、半ば放置されていました。

第二次世界大戦後、オランダから独立したインドネシアは1962年、オランダ領の西ニューギニアに侵攻します。西ニューギニアはインドネシアに併合されて、現在に至ります。島の東部はイギリス領とオーストラリア領（旧ドイツ領）でしたが、1975年、イギリス連邦の一員として独立を認められ、パプアニューギニアとなりました。

島が真っ二つに分断されてしまったのは、こうした国際政治の都合によるものです。被害を被っているのは島の先住民族パプア人です。西パプア人はパプアニューギニアとの統合を望み、インドネシアに対して、ゲリラ戦を仕掛けるなど独立闘争を展開しています。インドネシアは西パプア人を弾圧し、推定10万人を殺害（虐殺といえる）しました。しかし、当時のスハルト政権は親米政権であったため、アメリカはこれを事実上、黙認しました。

図46-1｜ニューギニア島の境界線

パプア人はアジア系民族（モンゴロイド）ではありません。肌の色が黒く、顔付きがアフリカ人に似ているので、黒人（ネグロイド）と間違われることもありますが、黒人でもありません。「パプアニューギニア」の「ニューギニア」という呼称は、イギリス人探検家がこの地に来た時、パプア人を見て、アフリカのギニア人のようだと思ったことから、こう呼んだことに由来します。「パプア」は「縮れ毛」を意味する言葉です。

パプア人はオーストラロイドに属します。オーストラリアにいるアボリジニと同系の人種です。オーストラロイドは黒人と同じく、肌の色が黒いのですが、女性や子供の髪の色は明るい茶髪や金髪の場合があります。「パプア（縮れ毛）」という名にもあるように、髪は巻き毛ですが、黒人のように細かく縮れていません。

オーストラロイドの骨格は黒人に近いのか、アジア系民族（古モンゴロイド）に近いのか、様々な議論があり、定まった見解はありませんが、少なくとも、オーストラロイドは黒人のような大柄な体格ではありません。

オーストラロイドの遺伝子はY染色体ハプログループにおいて、黒人やアジア系民族のグループとは異なる独自のグループを形成しています。つまり、どの民族とも直接的なつながりを見出せないのです。

古来、ニューギニア島には、マレー人やインドネシア人などのアジア系民族が進出し、先住民族のパプア人などのオーストラロイドと混血しました。その意味において、ニューギニア島はアジア系民族とオーストラロイドの接合の中心点となっていたといえます。現在、この島の真ん中に、アジアとオセアニアを分けるエリアの境界線が存在するのは単なる政治的産物に過ぎませんが、偶然にも民族のせめぎ合いの分界線とも重なっているのです。

また、オーストラロイドはアボリジニやパプア人など、オセアニア地域にのみ分布しているのではなく、インドネシア島嶼部、フィリピン、タイ、スリランカ、インド西南部にも分布しており、これらの地域には、今日でもオーストラロイドの遺伝子を強く残す人々が見られます。ちなみに、「アボリジニ」とはラテン語の「アブオリジン(ab origine)」から来ており、「始めから」を意味します。18世紀にイギリス人のジェームズ・クックがオセアニアに往来し、それ以降、白人が侵略を本格化し、先住民(アジア系混血も含む)は白人に放逐され、その人口は激減します。そして、オーストラリアやニュージーランドの大部分を占める民族は白人となり、現在に至ります。オーストラリアの国民の80%以上が白人で、アジア系民族が約12%、アボリジニなどが約2%となっています。

❖アジア系民族の太平洋生存圏・ポリネシア

「オセアニア」は「海の州(oceania)」という意味を持ちます。一般的に、オーストラリア大陸、ミクロネシア、メラネシア、ポリネシアの4つのエリアに分けられます。全体で、14か国の国々が含まれます。ギリシア語で、ミクロネシアは「小さな島々」、メラネシアは「黒い島々(黒い人の住む島々)」、ポリネシアは「多くの島々」をそれぞれ意味し、フランスの探検家によって19世紀に区分されました。

オーストラロイド人種は約7万~5万年前にインド南部からインドネシアを経て、これらの地域にやって来たと一般的に考えられています。オーストラロイドはオセアニア全域に拡散しました。

その後、紀元前２０００年頃、オーストロネシア語派のアジア系民族がやって来て、青銅器文明をもたらします。オーストロネシア語派は台湾やフィリピン、インドネシア、マレー半島など東南アジア島嶼部にいた海洋民族です。彼らはさらにオセアニアにも拡散したことから、マレー・ポリネシア人とも呼ばれます。

オーストロネシア語派はもともと台湾にいた可能性も指摘されており、紀元前２５００年頃、東南アジア島嶼部へ南下したと考えられています。そこからニューギニア島をはじめとするメラネシアに到達し、先住民族のパプア人やオセアニア島嶼部に拡散していたオーストラロイドの先住民と混血します。紀元前１０００年頃には、混血はかなり進んでいたと考えられています。特に、オセアニア島嶼部では、多くの割合でオーストロネシア語派とオーストラロイドとの混血が進みます。今日のミクロネシア人、メラネシア人、ポリネシア人の三島嶼部の民族は両者の混血民族です。

オーストロネシア語派が独自の航海技術を発展させ

図46-2｜オセアニアの4つのエリア

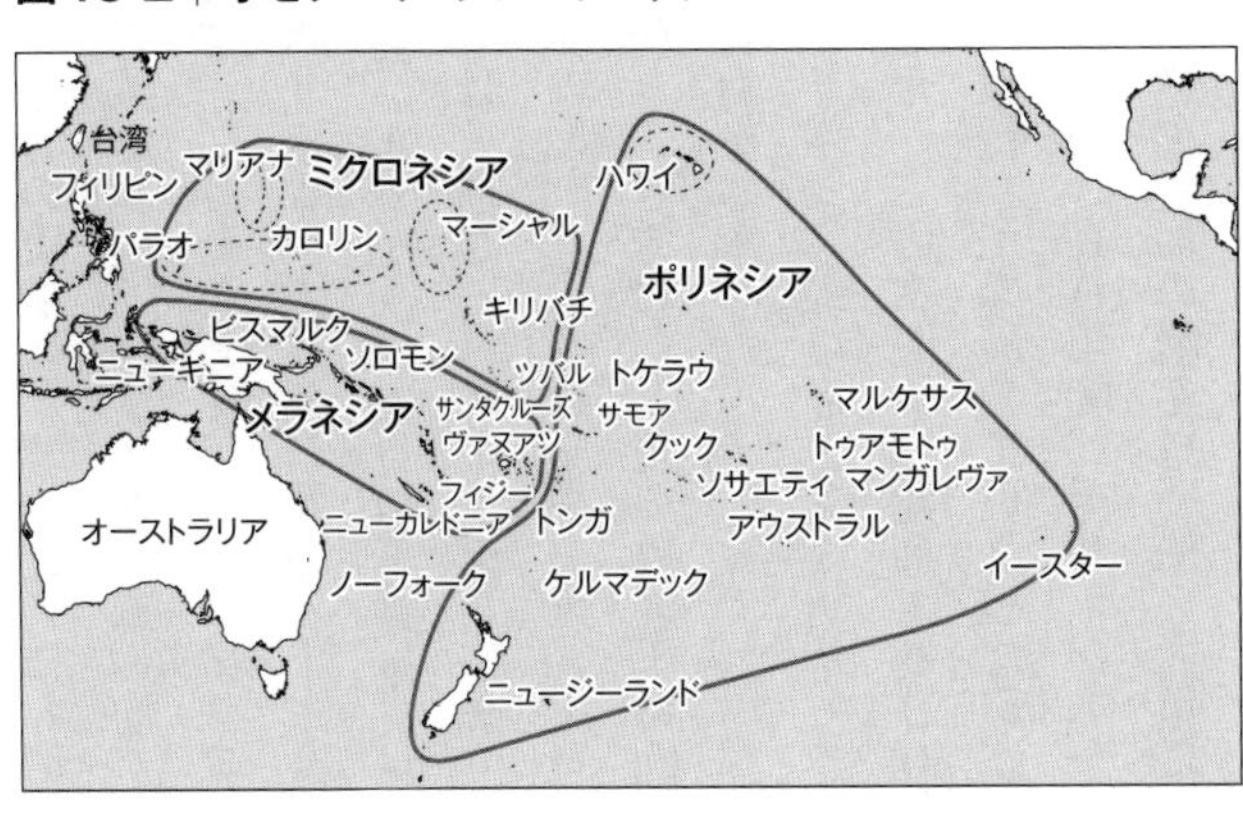

て、遠方の東端のポリネシアにも積極進出したため、ポリネシア人はミクロネシア人やメラネシア人と比べ、アジア系民族の血が濃く、遺伝子的にも、オーストロネシア語派と近接しています。こうした意味で、ポリネシアはアジア人が南方に形成した生存圏といえます。

ポリネシア人は東の端のイースター島に4世紀頃、北の端のハワイ諸島に5世紀頃、南の端のニュージーランドに11世紀頃（以上、時期については諸説あり）に到達したとされます。さらに、彼らは東進し、ペルーやチリにまで到達したとする説もあります。

ポリネシア人らは2隻のカヌーを数メートルの間隔を置いて棒でつなぎ合わせ、転倒するのを防ぎ、さらには2隻のカヌーの間に板を張り、そこに水や食糧などの物資を搭載し、長距離の航海をしました。

ポリネシア人はもともと、サモア、フィジー、トンガの3エリアを中心に文明を形成していました。この文明は紀元前1500年頃からはじまり、ラピタ文化と呼ばれます。この3エリアは並行して発展していましたが、10世紀にトンガが台頭し、トンガ首長国が形成され、13世紀以降の300年間、ポリネシア全域を支配するに至ります。トンガ首長国は交易の利権を握り、逆三角形の帆を持つ船を大量に保有していました。それらは時に海軍力として機能し、反逆する勢力をすばやく鎮圧しました。

今日、トンガはオセアニアにおける唯一の王国ですが、その王はトンガ首長の後継者です。19世紀にイギリスの支援を得て、正式に王国を名乗り、1875年には憲法も制定しています。

1900年にイギリスの保護領となりましたが、1970年にイギリス連邦内の独立国となります。独立時の国王は、体重200キロを超え、「世界一重い君主」とギネスブックに認定されたトゥポウ4世（在位1965年～2006年）です。ポリネシア人は大柄な人が多いのが特徴です。トゥポウ4世はトンガの学校教育に算盤を導入したり、大相撲に力士を送り込むなど、親日家として日本でもよく知られていました。現在はトゥポウ4世の三男のトゥポウ6世が王位に就いています。

❖アボリジニの悲劇、「盗まれた世代」

1788年、イギリス人がオーストラリアに入植して以降、約50万から100万人いたと推計されるアボリジニは、1920年頃に約7万人にまで減少したとされます（今日、アボリジニの人口は約35万人）。1つには、イギリス人が持ち込んだ天然痘などのウイルスがアボリジニに免疫がなく、彼らの多くが疫病に罹患して死亡したからです。

もう1つは虐待・虐殺です。白人たちは「アボリジニ狩り」という一種の余興のようなことを行ない、アボリジニを多く「狩った」人に賞金を出すなどの非人道的なことをしていました。アボリジニを人間と見なしていなかったのです。アボリジニは部族同士で分断されており、結束して白人に抵抗することはなく、個別に殲滅されていきます。また、アボリジニは槍やブーメランなどの原始的な武器しか持っていませんでした。

東南部沿岸のアボリジニは短期間のうちに殺され、追い出されました。残った者は強制労働に従事させられます。アボリジニは不毛な乾燥地の内陸部にのみ残存し、今日に至ります。

19世紀、白人はアボリジニの未開を啓蒙すべきであると主張し、アボリジニの子供に教育を受けさせようとします。アボリジニの子供を強制的に連行し、白人の手で教育を施し、彼らに文明を与えようとする政策が、当時、真剣に「人道的」と考えられていたのです。

しかし、実態は、アボリジニの子供たちは強制収容所で奴隷的労働に従事させられ、また、性的な虐待も受けていました。白人政府は実態を把握しながら、子供たちの「教育」を推進し、アボリジニを文化的に同化させようとしました。こうした同化政策は1970年まで続いており、この政策の犠牲になったアボリジニの子供たちは「盗まれた世代」と呼ばれます。

また、アボリジニの少女を性奴隷にしていた白人もおり、大量の混血児も生まれています。白人の民族主義者は混血児の存在を問題視し、「人種純血に対する冒涜」と怒りを顕にし、「アボリジニのような劣等人種と交わることが如何に卑劣であるか」ということを主張しましたが、性奴隷は続き、混血児は生まれ続けていたのです。

混血児もまた、強制収容所に入れられました。中には、混血児の存在を隠すために、「遺棄（実質殺された）」された乳児幼児も少なくなかったことがわかっています。今日、アボリジニとされる人々の多くに白人の血が入っており、アボリジニとしての純血を維持している人のほうが少ないのですが、それはこうしたことを背景にしているのです。

2002年に発表されたオーストラリアの映画『裸足の1500マイル』は強制連行されたアボリジニの子供の兄弟たちが2400キロメートル離れた母のもとに帰ろうとする話で、「盗まれた世代」を題材としています。

オーストラリア政府は1999年、過去のアボリジニ虐待や虐殺について正式に謝罪しています。2008年には、「盗まれた世代」についても、公式に謝罪しています。

しかし、虐待されたのはアボリジニだけではありません。19世紀には砂糖プランテーションが経営され、その農場の労働力として、カナカ人がオーストラリアに連れて来られました。カナカ人は周辺のソロモン諸島、バヌアツなどの島嶼部に住むメラネシア系民族（アジア系モンゴロイドとオーストラロイドの混血）です。彼らを徴募し、わずかな金額で過酷な労働に従事させました。黒人の奴隷労働を批判した白人たちも、カナカ人の奴隷労働についてはほとんど知らされていなかったのです。

第12章 中南アメリカ

SECTION 47

メキシコ人

遺伝子で証明される先住民族のルーツ

❖メキシコ人に先住民族系が多いワケ

中南米では、白人、先住民族系、黒人など、複雑に混血した人々が多くいます。しかし、地域によって、どの人種の血が濃いかを容貌でも判断することができます。

たとえば、中米のメキシコと南米のコロンビアを比較すると、メキシコでは、先住民族系の血を濃く受け継ぐ人が多いのに対し、コロンビアでは、白人の血を濃く受け継ぐ人が多くなります。これらの国の街を歩いて、人々を観察をすれば一目瞭然、その違いがわかります。

概して、メキシコやグアテマラなどの中米の人々は先住民族系のアジア人的容貌の人が多く、まるで東南アジアにいるかのように、錯覚してしまうほどです。ただし、例外はコスタリカで、白人の移住者が圧倒的に多く、一気に街の雰囲気も変わります。

一方、南米の人々は、コロンビア人やベネズエラ人のように白人的な容貌の特徴が強まります。そのため、コロンビアなどで、東南アジアにいるかのような錯覚をすることはまずありません。

しかし、南米でも、ペルーやボリビア、エクアドル、チリなどのアンデス山岳地帯の国々はメキシコと同じく、先住民族系の血を濃く受け継ぐ人が多くいます。一方、アルゼンチンやブラジルなど、アンデス山脈を越えた東部の人々は、コロンビア人以上に、白人的な容貌が強まります。アルゼンチン人はほとんど純粋な白人です。ブラジル人は黒人の血を濃く受け継ぐ人も多くいます。

ハイチ、ドミニカ共和国、ジャマイカなどのカリブ海諸国の人々は純粋な黒人か、黒人と先住民族系との混血が圧倒的に多いのが特徴です。これは、かつて近世において、ヨーロッパ人が奴隷貿易によって、多くのアフリカ人をこれらの地域に連行してきた名残です。ただし、キューバやプエルトリコでは、白人の移住者が多く、黒人的な容貌を持つ人の割合が低くなります。

メキシコは、全人口に占める先住民族の割合が約30%、先住民族と白人の混血（メスティーソ）の占める割合が60%であり、ラテンアメリカ諸国の中でも、先住民族の血統が強く引き継がれています。60%の混血とされる人々でも、彼らの容貌から、先住民族の血のほうが濃いと判断できます。

16世紀、中南米にスペイン人の征服者がやって来た当初、メキシコはスペイン人の入植者が最も多い地域でしたが、近代以降、政治的に、スペイン人をはじめとする欧米人が排斥された経緯があり、白人の血をそれほど多く、受け継がなかったのです。

メキシコの「建国の父」と称えられるベニート・フアレスは1867年、帝政を倒し、共和制を宣言します。フアレスは先住民族出身の初のメキシコの大統領です。彼は徹底した共和主義者で、先住民族の平等を保障するとともに、現地のスペイン白人であるクリオーリョの特権を認めず、彼らを半ば追放しはじめます。メキシコのクリオーリョらはスペインに帰国するか、ベネズエラやコロンビア方面に逃亡するしかありませんでした。

また、1910年のメキシコ革命でも、サパタなどの急進的な共和主義者らが跋扈し、革命に非協力的なクリオーリョらを駆逐します。先住民族こそがメキシコ人であるとする民族主義運動も盛んになります。

19世紀の後半と20世紀の前半に起こった、2つの共和主義的革命騒動のなかで、多くの白人が排斥され、また、この期間に、欧米からの白人の移住も激減したため、メキシコは地政学的に欧米に近かったにもかかわらず、白人の血をそれほど多く、受け継がなかったのです。

しかし、それでも、メキシコの各地を歩くと、白人を目にすることがありますが（全人口に占める白人の割合は10％未満）、これは主に戦後、移住してきた欧米の白人たちです。

この他、ユダヤ人も多く、メキシコシティのポランコという富裕層の地区は事実上のユダヤ人街になっています。ユダヤ人らは、戦前から継続的にメキシコへ移住し、その数を増やしてきました。今日、金融や石油産業を握り、メキシコ経済を牛耳っているのはユダヤ人です。

❖ハプログループQの民族集団

アメリカ大陸の先住民族は「インディアン」と呼ばれます。この呼称は、コロンブスがアメリカ大陸をインドであると思い、そこにいた先住民族を「インド人（インディアン）」と勘違いしたことに由来します。

「インディアン」は北米の先住民族を、「インディオ」は中南米の先住民族を指すことが多いのですが、これは、「インディアン」が英語の「indian」、「インディオ」がスペイン語やポルトガル語の「indio」から来ているからです。

現在、「インディアン」や「インディオ」の呼称は蔑称とされており、アメリカ合衆国では、一般的に「ネイティブ・アメリカン」、ラテンアメリカでは、「ナティーボ（nativo）」と呼ばれます。本書でも、基本的に「先住民族」と表記しています。

先住民族は人種的に、アジア系モンゴロイドです。約3万〜2万年前の氷河期に、海面が下がり、ベーリング海峡が陸続きとなっていた時代があり、先住民族はこの時期に、アジアから移住してきたとされます。アメリカ大陸には、類人猿がいた形跡もなく、人類の存在を示す化石や骨などが見つかっていません。そのため、人類は他の大陸から移動して来たと考えられているのです。

アメリカ大陸の先住民族の遺伝子として、Y染色体ハプログループQが高頻度で検出されます。ハプログループQは中東に由来し、やはり氷河期の約3万〜2万年前に、中央アジアやアルタイ山脈付近に拡がり、さらにシベリアにも拡がったとされます。ハプログループQを持つ民族集団はユーラシア北部に分布します。アジアに近接して分布した彼らはモンゴロイド人種に区分されます。ちなみに、日本人には、Qはほとんど検出されません。そして、彼らはシベリアを経て、ベーリング海峡を渡り、アメリカ大陸に移動したと考えられています。

この民族集団は同じモンゴロイドでも、いわゆるモンゴル人などと異なり、顔の彫りが深く、コーカソイド的な容貌の特徴も備えていたかもしれません。この集団の遺伝子には、コーカソイドを特徴づけるR1aも含まれています。アメリカ先住民族が人種的にモンゴロイドに属していても、われわれが一般に思い描くようなアジア的な容貌とは異なっていたことは、今日の彼らの容貌を見ても、想像に難くはありません。

南アメリカの先住民族は、ハプログループQが90%以上の高頻度で観察されます。北アメリカの先住民族は、Qが80％以下で観察され、南アメリカと比べると純血の度合いが低くなっています。

そのほか、Qが90％以上の高頻度で観察されるのは、シベリア中央部のエニセイ川流域に住む先住民族ケット人です。ケット人はアメリカ大陸へ渡らず、この地に留まった残存集団と考えられています。

ではなぜ、この民族集団はシベリアから、極寒のベーリング海峡を渡り、アメリカ大陸を移動したのでしょうか。なぜ、南下し、豊かなユーラシア大陸の中央部に移動しなかったのでしょうか。ただ、この民族集団の一部は南下しています。中央アジア人やアフガニスタン人（パシュトゥーン人）などに、ハプログループQが15％前後で観察されるのは、そのためです。

しかし、大多数は温暖な南部を目指さず、作物の育たないシベリアやベーリング海峡を横断して、アメリカ大陸を目指したのです。一般的には、これらの地域には、マンモスやジャコウウシ、トナカイなどの大型動物が多く生息し、それらの動物を追って、アラスカに到達したと説明されます。狩猟中心で、農耕や牧畜に移行できなかったとする説もあり、その場合、大型獣は南方にはおらず、東方に進むしかなかったということになります。彼らは紀元前1万5000年頃には、アメリカ大陸全域に拡散します。

図47-1｜メソアメリカ文明地域と民族

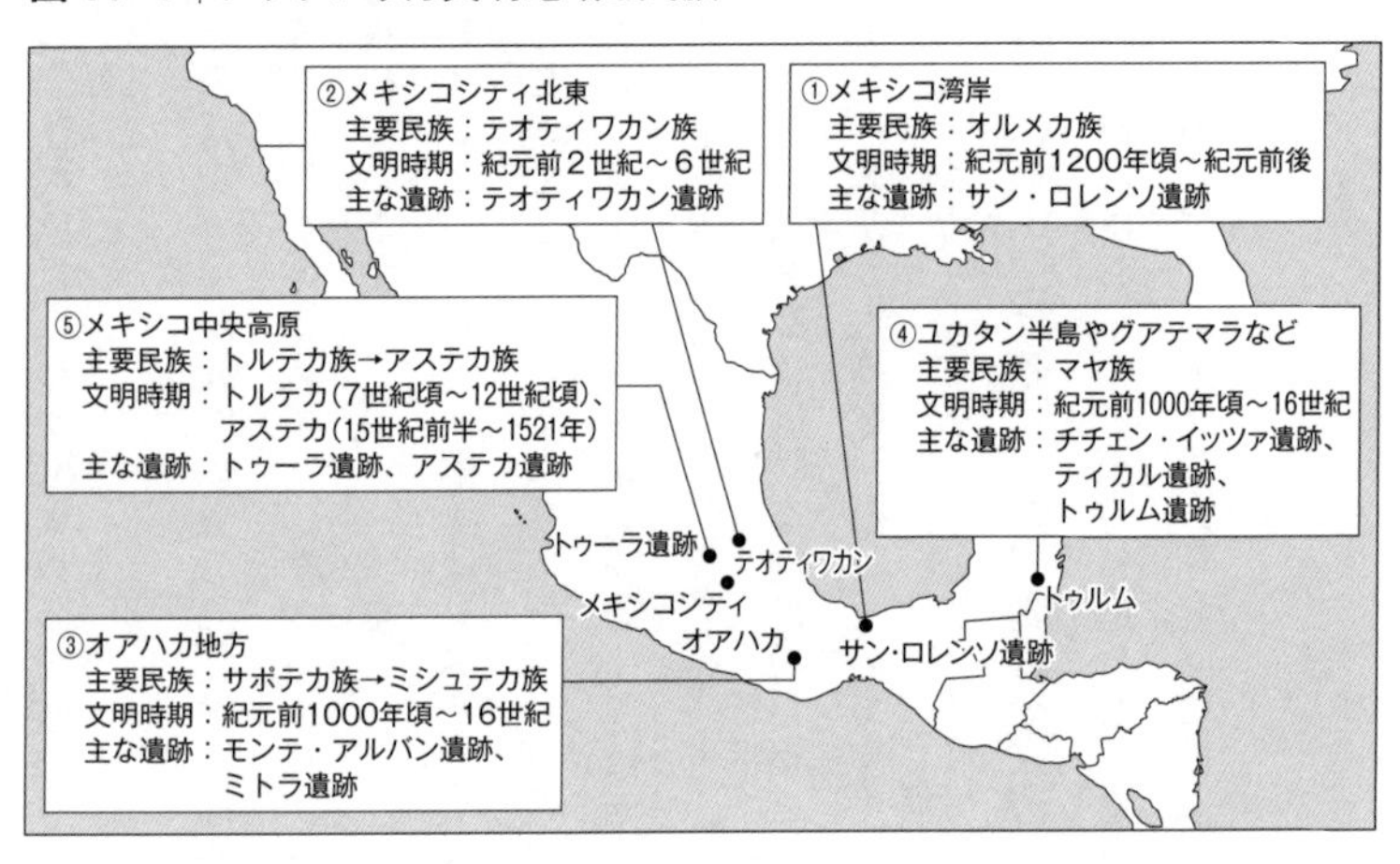

❖メソアメリカ文明を担った民族

アメリカ先住民族がなぜ、わざわざ、メキシコやペルーの狭隘な山岳部に定住したのかについても、はっきりとしたことはわかっていません。

彼らは主に、メキシコを中心とするメソアメリカ地域とペルーを中心とするアンデス地域の2つに文明を形成しています。一般的に、大きな文明は大河のほとりの、肥沃で広大な平野部に栄えるものですが、これらの地域は山岳地帯で、しかも土地は痩せています。彼らは、北アメリカのミシシッピ川流域のプレーリーと呼ばれる肥沃な大平野部には、文明を形成していません。

先住民族は宗教的な理由を優先させた可能性が高いと思われます。山や湖のある複雑な地形に、自然神が宿ると信じ、複雑な地形を好んだのかもしれません。

長い狩猟・採集の石器時代を経て、紀元前3500年頃には、トウモロコシ、マメ、ジャガイモ、カボチャなどの栽培が行なわれ、農耕時代へと入ります。また、後に、ワタの栽培がなされ、織物工芸もはじまります。ちなみに、トウモロコシ、ジャガイモ、トマト、トウガラシ、ピーマン、ピーナツ、インゲン豆は中南米原産の野菜で、これらはすべて、中南米からコロンブスの新大陸発見以降、世界中にもたらされたものです。

農耕によって、多くの人口を養うことができるようになり、文明が形成され、都市が生まれます。紀元前1200年頃から、メキシコ湾岸のオルメカ文明が都市文明を形成します。石造建築や絵文字などが生まれます。紀元前1000年頃、ユカタン半島にマヤ文明が、紀元前2世紀、メキシコ高原にテオティワカン文明などが現われます。これらの文明は最終的に、アステカ文明に発展・継承されます。

テオティワカンは6世紀に全盛期を迎え、人口20万人に達しますが、この都市をつくった民族は忽然と消えました。その理由は詳しくわかっていませんが、疫病か地震といわれています。その他、川の水などの水源が干上がり、放棄せざるを得なくなった、人口増大に伴い、より肥沃な地に移動せざるを得なくなったということが考えられます。

後に、アステカ人がこの放棄された遺跡を発見し、その偉容を称え、ナワトル語で「テオティワカン（「神々の都市」の意味）」と呼びました。

テオティワカン遺跡はメソアメリカ文明で最大規模の偉容を誇ります。ユカタン半島のマヤ

ミトラ遺跡（上）と陶器装飾（2022年、著者撮影）

文明で王統が途絶えた時、テオティワカンから王族が送られており、マヤをも支配したと考えられています。

テオティワカンをつくった民族について詳しくわかっていませんが、メソアメリカ文明の母体として、トルテカ族、サポテカ族、マヤ族へと派生していった大もとの集団であったと考えることができます。そして、文明の起点でもあったのです。そのため、メソアメリカ文明各地で、テオティワカンの王族が迎えられ、それらの文明は暦や生け贄の儀式など共通の風習を持っていました。

モンテ・アルバンは6世紀～8世紀に全盛期を迎え、人口2万5000人に達します。しかし、この地の住民たちであったサポテカ族は9世紀に、この都市を放棄し、東方のミトラ遺跡に移住します。放棄の理由は水源確保の困難などの説がありますが、移住先のミトラ遺跡が僧侶階級の強大化を示唆していることから、宗教勢力の闘争により、本拠が移設されたと考えることもできます。

ミトラ遺跡の「ミトラ」とは「死者の地」を意味します。祭祀者が実権を握った時代の遺跡で、儀式供与のための施設が目立ちます。ミトラ遺跡はミシュテカ文明（900年頃〜1524年）に属し、モンテ・アルバン遺跡が属するサポテカ文明の後継文明です。サポテカ人がつくった文明として、サポテカ文明とミシュテカ文明は共通しています。マヤ文明圏と交流交易があり、相互に影響し合う関係でした。

ミトラ遺跡は雷文のような幾何学文様で装飾された建築物が特徴です。ミシュテカ文明の陶器装飾もやはり、抽象文様が施され、メソアメリカ全域に交易品としてもたらされました。ミトラをはじめとするミシュテカ文明圏はスペインのコルテスらがやってくる30年前に、アステカ皇帝に服従しています。コルテスはアステカを征服した後、副将ペドロ・デ・アルバラードに命じ、ミシュテカ文明圏を征服させました。

❖なぜ、生け贄の儀式が必要とされたのか

チチェン・イッツァ遺跡など、マヤ文明のピラミッドは一般に神々を祀る神殿と考えられていましたが、近年、ピラミッドの内部構造の解明が進み、王墓であったこともわかっています。神殿と王墓の2つの機能を兼ね備えていたと見られているのです。

マヤ文明は紀元前1000年頃にはじまり、4世紀に全盛期を迎え、人口は約200万人に達します。ユカタン半島中部のグアテマラのティカルなどが、この頃に栄えます。しかし、9世紀頃に、マヤ文明の中心はチチェン・イッツァなどのユカタン半島北部に移ります。疫病が

原因と見られています。チチェン・イッツァのほとんどの遺跡（新チチェン）は9世紀以降に建造されました。

マヤ文明には、高度な天文学や数学、土木・建築学、法律や芸術などの文化が見られます。中世の時代に、マヤ人がこのような高度な技能をどのように習得したのか、多くの謎が残ります。

13世紀以降、チチェン・イッツァの西方100キロメートルに位置するマヤパンに政治首都が移り、チチェン・イッツァは荒廃します。この頃に大規模な干ばつが発生し、水源を求めて、人々が散ったとする説が有力です。

マヤ人は13世紀以降、本格的に海へ進出し、海上交易を営みました。カリブ海に臨むトゥルム遺跡には、灯台も設けられていました。12世紀以降、世界各地で航海技術の向上が同時多発的に起こっており、マヤでも例外ではありませんでした。

マヤ文明終焉の地トゥルム遺跡（2022年、著者撮影）

コロンブスは最終の第4回目の航海の時に、ホンジュラスやニカラグアに到達しています。その際に、コロンブスの艦隊はユカタン半島方面からやって来た先住民族のカヌーに遭遇しています。コロンブスは、そのカヌーが長くて幅の広いもので、様々な交易品を満載し、運搬していたと記録しています。このカヌーはトゥルムに関係する交易船であったと考えられています。

トゥルムは16世紀前半にスペイン人と接触しはじめると、突如、放棄されます。繁栄を誇っていたにもかかわらず、なぜ放棄されたのか、理由がよくわかっていません。

メキシコ高原では、北部に興ったアステカ（チチメカ）族が12世紀中頃、勢力を拡大し、15世紀前半に、アステカ王国を建設しました。首都はテノチティトランに置かれます。アステカ族はマヤ文明の神殿、ピラミッド、象形文字、太陽暦を継承し、彼らの宗教は人間を生贄に捧げるなど、テオティワカンに残された信仰を基にしていたと考えられています。しかし、鉄器や車はありませんでした。

アステカやマヤなどのメソアメリカ文明圏と、インカなどのアンデス文明圏の2つに共通するのは、生きた人間の心臓を神に供える人身御供の儀式が行なわれていたことです。スペイン人たちは、現地にやって来て、彼らの生け贄の儀式を見た時、野蛮で邪悪な神教に毒されている人々を救済しなければならないという「使命感」のようなものを感じ、征服を進めました。アステカやインカの神殿の内部は生け贄となった人間の腐敗した心臓や血で、悪臭が立ち込めていたようです。

アステカ人は、羽毛ある蛇の姿をした創造神のケツァルコアトルとともに、母神のコアトリクエを崇拝していました。コアトリクエは蛇のスカートを履き、人間の心臓と手首、頭蓋骨を

母神コアトリクエ石像（メキシコ人類学博物館蔵、2022年、著者撮影）

身に付けています。人間をも食べるとされています。

　彼らはなぜ、生け贄の儀式をしたり、コアトリクエのような恐ろしい神々を崇拝したのでしょうか。それは、彼らにとって、「再生（生まれ変わること）」こそが神々とつながることができる手段と考えられたからです。コアトリクエは人間を食い殺し、そのことによって、新しい命を生む「再生の女神」です。「再生」により、死は生と一体となり、死が終わりではなく新たなはじまりとなるという信仰のもと、生け贄が捧げられ、神の力をこの地上に呼び起こそうとしたのです。

　アステカ王国は強大な力を持ち、南方のマヤ文明圏を含む広大な領域を支配したため、「帝国」と表記されることもありますが、その君主は歴代、「トラトアニ」（王）を称しているため、「王国」とするべきです。一方、インカ帝国の君主は「サパ・インカ」と呼ばれました。「インカ」は「王」を、「サパ」は「唯一の」を意味し、「唯一の王」つまり「皇帝」となります。そのため、インカ帝国は「帝国」であり、「王国」ではありません。

　アステカ王国の「トラトアニ」も、インカ帝国の「サパ・インカ」も神の化身と崇められ、宗教的指導者としての地位は確立されていましたが、世俗権力は必ずしも強くはなく、国内の各部族が群雄割拠しており、それを抑える力は持っていませんでした。

アステカ文明は1521年、スペイン人のエルナン・コルテスによって征服されます。コルテスはアステカ王国の首都テノティチトランを徹底破壊、現在のメキシコシティにつくり変えます。テノティチトランは湖の中の島につくられた都市でしたが、周囲の湖はスペイン人たちによって埋め立てられます。今日のメキシコシティのほとんどがこの埋め立て地の上に築かれているため、所々、地盤沈下が激しく、傾いている歴史建造物も少なくありません。

なぜ、アステカ人は容易に少数のスペイン人に征服されたのかについては疫病説が主流ですが、それ以外に、コルテスらがアステカ王国に反抗的な現地部族を味方につけたという説も有力でしょう。スペイン人は現地の部族抗争を巧みに利用し、彼らを戦わせることにより、侵略を効果的に進めていったのです。

しかし、一番の疑問は、なぜ、征服されたアステカ人は容易にキリスト教化され、スペイン語化されたのかということです。極めて高度な文明と宗教観を持ちながら、いとも簡単に独自の文明を捨て去り、キリスト教に帰依したのはなぜか。彼らはキリスト教に具体的にどのように、優位性を感じたのか、あるいは感じさせられた（洗脳された）のか。ちなみに、日本人の多くはイエズス会の布教を疑問視し、受け入れることがなかったのは周知の通りです。

SECTION 48

コロンビア人、ベネズエラ人

エル・ドラード（黄金郷）とは何だったのか

❖なぜ、ベネズエラ難民が大量発生しているのか

世界の難民の中でも、600万人レベルの、最も規模の大きいものがシリア難民とベネズエラ難民です。これに、アフガニスタン難民や南スーダン難民が200万人レベルで続きます。ちなみに、2022年のロシアのウクライナ侵攻で発生するウクライナ難民は最終的に600万人レベルに到達すると見られています。

現在、ベネズエラはハイパーインフレによって、経済や社会インフラが完全に崩壊しており、困窮したベネズエラ人たちが主に隣国コロンビアに国外逃亡をしているのです。

1999年、チャベス大統領の社会主義政権が発足した当初、ベネズエラは石油産業を中心に順調な経済発展を遂げていた優等国でした。一方、90年代のコロンビアでは、左翼ゲリラによる内戦と麻薬カルテルによるテロで荒廃し、コロンビア人の難民がベネズエラに受け入れられていたのです。それがなぜ、現在、逆の立場になっているのでしょうか。

チャベス大統領は企業を国有化し、価格統制を敷き、産業を社会主義化し、また、農地改革により、地主の土地を没収して貧困層に分配します。しかし、産業全体が硬直化して動かなくなり、電力不足が常態化し、生産力は壊滅しました。工業生産のみならず、食糧生産も激減します。チャベス政権の末期には、経済崩壊が顕著になります。

外交的には、チャベス政権はアメリカを敵対視する政策をとり、犯罪組織やテロ支援国家を支援したため、2006年、アメリカはベネズエラに経済制裁を課します。

2013年、チャベス大統領が癌で死ぬと、マドゥロ副大統領が大統領に昇格し、今日に至る独裁政権となります。マドゥロもチャベスの路線を引き継ぎます。

2014年以降の国際石油価格の下落が石油輸出に依存していたベネズエラ経済を完全に破綻させます。社会主義的な国有化政策が経済構造を脆弱なものにしており、加えて石油価格の下落が致命傷となったのです。特に、ベネズエラは中国から500億ドル規模の融資を受けており、債務の返済が不能となります。この頃から、困窮したベネズエラ人が難民となります。

2017年、トランプ政権はマドゥロ政権を転覆させるため、制裁を強化します。しかし、ロシアや中国がマドゥロ政権を支援したため、簡単には転覆しなかったのです。ベネズエラ経済の崩壊の影響は庶民にばかり重くのしかかり、ベネズエラ難民を大量に発生させることになります。北朝鮮のケースも同じですが、制裁だけでは、体制を崩壊させることは困難という現実があります。

だからと言って、全体主義国家に対して、制裁を緩和するわけにもいかず、アメリカは対応に苦慮しているのです。ただし、このまま制裁を維持していると、ベネズエラ人難民がさらに増大し、受け入れ国のコロンビア、エクアドル、ペルーなどの地域全体の不安定化につながりかねません。難民が犯罪の温床となっていることも事実です。いま、コロンビアで起きている麻薬取引や窃盗などの犯罪の多くがベネズエラ人難民によって引き起こされています。

2022年、ロシアのウクライナ侵攻に伴う、ロシア原油禁輸措置が取られました。アメリカのバイデン政権はロシア原油に代替するためのベネズエラ原油を輸入するため、対ベネズエラ制裁緩和を検討しましたが、マドゥロ独裁政権が息を吹き返すようなことがあってはならないという批判が共和党の側から巻き起こり、制裁緩和には踏み込んでいません。

このように、治安が悪化することが明白でありながらも、コロンビアが大量のベネズエラ難民を受け入れているのは、企業経営者にとって、好都合であるからです。破格の安値で、ベネズエラ人労働者を雇い込んで、収益を上げているとされています。政治も企業経営者の声を優先して聞き、コロンビア人労働者の雇用機会が奪われている現状などを無視して、難民の受け入れを半ば積極的に行なっているのです。

筆者がコロンビアの首都ボゴタに2022年に滞在した時も、街の南部貧民エリアには、ベネズエラ人が溢れ、騒々しい状態でした。コロンビア人のベネズエラ人に対する反感も強く、何人かのコロンビア人は治安悪化などについて、怒りを顕にしていました。こうしたコロンビア人の不満が2022年の急進左派のペトロ政権誕生につながった要因の1つであることは間違いありません。

❖エル・ドラードへの夢と野望

もし、この地球上に、未知未踏の地があり、そこに金銀財宝で埋め尽くされたエル・ドラード（黄金郷）が存在するならば、どのような危険をも顧みず、その地を目指し、そして征服したいと思うのが人間の本性でしょう。

大航海時代、「コンキスタドール（Conquistador）」（「征服者」の意味）と呼ばれたスペイン人たちがエル・ドラード伝説に駆り立てられ、遥かなる海を渡り、新大陸へやって来ました。「アマゾン川の奥地にエル・ドラードがある」という漠然とした情報がスペイン人をはじめ、ヨーロッパ人にも共有されました。

コロンビアの首都ボゴタの北東50キロメートルにグアタビータ湖（次ページ写真）があり、この湖の周りを中心に南方のボゴタに至るまでの地域に、先住民族のムイスカ族のバカタ王国がありました。ムイスカ族は黄金を神聖なものとして崇め、黄金の装飾品を身に付けて宗教儀式を行ないました。このムイスカ族のバカタ王国こそがエル・ドラードであるとされますが、これは後付けの話であり、19世紀になって、そう認定されたに過ぎません。たしかに、この地方では、金の採掘が行なわれ、加工技術も発達していましたが、エル・ドラードと呼ばれるにふ

グアタビータ湖（2022年、著者撮影）

さわしい金の産出量はありませんでした。

コロンビアの首都ボゴタの旧市街に、黄金博物館(Museo Del Oro)があり、ムイスカ族をはじめ先住民族が残した約3万点の黄金の装飾品が展示されています。3万点というと大量に聞こえますが、実際には、これらの装飾品は小さいものばかりで、金を薄く伸ばして加工されており、量そのものは決して多くはありません。

インカ帝国（ペルー）やアステカ王国（メキシコ）には、黄金は大量にあったものの、「エル・ドラード」とされたボゴタには、それほどの黄金はありませんでした。「アマゾン川の奥地のエル・ドラード」の伝説はただの伝説に過ぎなかったのです。実際に、複数のヨーロッパの探検家たちがアマゾンの奥地を調査しましたが、エル・ドラードを発見することはできませんでした。

1801年、ドイツの地理学者アレクサンダー・フォン・フンボルトはアンデスやアマゾンを実地調査します。フンボルトはムイスカ族の集落を訪れて、調査報告を記録しています。フンボルトによって、かつてムイスカ族が黄金の装飾品を装い宗教儀式を行なっていたということが伝えられたため、当時のヨーロッパ人たちが、ムイスカ族の王国こそがエル・ドラードの正体であったに違いないと、後付けで考えたのです。

1538年、コロンビアを征服したヒメネス・デ・ケサダはムイスカ族と戦って勝利しています。この時、ムイスカ族は黄金を隠していたため、スペイン人たちはムイスカ族のバカタ王国とエル・ドラードを結び付けて考えることはありませんでした。

ヒメネス・デ・ケサダは現在のボゴタ市に植民都市サンタ・フェ・デ・ボゴタを建設します。「ボゴタ」の名はムイスカ族の「バカタ王国」に由来します。「サンタ・フェ」とはローマ帝国の弾圧で殉教した少女の聖フィデスを指します。

インカ帝国を征服したフランシスコ・ピサロの一派で、エクアドルのキトを征服したセバスティアン・デ・ベラルカサルはコロンビア征服の野心を持っていましたが、ケサダに先を越されてしまいます。ベラルカサルはコロンビア南方の現在のカリ市にまで迫っていました。

ムイスカ族の黄金の装飾品（ボゴタ黄金博物館蔵、2022年、著者撮影）

ベラルカサルはケサダのボゴタ征服を認めず、自分に支配権を授与するようにスペイン本国に訴えました。当時はコロンビアまで、インカ帝国と一体のものと考えられており、インカの首都クスコを落とした自分たちに、コロンビアも含む南米全域の支配権があると、ベラルカサルは主張したのです。しかし、この訴えは棄却されます。

ケサダはムイスカ族のバカタ王国を征服した時、それがエル・ドラード伝説の発祥とは気付かず、さらにコロンビアの奥地深くのジャングルを越え、エル・ドラードを探し求めます。先住民族の襲撃と風土病で多くの死傷者を出しながら、ベネズエラのオリノコ川付近にまで到達しています。ケサダなどのスペイン人のみならず、ドイツ人、イギリス人も、夢と野望に駆り立てられて、コロンビア奥地からオリノコ川やアマゾン川にかけて探索していますが、悲惨な環境下で死傷者が出るばかりで、何も見つけることはできなかったのです。

❖チブチャ系とカリブ系

コロンビアやベネズエラには、無数の先住民族がいました。紀元前15世紀には、すでに定住していたと考えられています。彼らはトウモロコシとジャガイモを栽培する農耕社会を基盤にしており、農耕を組織的に運営管理するための集権化体制が早期に形成され、各地に王国を築きました。しかし、ペルーのインカ帝国のように、強大な統一王国にまとまることはなく、あくまでも地方政権としての範疇を超えることはありませんでした。

コロンビアのアンデス山中には、先住民族の血統を色濃く残す人々が多くおり、独自の伝統文化や生活習慣をいまもなお、維持しています。前述のバカタ王国のムイスカ族の他に、キンバヤ族（現在のペレイラ市中心）、カリマ族（現在のカリ市中心）、シヌー族（現在のカルタヘナ市）、タイロナ族（現在のサンタ・マリア市やバランキージャ市中心）、チョコ族（パナマ国境チョコ県）などが挙げられます。

図48-1｜コロンビアとベネズエラの主要都市

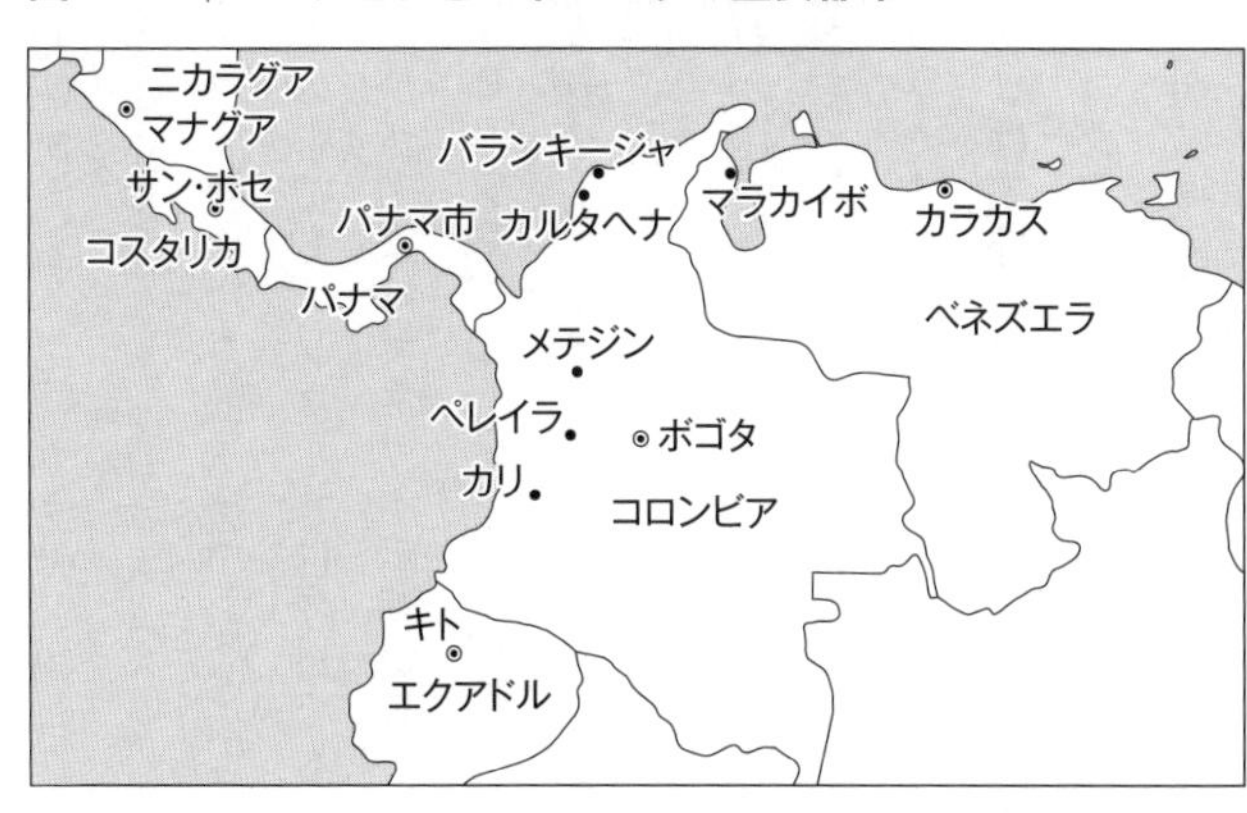

　これらの部族はムイスカ族と同じく、高度な黄金加工技術を持ち、装飾品を宗教儀式に使用していました。シヌー族やタイロナ族の加工技術はムイスカ族やキンバヤ族から伝わったものと考えられており、技術的にも劣ります。しかし、タイロナ族はムイスカ族と交易を活発に行ない、彼らの文明を取り入れます。沿岸部に居住するタイロナ族は航海技術を発展させ、ベネズエラ沿岸部の部族とも交易を行ない、ムイスカの高度な文明をベネズエラに伝える中継者としての役割も果たしていました。

　コロンビアの先住民族は中米に由来するチブチャ系と呼ばれるグループであるのに対し、ベネズエラの先住民族はカリブ諸島からやって来たカリブ系のグループで、民族系統と言語系統が異なります。ベネズエラの先住民族として、カラカス族（カラカス市中心）、テケス族（カラカス市南方中心）、ワユー族（マラカイボ市中心）、アラワク人（ガイアナとの国境）、ペモン族（ギアナ高地）、ワラオ族（オリノコ河口）、ヤノマミ族（ベネズエラ南部）などが挙げられます。

この中でも、ワユー族は今日でも、その血統と部族社会を残すベネズエラ最大の先住民族です。ワユー族はマラカイボ湖からグアヒラ半島にかけて居住しています。

1498年、「アメリカ」の名付け親となったイタリア人のアメリゴ・ヴェスプッチがこの地を探索し、マラカイボ湖に浮かぶ先住民族の湖上集落を見て、「ヴェネツィアのようだ」と感じ、「小ヴェネツィア」という意味の「ベネズエラ（Venezuela）」と名付けたことから、後に、これが国号となります。このマラカイボで湖上生活をしていた先住民族がワユー族と見られています。ちなみに、「コロンビア」の国号はコロンブスに由来しています。

カラカス市南方にいたテケス族の指導者で、グアイカイプロという人物がいます。グアイカイプロは諸部族をまとめ、スペイン人と勇敢に戦い、非業の死を遂げた英雄です。チャベス大統領はグアイカイプロを国家的英雄として、ベネズエラの10ボリバル紙幣に肖像を使用し、銅像を建立するなどしました。

これらベネズエラのカリブ系の先住諸部族はコロンビアのチブチャ系諸部族のような高度な文明を持たず、この地では、黄金も採掘されませんでしたが、海洋民族として航海技術を持ち、周辺諸部族と交易を行なっていました。

❖多様な白人の血統を引き継ぐ

今日、コロンビア人もベネズエラ人もおおよそ、6割が白人との混血（メスティーソ）です。この6割の中に、前述の先住民族の諸部族の子孫が入ります。もはや、先住民族としての血統を濃く残す部族がいたとしても、ほとんどが白人と混血し、その純血は失われています。純粋な先住民族とされる人の割合は数％に過ぎません。また、両国ともに、白人は約2割とされますが、この白人もいわゆる純血ではなく、多かれ少なかれ、混血しています。

コロンビア人もベネズエラ人も眉目秀麗な人が多く、先住民族の血が濃い人でも肌の色が白い人が多いのが特徴です。南方のエクアドル人やペルー人はメスティーソでも肌の色が黒く、また、先住民族の血も濃いと見られる容貌の人が多いのが特徴であり、コロンビア人やベネズエラ人とは容貌が異なります。

さらに、コロンビアやベネズエラにおいて、黒人、白人と黒人との混血（ムラート）、先住民族と黒人との混血（ザンボ）などが約2割弱います。

スペインの征服後、スペイン人入植者は女性や家族を連れて現地に入ることはほとんどなかったので、現地の先住民族を妾にして（多くの場合、性奴隷にされていた）、混血児を生んでいきました。植民地の現地生まれのスペイン人はクリオーリョと呼ばれます。彼らは現地の支配者層であり、「自分はクリオーリョだ」と自称していましたが、実際には、純粋な白人であるクリオーリョなどいませんでした。母がスペイン人の白人であるかのような偽装が頻繁に行なわれていたのです。

先住民族の人口は、スペイン人が持ち込んだ疫病のため、また、スペイン人による過酷な労働使役で命を落としたため、激減します。小麦やサトウキビなどの農作物を栽培する農園で、先住民族が強制的に労働させられていました。先住民族は実質的に奴隷として扱われました。

激減した先住民族の人口を補うため、スペインはアフリカ西海岸の黒人を奴隷として、新大陸に連行して、先住民族とともに奴隷として働かせました。16世紀後半から18世紀にかけて、黒人が大量にラテンアメリカ地域に流入します。こうして、白人・先住民族・黒人の三者の混血がダイナミックに展開されていきます。

16世紀から18世紀にかけて、スペインの征服下にあるラテンアメリカ全体に入植し、定住したスペイン人は総計、50万人にのぼるとされます（出典：Alicia Alted Vigil『De la España que emigra a la España que acoge』Fundación Francisco Largo Caballero、２００６年）。前述の通り、この時代、先住民族の人口が激減しており、ラテンアメリカ全体で１０００万人規模で推移していたと考えられています。

単純計算して、50万人のスペイン人に対して、１０００万人の先住民族ですから、ざっと20倍の規模となります。一見、この違いは大きいように見えますが、スペイン人は先住民族の女性を複数人、妾に囲っており、1人のスペイン人男性が相当数の先住民族の女性に種付けしていくなかで、一気に白人と先住民族の混血が進んだのです。

19世紀以降、数百万人規模で、ヨーロッパ白人のコロンビアやベネズエラへの移住が進みます。この時代、スペイン人だけでなく、イタリア人、ドイツ人、フランス人、アイルランド人、スコットランド人、ベルギー人、オランダ人、ギリシア人などが移住しています。コロンビア人やベネズエラ人はスペイン人だけでなく、多様な白人の血統を取り込んでいくのです。

さらに、20世紀には、ロシア人、ウクライナ人も移住します。特に、ソ連時代の迫害を逃れたウクライナ人の移住が一定規模で進みました。この他、ポーランド人、リトアニア人、クロアチア人などのバルカン半島人の移住も進みます。

また、コロンビアの北方のサンタ・マルタ市やバランキージャ市などでは、アラブ人やその混血が多くいます。彼らの容貌は一般のコロンビア人とは異なります。20世紀の初頭、オスマン帝国による迫害を逃れるため、レバノン人(圧倒的多数)、シリア人、ヨルダン人、パレスチナ人がこの地域にやって来ます。コロンビアの人口の約4%がアラブ系かその混血とされます。

❖シモン・ボリバルの理想

コロンビア、ベネズエラ、エクアドル、ペルー、ボリビアなどでは、至るところに「ボリバル広場」、「ボリバル通り」など、シモン・ボリバルの名の冠された場所が存在します。「ボリビア」は「ボリバル」の名にちなんだ国号です。

ボリバルはこれらの国々の独立を実現した「ラテンアメリカ独立の父」と呼ばれる指導者です。ボリバルはベネズエラのカラカスの富裕なクリオーリョに生まれます。スペインに留学し、1804年、ナポレオンに共鳴し、自らナポレオン軍に従軍します。しかし、ナポレオンが皇帝に即位すると幻滅し、ヨーロッパを去り、祖国ベネズエラの独立を目指すようになります。

ナポレオン戦争の混乱の隙を突き、ベネズエラの元スペイン軍人のフランシスコ・デ・ミランダが独立戦争をはじめると、ボリバルも1807年、これに加わり、独立軍の中で頭角を現わしていきます。

1811年、ベネズエラ独立軍はついにスペインからの独立を宣言しますが、同年に起こったカラカスの大地震で深刻な被害を被ります。スペイン軍はこれを好機として反撃に転じ、1812年、カラカスを占領します。

指導者のミランダはスペインに降伏しましたが、ボリバルは徹底抗戦を主張し、人心を得て、ついに解放軍を掌握します。ボリバルは総帥であったミランダに反逆し、彼を裏切り者としてスペイン軍に引き渡します。ボリバルら解放軍はコロンビア北方のカルタヘナを本拠にして、態勢を立て直します。翌年、カラカスを奪回します。この頃から、ボリバルは「エル・リベルタドール（El Libertador）」（「解放者」の意味）と呼ばれるようになります。

ボリバル軍は勢いづき、各地でスペイン軍を撃破し、1819年、ボゴタ東方のボヤカでの戦いで、スペイン軍に勝利し、コロンビアを制圧。ボリバルはベネズエラやパナマを含む大コロンビア（グラン・コロンビア）共和国の独立を宣言し、大統領となります。さらに、1822年、エクアドルに進撃し、キトを制圧、エクアドルを大コロンビアに編入します。

同時期に、アルゼンチンのクリオーリョのサン・マルティンがアルゼンチンやチリの独立を達成していました。サン・マルティンは

図48-2｜ラテンアメリカの独立

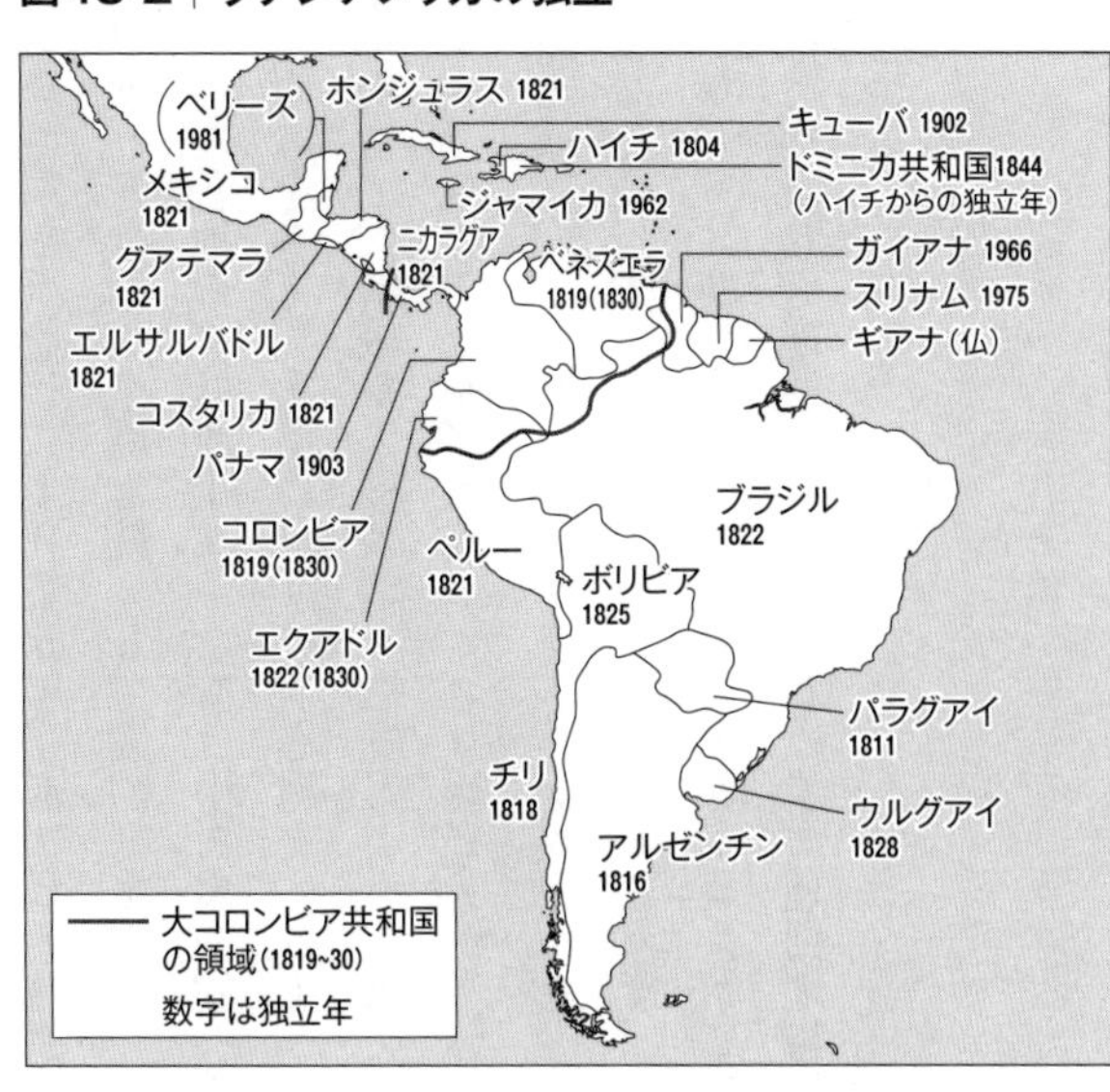

さらに、ペルーにも進撃して、1821年、独立を宣言しましたが、スペイン軍に反撃されました。サン・マルティンはボリバルに援軍を依頼します。両者は1822年、エクアドル中部のグアヤキルで会見しますが、ボリバルがサン・マルティンに懐疑的であったため、交渉が決裂します。サン・マルティンはやむを得ず、ペルーから撤退します。

サン・マルティンに代わり、ボリバルがペルーへ南進し、1824年、スペイン軍を撃退し、ペルーの独立を確保します。さらに、東方のボリビアに、部下の

スクレ将軍を派遣し、1825年、ボリビアの独立を宣言します。

ボリバルは南米全域を統一し、大国家を建設しようと考えていました。しかし、スペイン軍と戦った各地のクリオーリョたちは中央集権的な統一国家を望んでおらず、自らの所領を守ることのみを考え、次第にボリバルと対立するようになります。また、ボリバルは筋金入りの共和主義者で、階級や人種差別を撤廃しようと考えていたため、有力者たちが反発しました。

1830年、ベネズエラが大コロンビアから分離独立します。ボリバルは失意のうちに同年、病死します。さらに、エクアドルも分離独立をし、大コロンビアは瓦解します。

ちなみに、大コロンビアの一部であったパナマはコロンビア領に留まります。しかし、1903年、アメリカの思惑と支援により、コロンビアから独立します。直後、アメリカはパナマ運河を建設し、運河地帯を支配します。運河地帯は1999年、パナマに返還されました。

SECTION 49

ペルー人、エクアドル人、ボリビア人、チリ人

インカ族の末裔たち

❖アンデス文明を形成した民族

標高の高い場所では、大気中の酸素が少なくなるため、酸欠で息苦しくなり、頭痛、吐き気、だるさ、めまい、眠気といった症状が出ます。これは高山病と呼ばれます。酷い場合には、高地脳浮腫や高地肺水腫という重篤症状を引き起こし、死に至る場合もあるようです。私もクスコを訪れた時には、息苦しさやめまいなどの軽い症状が出ました。クスコはアンデス山脈中の標高3400メートルにある都市です。ちなみに、富士山頂が3776メートルです。

なぜ、アンデスの民族はこのような高地に文明を形成したのでしょうか。アンデス地方では、雨がほとんど降らない乾期が半年以上続きます。そのため、作物を育てるのが困難です。ナスカの地上絵の保存状態がよいのは、雨がほとんど降らず、流されることがなかったからです。

しかし、高地では、雲が山にぶつかって堆積し、霧雨が頻繁に降り、年間を通じて、作物を育てることができます。降雨量の少ないアンデス地方では、人々は高地での生活を余儀なくさ

チムー族の黄金の装飾品（リマ、ラルコ博物館蔵、2022年、著者撮影）

れたのです。

また、標高の高い寒冷地では、アルパカやリャマなどの多毛動物を飼育することができます。毛織物は交易の物品としても珍重され、大きな富をもたらしました。今日でも、ペルーにおいて、毛織物製造は重要な産業です。

アンデス地方で、紀元前1000年頃、チャビン文化が栄え、紀元前200年頃、地上絵で有名なナスカ文化が現われます。中世の7世紀頃には、ペルー中部高原にワリ帝国が建国されて、複数の都市文明が拡がったことが確認されています。ワリ帝国を創始したのは、アヤクーチョ市発祥の部族です。

ワリ帝国は11世紀頃に崩壊します。ペルーは複数の部族社会に分断されます。その中でも、チムー族がペルー北西岸一帯に創始したチムー王国が最大の勢力でした。チムー族は金、銀、銅などの金属加工の精巧な技術を持っていました。チムー王国は最後まで、インカ帝国に抵抗しましたが、1470年頃、完全に征服されます。

1200年頃から、クスコ周辺の小さな部族に過ぎなかったケチュア族（インカ族）が台頭して周辺部族を併合し、勢力を拡大していきます。最も高い標高のクスコが降雨量に恵まれ、作物の余剰が大きな富をケチュア族にもたらし、他の部族を圧倒していったのです。そして、ケチュア族はインカ帝国の前身となるクスコ王国を形成します。ちなみに、「クスコ」とは、ケチュア語で「へそ」や「中心」を意味します。

1438年、クスコ王のパチャクテク（パチャクティ）が各部族や諸王国をまとめ、各王の上に君臨する「サパ・インカ」となり、インカ帝国を創始しました。都はクスコに置かれました。

図49-1｜ペルーと周辺国

クスコ王国の建国をインカ帝国のはじまりとすることもあり、その場合、パチャクテクは9代目の君主と数えられます。

パチャクテクは後に西洋人から「アンデスのナポレオン」と呼ばれるほど、軍事に長けていました。パチャクテクは軍を階級化して指揮系統を整備し、大軍を巧みにコントロールしたのです。

パチャクテクは軍を各地に派遣し、現在のエクアドルやボリビア、チリに至るまで版図を拡大します。インカ帝国はパチャクテクの天才的な軍略によって形成されたと言っても過言ではありません。

パチャクテクから数えて4代目のインカ皇帝ワスカルの時代に内戦が生じます。ワスカルの弟のアタワルパは北方のキト（現エクアドルの首都）の統治権を与えられており、クスコ派のワスカルとキト派のアタワルパが対立したのです。内戦は、アタワルパの勝利に終わります。アタワルパはインカ皇帝に即位し、クスコに南下する途中、カハマルカへ立ち寄ります。ここで、ピサロの率いるスペイン軍と遭遇し、アタワルパは騙されて捕らえられるのです。

❖スペイン人はなぜ、少数の兵でインカ帝国を征服できたのか

15世紀、コロンブスの探検により南北アメリカ大陸が発見されて以降、スペインはアメリカ大陸の東岸をくまなく調査します。北はカナダから南はアルゼンチンまで調査しますが、ジャングルや荒涼とした大地があるだけで、珍しい農産物や金銀鉱石もなく、利益を上げることのできるようなものは何一つ見つかりませんでした。

諦めかけていたスペインに朗報が飛び込みました。1513年、探検家バルボアがパナマ地峡を発見しました。地峡を越えれば、新大陸の西岸へ回り込むことができます。新大陸東岸には何もありませんでしたが、西岸にはあるかもしれない、スペインは大いに期待をしました。そして、インカ帝国を発見します。

インカ帝国は1533年、スペイン人のフランシスコ・ピサロによって征服されます。19

92年から2002年のユーロ導入まで、スペインで発行されていた最後の1000ペセタ紙幣の表面がアステカ王国を征服したコルテスの肖像、裏面がピサロの肖像でした。

1532年、ピサロはパナマを出港し、インカ帝国への侵入を開始します。ピサロの父は軍人で小貴族、母は召使いだったようです。ピサロは教育されず、文字も知らないままで育ち、社会の下層に属しました。コンキスタドールやそれに付き従った者たちはほとんど、下層の人々や戦争の敗残者、犯罪者や追われ人など、訳ありの者で、一発逆転を狙う、命知らずでした。

もともとピサロは1513年にパナマ遠征の部隊に所属し、その後、10年かけて、南アメリカを探検し、インカ帝国の存在を突き止めます。

1528年、スペインに戻り、国王カルロス1世から、ペルーの独占支配権の許可を得て、兵を募集し、インカ帝国侵略の準備をします。ピサロは歩兵110名、騎兵76名を引き連れて、火縄銃13丁などで武装し、ペルーへ侵攻しました。200人足らずの兵力で、ピサロたちがインカ帝国を征服することができたのはなぜでしょうか。

ピサロはカハマルカで、インカ帝国皇帝アタワルパを誘い出し、騙し、人質にして、金銀財宝を奪い取りました。その後、アタワルパを殺します。インカ帝国の領域はもともと部族社会で、1つにまとまってはいませんでした。インカ帝国は強大な力を持っていましたが、帝国の隅々まで統治が及んでいたとはいえません。

アタワルパ殺害後、ピサロは部族間の対立と確執を巧みに利用して、彼らを争わせることに成功します。その隙を見て、インカ帝国の首都であるクスコに無血入城し、インカ帝国を滅ぼしました。ピサロらがインカ帝国を滅ぼしたというよりはむしろ、インカ帝国は部族の内紛によって、崩壊したというのが実態でしょう。もともと部族対立が根強くあり、皇帝アタワルパが殺されたことで、それが表面化したのです。

複数の学者たちは、インカ帝国やアステカ王国の崩壊は病原菌が原因だと主張しています。ピサロたちスペイン人が持ち込んだ、天然痘やペストなどの伝染性の病原菌が免疫のない現地人に拡がり、彼らの国家を崩壊させたとしています。

動物に由来する病原菌が突然変異し、人に転移したと考えられており、多くの種類の家畜を飼うスペイン人などのヨーロッパ人は、この病原菌に対する免疫を持っていました。しかし、新大陸の先住民族には、牛や豚などを飼う習慣がなく、動物性の病原菌に対する免疫がありませんでした。先住民族は家畜化した大型哺乳類を馬や牛のように、運搬や軍事に利用することもありませんでした。

免疫のない先住民族たちを原因不明の病魔が襲った当時のパンデミックはインカ帝国やアステカ王国を恐怖のどん底に陥れ、国家機能を麻痺させたとされます。

❖マチュピチュは何のために築かれたのか

インカ帝国の建国者であるパチャクテクが有名な「空中都市」マチュピチュを築いたとされ

ます。「マチュピチュ」はケチュア語で「古き峰」を意味します。遺跡は山裾からまったく見えないため、スペイン人の侵攻を奇跡的に免れました。

マチュピチュ遺跡は1911年、アメリカの考古学者ハイラム・ビンガムにより、世界的に知られるようになります。ビンガムはマチュピチュ発見の驚きを情熱的に綴った『失われたインカの都市』を著し、これがベストセラーになり、名声を得ます。そして、考古学者に留まらず、政界に進出し、コネチカット州知事を務め、上院議員(共和党)となります。

ビンガムは一般的に、マチュピチュの「発見者」とされることがありますが、彼は地元民から遺跡の存在を知らされ、その情報に基づいて、欧米人の中で初めて、マチュピチュ遺跡を確認して世間に告知し、調査をしたというに過ぎません。

なぜ、このような峻険な山奥に、マチュピチュのような「空中都市」が築かれたのか、様々な説がありますが、太陽神を祀るなど、宗教儀礼を行なうために建設されたとする説が有力です。また、パチャクテクがクスコの寒さを避けるため、クスコよりも100メートル標高が低く、温暖なマチュピチュを別荘にしたという説も有力視されています。

ビンガムによると、マチュピチュは、インカ帝国軍がスペイン軍と戦うための最後の砦であったとされます。しかし、この説は間違いであることがわかっています。

スペイン軍が1533年、帝都クスコに入城し、その後、ピサロらはインカ皇族の生き残りであったマンコ・インカ・ユパンキを担ぎ出し、傀儡皇帝とします。しかし、マンコ・インカ

オリャンタイタンボ砦の遺跡（2022年、著者撮影）

はクスコから脱走し、インカ帝国残党を集め、態勢を立て直し、18万人の大軍勢になったとされます。1536年、インカ残党軍がクスコを包囲するに至ります。しかし、戦線が膠着し、兵糧不足に陥ると、クスコから西方に約44キロメートル離れたオリャンタイタンボ砦に撤退します。

スペイン軍は反撃に転じ、オリャンタイタンボ砦を包囲します。スペイン軍の火砲を前にして耐えられず、マンコ・インカらは砦を放棄し、ウルバンバ川下流域へと撤退します。この時、マンコ・インカらがウルバンバ川下流域に形成した拠点は「ビルカバンバ」と呼ばれます。ハイラム・ビンガムは、マチュピチュこそが、この「ビルカバンバ」であると主張したのです。

しかし、その後の考古学的な検証から、実際の「ビルカバンバ」はクスコから西方に約130キロメートル離れた密林遺跡エスピリトゥ・パンパと確認されています。マチュピチュはクスコから74キロメートルしか離れていません。そもそも、インカ残党軍が本当に、マチュピチュに拠ってスペイン軍に抵抗していたならば、スペイン軍はその存在を察知していたはずで、ビンガムの「最後の砦」説はあり得ないことだとわかります。

ビルカバンバは1572年、スペイン軍によって陥落し、皇帝トゥパク・アマルが処刑され、インカ帝国は完全に滅びます。

インカ帝国では、マチュピチュのような石造建設が盛んで、クスコをはじめ、強い王権の存在を示す神殿や宮殿などがありました。スペイン軍はクスコの神殿や宮殿を破壊しましたが、石組みの精巧な土台だけは残し、その上に教会などを建築しました。その後の数度の地震で、教会などは全壊しましたが、インカ人がつくった土台だけはびくともしなかったのです。

インカ帝国には、鉄器はありませんでしたが、青銅器はあり、金・銀は装飾用に使用されていました。文字を持たず、その代わりに、キープ（結縄）という縄の結び目によって、数を表わし、その数の組み合わせによって文意を伝達していました。天文・暦学はマヤ文明やアステカ文明よりも劣っていました。

❖ペルー人と日系人

スペイン支配に対する先住民族の抵抗運動は続きます。インカ帝国遺民としての先住民族の過去の栄光を復興しようとする「インディアン主義」が現われ、反乱が何度か起こります。

1742年、インカ帝国最後の皇帝アタワルパの末裔を名乗る男が現われます。この男はインカ帝国の再興を民衆に訴え、反乱を起こします。1746年、リマは大地震に襲われ、街が破壊されてしまいます。アタワルパの末裔を名乗る男は「地震はインカの神の怒りである」と民衆に告げながら、反乱勢力を拡大させました。アンデス一帯は大混乱に陥ります。しばらくすると、アタワルパの末裔を名乗る男は行方不明となり、反乱は収束していきます。

しかし、その後も、「インディアン主義」を掲げる反乱が断続的に発生します。1780年には、最後のインカ皇帝トゥパク・アマルの末裔を名乗る男が現われ、やはり、反乱が拡大しました。

ペルーでは今日、コロンビアやベネズエラと比べても、先住民族の血統を色濃く残す人々が多いことが、ペルー人の容貌からもわかります。ペルーはもともとインカ帝国の本拠地で、スペイン人の侵略を真っ先に受けましたが、太平洋側に位置し、ヨーロッパから遠いという地理的な理由で、スペイン人をはじめとする白人の移住が、その後、進みませんでした。また、前述のような地震の発生や、「インディアン主義」に基づく反白人の反乱頻発も、白人の移住が進まなかった理由の1つです。

今日、ペルーにおいて、白人との混血メスティーソが約45%いるとされますが、混血と言っても、かなり先住民族の血が濃く、白人的な容貌の特徴はほとんど感じさせません。根拠不充分な「自称混血」もかなり含まれています。純粋な先住民族は約40%とされます。一方、白人は約10%とされますが、数世代離れた先祖に白人がいれば、白人と自称できると考えている人が多く含まれており、純粋な白人は実際にはほとんどいません。その他、約10%未満の中に、中国系や日系をはじめとするアジア系ペルー人がいます。

日系ペルー人は約10万人いるとされ、ラテンアメリカの日系人では日系ブラジル人の約200万人に次ぐ多い人口です。日本人のペルー移民は江戸時代からはじまり、契約移民として本格化したのは、明治時代の1899年からです。この時期の20年間に、約2万人の日本人がペルーに移住し、「アシエンダ」と呼ばれる大農園の労働に従事します。

当初、地主たちの待遇が極めて悪く、劣悪な労働環境のなか、風土病にかかる者が後を絶ちませんでした。また、給与もまともに支払われなかったため、日本政府が乗り出し、地主たちの給与不払いを罰するように、ペルー政府に要請をしています。

なぜ、このような苦労をして、日本人はペルーなど南米に渡ったのでしょうか。当時の日本は日露戦争に勝利したものの、賠償金を得られず、景気が悪化し、税金負担だけが国民に重くのしかかっていました。そして、日本政府は「ペルーなどの新天地に行けば、仕事があり、良い報酬を得ることができる」などと喧伝し、移民を募ったのです。

実態はまったく違っていました。それでも、移住日本人たちは一致団結し、地獄のような過酷な状況を打開していき、持ち前の勤勉さと誠実さで、次第に成功する人が多く現われはじめます。それを妬む現地人も少なくなく、政治が煽動して、不当な反日差別政策を展開し、日本人の商店などが襲撃破壊されることもありました。

第二次世界大戦では、日本はアメリカと戦うことになったため、アメリカ側についたペルー政府は資産凍結措置、隔離政策など、日系人に対する弾圧を強めました。また、アメリカのルーズヴェルト政権は日系人をアメリカの強制収容所に送るよう要請し、これに応じて、ペルー政府は約2000人の日系人を送ったとされます。強制収容所では、過酷な労働が課せられ、多くの人々が命を落としました。

戦後、ペルーの日系社会は名誉が回復されます。日系人は戦時中、酷い仕打ちを受けたにもかかわらず、親たちは子供に憎しみや復讐を教えるのではなく、寛容の精神で社会に貢献することを教えたのです。日系人はペルーに同化することを優先したため、子供には、日本語を教えませんでした。そのため、戦後生まれの日系人のほとんどは日本語を話すことができません。日系人はペルー人の尊敬を勝ち取り、こうしたなかから、1990年から大統領に就任したアルベルト・フジモリ氏のような傑物も現われるのです。

❖エクアドル人、ボリビア人、チリ人

かつて、エクアドル、ボリビア、チリはペルーを発祥とするインカ帝国の版図でした。そのため、これらの国々の先住民族はケチュア族（インカ族）というカテゴリーに入れられることで、共通しています。インカ帝国以前、これらの諸国には無数の部族がいましたが、帝国によって統合されて以降、彼らのほとんどがケチュア族を名乗るようになったからです。実際に、彼らはケチュア族の文化や言語を引き継いでいます。

これらの諸国で、ケチュア族のほかに、少数ながら、アイマラ族がいます。アイマラ族はチ

チチカカ湖沿岸に居住する部族で、この地域を中心に、ペルー、ボリビア、チリに分散しています。13世紀に、アイマラ諸王国を形成しましたが、インカ帝国に編入されます。アイマラ族は編入後も、一定のレベルで、部族の文化や血統を維持していたため、今日でも残っています。

その他、エクアドルのアンデス山脈東部からアマゾン川流域に、いくつかの先住部族が残ります。厳しい自然環境の中、この地域には、インカ帝国の支配も実質的に及ばず、固有の部族社会が残ったとされます。チリの南部もインカ帝国の支配が及ばなかったため、マプチェ族などの部族が残っています。

ペルーの民族構成は、白人との混血メスティーソが約45％、純粋な先住民族が約40％となっていますが、これと比較すれば、エクアドルはペルーよりもメスティーソが多く、約65％となり、コロンビアやベネズエラの構成に近くなっており、先住民族が25％とペルーよりも少なくなっています。これは、エクアドルがペルーよりも、キトやグアヤキルを中心とする都市化が進んだことを表わしており、先住の部族社会が国全体の中で少数派に追いやられた結果でもあります。

しかし、エクアドル人のメスティーソが約65％というのは、根拠不充分なもので、実際には、ペルー人と同様に先住民族の血統を濃く受け継ぐ人がほとんどです。したがって、容貌からエクアドル人とペルー人を見分けることは困難であり、両者はほとんど同じと言ってよいでしょう。一方、コロンビア人やベネズエラ人は白人移民が多かったこともあり、メスティーソは実際に、混血的な容貌の特徴を持っています。

ボリビア人はペルー人よりも、メスティーソの割合が低く、約35%、先住民族がペルー人よりも多く、約50%となります。これは、内陸の山国であるボリビアで、先住の部族社会が残りやすかったという地理的な要因を反映しています。たしかに、ボリビア人はペルー人よりも、先住民族の容貌的な特徴が強まります。ボリビアにも、ペルーと同様に白人が約10%いるとされますが、やはり「自称白人」であり、白人の血統を強く受け継いでいるとはいえません。

チリ人はペルー人などと様相が一変し、白人の血統を強く受け継ぐ人が多くなります。チリ北部には、ケチュア族の血統を受け継ぐ山岳部族が多いのですが、サンティアゴ以南は白人系が多数派です。チリの人口の50%以上が純粋な白人とされ、40%がメスティーソであるとされています。この40%のメスティーソも、白人の血が濃いことが、彼らの容貌からもわかります。

チリは19世紀に、極端な過疎から脱却するため、アルゼンチンと同じく、ヨーロッパからの移民を積極的に受け入れました。同世紀半ば、特にドイツ人がチリに移住し、チリにドイツ人コミュニティが形成されます。その他に、クロアチア人やギリシア人などのバルカン半島人やスコットランド人を含むイギリス人、スイス人やフランス人などの移民も多くいます。

SECTION 50 アルゼンチン人、パラグアイ人、ウルグアイ人

スペイン人移住者の実態

❖第三の白人世界

ラテンアメリカには、33の国があり、その他、イギリス領やフランス領の非独立地域があります。人口は全体で、6億人に迫ります。人口が最も多い国はブラジルで約2億1300万人、次いでメキシコの約1億2900万人、コロンビアの約5100万人、アルゼンチンの約4540万人、ペルーの約3350万人と続きます。

ラテンアメリカ全体で、白人や白人の混血は全体の人口の85%を超えています。白人（あくまでも自認）が約36%、白人と先住民族の混血（メスティーソ）が約30%、白人とアフリカ系黒人との混血（ムラート）が約20%という内訳になっています。

ラテンアメリカ南部のアルゼンチンやウルグアイなどでは、白人だけで、人口の85%を超えています。アルゼンチンは19世紀、ヨーロッパ白人移民を優先的に受け入れる政策を大規模に展開し、「西欧化と白人化」を推進していきます。この時、イタリア人、スペイン人、ドイツ人、

イギリス人などが移住した結果、白人人口が多数を占め、今日に至っています。アルゼンチン人は「自分たちはラテンアメリカ人ではなく、ヨーロッパ人である」と主張しています。

アルゼンチンでも、15世紀以降、インカ帝国のケチュア族やアイマラ族が流入し、もともとアルゼンチンにいた土着部族は彼らに統合されていきます。しかし、アンデス北部のように先住民族の人口は拡大せず、過疎が続いたため、白人がアルゼンチンにやって来た時も、混血は拡がらなかったのです。

15世紀末以降、ラテンアメリカはスペインとポルトガルによって、約300年間、統治されます。この間、スペイン人とポルトガル人がラテンアメリカに移住し、コロニーを形成し、彼らがラテン語派であったため、「ラテンアメリカ」と呼ばれるようになったのです。ラテンアメリカ人の多くが、この移住者たちの血脈を引いています。いずれにしても、アルゼンチンなどラテンアメリカはヨーロッパやアメリカに次ぐ、第三の白人世界といえます。

この他、アラブ人も19世紀末以降、特にシリアやレバノンから多数、ラテンアメリカに移住しました。アラブ人の容貌の特徴を持ったラテンアメリカ人が多いのは、両者の混血が進んだためと考えられます。また、ユダヤ人も、スペイン人の入植よりも少し遅れて、17世紀以降、移住しています。

ラテンアメリカ人は「ヒスパニック（Hispanic）」とも呼ばれます。ラテン語で、「スペイン」は「ヒスパニクス（Hispanicus）」です。「ヒスパニック」は正式な語ではなく、一種の俗語です。

そのため、英語の「スパニッシュ（Spanish）」と「ヒスパニック」は、意味が異なります。前者はいわゆるスペイン人を指し、後者はラテンアメリカ人を指します。学術的な定義はありませんが、便宜上、このように使い分けられているのです。

また、ラテンアメリカ人は「ラティーノ」とも呼ばれます。近年、そのように呼ばれることが多くなっています。ポルトガル語を公用語とするブラジル人など非スペイン語圏出身者は「ヒスパニッシュ」ではないので（広義で含まれることもあるが）、彼らもすべて含めたラテンアメリカ人の総称として、「ラティーノ」が使われます。また、特にアメリカで、「ヒスパニック」の言葉に否定的なニュアンスが含まれると解されることがあり、「ラティーノ」の使用が推奨されることもあります。

❖ラテンアメリカの国家の原形

16世紀以降、中南米のスペイン統治において、北部（中米）と南部（南米）の2つに分けて、これらを2人の総督が統治しました。スペイン総督はスペイン国王の代理として、現地を統治したため、「副王」とも呼ばれます。

中米区域（カリブ海諸島含む）は「ヌエバ・エスパーニャ副王領」と呼ばれ、メキシコシティに本拠が置かれました。南米区域は「ペルー副王領」と呼ばれ、クスコに本拠が置かれました。

さらに、18世紀になると、南米区域が3つに分割され、「ペルー副王領（ペルー、チリ）」、「ヌエバ・グラナダ副王領（ベネズエラ、コロンビア、パナマ）」、「リオ・デ・ラ・プラタ副王領（アルゼンチン、ボリビアなど）」となります。中米と合わせ合計4つの副王領ができあがります。これら4つの副王領の行政区分が現在のラテンアメリカの諸国家の区分の原形となります。

もともと、ペルー副王領はポルトガル領ブラジルを除く南米大陸全域を管轄領にしていましたが、本拠のクスコが太平洋側にあり、スペイン本国との連絡がスムーズではなかったため、大西洋岸に新たな本拠を設ける必要がありました。

また、18世紀以降、イギリスの新大陸進出が本格化し、スペインはこれに備えなければなりませんでした。北米東海岸から、カリブ海へ向けて南下してくるイギリス勢力に対抗するため、カリブ海沿岸地域の防衛網を構築するため、カルタヘナ（コロンビア北部）港が本格的に城塞化され、さらに、ベネズエラのカラカスも整備されます。

クスコとは切り離された新しい本拠としてのボゴタの重要性が見直され、ボゴタによって、カリブ海沿岸の防衛網構築の指揮が発せられたのです。こうして、ヌエバ・グラナダ副王領が1717年以降、形成されていきます。

1776年以降、ブエノスアイレスを本拠とするリオ・デ・ラ・プラタ副王領もペルー副王領から分離されていきます。この領域はスペイン本国との貿易ルートをつなぐために創設されます。これまでは、クスコが大西洋貿易の指揮をとっていましたが、太平洋側の遠く離れたクスコではなく、大西洋に面したブエノスアイレスが直接、指揮をとることになります。

リオ・デ・ラ・プラタ副王領に、アルゼンチンだけでなく、ボリビアが含まれるのは、ボリビアのポトシ銀山などで産出される銀や金などの資源をブエノスアイレスに運び、そこから、スペインへ輸出するというルートが取られたためです。

これ以降、ブエノスアイレスは「ポルテーニョ（porteño）」（「港の人」という意味）と呼ばれる交易者たちにより、急速に発展します。「ブエノスアイレス」とはスペイン語で「ブエノ（bueno）」（「良い」という意味）と「アイレス（aires）」（「風」という意味）がつながった言葉で、良い風に恵まれた航海の順調を祈る思いが込められています。

また、「リオ・デ・ラ・プラタ」はスペイン語で「銀の川」を意味します。ブエノスアイレスを河口に持つラプラタ川に、スペイン人がやって来た時に、先住民族が大量の銀を持っているのを見て、「ラ・プラタ（La Plata）」（「銀」の意）と名づけたのです。さらに、「銀」を意味するラテン語「アルゲントゥム（Argentum）」から地名を表わす「アルヘンティーナ（Argentina）」が、1825年、国号となります。国号をラテン語に置き換えたのは、スペイン人支配者が名付けたスペイン語読みの「ラ・プラタ」を嫌ったからです。

18世紀後半、ブエノスアイレスを本拠とするリオ・デ・ラ・プラタ副王領が四副王領の中でも最も栄えました。しかし、19世紀初頭、ナポレオンにより、スペイン本国が占領され、その混乱の隙を突き、イギリスがブエノスアイレスに侵攻します。スペイン本国から派遣された副王は戦わずして逃亡します。

これを機に、ブエノスアイレスのクリオーリョ（現地生まれの白人のこと）たちが立ち上がり、イギリス軍を撃退することに成功します。1810年、クリオーリョは自治政府（フンタ）を築き、リオ・デ・ラ・プラタ副王領から、ブエノスアイレス一帯が独立しました。この動きは後のサン・マルティンらによる独立運動につながります（後段で詳述）。

❖20倍の数の先住民族と混血

スペイン人が16世紀以降、ラテンアメリカの植民地化をはじめます。同世紀、おおよそ10万人のスペイン人がラテンアメリカ全域に移住しています。

一方、この期間、ラテンアメリカの先住民族の人口は激減しました。メキシコを中心とするヌエバ・エスパーニャ副王領全体で、2000万人いた先住民族の人口はスペイン人が持ち込んだ疫病のため、1600年頃には、1000万人にまで激減しています。この期間、ヌエバ・エスパーニャ副王領へのスペイン人の移住者は最大で5万人程度と考えられており、5万人程度で1000万人を支配し、20倍の数の先住民族をスペイン化（言語・宗教・混血）したことになります。

また、旧インカ帝国領域でも、1000万人を超えていた人口が、1600年頃には、100万人にまで激減しています。やはり、ここでも、スペイン人5万人程度で、100万人の先住民族を支配したのです。

16世紀から18世紀の間、ラテンアメリカ全域に移住したスペイン人の総計は約50万人にのぼります。19世紀に入ると、移民の数は急増します。特に、同世紀後半から、アルゼンチンやキューバなどがスペイン人移住者を積極的に受け入れたこともあり、同世紀の総計は約250万人にのぼります。ちなみに、当時の1808年のスペイン本国の国勢調査では、ナポレオン侵入当時、スペインの人口が1200万であったことが報告されており、この母体数を考えれば、ラテンアメリカへの移民は少なくない割合で推移していたことがわかります。また、19世紀の初め頃、ラテンアメリカ全域の人口は900万人程度であったと推計されています。

図50-1｜スペイン人の中南米移住者数推移

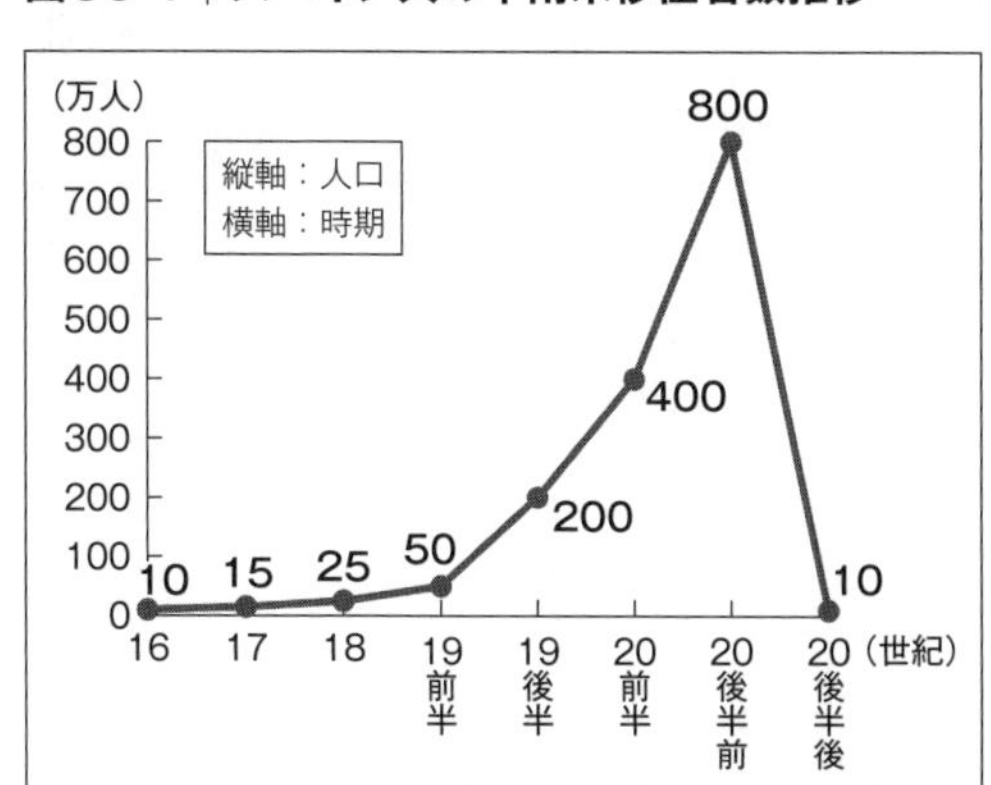

※出典：Alicia Alted Vigil『De la España que emigra a la España que acoge』（Fundación Francisco Largo Caballero、2006）をもとに著者作成

20世紀前半の1936年からスペイン内戦がはじまり、本国が大混乱に陥ります。この期間を含む20世紀前半に、400万人以上がラテンアメリカへ移住しています。19世紀後半から戦後までで、総計約600万人がスペインを離れています。戦後も、移民ラッシュは続き、800万人が移住しました。

戦前までは、アルゼンチンなどの肥沃な農耕地帯で、農業に従事する労働者が多かったのですが、戦後は機械工などの技術者も多く移住しています。しかし、1970年代以降、ラテンアメリカ諸国政府の移民規制などにより、急速に移民者が減ります。

スペイン人はラテンアメリカにおいて、先住民族を支配し、搾取し、自らの経済的・政治的優位性を形成しました。そして、経済力を背景に、多くの先住民族の女性を妾とし、混血児を生んでいきました。

前述の通り、植民地初期の時代には、スペイン人5万人に対し、100万人の先住民族なので、20倍の数ですが、スペイン人の男性が複数人の先住民族の女性を妾にしていたため、ほんの数世代で混血は一気に拡がります。

スペイン人支配に対し、先住民族は、たびたび反乱を起こしましたが、スペイン人の近代兵器には敵いませんでした。先住民族の男性らは実質的に奴隷として酷使されたのです。

精神支配のツールとして、カトリックが使われます。ラテンアメリカ各地に異端審問所が設置され、スペイン人に反抗的な先住民族を捕らえ、拷問しました。先住民族の宗教や精神文化は強制的に廃棄させられ、先住民族は自らのアイデンティティを失っていくのです。

❖悲運の武人サン・マルティン

19世紀になると、ラテン・アメリカはかつての支配者層とは別に、現地生まれのスペイン人中産階級が台頭します。中産階級は貧困の原因をスペイン本国の搾取のせいであると喧伝し、それを民衆に示しました。しかし、これは実態には程遠いものでした。もはや、スペイン本国のラテンアメリカの介入はほとんどなく、介入する体力すらもありませんでした。

それにもかかわらず、中産階級は旧支配者層がスペインと癒着し、搾取していると喧伝し、民衆を味方につけることに成功します。そして、スペインから独立するという名目（事実上は独立していた）で、アメリカ合衆国に真似た独立革命を起こし、旧支配者層を追い出します。

その主導者がラテンアメリカ独立の父とされるシモン・ボリバル、サン・マルティン、ミゲル・イダルゴたちです。ボリバルはラテンアメリカ北部（ベエズエラ・コロンビア・エクアドル）の独立を主導します。サン・マルティンはラテンアメリカ南部（アルゼンチン・チリ・ペルー）の独立を主導します。ミゲル・イダルゴはメキシコの独立を主導しました。

サン・マルティンはアルゼンチンで生まれたクリオーリョ（現地生まれのスペイン人）です。彼の父はスペイン軍の軍人でした。サン・マルティンは幼少の頃から、アルゼンチンではなく、スペインで教育を受け、父と同じく、スペインの軍人になります。サン・マルティンはスペイン軍の師団長になっていましたが、故郷のアルゼンチンで、独立運動が起こると、これに身を投じることを秘かに決意し、1812年、アルゼンチンに帰国します。

しかし、独立軍はスペイン軍に苦戦していました。サン・マルティンはスペイン軍の拠点となっていたペルーのリマを攻略すべきと提案します。独立政府はサン・マルティンの提案を入れ、彼を指揮官に任命します。

サン・マルティンは5000の軍勢を率いてアンデス山脈を越え、チリに入り、これを独立させました。さらに、北上してペルーに侵攻し、スペイン軍の背後を突き、敗退させます。戦意を失ったスペイン軍は総崩れとなり、サン・マルティンはあっさりとリマを攻略し、ペルーの独立を宣言します。

その後、クスコで態勢を立て直したスペイン軍が反撃に転じます。リマのサン・マルティンらは次第に追い詰められていきます。そこで、サン・マルティンは、コロンビアやベネズエラの独立で活躍していたシモン・ボリバルに援軍を依頼するため、1822年、エクアドルのグアヤキルで会見します。しかし、ボリバルはサン・マルティンらを信用せず、援軍要請に応じようとしなかったのです。

怒ったサン・マルティンは交渉を一方的に打ち切ります。ペルーの支配を断念し、アルゼンチンに帰ります。チリの独立を達成させたものの、結局、ペルーから撤退することになったサン・マルティンは、アルゼンチンでは冷ややかに見られていました。アルゼンチンに彼の居場所はなく、パリに亡命し、失意のうちに亡くなります。

19世紀後半、国家主義の盛り上がりのなか、アルゼンチンで、サン・マルティンの再評価がなされ、「建国の英雄」と祭り上げられるようになります。実際、アルゼンチンの独立はリマのスペイン軍本拠を突いたサン・マルティンらの作戦によって確保されたと言っても過言ではありません。

同時期、ペルーでも、サン・マルティンの再評価がなされます。ペルーでは、最初に独立を達成したのがサン・マルティン、その独立を確保したのがシモン・ボリバルという評価になっています。サン・マルティンがペルーから撤退した後、ボリバル軍がペルーに入り、スペイン軍を駆逐して、ペルーの独立を守りました。

ボリバルはペルーから、側近のスクレをボリビアに派遣します。スクレはスペイン軍を撃退し、1825年、ボリビアを独立させました。ボリバルとスクレの功績を讃え、国名をボリビア、首都名をスクレと定めます。スクレは現在でも、ボリビアの憲法上の首都ですが、政治的にも経済的にも実質の首都はラパスです。

こうして、19世紀前半にラテンアメリカ諸国が独立していきますが、独立後も貧困問題や格差は一向になくならず（今日でもなお）、さらに社会が混乱していくことになります。また、クリオーリョの特権的支配ということも変わりませんでした。

独立後、各地の有力なクリオーリョが連合を組むなどして、勢力を拡大していき、これらの諸連合が互いに激しく争いました。この争いのなかで、今日のようなラテンアメリカの国境線が画定されていき、それぞれの国家もまた形成されていくのです。

19世紀に、ヨーロッパが産業革命によって発展していくのに対し、ラテンアメリカは原料供給国の地位に甘んじ、近代化が起こりませんでした。一部の特権的な農園地主たち（クリオーリョ）の自己の利益さえ確保できればよいという風潮が前提となり、社会全体が封建的閉塞に覆われていたのです。

❖パラグアイ人とウルグアイ人

パラグアイの首都アスンシオンはブエノスアイレスよりも先に、スペイン人によって、建設されています。１５３６年、スペイン人はラプラタ川河口の現在のブエノスアイレスに到達していますが、先住民族の攻撃を受け、街を建設することができませんでした。部隊の大部分はこの地域から撤退しますが、一部がラプラタ川水系を遡り、アスンシオンに街を建設しはじめたのです。

そして、１５８０年、アスンシオンのスペイン人がラプラタ川を下り、ブエノスアイレスの再建をはじめるのです。つまり、アスンシオンの開拓者がパラグアイとアルゼンチンの植民化の礎を築いたといえます。

この地域におけるスペイン人は当初、チャルーア族などの攻撃的な先住民族に圧迫されていましたが、上流域のグアラニー族と出会うと、彼らと協調していきます。スペイン人とグアラニー族は同盟し、他の先住民族を撃破していきます。この過程で、両者の混血が進みます。今日、パラグアイ人の90％以上がスペイン人とグアラニー族との混血です。

また、１８１１年の独立以来、パラグアイ政府は異人種間の通婚を推奨したこともあり、混血が継続的に進んだのです。パラグアイでは、人々の容貌がアルゼンチンやウルグアイと異なり、先住民族の特徴が強まるのは、こうした経緯があるためです。

図50-2｜パラグアイ、ウルグアイ周辺地図

ラプラタ水系の中・上流域で生産されたタバコなどの農産物や皮革を下流のブエノスアイレスに運び、輸出していました。アスンシオンはラプラタ水系の内陸部拠点となり、発展しました。

パラグアイもスペイン植民地リオ・デ・ラ・プラタ副王領の一部でした。しかし、1808年、ナポレオンがスペイン本国を占領すると、パラグアイ人はスペイン人官吏を追放し、1811年、パラグアイ共和国の独立を宣言します。その後、アルゼンチンから、統合の呼び掛けなどありましたが、拒否し、独立を維持しました。

19世紀後半、パラグアイはウルグアイの内紛に乗じて、ブラジルに戦争を仕掛けましたが、ブラジルがウルグアイと同盟し、さらにアルゼンチンを引き込みます。パラグアイは三方を囲まれて、苦戦し、人口が半

減する多数の犠牲者を出します。

一方、パラグアイの南方のウルグアイは、ポルトガル植民地であったブラジルとスペイン植民地であったアルゼンチンに挟まれ、両者の利害対立の中で生まれた国です。両者は互いに、この地域の領有権を巡り争っていましたが、1828年、イギリスが仲介し、ウルグアイを緩衝地帯として独立させることで合意します。

独立後、イギリスがウルグアイへの発言権を強め、経済進出します。ウルグアイ人は白人がほとんどで、公用語はスペイン語です。これは、ウルグアイがアルゼンチンと同じく、ヨーロッパの白人移民を積極的に受け入れてきたからです。

アルゼンチン人もウルグアイ人もほとんど混血がいないとされますが、アルゼンチン人と比べ、ウルグアイ人のほうが混血の割合が若干多くなります。しかし、近年の遺伝子調査によると、約4割のウルグアイ人はチャルーア族などの先住民族の遺伝子を引いているとされます。

SECTION 51

カリブ諸国人、中南米人

多様な民族構成の歴史的背景

❖1492年という先住民族の悲劇

コロンブスはリスボンに定着し、航海士・地図製作者として一定の成功を収めました。そして、マデイラ島を所有する貴族の娘と結婚します。マデイラ島はリスボンより南西1000キロ離れた島で、砂糖を生産していました。

コロンブスはマデイラ島へ砂糖買付けのために航海します。この時、コロンブスは島の西から流れ着く漂流物が、ヨーロッパにはない道具や装飾品であるのを目撃します。ヨーロッパやアフリカの人種ではない人間の死体が流れついたという話なども聞きます。コロンブスは「大西洋の向こうに、マルコ・ポーロが書いたジパングやインドがあるにちがいない、それもすぐ近くに」と考えるようになります。

マデイラ島に流れ着いた死体はどの民族のものだったのでしょうか。黒人でも白人でもないとするならば、黄色人種ですから、アメリカの先住民族だったと考えられます。しかし、常識的に考えて、アメリカの先住民族の死体が大西洋を漂流して、マデイラ島まで漂着するなどとは信じられず、この死体の話はコロンブスによってでっち上げられた話かもしれません。航海船を建造し、探検隊を組織することには莫大なカネがかかります。資金を投ずるパトロンはコロンブスの主張に物証のようなものを必要としており、コロンブスはこれに応えるため、黒人でも白人でもない人種の死体が西から流れ着いたとする話を作り上げた可能性があります。

ようやく、スペイン王室がコロンブスに資金を拠出し、1492年、コロンブスは3隻の船と100人程度の船員を率い、スペインのパロス港を出発しました。2か月かけ、大西洋を越え、アメリカ大陸東のバハマの小さな群島にたどり着きます。コロンブスはここをインドだと勘違いし、「西インド諸島」と名付けます。

その後、探検家アメリゴ・ヴェスプッチにより、この地域はインドとは違う新しい地域であることが判明し、彼の名にちなみ、「アメリカ」と名付けられました。西周りでインドに到達するというコロンブスの計画は失敗したものの、新大陸を発見するという、スペインにとって思わぬ見返りがあったのです。

コロンブスはその後も、新大陸の探索を続け、合計4回の遠征を行ないました。1498年、3回目の遠征で、現在のベネズエラのオリノコ川の河口に至ります。その膨大な量の河水から判断して、それが巨大な大陸を流れる大河であることが認識されました。

コロンブスは死ぬまで、新大陸をアジアの端であると信じて疑わなかった、とされます。しかし、本当のところ、彼は、それがアジアとは異なる別の大陸だということに気付いていたのではないでしょうか。

コロンブスが見た、インディアンたちのジャングルの原始生活は、マルコ・ポーロが『東方見聞録』で記した「カタイ（中国）」とは明らかに様子が違い、おかしいと感じたはずです。また、黄金の国ジパングらしき情報の片鱗すら、コロンブスはそこに発見することができなかったのです。

コロンブスが到来したバハマ諸島には、先住民族のアラワク族などが定住していました。コロンブス以降、多くのヨーロッパの探検家がバハマ諸島を含む西インド諸島を経由して、新大陸へと入ったため、諸島の先住民族はヨーロッパ人が持ち込んだ疫病などで激減します。また、強制労働で命を落とした先住民族も少なくありませんでした。

16世紀以降、激減した先住民族の代わりに、アフリカから、多くの黒人奴隷が西インド諸島に連れて来られます。バハマ、ハイチ、ドミニカ共和国、ジャマイカなどの西インド諸島の国々で、全人口の9割前後が黒人か黒人の混血です。

❖奴隷貿易がなくなった本当の理由

スペイン人入植者は先住民族や黒人の女性を妻や妾にして、混血児を生んでいきました。スペイン人とインディアンとの混血は「メスティーソ」と呼ばれ、スペイン人と黒人の混血は「ム

18世紀に描かれた混血の階級順位（メキシコ国立人類学博物館蔵）

ラート」と呼ばれました。さらに、インディアンと黒人の混血は「ザンボ」と呼ばれます。また、植民地の現地生まれの純粋なスペイン人は「クリオーリョ」と呼ばれます。ラテンアメリカでは、混血の組み合わせによって、人々は厳格に階級化されていました。

ラテンアメリカのほとんどは不毛の土地でした。それらを開拓したのはスペイン人ら白人ではなく、先住民族やアフリカから連れて来られた黒人でした。

スペイン人は農園や鉱山を経営し、当初、先住民族たちを強制的に働かせました。先住民族たちはろくに食事も与えられず、飢えや病気で死んでいきました。そのため、インディアンの人口が急減したということが、宣教師のラス・カサスなどによって報告されています。

一方、スペイン人が経営する農園や鉱山は拡大していき、労働力が慢性的に不足しました。不足を補充するため、スペイン人は新たに、アフリカの黒人を使用することになります。アフリカに植民地を持っていたポルトガルがスペイン領新大陸に、黒人奴隷を供給します。奴隷貿易の利益は莫大で、当初、ポルトガルがこれを独占していましたが、オランダ、イギリス、フランスの商人も参入します。

また、18世紀後半から19世紀前半にかけて、イギリスは安い綿原料を確保するため、西インド諸島における無数の無人島のいくつかを占領し、これを開墾して、綿花畑にします。広大な綿花畑を開墾し、耕し、栽培するなどの維持管理する労働に黒人奴隷が充てられました。

アフリカから連れて来られた黒人たちは二度と故郷に帰れず、非人道的な扱いを受けました。約300年間、奴隷貿易でラテンアメリカ全体に連れて来られた黒人の数は900万人～1100万人と推定されています。今日の西インド諸島における諸国をはじめとするラテンアメリカの黒人やその混血の多くは彼らの子孫です。

黒人によって、不毛の土地が豊かな農園に開拓され、そこで産み出された莫大な利益を白人たちが収奪します。ラテンアメリカでは、歴史的に民族間の「支配－被支配」の関係が定着し、それは今日に至るまで続いており、社会の閉塞や歪みの大きな原因になっています。

大量の奴隷たちがアフリカから連行されたため、アフリカ地域の人的資源が急激に枯渇し、

18世紀末に、奴隷の卸売り価格が上昇しました。また、南北アメリカ大陸における砂糖、綿花の生産量増大による価格低下で、奴隷貿易の利益は先細りしはじめました。

人道的な批判や世論も強まり、イギリス議会は１８０７年、奴隷貿易禁止法を制定します。しかし、それでも19世紀半ばまで、奴隷貿易は続きます。この頃、イギリスはインドの植民地化を着々と進め、インド産の原綿を収奪しました。また、ポルトガル領ブラジルでは、農業技術の革新があり、砂糖の生産量が飛躍的に向上しました。原綿、砂糖の供給が増加し、価格が下がる一方の状況で、奴隷貿易はついに利益が出なくなり、自然消滅していきます。奴隷貿易がなくなったのは、人道的な理由というよりはむしろ、経済的な理由によるところが大きかったといえます。

❖カリブ諸国の民族

ハイチ人の約95％が黒人で、残りのほとんどがムラート（白人と黒人の混血）です。ハイチはフランスの植民地でした。フランス革命が発生すると、黒人奴隷のトゥサン・ルーベルチュールはハイチの独立運動を指導し、１８００年に独立を宣言します。この時、彼らは多くの白人地主を処刑しています。

しかし、ルーベルチュールは１８０３年、ナポレオン軍によって捕らえられ殺されます。しかし、ルーベルチュールの遺志を継いだ黒人たちがナポレオン軍を撃退し、１８０４年、ハイチは黒人共和国として、最初の独立を達成します。独立後、残った白人は徹底的に処刑されました。こうして、ハイチは白人がほぼいない国となり、今日に至ります。

図51-1 | カリブ諸国と中米

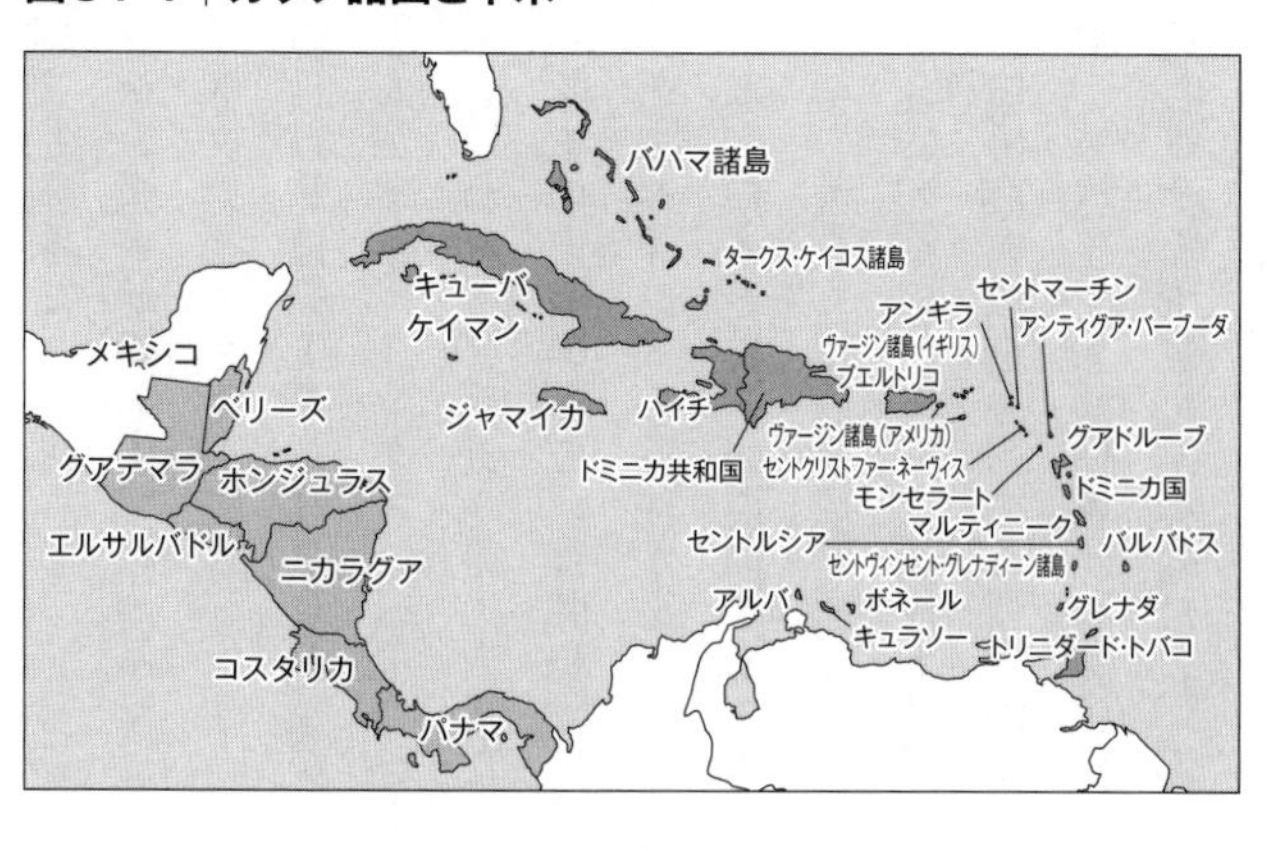

ハイチはラテンアメリカの中でも最貧国の1つで、1人当たりのGDPは約1700ドルで経済破綻しているベネズエラと同じレベルです。ハイチ人は困窮する自国で職を得られず、他国へ出稼ぎに行っています。メキシコなどでは、建設などの現場労働者に多くのハイチ人がいます。

ラテンアメリカの黒人国家が皆、ハイチのように貧しいわけではありません。バハマなどはラテンアメリカの中でも最も豊かな国で、1人当たりのGDPは2万8000ドルにもなります。タックス・ヘイヴンで、投資を呼び込むことに成功しています。企業や個人がペーパーカンパニーを設立していることでも知られています。

バハマはかつてイギリスの植民地で、現在は、イギリスの女王を君主とし、総督をその代理人とする、立憲君主制国家です。

ラテンアメリカの中で、バハマに次いで富裕な国が、西インド諸島のバルバドスやセントクリストファー・ネーヴィス、トリニダード・トバゴ、アンティグア・バーブーダで、1人当たりのGDPは約1万6000ドルから約1万4000ドルの水準です。やはり、バハマと同じく黒人が多く、タックス・ヘイヴンで成功しています。ちなみに、ラテンアメリカで平均的な水準と思われるブラジルの1人当たりのGDPは約7500ドルです。

ハイチの東隣のドミニカ共和国はスペインのラテンアメリカ侵略の拠点となったところで、多くのスペイン人の移住があり、今日でも、全人口の15%以上を白人が占めています。また、約75%が白人と黒人の混血であるムラートです。純粋な黒人が約95%を占めるハイチとは、この点で、大きく民族構成が異なります。

さらに、その東側のプエルトリコもまた、民族構成が異なります。プエルトリコは、白人が全人口の75%以上を占める白人国家です。プエルトリコには、スペイン本国の支配が強くは及ばず、スペイン人移住者が小農民化し、小規模な農場を経営し、大規模なプランテーションが発達しませんでした。そのため、黒人奴隷が大規模に導入されることもなく、白人が今日に至るまで多数派を維持してきたのです。

キューバもまた、白人が多数派の国家です。白人が50%以上で、ムラートが40%未満、黒人が10%以上という構成になっています。

かつて、スペインはキューバへの植民地支配を強め、本拠地ハバナはメキシコシティやリマに続き、繁栄しました。砂糖プランテーションの労働力として、黒人奴隷が連れて来られました。

19世紀から20世紀の間、キューバはヨーロッパ各地からの移民を積極的に受け入れたため、この時代に、白人の人口が増大しました。しかし、１９５９年のキューバ革命によって社会主義政権となり、白人の富裕層が国外に亡命しました。次第に、政治が行き詰まり、経済的に困窮し、現在に至ります。

キューバの南方のジャマイカは黒人国家で、全人口の90％以上を黒人が占め、これはラテンアメリカでハイチに次ぐ多さです。その他、ムラートが７％以上を占めます。ジャマイカでは、スペインが砂糖プランテーションを大規模に組織し、西アフリカから黒人奴隷が大量に連れて来られました。

しかし、17世紀後半に、イギリスがジャマイカを占領支配すると、スペイン人はジャマイカを去りました。その後、イギリスに対するジャマイカ黒人の反乱が相次ぎ、イギリス人の入植は限定的にならざるを得ませんでした。それでも、１９６２年に独立するまで、イギリスの支配は強固に続いたため、今日でも、ジャマイカでは英語が公用語になっています。

アメリカのバイデン政権のカマラ・ハリス副大統領の父はジャマイカ人の経済学者です。母はタミル人です。日本でも、カマラ・ハリス副大統領が「黒人」と報道されていますが、タミル人は黒人ネグロイドとは違います。前述のように、ジャマイカ人の90％以上が黒人ですが、ムラートも7％以上います。カマラ・ハリス副大統領の父はその容貌からしてムラートでしょう。いずれにしても、父の家系に黒人がいたということを前提にカマラ・ハリス副大統領が「黒人」とされているのです。

ちなみに、1960年代まで、アメリカでは、16分の1、つまり自分の祖父母に、アフリカ系黒人がいれば、黒人に分類されていました。19世紀には、一滴でも黒人の血が混ざっていれば、黒人に分類されていました。こうした定義を踏襲する人もいれば、しない人もおり、一概にはいえませんが、アメリカにおいて、「黒人」とは白人ではない肌の色の黒い人たち全般を指すという漠然とした認識があります。

❖中米諸国の民族

中央アメリカ（中米）は北アメリカ（北米）と南アメリカ（南米）をつなぐ地峡部で、グアテマラ、ベリーズ、エルサルバドル、ホンジュラス、ニカラグア、コスタリカ、パナマの7か国からなる地域です。広義には、これにメキシコを入れる場合があります。

これらの国々では、メスティーソや先住民族がほとんど、あるいは多数派（ベリーズ）ですが、コスタリカだけは白人の割合が全人口の95％を占める白人国家です。しかし、コスタリカ人の多くは純粋な白人ではなく、実際にはメスティーソやムラートです。

とはいえ、コスタリカ人が他の中米諸国人と比べても、白人的容貌の特徴を強く持つのも事実です。これは、コスタリカが辺境の地で、もともと先住民族の人口が少なかったため、スペイン人などの白人移住者が少数であったとしても、白人の血統の割合が大きくなったことが影響していると見られます。また、スペインの支配も強く及ばず、プランテーションは運営されていましたが限定的で、黒人奴隷の流入も少数にとどまり、結果的に白人の血統が強く維持されてきたのです。

グアテマラは中米の中で最も先住民族が多く残っており、その風習や文化も維持しています。グアテマラの先住民族は全人口の中で、約4割を占めます。先住民族のうちの約半数がユカタン半島を中心とするマヤ系民族です。残りの約6割はメスティーソとされますが、グアテマラのメスティーソは先住民族の血統を濃く受け継いでおり、先住民族の風習を捨てて都市化された人々全体を指すニュアンスもあります。

ホンジュラスやエルサルバドルでは、メスティーソが約9割を占め、南方のニカラグアはコスタリカと同じように、白人の割合が増え、全人口の約2割弱を占め、メスティーソが約7割弱と比率が下がります。ニカラグアのメスティーソはコスタリカのように、白人的な容貌が強まります。

ニカラグアはコスタリカと並び、スペイン人をはじめ、白人移住者の多い地域でしたが、1979年、サンディニスタ左派政権が成立すると、アメリカが軍事介入し、1990年まで内戦状態が続きます。内戦時代に、多くの白人たちが国外に逃亡し、白人人口が急減したのです。

ホンジュラスやエルサルバドルは16世紀以降、スペインにより、組織的に植民化され、スペイン人入植者も増大します。ホンジュラスでは豊富な金や銀などが産出され、エルサルバドルでは、藍が生産されます。16世紀以降、長い時間をかけて、スペイン人と先住民族が混血し、メスティーソが約9割を占めるという人口構成となります。なお、エルサルバドルは大西洋に面していないため、中米で唯一、黒人が連行されて来なかった国です。

1513年、デ・バルボアがパナマ地狭を渡り、太平洋側に到達して以来、パナマは交通の要衝と認定され、1519年、スペインにより、パナマ市が建設されます。ペルーやボリビアの金や銀、農産物は海路で太平洋側のパナマ市まで運ばれ、パナマ地狭を渡り、カリブ海側に輸送されて、そこから海路でスペインまで送られます。スペイン人の入植も進み、先住民族との混血も進みます。

パナマでは、メスティーソが約7割を占めます。パナマでは、プランテーションが組織され、黒人奴隷も多く連行されて来ました。白人と黒人の混血のムラートが15%程度もいるのは、そのためです。白人も約10%います。アメリカ主導により、1904年からはじまるパナマ運河建設で、アメリカ人、イタリア人、イギリス人技術者や労働者が動員され、彼らはそこに住み着くようになります。今日のパナマの白人の多くが彼らの子孫だと考えられます。

SECTION 52

ブラジル人
先住民族ではなく、黒人との混血が多かった入植者

❖ポルトガル人によるブラジルの「発見」

１４９２年、コロンブスが「インド」（実際は新大陸）に到達したという情報が伝わると、ポルトガルとスペインが、その支配圏を巡り、争いを起こす可能性が高まりました。教皇アレクサンデル６世はカトリック両国の争いを調停するために、スペインの要請により、１４９３年、教皇子午線を設定します。これにより、子午線の東をポルトガルの勢力圏、西をスペインの勢力圏とすることが決まりました。

しかし、それはスペイン側に有利な裁定であり、ポルトガルは強い不満を抱き、再交渉を要請します。その結果、１４９４年、スペイン北西のトルデシリャスで代表が会談し、教皇子午線とされるヴェルデ岬の西方１００レグア（スペイン語・ポルトガル語圏で使われた距離の単位。１レグアは約５０００メートル）の線を、さらに３７０レグア西方に移動させることで、修正が成立しました（トルデシリャス条約）。つまり、約１８５０キロメートル（日本列島本州の長さと同じ）西方

図52-1｜教皇子午線とトルデシリャス条約境界線

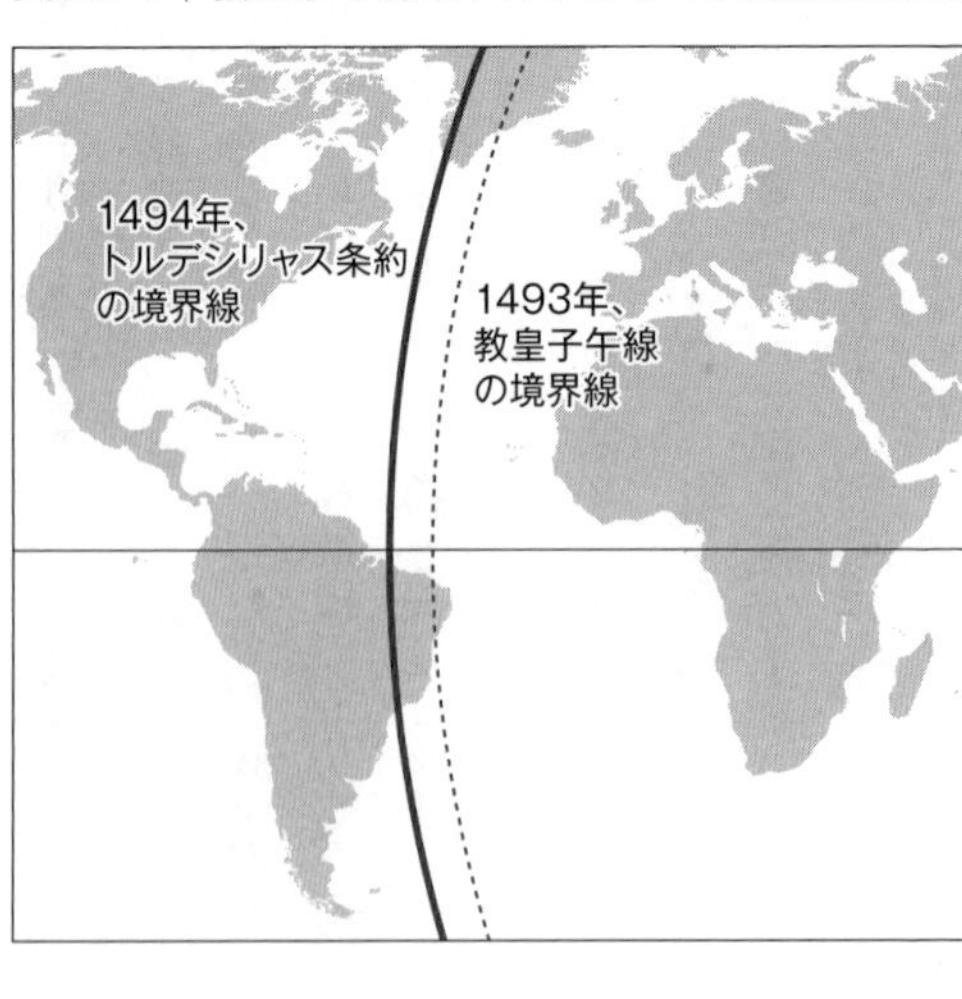

に境界線がずれたことで、その分、ポルトガルが得をしたことになります。

この時、両国は、その境界線がインド付近を通っていると考え、新大陸のブラジルの東端を通っているとは知りませんでした。１４９９年のアメリゴ・ヴェスプッチの航海で、この地域はインドとは違う新しい地域であることが確認されて、ドイツの地理学者ヴァルトゼー・ミューラーがアメリゴ・ヴェスプッチの名にちなみ、新大陸を「アメリカ」と名付けました。

新大陸の存在が確認されて、両国は境界線が、未知の新大陸付近を通っていることを認識しはじめます。このようなタイミングで、ポルトガル人貴族のカブラルは１５００年、船団を率いてリスボンを出航しましたが、暴風のため、ブラジルに漂着します。建前上、スペインを刺激しないために、「漂着」とし、実際は、意図的に向かったと捉える説もあります。

カブラルの到達したブラジルがトルデシリャス条約の境界線より東にあったことが確認されて、ブラジルはポルトガル領となります。もし、意図的に向かったとする説が正しいならば、ポルトガルは境界線より東に、陸地がないか探し、結果として、探し当てることに成功したということになります。カブラルたちは、ブラジルの地を島と認識し、「ヴェラ・クルス（「真の十字架」を意味する）島」と名付けます。その後、ポルトガル王マヌエル1世が「サンタ・クルス（「聖十字架」を意味する）島」と改名します。

「ブラジル」の名称も同時に親しみを込めて使われ、普及していきます。ブラジルでは、スオウの木が多くあり、木の心材の赤が高級衣類の染料として用いられました。その染料の炎のような赤を、ポルトガル人はポルトガル語で「ブラーザ（「灼熱」を意味する）」と呼びます。多くのヨーロッパ人がその鮮やかな赤に魅了されたのです。

スオウの染料が多く輸入されるにつれ、「ブラーザ」の愛称が普及し、「ブラジル」と変化して、16世紀中頃には、これが地名として定着するようになります。

カブラルがブラジルに到着した1500年の当初、ポルトガル人の入植はほとんど行なわれませんが、スオウの染料が交易されはじめる1530年代以降、入植が進みます。スオウの染料の輸出に加え、サトウキビ生産が行なわれるようになると、ポルトガル人が組織的にブラジルに入植し、また、アフリカから多くの奴隷を連行し、サトウキビ・プランテーションを経営します。1549年には、ブラジル総督が置かれ、首都がサルヴァドールに定められ、街が建設されはじめます。1567年には、リオデジャネイロが建設されます。

❖ポルトガル人の入植

ブラジルの先住民族はコロンブス以前の時代に、グアラニー族をはじめ100万～300万人程度いたと推定されています。しかし、ポルトガル人が持ち込んだ疫病、また、ポルトガル人による虐殺や労働酷使により、先住民族の人口は短期間で激減したと見られています。

そのため、ブラジルでは、先住民族との混血メスティーソがほとんどおらず（あくまでも統計上）、先住民族の人口も現在、約20万人程度しかいません。アマゾンの密林地帯の奥地には、近年まで文明との接触をしてこなかった部族がおり、彼らもこの数に含まれます。

その代わりに、サトウキビ・プランテーションの労働力として連行されて来た黒人の子孫が多く、黒人と白人との混血ムラートと、純粋な黒人が人口に占める割合は4割強にのぼります。

一方、白人が5割強ということになっていますが、純粋な白人というよりはむしろ、先住民族や黒人の血が混じっている「自称白人」が多いのが実態でしょう。

16世紀後半、ポルトガル人のブラジル入植が進みますが、1580年、ポルトガルで、アヴィス朝が断絶し、スペイン・ハプスブルク家がポルトガルを事実上、併合しました。ブラジルはスペインと敵対したオランダの攻撃に晒されるようになります。1621年、オランダはサルヴァドールを占領し、しばらくの間、ブラジルを支配します。

スペインはポルトガルを抑圧したため、ポルトガル人の独立意識が高まります。1640年、ポルトガルは独立し、アヴィス家の分家であるブラガンサ家のジョアン4世がポルトガル王に即位しました。これと同時に、ブラジルのポルトガル人は本格的にオランダへ抵抗をはじめます。幾度かの激しい戦いを経て、1654年までに、オランダはブラジルから撤退します。

17世紀後半以降、ポルトガル人のブラジル入植が進み、ブラジルの奥地も開拓されていきます。ブラジルの奥地はトルデシリャス条約で定められた境界線を越えていましたが、ポルトガルが実質支配し、領有が確定していきます。アマゾン流域の奥地だけでなく、南部のブエノスアイレスのスペイン人との領地争いも激化していきますが、1750年のマドリード条約によって、ポルトガルとスペインの合意が成立し、ブラジルの現在の領域がほぼ、確定します。

スペインがポルトガルに妥協せざるを得なかったのは、スペイン人の入植者が各地で独立勢力を形成し、互いに連合することがほとんどなかったのに対し、ポルトガル人の入植者は本国の支援のもと、一致結束し、強い力を持っていたからです。この結束は広大で巨大な人口を誇るブラジルが他のラテンアメリカ諸国と異なり、分断されなかったことの理由でもあります。

18世紀前半、内陸のミナスジェライス州周辺で金鉱が発見されます。このミナスジェライスの金を運び出すために、リオデジャネイロへ向けて道が整備されます。リオデジャネイロはブラジルの主要港として発展し、1763年、総督府がサルヴァドールからリオデジャネイロに移され、ブラジル植民地の首府となります。

ちなみに、この頃、サンパウロは小さい一地方都市に過ぎませんでした。19世紀半ば、サンパウロ州でコーヒー栽培が本格化することにより、サンパウロの人口が急拡大し、イタリアをはじめ、ヨーロッパからの移民やアジアからの移民も増大し、ブラジル有数の都市へと発展していきます。

❖ブラジル人としての目覚め

スペインがナポレオンに侵略されると、1808年、ポルトガル王族（ブラガンサ家）はブラジルに逃れました。王が滞在していたブラジルはポルトガル本国と対等な「王国」に昇格されます。ナポレオンが失脚した後、1821年、ジョアン6世はリスボンに帰還しました。ジョアン6世はポルトガル国王とブラジル国王を兼位し、王太子ドン・ペドロをブラジル摂政として、現地で統治に当たらせました。

ジョアン6世はブラジルに対し、重税を課して圧力を強めたため、現地の地主保守層が反発しました。王太子ドン・ペドロは野心家で、地主保守層と組んで、ポルトガル本国に対抗します。ドン・ペドロは1822年、独立を宣言し、ブラジル帝国（ブラガンサ朝）とし、自ら皇帝に即位します。

ブラジルが独立国家となり、人々もブラジル人としての意識を覚醒させます。しかし、ブラジルの場合、解放者シモン・ボリバルやサン・マルティンらが活躍した他のラテンアメリカ諸国と異なり、ポルトガル王族同士の内紛の結果、分離独立したに過ぎず、人々に独立国家や国民としての意識は当初、希薄であったことは間違いありません。

ドン・ペドロが王ではなく、皇帝を名乗ったのは、同年の5月にメキシコ皇帝を名乗ったアグスティン1世に影響を受けた可能性があります。ドン・ペドロは同年の10月に即位しています。また、広大なブラジル諸地域を統治する君主は皇帝がふさわしいとも考えたようです。いずれにしても、皇帝を名乗る充分な名分はありませんでした。

ドン・ペドロは進歩的な考えを持っており、奴隷制廃止などの諸改革を行なおうとして、地主保守層と対立しました。また、「私の血の色は黒人と同じ色である」と述べ、白人優位主義を否定し、王侯貴族の血統主義も嫌いました。

1826年、ポルトガル本国で父王ジョアン6世が死去し、ドン・ペドロはポルトガルの王位継承権を主張しましたが、本国の保守派はドン・ペドロの継承権を認めず、ドン・ペドロの弟を新国王に擁立しました。ドン・ペドロは弟と争います。

ドン・ペドロはブラジルでも孤立していき、1831年、ブラジル皇帝位を長男のペドロ2世に譲位しました。ペドロ2世の治世は58年間続きます。ペドロ2世も父と同じく、進歩的な考えを持ち、1888年、奴隷制廃止を断行しました。これに怒った地主保守層が軍部と組み、翌年、クーデターを起こします。ペドロ2世は廃位され、ポルトガルに亡命、ブラガンサ朝ブラジル帝国は崩壊しました。

以後、ブラジルは共和国となります。この時、ブラジル人は完全にポルトガル王室との関係着しはじめます。

が遮断され、ブラジル人としての固有の国家を持つことになり、ブラジル人としての意識も定

しかし、ブラジルでは、混血人種を含めて、多様な民族が混在する状況で、社会や国家の一体感が醸成されることなく、その統一が疎外されてきました。いまでも、それは変わりません。

政治が腐敗し、治安は現在、世界最悪水準とされ、殺人事件発生率も極めて高く、一向に改善されません。劣悪な生活環境の中、国外へ逃れる貧困層の移民が急増しています。

黒人やその混血はまともに教育を受けることができません。有力な会社の社員など、上層階級は白人系が多く、中流、下層になるにつれ、黒人系が占める割合が多くなっているのが現状です。法律上、人種の平等が規定されており、人々もまた人種差別を明確に否定するものの、実際には、社会的地位や給与、教育や医療において、大きな格差があります。これは、ブラジルに限らず、ラテンアメリカに共通した現象です。

共和制時代、長く混乱期が続きますが、1930年代にヴァルガス大統領が独裁体制を敷き、強権によって、政情を安定させます。

❖日系ブラジル人の歩み

現在、ブラジルには、約200万人以上の日系人が住んでいます。ブラジルは世界最大の日系人居住地です。ブラジルの人口は約2億人なので、日系人が約1%を占めることになります。

19世紀半ば以降、ヨーロッパでコーヒーを飲む習慣が普及し、コーヒー需要が急増し、ブラジルのコーヒー栽培も急拡大していきます。当初、アフリカから連行されて来た黒人奴隷をコーヒー・プランテーションで働かせていましたが、奴隷制に対する批判が高まり、ペドロ2世は1888年、奴隷制廃止を断行します。

そのため、イタリア、スペイン、ドイツから、移民労働者を受け入れます。しかし、劣悪な環境や労働条件のため、移民労働者を充分に集めることができませんでした。

そこで、ブラジルは1892年以降、日本人移民の受け入れを模索します。1895年、日本とブラジルは日伯修好通商航海条約を締結し、日本人労働者を送ろうとしますが、労働条件等の改善が見込めず、しばらくの間、日本政府は移民を送ることができませんでした。

ようやく、1908年になり、日本政府とサンパウロ州政府との条件交渉などが整い、781人の日本人移民がブラジルに送られます。これ以降、約100年間で約26万人の日本人がブラジルに移住します。しかし、ブラジルに移住した日本人は賃金の不払いや劣悪な労働環境に苦しめられます。コーヒー農園の地主たちは約束を守らず、まともな報酬を手にすることができた移民はほとんどいなかったのです。

日本人移民の多くがコーヒー農園での労働を拒否します。そして、わずかな資金を出し合い、また日本政府からの支援により、自らの農地を取得します。農地で、香辛料や茶が栽培されます。日本人移民の勤勉さにより、農地経営は軌道に乗りはじめます。特に、ブラジルでの茶の栽培は気候的に不可能とされていましたが、日本人は改良を重ね、茶栽培に成功します。その他、野菜など多くの農産物の品種改良にも成功しています。

日本人移民は財を蓄え、ブラジル社会でも、成功者となります。成功とともに、日本人移民も増加します。日本の財界もブラジルに注目し、資金を積極投資するようになります。第一次世界大戦後の1920年代、ブラジルの日系人社会は飛躍的に発展します。

しかし、1930年代に入り、日系人の成功に対する妬みもあり、差別感情や排斥運動が強まります。ペルーの日系人社会でも同じですが、日本人の商店などが襲撃破壊されることもありました。第二次世界大戦中、ペルーはアメリカに追従し、日系人を弾圧し、アメリカの強制収容所に日系人を送りましたが、ブラジル政府は一部、戦時中、スパイの疑いをかけられた日系人らを移民収容所（ブラジル国内）に収容したにとどまり、比較的、迫害は少なかったといえます。

戦後、ブラジルは日本人移民の受け入れを再開します。日系人は現地でも、高度な教育を受け、特に産業技術の分野で功績を挙げ、成功者が相次ぎます。多くの日本企業も高度経済成長期に、ブラジルへ進出します。サンパウロ市の日本人街リベルダーデも形成され、世界最大規模の日本人街となります。

現在、ブラジルの日系人は半数程度が、非日系人との混血といわれます。容姿も日本人離れした若い人も少なくなく、3世や4世の世代になると、日本語も充分に話せない人が多く、日本人としての文化価値や慣習、考え方を放棄してしまっていることもあります。

第13章 アフリカ

SECTION 53

南アフリカ人

ニジェール・コンゴ語派の拡大、白人の差別政策

❖アフリカ人の分類

アフリカには、56の国があり、そこに14億人が住んでいます。アフリカ人はその言語によって、大まかに4つに分類されます。アフロ・アジア語派、ナイル・サハラ語派、ニジェール・コンゴ語派、コイサン諸語派の4つです。もちろん、このほかにも、数百にわたる細分化された語派の分類があるのですが、主なものとして、この4つが挙げられます。

図53-1 | アフリカの主要四語派分布

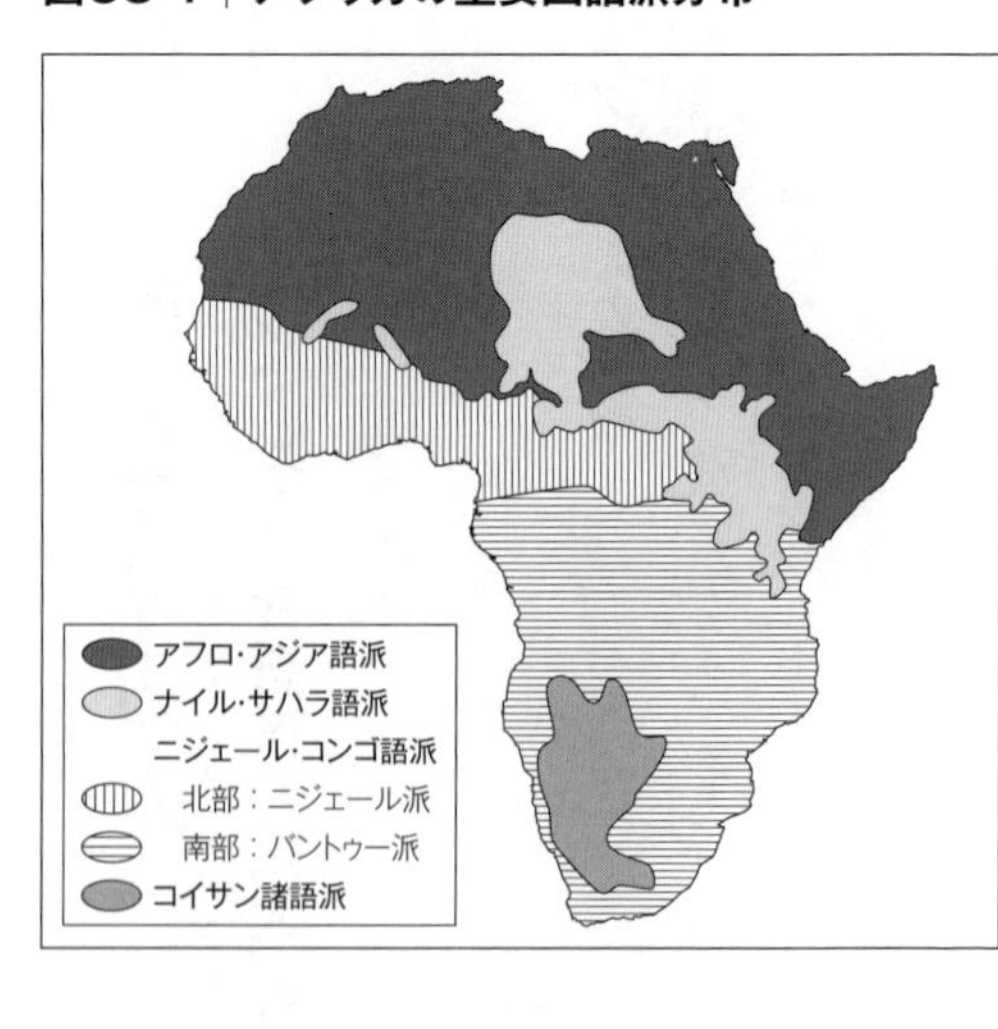

アフロ・アジア語派は、アラブ人（エジプト人を含む）との混血が進み、アラブ人の言語であるセム語に同化していきます。そのため、アフロ・アジア語派はセム語派と同じ系統です。東アフリカから北アフリカに分布しています。「アフロ・アジア（Afro-Asia）」とは「アフリカとアジア」という意味です。「アフラシア（Afrasia）」といわれることもあります。

しかし、同じセム語派の系統でも、あくまでも言語系統の一致であり、民族的には、アフリカのアフロ・アジア語派とアラブ人は異なります。アフリカのアフロ・アジア語派はY染色体ハプログループE1b1bが高頻度に観察されるのに対して、アラブ人はY染色体ハプログループJが高頻度に観察されます。

ニジェール・コンゴ語派はアフリカにおける最大の多数派で、アフリカ西部・中南部に分布するアフリカ人です。アフロ・アジア語派のように他民族との混血がほとんどない純粋な黒人といえます。ニジェール・コンゴ語派は北部のニジェール派と南部のバントゥー派に分けることができます。ニジェール・コンゴ語派はY染色体ハプログループE1b1aが高頻度に観察されます。ナイル・サハラ語派はアフロ・アジア語派とニジェール・コンゴ語派の中間の性格を持ち、両者をつなぐ存在です。

　コイサン諸語派はニジェール・コンゴ語派に属さない南部アフリカの独立的な諸言語を話す部族の人々です。原始的性格の強い部族が多く含まれます。ナミビアや南アフリカに分布するコイコイ人と、ボツワナに分布するサン人を合わせた総称として、「コイサン」が用いられます。

図53-2｜アフリカ人のY染色体ハプログループ

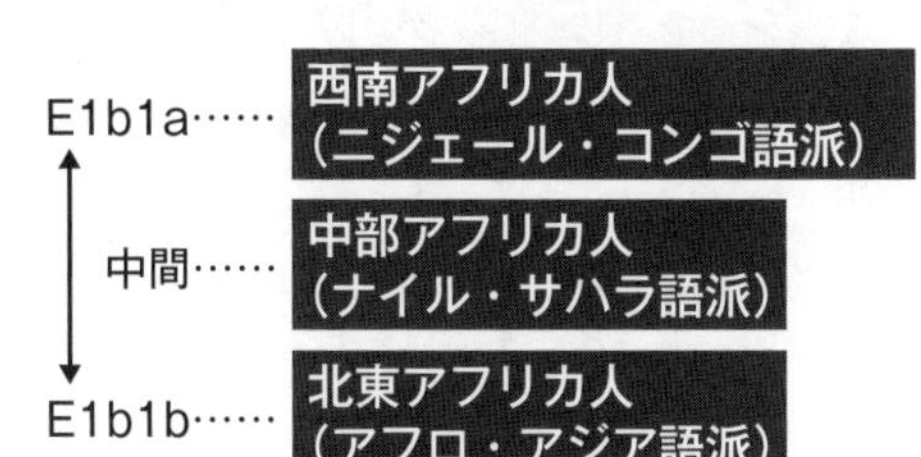

　コイサン諸語派は「地球最古の人類」とされ、ホモ・サピエンスの原形と見られています。彼らはY染色体ハプログループA系統が高頻度に観察されます。「ブッシュマン」という俗称で呼ばれることもあります。「bush」という英語は「未開地」や「奥地」という意味です。

❖アフリカ分割

大航海時代以降、アフリカ大陸沿岸部の探査は進んでいましたが、内陸部は19世紀に至っても、探査がほとんどなされていませんでした。そこで、イギリスの探検家リヴィングストンはアフリカ奥地を探査し、１８５５年、ヴィクトリア瀑布を発見しました。その後、リヴィングストンはナイル川の水源の探査で、一時消息不明になります。リヴィングストンの捜索に向かったアメリカ人探検家スタンリーは、タンガニーカ湖畔で、リヴィングストンの所在をつかみました。スタンリーはその後、コンゴ川を発見し、1877年、大陸横断に成功しました。

探査により発見された豊富な資源を獲得するべく、ヨーロッパ列強はアフリカ内部に進出しはじめます。ドイツのビスマルクはこうした状況を踏まえ、列強のアフリカ分割の調停に乗り出します。1884年~85年、ビスマルクはベルリン会議を主催します。ビスマルクはこの会議で、先占権のルールを認めさせました。つまり、最初に土地を占領した国が、その占領の事実を他国に通告し、その土地を領有することにしたのです。

この協定により、アフリカ分割が急速に進み、エチオピア帝国とリベリア共和国を除き、アフリカはすべて列強の支配下に置かれました。ドイツは1884年のビスマルク主催のベルリン会議以降、西アフリカ、東アフリカの分割に割り込み、カメルーン、ドイツ領東アフリカ(タンガニーカ)、西南アフリカ(ナミビア)、トーゴを獲得します。

20世紀になると、ドイツ皇帝ヴィルヘルム2世はアフリカ進出を狙い、1905年と1911年の二度にわたって、モロッコ事件を起こします。しかし、イギリスがフランスのモロッコ支配を支援したため、ドイツはモロッコを諦めざるを得ませんでした。

フランスのアフリカ進出は1830年のアルジェリア出兵からはじまります。1881年、チュニジアを保護国化、さらに東岸のジブチ、マダガスカルを獲得します。アルジェリア・チュニジアからジブチを結ぶアフリカ横断政策をフランスは展開します。

これは、イギリスの縦断政策と対立することになり、1898年、スーダンでファショダ事件が起こります。フランスが譲歩し、軍事衝突は回避されます。その後、フランスはモロッコへ進出し、1904年、英仏協商を締結し、イギリスのエジプトでの優越権とフランスのモロッコでの優越権を相互に認め合いました。その後、二度にわたるモロッコ事件を経て、フランスは1912年、モロッコを保護国とします。

イタリアは地中海対岸のチュニジア進出を狙っていましたが、フランスが1881年、先んじて、チュニジアを保護国とします。イタリアは1885年、紅海に面するエリトリアを占領します。さらに、1889年、ソマリランドを保護国化し、独立を維持していたエチオピアを狙います。イタリアは、1895年、エチオピアに軍事侵攻しましたが、アドワの戦いで大敗し、撤退します。

イタリアはフランスのモロッコにおける優越権を認める代償として、トリポリでの優越権を認められます。そして、1911年、イタリア・トルコ戦争を起こし、トリポリ・キレナイカ(リビア)を占領し、併合しました。ヨーロッパ列強によるアフリカ分割を経て、第二次世界大戦後に独立国だったのは、エチオピアとリベリア、そして、1922年、イギリスから独立したエジプトだけでした。

✣南アフリカ、ジンバブエ

南アフリカのケープ植民地では、17世紀以降、オランダ人の移住・入植が進んでいました。オランダ人入植者の子孫はブーア人（ブール人、ボーア人）と呼ばれます。入植者の多くが、ブーア（オランダ語で「農民」という意味）であったため、このように呼ばれます。ブーア人は「アフリカーナ」と呼ばれることもあります。

1815年、ウィーン会議によって、ケープがオランダ領からイギリス領となると、ブーア人は北部へ退き、1854年、オレンジ自由国、1855年、トランスヴァール共和国をそれぞれ建国します。その後、オレンジ自由国でダイヤモンド鉱山が、トランスヴァール共和国で金鉱が発見されると、イギリスは両国の支配を狙います。

セシル・ローズは1884年に植民地政府の財務官として南アフリカに赴き、1890年に植民地政府首相になります。ローズはケープ植民地の北方に遠征軍を送り、併合しました。その地を自らの名にちなみ、「ローデシア」（現在のジンバブエ）と名付けました。帝国主義者の代表格であるセシル・ローズは「私は夜空に輝く星をも併合したい」と語ったことで有名です。

ローズはトランスヴァール共和国とオレンジ自由国を併合することを画策して、撹乱作戦を取ろうと企んでいましたが、失敗し、1896年、植民地首相を辞任します。

同年、本国の植民地大臣（植民相）となったジョセフ・チェンバレンはセシル・ローズの併合計画を踏襲し、トランスヴァール共和国へ圧力をかけました。そして、1899年、南アフリカ戦争（ブーア戦争）が起こります。トランスヴァール共和国はオレンジ自由国と同盟し、イギリスと戦います。これは、オランダ人とイギリス人の白人同士の戦争です。

図53-3｜アフリカの区分

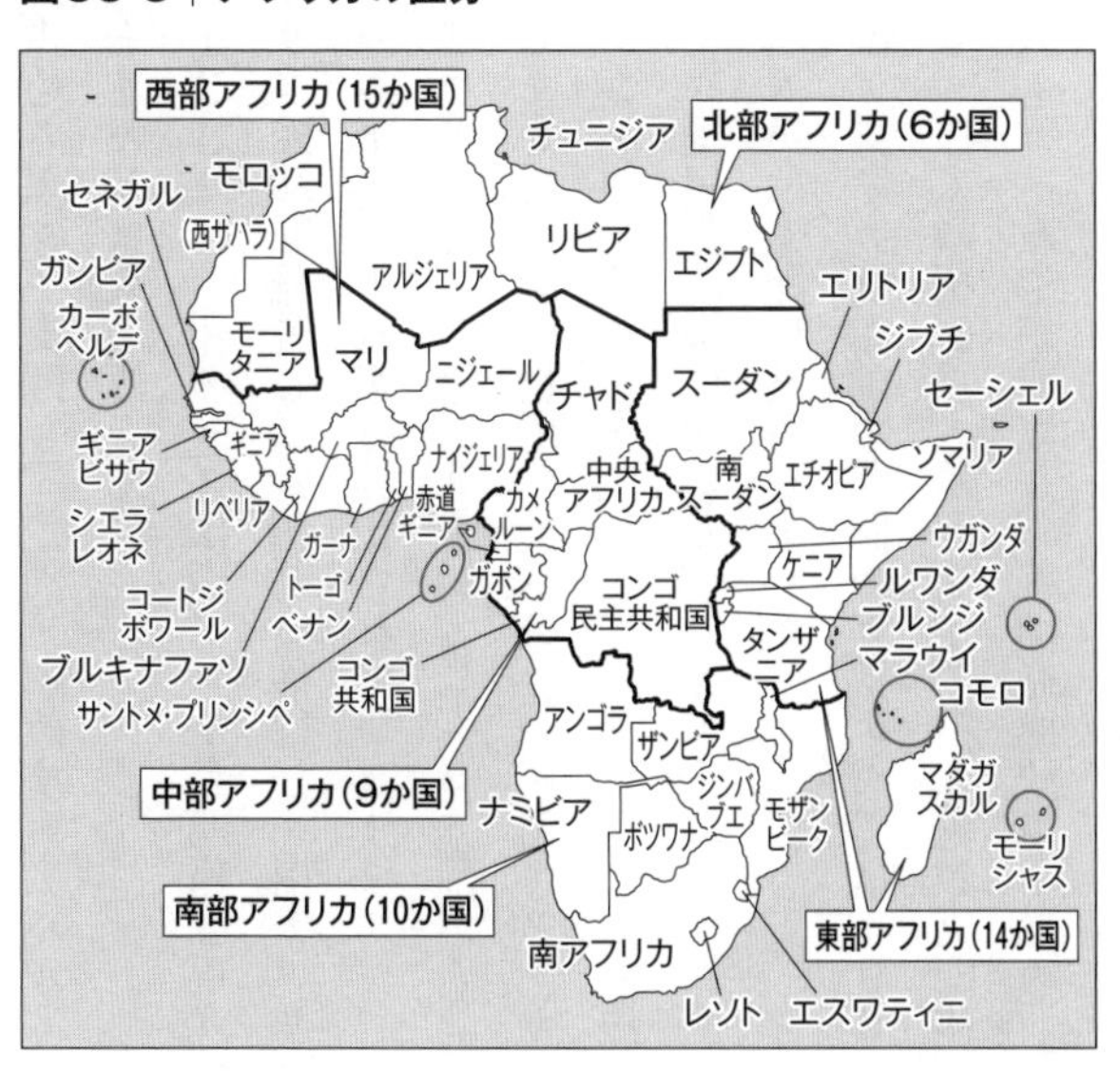

ジョセフ・チェンバレンはブーア人がゲリラ戦で激しく抵抗していることに対し、ブーア人の婦女子を強制収容所に入れ、ブーア人を追い詰めました。イギリスは苦戦を強いられますが、最終的に勝利し、1902年、両国を併合します。そして、1910年に、ケープ、トランスヴァール、オレンジ、ナタールの4州からなるイギリス領南アフリカ連邦を成立させます。

イギリスは北のエジプト・スーダン、南の南アフリカ連邦を結ぶ縦断政策により、アフリカ支配を進めます。南アフリカでは、少数派の白人が人口の80%以上を占める黒人を支配し、差別・隔離するアパルトヘイトが展開されます。この白人とはブーア人とイギリス人のことです。

1934年、イギリスは南アフリカ連邦を正式に主権国家として認めます。1961年、イギリス連邦を離脱し、共和制へ移行し、南アフリカ共和国が成立します。しかし、国内では、アパルトヘイト政策は強化されていきます。

アフリカ民族会議（ANC）を中心に差別反対闘争が展開されますが、白人政権は黒人を弾圧しました。国際世論の批判のなか、南アフリカ共和国政府は1990年、ANCの指導者ネルソン・マンデラを釈放し、1991年に差別法制を全廃しました。1994年、白人のデクラーク国民党政権に代わり、マンデラ政権が誕生しました。これにより、植民地時代以来続いた白人単独支配は終焉しました。

南アフリカ共和国の北側のローデシアは1965年、イギリス連邦から独立します。この国でも、白人政権が黒人差別をする白人少数支配体制が敷かれていました。しかし、1980年、黒人ムガベ政権が成立し、差別撤廃政策を進め、国号をイギリス植民地時代のローデシアからジンバブエ共和国に変更します。南アフリカ共和国の黒人もジンバブエ共和国の黒人も、ともにニジェール・コンゴ語派のバントゥー派です。

❖ボツワナ、ナミビア、ザンビア、アンゴラ、モザンビーク

ボツワナにはもともとコイサン語派が居住していましたが、17世紀半ば、南アフリカから、ニジェール・コンゴ語派のバントゥー派のツワナ人が移住してきます。ツワナ人が増大し、全人口の約8割を占めるようになります。「ツワナ人の土地」という意味の「ボツワナ」と呼ばれるようになります。

ボツワナは19世紀にイギリスに植民地化されますが、1966年、ボツワナ共和国として独立を達成します。

ナミビアには、「世界一美しい裸族」と称される有名なヒンバ族がいます。人口5万人程度の少数民族で、赤い泥を油と混ぜ、髪と肌に塗ることで知られています。ヒンバ族はニジェール・コンゴ語派のバントゥー派です。

ナミビアでも、もともとコイコイ人などのコイサン語派が居住していましたが、14世紀以降、周辺領域からバントゥー派が流入し、彼らが全人口の約8割を占める多数派になります。

ナミビアはドイツの植民地でしたが、第一次世界大戦でドイツが敗北すると、国際連盟の委任統治領となります。その後、イギリスが南アフリカ連邦に編入します。1966年にナミビア独立戦争がはじまり、長い戦乱期を経て、ようやく、1990年に独立を達成します。

ザンビアでは、人口のほとんどがバントゥー派です。首都ルサカ周辺に分布するニャンジャ・チェワ人は女系（母系）社会であることが知られ、子を産む女性の地位が重んじられ、財産や土地、家督などの相続権は女性にあります。ザンビアは北ローデシアとして、イギリスの植民地でしたが、1964年、独立します。

モザンビークのほぼすべての人口がバントゥー派です。モザンビークはアンゴラなどとともに、16世紀以来、ポルトガルによって支配され、奴隷貿易の供給源とされてきました。戦後、ポルトガル支配に対する独立運動が強まりますが、1932年に発足した長期独裁のサラザール政権により、弾圧されます。サラザールの後を継いだカエターノ政権も弾圧を続けます。

1970年代、ポルトガルでは、独裁とアフリカ植民地の独立運動弾圧に対する批判が高まり、植民地支配の続行は困難になります。1974年、アフリカ西岸のギニアビサウの現地司令官だったスピノラ将軍はカエターノ政権に対し、クーデターを決行、リスボンを占拠します。民衆が兵士の銃口にカーネーションの花を差して祝したことから、このクーデターは「カーネーション革命」と呼ばれます。ポルトガルは1976年、民政に移管します。このクーデターにより、モザンビークは1975年、独立を承認されます。

アンゴラではンブンド人が大半を占めますが、北に隣接するコンゴ人の移住者も1割以上います。アンゴラは16世紀以来、ポルトガルに支配されてきました。ポルトガルの奴隷貿易の供給源とされ、19世紀前半まで、300万人のアンゴラ人がラテンアメリカに連行されたとされます。大量の「奴隷狩り」のため、アンゴラは常に過疎状態であり、今日でも、アフリカで最も人口密度の低い国です。1975年、ポルトガルのカーネーション革命で独立します。

SECTION 54

西アフリカ人、中部アフリカ人

民族の転換、王国の盛衰、植民地経済

❖ハプログループA・BからEへの勢力転換

今日のアフリカでは、北東部のアフロ・アジア語派、中部のナイル・サハラ語派、西南部のニジェール・コンゴ語派、南部のコイサン諸語派の4つのグループに分かれます。しかし、約1万年前の古代アフリカにおいては、東南部にコイサン語派、中央部にピグミー系民族が主に分布していました。

コイサン語派やピグミー系民族はホモ・サピエンスの原始型とされます。コイサン語派はY染色体ハプログループAが高頻度に観察され、ピグミー系民族はY染色体ハプログループBが高頻度に観察されます。いずれも、ホモ・サピエンスの最古層の遺伝子です。

彼らは約1万年前まで、アフリカの主要勢力を形成していましたが、アフリカ北部一帯から派生するY染色体ハプログループE系統を特徴とするニジェール・コンゴ語派、ナイル・サハラ語派、アフロ・アジア語派などのいわゆる黒人系民族が約3000年前以降、増大し、特に、

ニジェール・コンゴ語派が南下して、コイサン語派やピグミー系民族を駆逐していきます。黒人系民族は農耕文化を携えていたため、狩猟採集のコイサン語派やピグミー系民族よりも、勢力を拡大しやすかったのです。

ピグミー系民族は平均身長が150センチメートルに満たない小柄な身体的特徴を持ち、肌の色はいわゆる黒人系民族ほど黒くなく、毛深いということも特徴です。「ピグミー」は「小人」という意味のギリシア語「ピュグマイオイ（pygmaioi）」に由来し、ヨーロッパ人によりつけられた名称です。ピグミー系民族は密林の狩猟採集の生活のなかで、身体を小さく環境適応させていったとされます。

ピグミー系民族は、人種的にはネグロイドに区分されますが、学者によっては、独立した人種に区分されることもあります。ピグミー系民族には、コンゴ盆地北東部のムブティ族をはじめ、複数の部族があり、それぞれに風習や文化の違いが見られます。ピグミー系民族には、もともと原始的な話し言葉がありましたが、周辺民族の諸言語に影響されて、それらを取り入れ、自分たちのもとの話し言葉を失ってしまいます。

ピグミー系民族は今日、コンゴ民主共和国やカメルーン南部、中央アフリカ南部、ルワンダなどに分布しており、おおよそ、20万人程度の人口がいると見られます。

アフリカ西部のニジェール川流域には、肥沃な平野が広がっており、紀元前3000年頃から、イモ類やコーヒー、ヤシなどの植物の栽培が行なわれるようになり、人口が増大します。

ニジェール川流域がニジェール・コンゴ語派の発祥の地とされます。

紀元前5世紀頃から、ノク文化（ナイジェリア中央部）と呼ばれる鉄器文化が栄えます。アフリカ東部クシュ王国から鉄製造技術が伝わったと考えられます。

最初の鉄器文化は紀元前15世紀頃に現われた小アジアのヒッタイトにはじまります。その後、ギリシアで紀元前12世紀頃、インドで紀元前10世紀頃、中国で紀元前6世紀頃にそれぞれ、鉄器文化がはじまります。鉄器が使われはじめたのはアフリカが一番遅かったのです。

ニジェール・コンゴ語派の分布地域では、古代において、東アフリカのクシュ王国やアクスム王国のような集権的な王国はなく、諸部族が分立していました。エジプトやアラビア半島の外敵勢力に囲まれた東アフリカでは、それらに対抗するために強大な王権が必要とされましたが、西・中南部アフリカでは外敵勢力はなく、集権化の必然性がなかったのです。

しかし、古代において、ニジェール・コンゴ語派の人口は着実に増大し、彼らがニジェール川流域から南下し、アフリカ中部のピグミー系民族や南部のコイサン語派を駆逐していき、アフリカの民族勢力図が大きく書き変わり、今日のような民族分布の礎が形成されます。

❖なぜ、王国が形成されたのか

中世になると、ニジェール流域で農耕の生産力が上がり、人口が増大します。そのため、諸部族の領域が相互に接するようになり、調停者が必要とされます。その調停者に権力が集中し、王権へと変化していきます。また、8世紀以降、北部からサハラ砂漠を縦断してやってくるムスリム商人と交易がはじまると、交換物資として使われた黄金の管理を巡っても、強い権力が望まれました。

こうして、8世紀頃、ニジェール上流域に分布するソニンケ人が中心となり、ガーナ王国を建国します。ガーナ王国は黄金を豊富に産出し、ムスリム商人と活発に交易し、金はムスリム商人の岩塩と交換されました。そのため、ガーナ王国は、アラブ人の間で「黄金の国」として知られるようになります。

11世紀に、ガーナ王国はベルベル人のムラーヴィト朝に攻撃され、衰退に向かいます。ムラーヴィト朝はガーナ王国の金を奪い強大化します。ガーナ王国は13世紀に、マリ王国に滅ぼされます。マリ王国はニジェール上流域に分布していたマリンケ人により建国されました。マリ王国はガーナ王国の産金地を支配し、イスラム教を取り入れます。

マリ王国の最盛期の王は14世紀前半のマンサ・ムーサ(カンカンムーサ)です。マンサ・ムーサ王は熱心なイスラム教徒で、メッカへの巡礼の際、カイロなどの道中の都市で、大量の金を使ったといわれます。そのため、金の価値が下がり、カイロではインフレが発生しました。マンサ・ムーサ王の巡礼の一行は家臣6万人、奴隷1万2000人からなり、奴隷には、それぞれ約2キロの重さの金の延べ棒を持たせていました。

マンサ・ムーサ王の名はヨーロッパにまで伝わります。モロッコの旅行家イブン・バトゥータもガーナ王国を訪れて、その繁栄ぶりについて記述しています。マンサ・ムーサ王の時代はアフリカ人の栄光の時代として、記憶されています。

マリ王国は15世紀の後半に、ソンガイ王国によって滅ぼされます。ソンガイ王国はニジェール川下流域に分布していた通商民族のソンガイ人により建国されています。ソンガイ王国は北アフリカとの交易によって栄え、15〜16世紀に全盛期を迎えます。ソンガイ王国の経済・文化の中心として、トンブクトゥが栄えます。トンブクトゥはニジェール川中流域に位置する、現在のマリ共和国の都市です。

ソンガイ王国は、16世紀末に「黄金の国」伝説を信ずるモロッコ軍の南下によって滅ぼされました。しかし、この時、すでにソンガイ王国の黄金は尽きていました。ソンガイ王国以降、ニジェール流域では、強大な統一王国は現われず、間もなく、ヨーロッパ人に侵略されていきます。

アフリカ中部のコンゴ川流域では、強い権力を示す王国の形跡がなく、もともと複数の部族が乱立しており、ニジェール川流域と比べても後進的でした。しかし、ソンガイ王国と同じ時代の15世紀、コンゴ王国が形成され、発展していきます。コンゴ王国はコンゴ川中・下流域に住むコンゴ人により建国されています。ソンガイ王国と同じく、交易によって栄えます。

ポルトガルは1482年、西アフリカの黄金海岸に要塞を建設し、ソンガイ王国とも交易を行ないます。同年、ポルトガル人はコンゴ川に到達し、早くも1485年、コンゴ王国とポルトガル王国の国交が結ばれ、キリスト教の布教がはじまります。その後、コンゴ王はカトリックに改宗し、王子をポルトガルに留学させるなどしています。一方、ソンガイ王国はポルトガルとは国交を結ぶほどの積極的な関わりは持ちませんでした。

❖コンゴの過酷な運命

コンゴ王国はポルトガルとの関係を強めていくなかで、強制的に奴隷を供給させられるようになります。16世紀の半ば、ポルトガルに追従する王室に対し、コンゴ人の反乱が頻発します。この反乱を鎮圧するため、ポルトガル軍が派遣され、コンゴ王国はポルトガルの事実上の属国となります。

コンゴ王国は名目だけの存在となりますが、それでも、20世紀まで存続します。ポルトガルはコンゴのみならず、アンゴラへの支配も進めていきます。

ベルギー国王レオポルド2世はアフリカの植民地獲得に野心を持っており、コンゴを狙っていました。レオポルド2世は1876年、王の私的団体である国際アフリカ協会を通じて、探検家のスタンレーに、コンゴの調査を依頼します。スタンレーはコンゴの地方部族の長たちと交易や土地租借権の契約を結ぶなどして、ベルギー国王のために、コンゴでの利権を確保拡大させていきます。

コンゴの支配者であるポルトガルがこれに反発します。しかし、ポルトガルはこの時代には、

図54-1｜コンゴとその周辺

すでに弱体化しており、コンゴの支配権を守る力をもはや持っていませんでした。ベルギーとポルトガルの対立は列強各国を巻き込み、複雑化していきます。そこで、この問題を解決するため、ドイツの宰相ビスマルクが１８８４年から１８８５年、ベルリン会議を開催します。

ベルリン会議で、列強間のアフリカ分割が決まり、ポルトガルはアンゴラやモザンビークの支配権を認められたものの、コンゴ王国のほとんどの領域の支配権を失い、コンゴ川河口のカビンダと呼ばれる地域のみを保持するに留まります。コンゴ王国の大部分をベルギーが領有することになり、西側の部分をフランスが領有します。

ポルトガルはコンゴを通じて、西側のアンゴラと東側のモザンビークを連結させる構想を抱いており、これがイギリスを刺激していました。イギリスはカイロからケープタウンまでアフリカ大陸を縦断する政策を持っていたため、ポルトガルにコンゴを領有させることができず、ベルリン会議でも、ポルトガルを支持しませんでした。

コンゴ王国がベルギー領となってからも、コンゴ王はポルトガルの庇護下にありましたが、1910年、ポルトガルで共和革命が起き、その影響で1914年、コンゴ王は廃絶され、王国は完全に消滅します。

現在、コンゴには、コンゴ民主共和国とコンゴ共和国の2つがあります。前述の通り、1885年のベルリン会議で王国の領土はベルギー領とフランス領に分割されました。1960年、前者が現在のコンゴ民主共和国としてベルギーから独立し、後者が現在のコンゴ共和国としてフランスから独立します。

コンゴ民主共和国では、ルムンバが首相となり、独立しますが、その直後、鉱物資源の豊かなカタンガ州が分離独立を宣言し、旧宗主国ベルギーが介入し、内戦となります。この内戦をコンゴ動乱と呼びます。コンゴに対し、国連軍が派遣されましたが、コンゴ国内の諸部族の対立や米ソなどの国際対立が絡み、内戦は止まず、1961年にはルムンバは暗殺されます。

1965年、親米派軍人モブツが大統領となり、内戦を終結させました。モブツは1971年、国名をザイールと改めました。しかし、1997年、再び、コンゴに戻ります。

❖植民地は負の遺産なのか

第二次世界大戦後、アフリカ各地で独立運動がはじまり、1951年にリビアが、1956年にスーダン、モロッコ、チュニジアなどの北部アフリカの国家がそれぞれ独立を達成しました。サハラ砂漠以南のアフリカで、それよりも少し遅れて、1957年、エンクルマが初の黒人共和国として、ガーナを樹立し、翌1958年、セク・トゥーレがギニアを樹立します。続いて、1960年、ナイジェリアなど、アフリカの17か国が一斉に独立を達成したため、この年は「アフリカの年」と呼ばれます。

西アフリカでは、モーリタニア、セネガル、ガンビア、ギニア、ギニアビサウ、カーボベルデ、シエラレオネ、リベリア、コートジボワール、マリ、ブルキナファソ、ガーナ、トーゴ、ベナン、ナイジェリア、ニジェールの16か国が樹立されます。西アフリカ諸国経済共同体を創設し、互いに連携していきます。これらの諸国は民族的に、ニジェール・コンゴ語派のニジェール派ということで共通しています。

アフリカ全体では、1963年、エチオピアのアジスアベバで、アフリカ統一機構（OAU）が結成され、アフリカ諸国の連帯と植民地主義の克服を目指すことが方針化されました。

西アフリカや中部アフリカなどのサハラ以南の諸国（サブサハラ・アフリカ）は北アフリカの諸国と比べ、発展が遅れており、世界で最も貧しい地域とされています。かつて植民地時代において、これらの地域は商品作物や綿花などの工業用原料の一次産品の生産に特化させられたため、他の産業が育たず、独立後も、資金を得るために、植民地時代につくっていた輸出品に頼らざるを得ませんでした。

ヨーロッパ列強は植民地に輸出用の商品作物をつくらせ、モノカルチャー化し、現地の経済をグローバルな商品市場に組み込み、偏った生産体制の下、自給能力を失わせたとされます。こうしたモノカルチャー化の弊害を主張する説は「従属理論」と呼ばれます（A・G・フランクらが代表）。1970年代に流行った学説ですが、今日では、これを否定する学者も少なくありません。この学説は欧米列強の過去の植民地支配への贖罪意識から由来するもので、主に左翼勢力によって支持されてきました。

大著『強国論』を書いたアメリカの経済史家デイヴィッド・ランデスは、「従属理論」を「道徳論に過ぎない」と批判しています。ランデスによれば、列強が植民地にモノカルチャーを強制したからといって、独立後もモノカルチャー経済を続けなければならないと強制したわけではなく、主権を獲得した独立国家は、彼らの自由な選択によって、利益率の高い工業化経済を歩むもよし、従来型の農業経済に甘んじるのもよし、すべて、彼らの選択であると説かれます。

かつて、植民地をグローバルな貿易体制に組み込むことで、利益率が上昇し、支配国のみならず、植民地も利益を上げ、GDPが上昇するなど、現地に様々な恩恵をもたらしました。植民地支配はたしかに現地労働者を酷使し、支配国に反逆した者を処刑するなど、非人道的な側面があります。しかし、どの支配国も必ず、現地に学校や病院を創設しました。これにより、現地民族の識字率が劇的に改善し、乳幼児の死亡率も下がりました。

現地民族が支配国に対し、反乱を起こす際も、病院を攻撃せず、医師だけは殺されませんでした。その他にも、鉄道や道路、下水道などのインフラを整備し、行政管理技術を現地民族に教育したり、留学生を本国で受け入れたり、様々な面で現地を支援したという事実があります。「植民地＝負の遺産」と単純に捉えることはできません。

ギニアの独立を導いたセク・トゥーレは「隷属の下での豊かさよりも、自由の下での貧困を選ぶ」と言いました。1958年のフランスの植民地政策の方針を問う住民投票で、他の植民地がフランス共同体内の自治共和国に留まり、フランスの支援を受け続ける選択をしたなかで、ギニアは唯一、完全独立を選びました。

フランスはギニアから行政官を撤収させて、援助を打ち切ります。ギニアは独立をしたものの、行政技術を持つ者がいなかったために、政治が機能せず、飢餓が発生します。また、暴動が頻発したため、セク・トゥーレは恐怖独裁政治を敷き、人民を抑圧しました。ギニアは独立した後、発展の機会を失い、現在においても、最貧国（後発開発途上国）に指定されています。

SECTION 55

北アフリカ人

古代エジプト文明を形成した民族、イスラム化、征服と文化融合

❖ツタンカーメンの肌の色

２００７年、アメリカで、ツタンカーメンの肌の色は何色であったのかということを巡り、騒動になったことがありました。エジプト人考古学者が「ツタンカーメンは黒人ではない」と発言したことに対し、アメリカの黒人運動家らが反発したのです。黒人運動家らはツタンカーメンは黒人に属すると主張し、この学者に反論しました。

言うまでもなく、エジプトはアフリカ大陸に属します。しかし、エジプト民族も、アフリカの黒人系民族に属するかというと、必ずしもそうではありません。エジプト人に限らず、北アフリカ全域における民族も同様です。

エジプトを含む北アフリカ人はネグロイドのものとされるＹ染色体ハプログループE1b1bとアラブ人のＹ染色体ハプログループＪが平均的におおよそ半々観察されます。このことを考慮すれば、彼らは民族的に「黒人とアラブ人のハーフ」と考えることもできます。

しかし、Y染色体ハプログループE1b1bをネグロイド（黒人）の遺伝子として捉えることについても、疑義が呈されています。

ニジェール・コンゴ語派に特徴的なY染色体ハプログループE1b1aはネグロイドの遺伝子ですが、E1b1bは分岐と進化の過程において、ネグロイドよりもコーカソイドに人種的に近くなったとする見解もあります。Y染色体ハプログループE系統は約2万年前に、E1b1aとE1b1bに、分岐したと見られています。同じE系統でも、E1b1bは肌の色など、身体的にコーカソイドの特徴を備えるようになったとされます。

E1b1bをネグロイドではなく、コーカソイドに特徴的な遺伝子と捉えるならば、エジプト人を含む北アフリカ人は人種的にコーカソイドになります。アラブ人のY染色体ハプログループJもコーカソイドの遺伝子であるからです。「ツタンカーメンは黒人ではない」という発言はこのような捉え方を背景にしています。

また、古代エジプト人と現代エジプト人とでは、遺伝子の構成が異なっていたとする研究もあります。ドイツのマックス・プランク人類史科学研究所の遺伝子調査（ミイラ調査）によると、紀元前1400年頃の古代エジプト人は地中海東岸のパレスチナ人やシリア人などのアラブ人に近かったことがわかっています。

今日のエジプト人のY染色体ハプログループはE1b1bが約50％程度観察され、最も割合の多い遺伝子ですが、古代エジプト人はY染色体ハプログループJ（アラブ人に特徴的）の割合のほうが多かったのです。時代を経るにつれ、この割合が逆転もしくはパリティ（同等）となり、さらに、ローマ帝国にエジプトが編入されると、ヨーロッパ人に特徴的なハプログループR1bの血統も流入します。サハラ以南のアフリカ人のE1b1aも流入します。

総じて、古代エジプト人はアラブ人に近いと言うことができるかもしれませんが、現代エジプト人になると、周辺諸国との民族的な混血が進んだため、彼らをアラブ人、北アフリカ人、黒人のいずれに近いかを判定することは難しいでしょう。したがって、エジプト人専門家の「ツタンカーメンは黒人ではない」という発言はある意味正しく、ある意味間違っているのです。

現在のエジプト人は自らをアラブ人と考える意識が強いといえます。これは、エジプトの公用語がアラビア語であることなども、強く影響しています。ただし、現代エジプト人が民族的にアラブ人であると言い切ることは民族の遺伝子の観点から見れば、適切とはいえません。彼らは複数の民族の血統を引く複合民族です。エジプト人は「アラブ人の血統を強く引く民族」という言い方に留めるならば、実態に即しているでしょう。

これはエジプトのみならず、リビアやチュニジアなどの北アフリカ国家の民族にも同じことがいえます。これらの国の人々も自らをアラブ人と考えていますが、エジプト人同様に、必ずしも、アラブ人であるとはいえないのです。

✣なぜ、エジプト人は自らの文明を失ったのか

かつて、言語学的な観点から、エジプト人はハム語派として、アラブ人のセム語派とは独立したグループとして捉えられていましたが、今日では、そのような捉え方は否定されており、セム語派という括りで統合されています。

セム語派はアフロ＝アジア語派とも呼ばれます。この言語系統に属する民族は西アジアから北アフリカにかけて分布しています。エジプト、リビア、チュニジア、アルジェリア、モロッコ、スーダンなどの北アフリカの国家はすべて、アラビア語を公用語としています。つまり、これらの領域の民族は遺伝子的にも、言語的にもアラブ人の影響を強く受けているのです。

古代アラブ人のフェニキア人やアラム人は文字文化を発展させました。フェニキア人が創案したフェニキア文字はアルファベット文字体系の母体をなしていきます。セム語派民族は自らの文字をエジプトのエジプト象形文字から発展させていきます。これは、彼らが同じアラブ人としての同祖言語を共有していたからです。セム語がどこから発祥したのかについて諸説あるものの、こうした経緯から、アラビア半島よりも、エジプトに起源があるとする説が有力視されています。

しかし、文明的に見れば、エジプト文明とメソポタミア文明の領域では、その形態がかなり異なります。

メソポタミアでは、アラブ人はシュメール文明の模倣・追随者でしたが、アラブ人に民族的に近いとされる古代エジプト人は独自の高度な文明を築いていることは周知の通りです。アラ

図55-1｜セム語派（アフロ＝アジア語派）の分布範囲

ブ人の本来の優秀さは、ピラミッドやスフィンクスに代表される建築技術、文字文化、宗教や太陽暦などの、人類史上突出した文化を生み出したエジプト文明にこそ、現われているといえます。

砂漠とナイル河によって隔絶されたエジプトは他民族の侵入が少なく、統一国家が早期に樹立され、エジプト人の力も発揮されやすく、高度な独自文明も形成することができたと考えられます。

古代エジプト文明は紀元前3000年頃にはじまります。紀元前1286年頃には、エジプト新王国のラムセス2世がナイル川を越えて、シリア・パレスチナの領有権を巡り、インド・ヨーロッパ語派のヒッタイト王国と戦います。

しかし、その後、エジプトは急速に衰えます。エジプト王国は極端な祭司国家で、神官たちを過剰に保護したため、彼らが特権階級化し、政治にも露骨に介入しました。朝廷と神官勢力との派閥争いが続き、次第にエジプトは力を失っていきます。

イラン人のアケメネス朝ペルシアは紀元前525年、エジプトを征服します。さらに、アレクサンドロス大王のギリシア人勢力がアケメネス朝を滅ぼすと、エジプトはギリシア人の支配を受けます。紀元前30年以降、ローマ帝国により、支配されます。もはや、エジプト人は古代の栄光の時代を取り戻すことができませんでした。高度な文明を持ちながら、その後発展することができず、他民族に易々と征服されてしまったのです。

ローマ帝国時代にキリスト教がエジプトに伝わります。この古キリスト教はコプト教と呼ばれます。「コプト」とはエジプト人を指すギリシア語「アイギュプトス」のアラビア語訛りの言葉です。したがって、コプト教はエジプト版キリスト教のことです。コプト教は独自の教義を発展させ、エジプトや北アフリカで定着しました。さらに、4世紀にエチオピアのアクスム王国にも伝わります。こうして、エジプトはヨーロッパ文明に取り込まれていき、独自のエジプト文明を完全に喪失していきます。

そして、イスラム勢力がニハーヴァンドの戦いと並行して、642年、シリアに続いてエジプトの征服も完了し、最終的に、エジプトはイスラム文明圏に組み込まれることになります。アラブ人に民族的に近いエジプト人は、同じアラブ人のイスラム教徒に親近感を抱いたこともあり、積極的にイスラム教へ改宗しました。そして、古来使ってきたエジプト語はアラビア語に替わり、エジプト人は文化的にアラブ人化していきます。そして、カイロはイスラム圏の中心の1つとなります。

❖北アフリカ人の原点

北アフリカ全域における基層をなす民族がベルベル人で、彼らはもともとチュニジア付近に住み、そこから、モロッコ、アルジェリア、リビアなど北アフリカ全域に拡がります。Y染色体ハプログループE1b1bが高頻度に観察されます。

「ベルベル」は「Berber」と表記され、「バーバー」と訳のわからない言葉を話す野蛮人という意味で、ヨーロッパ人により、蔑称として使われました。その呼称が定着し、今日に至ります。ベルベル人自身は「自由なる人」という意味の「アマジグ（複数形イマジゲン）」を自称しています。

ベルベル人は、鼻が高く、彫りの深い顔付きが特徴です。肌の色に関して、褐色の人が多いのですが、白人とほとんど区別がつかないような白い肌の人も少なくはありません。

ベルベル人は勇猛で知られ、古代エジプト王朝では、傭兵として重用されました。ローマ帝国には恭順し、その影響でキリスト教を信仰していたこともあります。

7世紀、アラビア半島から、イスラム勢力のウマイヤ朝が侵攻し、ベルベル人はこれに抵抗しましたが、敗退し、イスラム帝国の支配下に入ります。ベルベル人は急速にイスラム化されます。この時代に、アラブ人が大量に北アフリカに流入し、ベルベル人は彼らと混血します。

中世以降、アラブ人のみならず、南部の黒人系民族（Y染色体ハプログループE1b1aが高頻度に観察）

の移動も活発になり、ベルベル人は彼らとも混血します。ベルベル人は長い時を経て、それまでとは異なる新人種ともいえる民族に変貌したのです。

11世紀に、ベルベル人はムラーヴィト朝、12世紀に、ムワッヒド朝を樹立し、近隣の民族をも征服します。征服者はほとんどの場合、相手に自分たちの文化、特に言語を押し付けますが、ベルベル人は寛大でした。

敬虔なイスラム教徒になったベルベル人はアラビア語を受容しました。彼らの固有の言語であるベルベル語は紀元前1世紀頃まで使われていましたが、ローマ帝国の支配がはじまると、ラテン語、ギリシア語が公用語となり、そして、7世紀以降、アラビア語が公用語となり、今日に至ります。時代に応じ、ベルベル人は他民族の文化に巧みに順応していったのです。ベルベル語は彼らの日常語として存続します。

ベルベル人が樹立したムラーヴィト朝やムワッヒド朝をはいずれもモロッコ中央部のマラケシュを首都としていました。同時に、ベルベル人はイベリア半島にも進出し、スペインのコルドバやセビリヤを経済的、文化的な中心地としていました。

コルドバから、地理学者ムハンマド・イドリーシー、哲学者イブン・ルシュドが輩出されています。彼らはヨーロッパに近いコルドバに住んでいたことを生かし、ギリシアの文献を研究し、イスラム学に多大な影響を与え、東西の文化の融合を果たしました。また、ムワッヒド朝滅亡後の14世紀に登場した、イスラム最高の学者といわれる歴史学者イブン・ハルドゥーンと旅行家イブン・バットゥータも、ベルベル人です。多くの民族の血を受け継ぐベルベル人は様々な地域の文化を受容しました。

ベルベル人のイベリア半島の支配は13世紀まで続きます。スペイン人やポルトガル人はベルベル人の血を受け継いでおり、スペイン語はこの時代に、アラビア語の影響を大きく受けています。

❖アルジェリア人、チュニジア人、モロッコ人、リビア人

ベルベル人の分布した地域は「マグリブ」とも呼ばれます。この地域がアラブ人から見て西方に位置していたため、アラビア語で「日の没する地」という意味で、このように呼ばれたのです。マグリブは通常、アルジェリア、チュニジア、モロッコ、リビアの北アフリカ地域一帯を指します。

かつて、この地域はリビアを除いて、フランスが植民地支配しました（フランス領北アフリカ）。リビアは、地中海を挟んで対岸のイタリアが植民地支配しました。フランスは早くも１８３０年にはアルジェを占領し、支配体制を固め、アルジェリアを中心に、モロッコやチュニジアに支配を拡げます。

第二次世界大戦後、これらの地域で独立運動が活発化します。モロッコは１９５５年に独立し、チュニジアは１９５６年に独立します。

アルジェリアでも民族独立運動が起こり、ベン・ベラを指導者として1948年、民族解放戦線（FLN）が結成され、1954年に武装蜂起し、アルジェリア戦争がはじまります。当時のフランス第四共和政政府はアルジェリア問題に優柔不断な姿勢をとっていたため、1958年、現地フランス軍が反乱を起こし、国内の軍部も同調し、フランスは内乱の危機に陥ります。第四共和政政府が倒れ、大戦の英雄ド・ゴールが復活し、大統領となり、第五共和政を樹立します。

しかし、ド・ゴールはアルジェリアに対し、次第に妥協しはじめ、1960年には、アルジェリアの独立の可否を国民投票にかけ、賛成多数の支持を得て解放戦線との交渉をはじめます。1962年、エヴィアン協定を締結し、アルジェリアの独立を認めました。

イタリアの植民地であったリビアは、第二次世界大戦中、イギリス・フランス軍の侵攻を受け、戦後、英仏が統治します。1951年、リビアは独立し、王国となります。しかし、その後の1969年、カダフィ大佐ら青年将校によるクーデターが起こり、王政が倒されます。

アルジェリア、チュニジア、モロッコ、リビアの各政府の統計によると、国民のほとんどがアラブ人であるとしていますが、実際には、アラブ人とベルベル人との混血です。遺伝子的にも、アラブ人のY染色体ハプログループJと北アフリカ人（ベルベル人）のY染色体ハプログループE1b1bがおおよそ半々観察され、民族的に分けることができません。

彼らが、自分たちはアラブ人だと言いたがるのは、イスラム教徒として、アラブへの同化意識を歴史的に形成してきたことが背景にあります。しかし、中東地域のアラブ人が北アフリカ人を同族のアラブ人と見なしているかと言われれば、必ずしもそうではありません。

これらの国の地方では、ベルベル人の文化や風習を色濃く残す部族もおり、ベルベル語も話されています。ニジェール・コンゴ語派の黒人系民族も流入しています。

モロッコはジブラルタル海峡を挟んで、スペインと近接していることもあり、統計上の数字としては現われていませんが、金髪碧眼の白人的な容貌を持つ人も少なくありません。

2010年末、「アラブの春」と呼ばれる民主化運動がチュニジアから始まりました。若い人々がフェイスブックやツイッターで連携し、デモや武力闘争を行ない、独裁政権を倒しました。民主化運動は2011年にエジプトに波及し、約30年にわたり長期政権を維持してきたムバラク大統領が辞任に追い込まれました。同年2月にリビアにも波及し、市民軍と政府軍の大規模な武力衝突に発展し、半世紀続いたカダフィ独裁政権が崩壊しました。カダフィは市民軍に捕らえられ、殴り殺されました。

その後も、「アラブの春」の民主化運動はアルジェリア、イエメン、ヨルダン、シリアなど多数のイスラム諸国に波及し、騒乱を引き起こしました。

SECTION 56

東アフリカ人

アラブ人との混血、宗教分断、民族紛争

❖東アフリカ人のアラブ化

アフリカ東部のエチオピア地域はアラビア半島と紅海を挟んで向かい合っています。紅海とアデン湾をつなぐバブ・エル・マンデブ海峡の幅は30キロメートルほどしかありません。そのため、この地域は古来、アフリカの中でも、最もアラブ人の往来が多く、混血が進みました。

エチオピア人は赤道に近いところに住んでいるため、肌の色は黒いですが、アラブ人と混血したため、鼻が高く彫りの深い顔立ちなどコーカソイド的な容貌を持っています。南に隣接するケニア人はニジェール・コンゴ語派に属し、黒人的な容貌を持ちますが、エチオピア人は雰囲気がまったく異なります。

アラブ人との混血が進んだエチオピア人は、人種的にネグロイドとコーカソイドの区別をつけることが困難であるため、「エチオピア人種」という独立したカテゴリーさえ設けられています。この「エチオピア人種」には、ソマリアのソマリ人も含まれます。

図56-1｜アフリカ古代〜中世

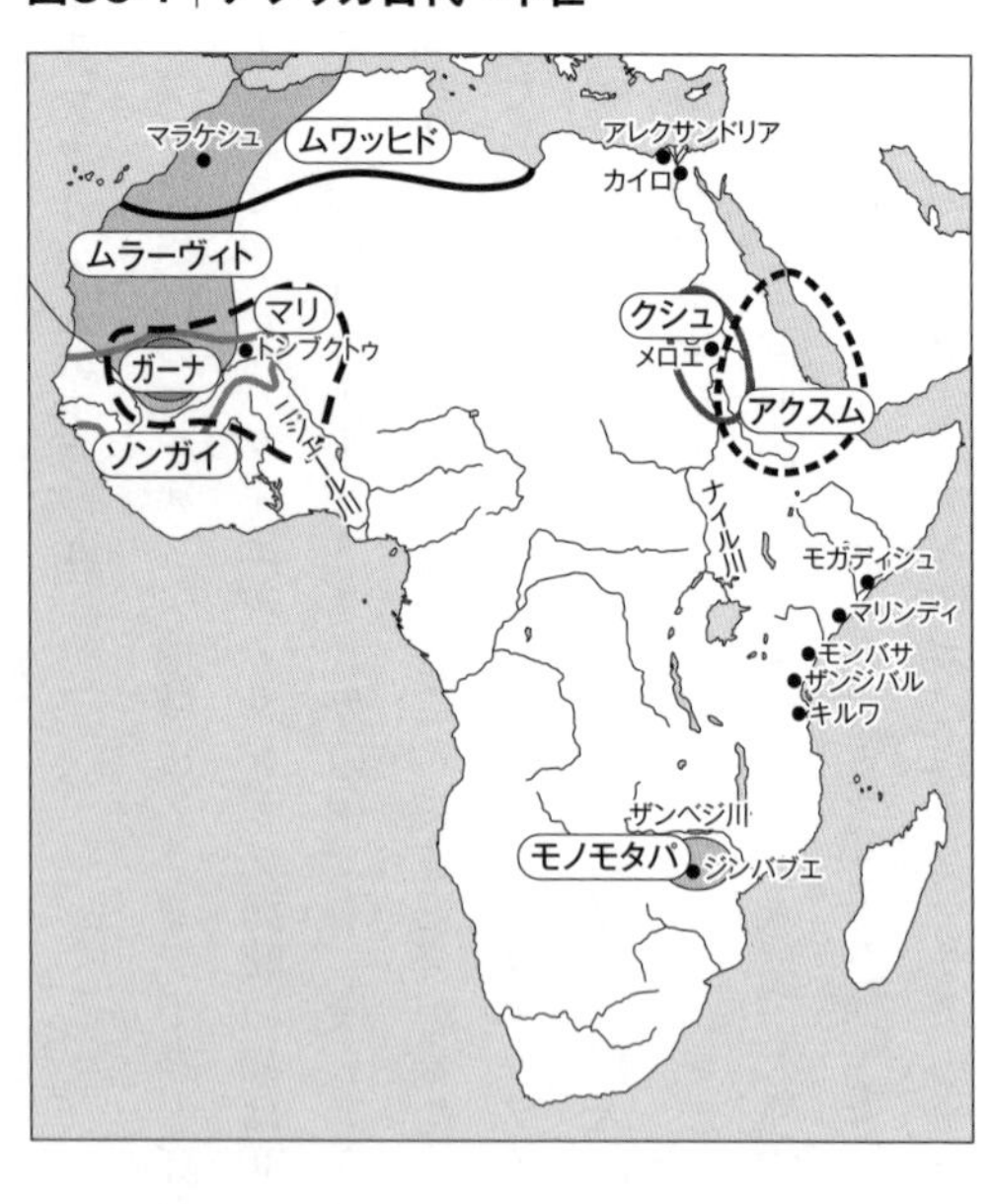

エチオピア人はネグロイドのものとされるY染色体ハプログループE1b1bとアラブ人のY染色体ハプログループJが平均的におおよそ半々観察されます。これは北アフリカ人と同様の遺伝子構成です。

エチオピア人のほとんどがアラブ化されたのに対し、北西部に隣接するスーダン人は過半数が黒人系民族（ナイル・サハラ語派とニジェール・コンゴ語派）となります。スーダンでは、アラブ人との混血民族は人口の半分以下となります。

紀元前後に、エチオピアでアクスム王国が形成されます。アクスム王国はアラビア半島の南端から、紅海を越えて移住してきたセム語派のサバ（シェバ）人により、建国されました。エチオピアの歴史はアラブ人によって創始されたと言っても過言ではありません。アクスム王国は4世紀に、北部のクシュ王国を滅ぼし、ナイル川流域（スーダン）に進出します。

アクスム王国では、キリスト教化が進み、キリスト教が国教とされます。アクスム王国のアラブ人がヨーロッパとイランやインドをつなぐ中継交易を活発に行なったため、キリスト教の影響を直接受けていました。エチオピアのキリスト教は「コプト派」と呼ばれます。

7世紀に、イスラム勢力がエジプトを征服すると、コプト教徒たちは南部のエチオピアに逃れるか、イスラムに改宗したため、エジプトや北アフリカでは、コプト教はほとんど残らず、エチオピアで生き残りました。アクスム王国はかつて預言者ムハンマドを支援しました。そのため、イスラム勢力と友好関係を維持し、イスラム帝国に侵略されることもなく、イスラム化されることもなく、キリスト教国として存続したのです。

エチオピアは1936年から1941年、短期的にイタリアの支配を被りますが、それまで、独立を維持していました。ヨーロッパ諸国がエチオピアの植民地化を行なわなかったのは国際政治上の理由もありましたが、エチオピアがキリスト教国であったという宗教上の理由も大きかったのです。

1959年に、エチオピア・キリスト教会は「エチオピア正教会」と改称されますが、コプト教の流れを汲むものです。今日、エチオピアでは、全人口に占めるキリスト教徒の割合が約6割、イスラム教徒が約3割となっています。

10世紀に、アクスム王国内から新興勢力のザグウェ朝が台頭するなどしますが、アクスム王家は続き、13世紀にアクスム王の血統を継ぐイクノ・アムラクが王位に就き、近代のエチオピア帝国に至る礎を築きます。

❖アフリカの民族と宗教の分断

アフリカは今日、宗教で見た場合、大きく２つのエリアに分けることができます。イスラム教徒が多数を占めるサハラ砂漠以北の地域と、キリスト教徒が多数を占めるサハラ砂漠以南の地域です。

ラインの東側では、１９５０年代以降、２次にわたって、スーダン内戦が起きました。スーダン北部は首都ハルツームを中心に、イスラム教徒が多く、南部はキリスト教徒が多く、宗教対立から内戦になります。

長い内戦の結果、２０１１年、南部が南スーダン共和国として独立しました。しかし、南スーダンの中に取り残されたイスラム教勢力が南スーダン政府と抗争を続けており、石油資源の問題などをめぐり、両教の勢力争いは収まっていません。

図56-2｜アフリカの宗教対立の分断ライン

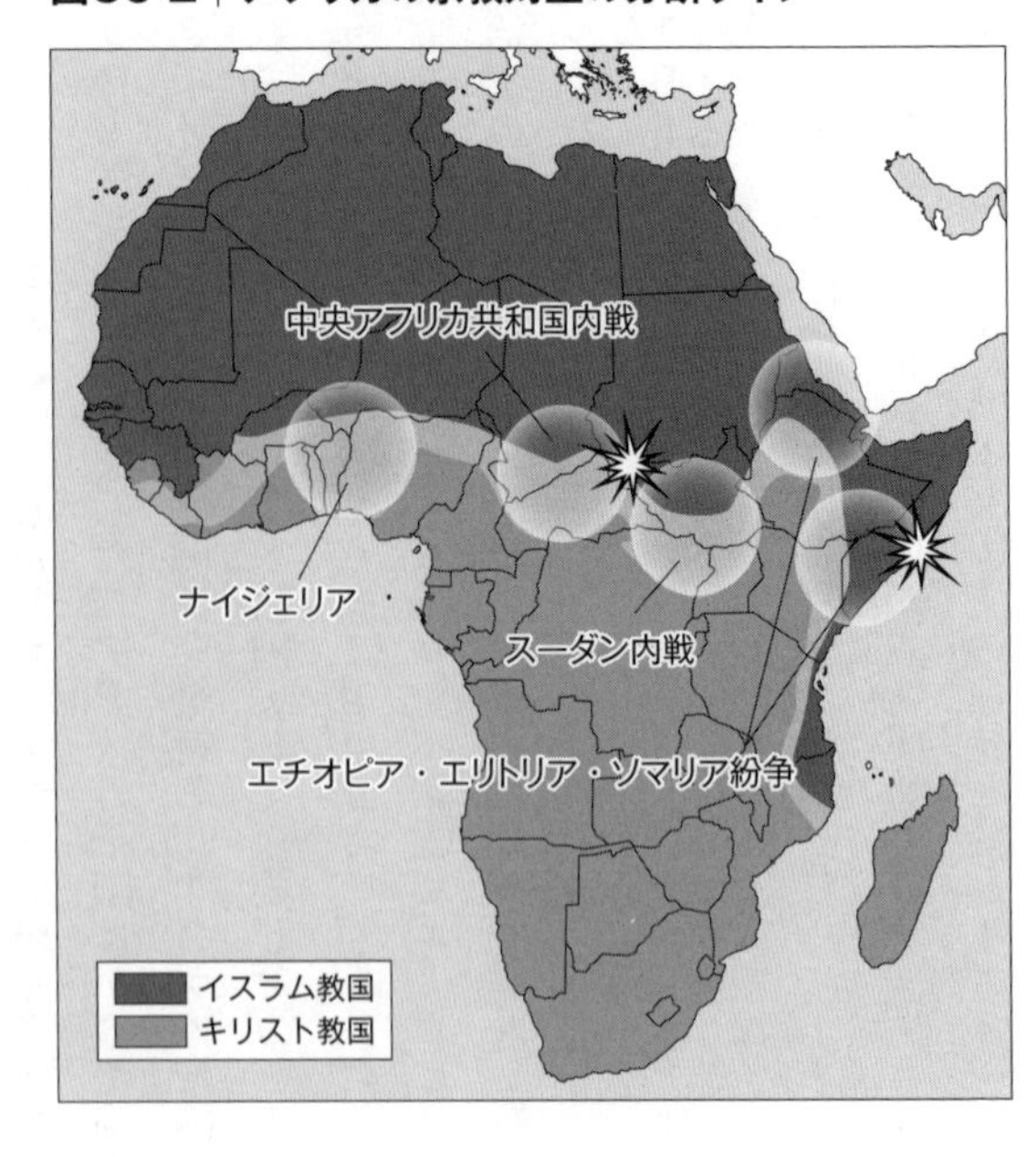

分断ラインの中部では、アフリカ最貧国の中央アフリカ共和国の内戦が発生しています。イスラム教勢力とキリスト教勢力が軍事衝突を繰り返し、多くの死者が出ています。

分断ラインの西側のナイジェリアでも、両教勢力の激しい宗教対立があり、両教の過激派によるテロや紛争が発生しています。ナイジェリアはキリスト教徒とイスラム教徒の人口割合が拮抗しています。

そして、何よりも一番激しく対立が続いているのが分断ラインの最も東側に位置するエチオピア地域です（後段で詳述）。

もともとアフリカは近代以前、イスラム教が圧倒的な多数を占めていました。北アフリカはもちろん、中部や西部アフリカでは、13～14世紀に栄えたマリ王国や15～16世紀に栄えたソンガイ王国などの強大なイスラム王国が存在していました。

アフリカ東岸には、マリンディ、モンバサ、ザンジバル、キルワなどの海港都市が形成されます。10世紀頃から、中東のイスラム商人がこの地域に移住し、インド洋貿易を活発に行ないます。やはり、この地域もエチオピアと同じく、アラブ人との混血が進みます。この地域では、アラビア語の一種であるスワヒリ語が普及します。「スワヒリ」とは、アラビア語で「海岸地帯の人々」を意味します。

アフリカにおけるイスラムの安定基盤が崩されるのが、ヨーロッパ各国がアフリカの植民地化に乗り出してくる19世紀以降のことです。ヨーロッパ人たちはキリスト教により未開の地を文明化しようという優位主義思想を持ち、キリスト教を布教していきます。

組織的にキリスト教が布教されていくなか、キリスト教文化が自然と定着し、また、ヨーロッパ人と親密な関係を築いた現地人上層階級は積極的にキリスト教に改宗しました。中・南部アフリカはイギリスやドイツが植民地支配した地が多かったため、プロテスタントが大半です。

キリスト教の布教拡大に抵抗したのが、北アフリカのイスラム教徒たちでした。北アフリカには、古来、アラブ人が多く入植し、中世には、イスラム勢力の版図の中に取り込まれ、民族的にも、アラブ化が進みました。アラブ人の血の濃い北アフリカ人はイスラム教への信仰心が強く、キリスト教を受け入れませんでした。

一方、サハラ砂漠以南の地域のブラックアフリカはアラブ人発祥のイスラム教に強い執着がなく、キリスト教に容易に感化されやすかったのです。

ヨーロッパのキリスト教布教はアフリカに負の遺産として、深刻な宗教分断を残し、それが今日に至るまで、解決していません。

❖エチオピア人、エリトリア人、ソマリア人、ジブチ人

エチオピア地域もまた、宗教対立の分断ラインの上にあり、周辺のエリトリアとソマリアとの宗教紛争が絶えません。

第二次世界大戦中の1941年、イギリス軍がエチオピアからイタリア軍を駆逐します。エ

チオピアはイギリスの保護領とされ、大戦後の1952年、エリトリアとともに、連邦国家として独立しました。

しかし、1962年、エチオピアがエリトリアを強制併合します。エリトリア人はイスラム教徒が多く、キリスト教徒の多いエチオピア人に激しく反発し、独立戦争をはじめます。1974年、エチオピアでは、帝政が倒れ、メンギスツが軍事独裁政権を敷きました。メンギスツ政権はエリトリアに対する軍事攻撃を強めます。1991年、メンギスツ政権が崩壊すると、1993年、エリトリアで分離独立を求める住民投票が実施され、エリトリアは独立します。

図56-3｜エチオピア周辺地図

しかし、エリトリア独立後、エチオピア・エリトリア国境紛争が生じます。たびたび国連が介入し、停戦合意をさせていますが、合意は破棄されて紛争が再開するという状況を繰り返しています。このエチオピア

とエリトリアの紛争がソマリアにも波及し、さらに事態は複雑化しています。ソマリアはイスラム教徒が多い国で、同じくイスラムのエリトリアと連携して、エチオピアに圧力をかけています。

2006年、エチオピアはアメリカの支援を得て、この地域におけるイスラム教勢力の強大化を抑えるため、ソマリアに侵攻します。2009年に撤退していますが、対立は続いています。2018年、和平交渉が始められ、サウジアラビアの仲介でエチオピア、エリトリア、ソマリアの3か国はジッダ平和協定に署名しましたが、問題は解決されていません。

エチオピアには、オロモ族やアムハラ族などの80以上の部族がいます。それぞれの部族地域で、部族言語が使われていますが、それらの言語はアフロ・アジア語族（セム語派）に属します。政府により、公用語とされているのはアムハラ語です。エチオピア部族の最大多数派はオロモ族ですが、エチオピア帝国時代から、支配者層を形成していたのがアムハラ族であるため、彼らの言語が主に使用されるのです。

エリトリアには、9つの主要部族が存在します。彼らはエチオピア人と同様に、アラブ人との混血が進んだ混合民族で、アラブ人のY染色体ハプログループJの割合がY染色体ハプログループE1b1bの割合を上回ります。そのため、エリトリア人はエチオピア人よりも、アラブ化の度合いが強いといえます。

ソマリアでは、1969年、社会主義クーデターを起こしたバーレ少将がソマリ人による国家統一を掲げます。ソマリ人はソマリア以外にも、エチオピアやジブチにもおり、彼らが団結して、1つの国家をつくるべきとしました。

バーレの主張に呼応してエチオピアのオガデン地方のソマリ人がエチオピアからの分離を主張して武装蜂起し、1977年、エチオピア・ソマリア戦争（オガデン戦争）が起きます。冷戦の最中に起きた、この民族紛争は米ソ両国を巻き込みます。ソ連はエチオピアを支援し、アメリカがソマリアを支援します。

ソマリアのバーレ政権は敗退に追い込まれます。そうすると、ソマリア各地で、困窮した民衆が反乱を起こし、1988年、ソマリア内戦が始まります。1991年、バーレ大統領が追放されますが、さらに混乱し、同年、北部がソマリランド共和国として分離独立していきます。

ジブチは紅海とアデン湾を結ぶバベル・マンデブ海峡西岸に位置します。1862年、フランスはスエズ運河航路の要衝であるジブチに進出し、アフリカ東岸の本拠地として、植民地化していきます。1977年、ジブチは独立しますが、多数派のソマリ系のイッサ人と少数派のエチオピア系のアファール人が対立します。1990年代には、内戦が起こっています。

❖ルワンダ民族紛争の構図

現在、アフリカに限らず、どの地域でも国家に属さない土地はなく、国家に属さない人間はいません。しかし、その土地の人間が、自分はある国の国民であると思っているとは限りません。彼らは自分のアイデンティティを、国家にではなく、自分が属している民族に求めていることもあります。特に、アフリカには、そのように考える人々が多くいます。

それはアフリカの国家が、かつてその地域を植民地としてきたヨーロッパの強国の都合でつくられた代物であるからです。

植民領、保護国、保護領など、形態は様々にありましたが、各国の植民地の境は宗主国（支配している側の国）同士の力関係で決められ、現地の事情が顧みられることはありませんでした。アフリカには多くの民族が生活していましたが、その生活圏は列強の植民地によって分断されました。当然、異なる民族が同じ植民地で宗主国の支配を受けるケースも多かったのです。20世紀後半、独立したアフリカ諸国の国境線は植民地の境そのままでした。そのため、独立しても、異なる民族が同じ国にいるため、国内での民族紛争が常態化するケースが頻発しました。

アフリカ東部にあるルワンダ共和国はかつてベルギーの植民地でした。ルワンダには、主にフツ、ツチ、トゥワの3つの民族が住んでおり、ベルギーはこのうち少数派のツチを支配層とし、多数派のフツをその下に置いて、いわゆる分割統治を行ないます。植民地経営の典型的なノウハウの1つです。少数派は宗主国と癒着して、利権を得ることができるため、宗主国に逆らおうとしませんでした。

ルワンダは1962年に独立します。ツチ、フツ両派の指導層の間には、和解の動きも見えましたが、経済格差などによる経済の低迷のため、両派は次第に険悪になっていきます。特に、フツ急進派はツチと穏健派フツを憎悪し、1994年、大量虐殺を開始します。虐殺はツチの武装組織ルワンダ愛国戦線が反撃に出たことで終息しますが、ルワンダの総人口730万人のうち、80万人〜100万人が殺害されたと見られています。トゥワも憎悪の対象となり、30%が殺されています。

ベルギーなどヨーロッパ諸国は植民地の民族を分割統治することで、アフリカの土地から利益を吸い上げました。こうしたことが、いまもアフリカ各地で続く諸民族の対立の大きな原因の1つになっています。

❖マダガスカル人、ケニア人、タンザニア人

アフリカ東部のマダガスカル島に最初に移住した集団は1世紀前後に渡来したマレー・ポリネシア系です。マレーシアやインドネシアからインド洋を渡って、6000キロメートル離れたマダガスカルに到達することなど本当に可能なのかという疑問が生じます。この地域間には、季節風が吹いており、帆船カヌーが風に乗れば、おおよそ1か月で到達できるとされています。

実際に、マダガスカル人には、マレー・ポリネシア系（オーストロネシア語派）に特徴的なY染色体ハプログループO1aとアフリカ由来のE1b1aが半々の割合で観察されます。このような遺伝子構成はマダガスカル以外の他のアフリカ地域には見られません。

最近の研究では、マダガスカル島に移住したマレー・ポリネシア系の集団のDNAはボルネ

オ島由来ということがわかっています。彼らのＤＮＡはインド洋沿岸では見つかっていないことから、彼らはボルネオ島から、季節風に乗ってインド洋を横断して、直接、マダガスカル島に到達したと考えられています。

マレー・ポリネシア系の集団がマダガスカル島で増大し、10世紀頃には、東アフリカから、Y染色体ハプログループE1b1aを持つ集団がモザンビーク海峡を渡ってマダガスカル島にやって来て、両者は混血していきます。

言語的にも、マダガスカル語はオーストロネシア語族に属し、マレー語などに近いとされます。言語がアジア由来というのは、アフリカ圏でもマダガスカルだけです。行政における公用語は旧宗主国のフランス語です。

マダガスカルは「アフリカの年」の１９６０年に、フランスから独立していますが、政権や社会が腐敗し、現在でも、世界最貧国の１つに数えられます。

ケニア人は背が高く、運動能力に優れていることで知られますが、彼らは民族的に単一ではありません。ケニアは地政学的に、アフリカの主要な３つの民族系統が重なり合う地域になります。つまり、アフロ・アジア語派（セム語派）、ニジェール・コンゴ語派、ナイル・サハラ語派の３系統が重なり、ケニア人はこれらの民族の混血です。

ケニアには40以上の部族があり、それぞれの部族に固有の言語がありますが、スワヒリ語が公用語とされています。また、行政的には、旧宗主国の英語が公用語とされています。８世紀頃、イスラム勢力の拡大とともに、多くのアラブ人がケニア海岸地域モンバサやマリンディなどに移住し、インド洋交易の拠点とします。彼らがケニア地域一帯の経済を牽引し、大きな力を持ったので、アラビア語の一種であるスワヒリ語が支配的となったのです。これは、ケニアの南部に隣接するタンザニアでも同じです。

ケニアの部族で最も有名なのがマサイ族です。彼らの驚異的なジャンプ力は「マサイジャンプ」として知られ、ライオンを狩ったり、鮮やかな色彩の「シュカ」と呼ばれる民族衣装でも知られています。マサイ族はケニア南部からタンザニアの北部に分布する遊牧民です。

タンザニア人はケニア人のような多様な混血民族ではなく、そのほとんどがニジェール・コンゴ語派（バントゥー派）の血統です。タンザニアは行政上、大陸部のタンガニーカとインド洋島嶼部のザンジバルの2つのブロックに分かれます。ザンジバルには、中世以来、アラブ人が多数移住し、インド洋交易の拠点としていたので、アラブ人との混血も少なからずいます。

ユーラシア大陸を横断した文字の悠久

❖アジアやヨーロッパの文字はエジプトからはじまった

今日、漢字文化圏などを除いて、世界中で使われているほとんどの文字の起源はエジプトの象形文字に行き着きます。アラビア文字はもちろんのこと、欧米で使われているアルファベット、インド文字、インド文字から派生した東南アジア諸国の文字など、エジプトから遠く離れている地域の文字も、エジプトに起源があります。

アラビア文字やインド文字のもととなったアラム文字はフェニキア文字を転用して形成されました。そのフェニキア文字からアルファベットが形成されます。さらに、フェニキア文字は原シナイ文字や原カナン文字を祖形にし、特に原カナン文字とは連続性が強く認められます。そして、原シナイ文字や原カナン文字はエジプト象形文字を起源に持ちます。

エジプト象形文字はアジアのみならず、欧米にとっても、共通の「文字の母」といえます。この文字は紀元前3000年代に生まれた絵文字で、紀元前4世紀頃まで使用されました。宗

図04-1 | 文字の系譜

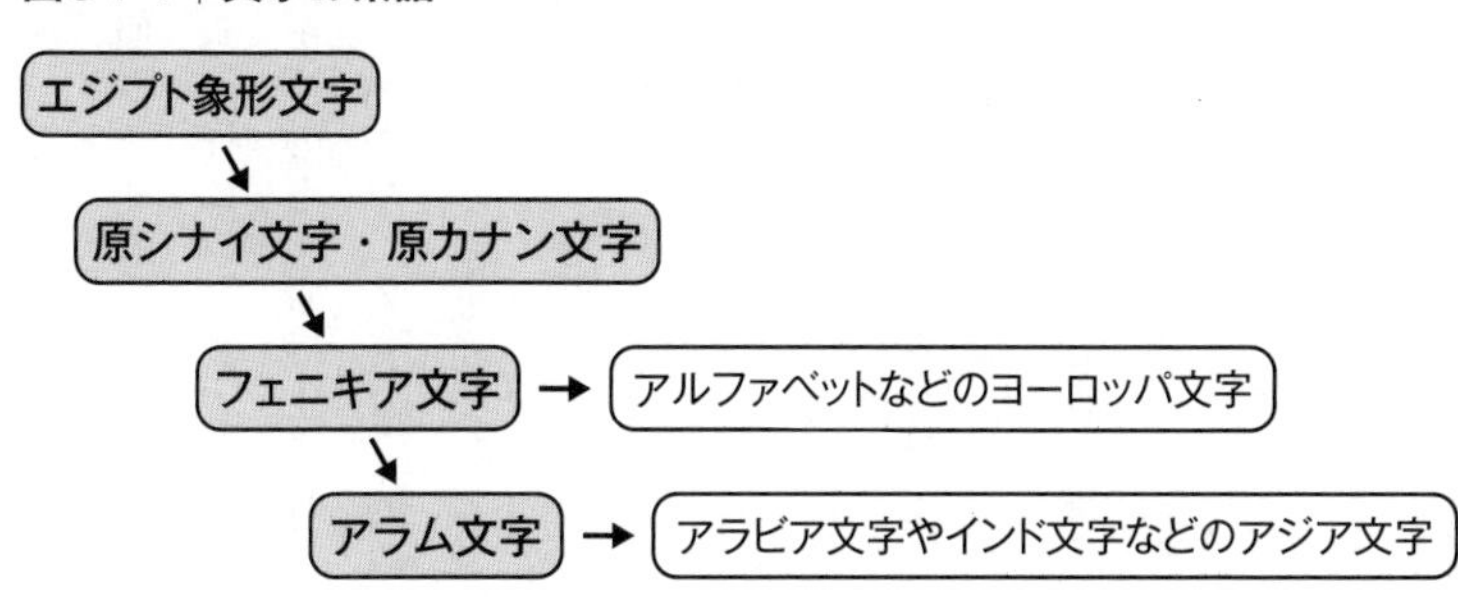

教的な碑文に用いられたため、神聖文字（ヒエログリフ）とも呼ばれます。

「ヒエログリフ」はギリシア語の「ヒエロス（「神聖」の意味）」、「グリュペイン（「刻む」の意味）」から来ています。ヒエログリフの書体を簡略化したのが神官文字（ヒエラティック）で、その筆記体が民衆文字（デモティック）です。ナポレオンのエジプト遠征の際に、ヒエログリフが刻まれているロゼッタストーンが発見され、1822年、ジャン＝フランソワ・シャンポリオンがその解読に成功しました。

エジプト象形文字は表意文字（漢字と同じく）でしたが、そこから発展したと見られる原シナイ文字・原カナン文字は表音文字です。セム語（アラブ語）の音を表わすために、当時、文字を持たなかったセム語族がヒエラティックを借用したと見られています。

原シナイ文字は紀元前19世紀〜紀元前16世紀頃にはじまったと見られており、当時、エジプト王国領であったシナイ半島で刻文が発見されています。原カナン文字は紀元前17世紀頃にはじまったと見られており、刻文が現在のイスラエルとレバノンで見つかっています。

原シナイ文字のはじまりの時期が特定されていないため、原シナイ文字と原カナン文字のどちらが先にはじまったか、わかっていません。そのため、史上初の表音文字がエジプトとパレスチナのどちらで生まれたかということについてもわかっていないのです。

フェニキア文字の直接の祖先は原カナン文字です。原カナン文字とフェニキア文字は同じ線上に発展した連続した文字で、紀元前11世紀頃を目安に、それ以前を原カナン文字と呼び、それ以後の文字はフェニキア文字と呼ばれます。

フェニキア人はシリアやパレスチナにいたセム語派（アラブ人）で、紀元前12世紀に、シドン、ティルスなどの地中海沿岸都市を形成し、交易によって発展しました。彼らは紀元前11世紀、商業上の理由から文字を必要とし、原カナン文字よりも簡略化された文字数22個の子音文字でフェニキア文字を組成しました。右から左への横書きという今日のアラビア文字のスタイルもこの時に確立しました。

フェニキア人が地中海での交易活動を活発化させた紀元前9世紀〜紀元前8世紀頃、ヨーロッパ沿岸地域にフェニキア文字が伝わり、その中でもギリシア人がフェニキア文字からギリシア文字をつくり、アルファベットのもととなります。「アルファベット」とはギリシア文字の「αアルファ」と「βベータ」を組み合わせた「アルファベートス（alphabetos）」から来ています。

さらに、イタリア人が紀元前7〜6世紀頃、ギリシア文字からラテン文字をつくり、ヨーロッパ諸語へと発展していきます。さらに、9世紀には、キュリロス兄弟がギリシア語からキリル文字をつくり、ロシアや東欧で使われる文字となります。当時の東側キリスト教会は西側のローマ・カトリック教会に対抗する観点から、東欧がラテン文字文化圏に組み込まれるのを防がなければなりませんでした。いわゆる文化闘争の勢力圏争いの一環として、キリル文字の制定・普及が政治的に要請されたのです。

❖なぜ、メソポタミア文明の楔形文字は継承されなかったのか

フェニキア文字は大きな影響力を持って広がり、アルファベットのような派生文字が多く生まれましたが、その背景に地政学的な理由があります。

フェニキア人が領域としていたシリア沿岸は様々な民族が行き交う地域でした。ハム語派（エジプト人）、セム語派（アラブ人）、インド・ヨーロッパ語派（小アジア人やイラン人、ギリシア人）、ヘブライ語派（セム語派の一部としてのユダヤ人）などが集う地中海交易の要衝で、これらの諸民族が意思疎通をするための言語ツールが必要とされました。そして、フェニキア文字のような、誰もが学習可能な単純で簡略化された文字体系が必然的に生み出されたのです。

さらに、フェニキア文字はアラム文字へと発展していきます。アラム文字はイラクからシリア地域の内陸交易を担っていたセム語派のアラム人によって、フェニキア文字を転用して生み出されました。紀元前11世紀にフェニキア文字が形成されていきますが、ほぼ同時並行的にア

ラム文字も形成されていきます。そして、アラム文字はかつて、中東地域で使われていた楔形文字に代わって、中東の共通文字となります。

アラム文字は現在のアラビア文字の直接の祖形ですが、それをさらに遡れば、前述のようにエジプトの象形文字に行き着きます。アラブ中東の文明的な祖はティグリス・ユーフラテス川流域に起こったメソポタミア文明です。このメソポタミア文明で用いられた文字が楔形文字ですが、なぜ、中東のアラビア文字はこの楔形文字から派生しなかったのでしょうか。

メソポタミア文明も楔形文字もシュメール人によって生み出されました。このシュメール人のシュメール語はアラブ人らのセム語とは言語系統が異なります。シュメール人は民族の血統として、アラブ人とする見解もありますが、はっきりとしたことがわかっておらず、「謎の民族」とされます。

シュメール語を表わすために発明された楔形文字は、セム語派アラブ人のアラビア語を表わすには適さなかったのです。それでも、楔形文字はアッカド、バビロニア、アッシリアなどのセム語派の国家で普及し、約3000年間、使用されました。有名なハンムラビ法典の碑（紀元前18世紀）には、アッカド語の楔形文字が刻まれています。ヒッタイトのようなインド・ヨーロッパ語派にも使用されています。

楔形文字は様々な国家で使用されたため、それぞれに適応した複雑な文字の体系システムを持つようになり、表音文字と表意文字の両要素も、各国間で複雑に入り交じって使用されるようになり、その筆記や読解の難解さから、次第に読み手を失っていき、廃れていきます。これは多数の民族や部族が割拠する中東地域の必然的な結果であったといえます。

その点、フェニキア文字を転用してできたアラム文字はフェニキア文字と同様に、その単純明快な文字システムにより、アラビア語の音を表わすことができ、高い優位性を持っていたのです。また、複雑な楔形文字を簡略化するような媒介的な文字の存在、つまり、エジプト象形文字を簡略化した原シナイ文字・原カナン文字のような派生文字の存在もなく、楔形文字には、さらなる普及発展の可能性はほとんどありませんでした。

❖アジアの文字はどのように形成されたのか

アラム文字はセム語の音を表わすために、セム語派のアラム人がつくった文字ですが、言語系統の異なるインド・ヨーロッパ語派のイラン人（ペルシア人）もまた、ペルシア語の音を表わすためにアラム文字を用いました。そのため、アケメネス朝ペルシアやパルティアのようなペルシア国家はアラム文字を公用文字としました。

アラビア文字の他にも、アラム文字から派生した文字は多くあります。ユダヤ人のヘブライ文字、イラン系のソグド人のソグド文字などです。

ソグド人のいた中央アジアのソグディアナは紀元前6世紀、アケメネス朝ペルシア帝国の属州となります。そして、アラム文字はソグディアナでも公用語として用いられます。さらに、

図04-2｜アジアにおけるアラム文字の派生

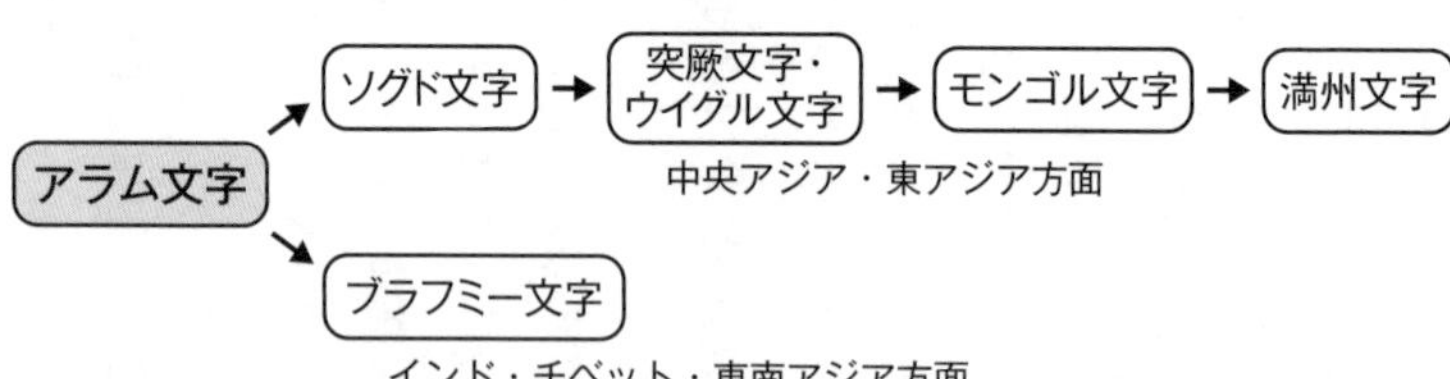

ソグド人はアラム文字を草書体に崩して簡略化したものをソグド語の音に当てて、独自のソグド文字を形成していきます。ソグド文字が本格的に普及するのはアケメネス朝が滅亡した後の紀元前4世紀後半頃と見られています。

中央アジアにいた交易の民族ソグド人によるソグド文字の形成はその後のアジア広域の文字形成に極めて重要な影響を及ぼす端緒となります。ソグド文字はソグド商人によって、モンゴル高原西部にいたトルコ系民族にも広がっていきます。しばらく、トルコ系民族たちはソグド文字を使っていましたが、その後、ソグド文字を元に突厥文字を5世紀頃に形成していきます。さらに突厥文字は8世紀にウイグル文字へと継承され、トルコ系民族の共通文字として普及します。

モンゴル人もウイグル文字を使用しました。モンゴル人はもともと文字を持っておらず、ウイグル人の捕虜がチンギス・ハンに文字の使用を進言しました。そして、モンゴル人たちはウイグル文字をモンゴル語の音に当てて使用したのです。それを「モンゴル文字」と呼んでいるのですが、実際には、ウイグル文字そのものでした。

トルコ系のウイグル人たちは10世紀に中央アジアへと西進し、イスラム化されていきます。彼らはそこで、ウイグル文字を捨て、アラビア文字を使用するようになります。

今日の中国の新疆ウイグル自治区にいるウイグル人たちはかつてウイグル文字を生み出した人々でしたが、彼らもまた、中央アジアに西進したトルコ系民族と同じく、イスラム化とともにアラビア文字を使用します。そして、ウイグル文字は忘れ去られていきました。今日でも、新疆のウイグル人はアラビア文字を使用しています。

ウイグル文字は専ら、モンゴル人に継承され、現在に至ります。そのため、ウイグル文字はトルコ系民族の文字であるにもかかわらず、事実上、モンゴル人の文字となり、13世紀以降、「モンゴル文字」と呼ばれるようになります。モンゴル人はモンゴル文字を使い続けましたが、ソ連の影響下で、1924年、モンゴル人民共和国が中華民国から独立して成立すると、キリル文字が公用化され、モンゴル文字は使われなくなりました。

しかし、1992年、社会主義体制から脱却して、新たに成立したモンゴル国では、モンゴル文字の使用が復活しています。現実には、キリル文字表記に慣れたモンゴル国の国民にとって、モンゴル文字は使いづらいものになっています。

モンゴル国は2020年、モンゴル文字の全面復活を2025年までに実現することを決めています。どのような不便があったとしても、文字は民族の伝統と精神そのものであり、それを守り引き継ぐことを最優先すべきだと考えられています。モンゴル文字は南モンゴル（中国領の内モンゴル自治区）では使われ続けていますが、今日、中国当局の弾圧により、使用を制限されています。なお、17世紀に、満州族がモンゴル文字をもとに満州文字をつくっています。

❖インダス文字、ヴェーダ文字、サンスクリット、ブラーフミー文字

アラム文字はインドの文字にも影響を与えたと考えられています。インドの古文字はブラーフミー文字と呼ばれます。インドの宗教であるジャイナ教の聖人の娘にブラーフミーという人物がおり、彼女が文字を人々に伝えたという伝説から、彼女の名が文字に付けられました。ブラーフミー文字の最古の使用例として発見された陶片は紀元前6世紀のものとわかっています。ブラーフミー文字がアラム文字から派生したとされる根拠として、カローシュティー文字の例が挙げられます。カローシュティー文字はブラーフミー文字と同時期に、インド西北部で使われはじめ、アラム文字から派生したことが判明しています。この地域はアケメネス朝ペルシアの支配下にあり、アラム文字が公用化されていました。

そして、インド中心部で使われたブラーフミー文字もカローシュティー文字と同じく、アラム文字から派生したと多くの研究者によって類推されているのです。

しかし、異論もあります。一部の研究者は、ブラーフミー文字は外来の文字の影響を受けることはなく、インダス文字から独自に発展したと主張しています。しかし、ブラーフミー文字が短期間で形成され、普及していることから、独自形成の可能性は低いとされます。

紀元前13世紀、インド・ヨーロッパ系のアーリア人がインドに侵入し、土着のドラヴィダ人を厳しいカースト制により、奴隷階級に落とします。アーリア人はサンスクリットという古代インド・アーリア語を用いました。そして、バラモン教の聖典である『リグ・ヴェーダ』を紀元前12世紀頃、サンスクリットの古形にあたるヴェーダ文字（古イラン文字に類似）で書きます。アーリア人は彼ら独自のヴェーダ文字を用いており、この地にもともとあったインダス文字を継承したわけではありません。つまり、インダス文字は誰にも継承されず、その意味で、インダス文字がブラーフミー文字に変化発展したという説は現実的ではないといえます。

「サンスクリット」とは「完成された」を意味します。サンスクリットはヴェーダ文字のような古形文字を持っていましたが、後に文字は忘れ去られ、文字を持たない言語となり、聖典の読誦によってのみ伝承されていました。そのため、サンスクリットを表記するため、4世紀頃、ブラーフミー文字が形成されるのです。

ブラーフミー文字は12世紀以降、現代使われているインド文字（ヒンディー文字）へと変化していきます。かつてのブラーフミー文字自体は忘れ去られてしまいます。しかし、ブラーフミー文字は他地域に拡散していき、諸民族が文字を形成する基盤を提供します。ブラーフミー文字から派生して、7世紀にクメール文字（カンボジア文字）やチベット文字が形成されます。

カンボジアのアンコール王朝では、クメール文字が使用され、王朝の行政支配がインドシナ全域に及ぶにつれて、クメール文字が普及し、公用語化されていきました。そして、このクメ

図04-3｜ブラーフミー文字から派生した主要諸文字

種　類	現　況
クメール文字	カンボジアで現行文字
ミャンマー文字	ミャンマーで現行文字
チベット文字	チベットで現行文字
タイ文字（スコータイ文字）	タイで現行文字
ラーオ文字（ラオス文字）	ラオスで現行文字
チャム文字	ベトナムやカンボジアのチャム族の現行文字
バイバイン（タガログ文字）	フィリピンで現行文字
ベンガル文字	ベンガルとアッサム地方の現行文字
シンハラ文字	スリランカで主要な現行文字
マレー文字	植民地時代にアルファベット使用に移行
ジャワ文字	植民地時代にアルファベット使用に移行

ール文字がその後のインドシナ半島の文字言語を生み出す母体となります。

アンコール王朝が衰退した後、13世紀にタイでスコータイ王朝が成立し、この王朝の3代目王ラーマ・カムヘーンはクメール文字をもとに、スコータイ文字を創設しました。スコータイ文字が今日のタイ文字の原型となります。

さらにラオスでも、クメール文字やスコータイ文字をもとにラオ文字が発展していきます。カンボジアでは、クメール文字が今日でも使われています。

ミャンマーはアンコール王朝に一時期、服属しましたが、クメール文字を取り入れず、先住民モン人が使っていたインド系文字のモン文字を改良して、11世紀に独自のミャンマー文字を発展させていきます。

参考文献

■青木健『アーリア人』（講談社選書メチエ）2009年
■青柳正規『興亡の世界史 人類文明の黎明と暮れ方』（講談社学術文庫）2018年
■青山和夫『古代メソアメリカ文明――マヤ・テオティワカン・アステカ』（講談社選書メチエ）2007年
■麻生川静男『旅行記・滞在記500冊から学ぶ 日本人が知らないアジア人の本質』（ウェッジ）2016年
■阿部謹也『中世の窓から』（ちくま学芸文庫）2017年
■家島彦一『インド洋海域世界の歴史―人の移動と交流のクロス・ロード』（ちくま学芸文庫）2021年
■五十嵐武士、油井大三郎『新版アメリカ研究入門』（東京大学出版会）2003年
■石澤良昭、生田滋『東南アジアの伝統と発展（世界の歴史13）』（中央公論）1998年
■石澤良昭『東南アジア 多文明世界の発見』（講談社）2009年
■井上浩一、栗生沢猛夫『世界の歴史〈11〉ビザンツとスラヴ』（中公文庫）2009年
■岩村忍『文明の十字路＝中央アジアの歴史』（講談社学術文庫）2007年
■梅棹忠夫『文明の生態史観』（中公文庫）1998年
■王柯『多民族国家 中国』（岩波新書）2005年
■大塚柳太郎『ヒトはこうして増えてきた：20万年の人口変遷史』（新潮選書）2015年
■岡田明子、小林登志子『シュメル神話の世界―粘土板に刻まれた最古のロマン』（中公新書）2008年
■岡田英弘『世界史の誕生―モンゴルの発展と伝統』（ちくま文庫）1999年
■岡田英弘『清朝とは何か』（藤原書店）2009年
■岡田英弘『モンゴル帝国から大清帝国へ』（藤原書店）2010年
■岡本隆司『世界史序説――アジア史から一望する』（ちくま新書）2018年
■小野寺史郎『中国ナショナリズム―民族と愛国の近現代史』（中公新書）2017年
■小野林太郎『海の人類史―東南アジア・オセアニア海域の考古学』（環太平洋文明叢書）（雄山閣）2018年
■海部陽介『人類がたどってきた道』（NHKブックス）2005年

■加々美光行『中国の民族問題』（岩波書店）2008年
■角谷英則『ヴァイキング時代―諸文明の起源〈9〉』（京都大学学術出版会）2006年
■片山一道『骨が語る日本人の歴史』（ちくま新書）2015年
■鴨川和子『南ロシア―草原（ステップ）・古墳（クルガン）の神秘』（雄山閣）2015年
■川本芳昭『中華の崩壊と拡大（魏晋南北朝）』（講談社）2005年
■川本芳昭『中国史のなかの諸民族（世界史リブレット）』（山川出版）2004年
■韓国考古学会（編集）、武末純一（翻訳）、庄田慎矢（翻訳）、山本孝文（翻訳）『概説 韓国考古学』（同成社）2013年
■姜在彦『朝鮮儒教の二千年』（講談社学術文庫）2012年
■桐山昇、栗原浩英、根本敬『東南アジアの歴史―人・物・文化の交流史』（有斐閣）2019年
■木村靖二、千葉敏之、西山暁義『ドイツ史研究入門』（山川出版社）2014年
■金達寿『朝鮮―民族・歴史・文化』（岩波新書）2002年
■金富軾（著）、井上秀雄（翻訳）『三国史記』（東洋文庫）1980年
■金両基『ハングルの世界』（中公新書）1984年
■金両基『物語韓国史』（中公新書）1989年
■熊谷正秀『日本から観た朝鮮の歴史―日朝関係全史』（展転社）2004年
■黒川祐次『物語 ウクライナの歴史―ヨーロッパ最後の大国』（中公新書）2002年
■河野貴美子（編集）、王勇（編集）『衝突と融合の東アジア文化史』（勉誠出版）2016年
■黄文雄『漢字文明にひそむ中華思想の呪縛』（集英社）2000年
■小島毅『東アジアの儒教と礼』（山川出版）2004年
■後藤健『メソポタミアとインダスのあいだ――知られざる海洋の古代文明』（筑摩選書）2016年
■小林登志子『古代メソポタミア全史―シュメル、バビロニアからサーサーン朝ペルシアまで』（中公新書）2020年
■小林登志子『文明の誕生―メソポタミア、ローマ、そして日本へ』（中公新書）2015年
■早乙女雅博『朝鮮半島の考古学』（同成社）2000年
■坂本勉『トルコ民族の世界史』（慶應義塾大学出版会）2006年

- 薩摩秀登『図説 チェコとスロヴァキア』（河出書房新社）2006年
- 佐藤章『サハラ以南アフリカの国家と政治のなかのイスラーム―歴史と現在』（日本貿易振興機構アジア経済研究所）2021年
- 篠田謙一『人類の起源―古代DNAが語るホモ・サピエンスの「大いなる旅」』（中公新書）2022年
- 清水透『ラテンアメリカ五〇〇年――歴史のトルソー』（岩波現代文庫）2017年
- 徐朝龍『長江文明の発見―中国古代の謎に迫る』（角川選書）1998年
- 徐朝龍『長江文明の発見 中国古代史の謎』（角川ソフィア文庫）2000年
- 杉山清彦『大清帝国の形成と八旗制』（名古屋大学出版会）2015年
- 杉山正明『遊牧民から見た世界史』（日経ビジネス人文庫）2011年
- 鈴木董『オスマン帝国 イスラム世界の「柔らかい専制」』（講談社現代新書）1992年
- 鈴木董『文字世界で読む文明論 比較人類史七つの視点』（講談社現代新書）2020年
- 鈴木真太郎『古代マヤ文明―栄華と衰亡の3000年』（中公新書）2020年
- 関裕二『縄文文明と中国文明』（PHP新書）2020年
- 武田幸男（編集）『朝鮮史』（山川出版）2000年
- 立石博高、関哲行、中川功、中塚次郎『スペインの歴史』（昭和堂）1998年
- 玉木俊明『迫害された移民の経済史：ヨーロッパ覇権、影の主役』（河出書房新社）2022年
- 陳舜臣『日本人と中国人――〝同文同種〟と思いこむ危険』（祥伝社新書）2016年
- 富樫耕介『コーカサスの紛争：ゆれ動く国家と民族』（東洋書店新社）2021年
- 砺波護、武田幸男『世界の歴史〈6〉隋唐帝国と古代朝鮮』（中公文庫）2008年
- 鳥越憲三郎『古代中国と倭族―黄河・長江文明を検証する』（中公新書）2000年
- 中村元『古代インド』（講談社学術文庫）2004年
- 原求作『キリール文字の誕生―スラヴ文化の礎を作った人たち』（ぎょうせい）2014年
- 原武史『直訴と王権　朝鮮・日本の「一君万民」思想史』（朝日新聞出版）2013年
- 林俊雄『興亡の世界史 スキタイと匈奴 遊牧の文明』（講談社学術文庫）2017年

■平野千果子『人種主義の歴史』（岩波新書）２０２２年
■弘末雅士『海の東南アジア史――港市・女性・外来者』（ちくま新書）２０２２年
■福沢諭吉、松沢弘陽（校注）『文明論之概略』（岩波文庫）２０２０年
■藤川隆男『オーストラリアの歴史：多文化社会の歴史の可能性を探る』（有斐閣）２００４年
■古田博司『朝鮮民族を読み解く―北と南に共通するもの』（ちくま学芸文庫）２００５年
■古田元夫『ベトナムの世界史：中華世界から東南アジア世界へ』（東京大学出版会）２０１５年
■細川道久（著）、吉田健正（著）、木村和男（編集）『カナダ史（新版 世界各国史）』（山川出版）１９９９年
■堀米庸三『世界の歴史（3）中世ヨーロッパ』（中公文庫）１９７４年
■前田耕作『バクトリア王国の興亡』（ちくま学芸文庫）２０１９年
■三橋広夫（翻訳）『韓国の高校歴史教科書』（明石書店）２００６年
■宮崎市定『アジア史概説』（中公文庫プレミアム）２０１８年
■宮田律『中東イスラーム民族史―競合するアラブ、イラン、トルコ』（中公新書）２００６年
■宮脇淳子『日本人が知らない満洲国の真実』（扶桑社新書）２０１７年
■桃木至朗（編集）『海域アジア史研究入門』（岩波書店）２００８年
■森下章司『古墳の古代史――東アジアのなかの日本』（ちくま新書）２０１６年
■森平雅彦『モンゴル帝国の覇権と朝鮮半島』（山川出版）２０１１年
■森平雅彦『モンゴル覇権下の高麗―帝国秩序と王国の対応』（名古屋大学出版会）２０１３年
■安田喜憲『古代日本のルーツ 長江文明の謎』（青春出版社）２００３年
■山内進『北の十字軍「ヨーロッパ」の北方拡大』（講談社選書メチエ）２０１１年
■山内弘一『朝鮮からみた華夷思想』（山川出版）２００３年
■山内昌之『ソ連・中東の民族問題』（日本経済新聞社）１９９１年
■山内昌之『ラディカル・ヒストリー――ロシア史とイスラム史のフロンティア』（中公新書）１９９１年
■山内昌之『民族と国家』（岩波新書）１９９３年
■山本紀夫『高地文明、「もう一つの四大文明」の発見』（中公新書）２０２１年

■弓削達『地中海世界とローマ帝国』（岩波書店）1977年
■吉岡政徳、石森大知『南太平洋を知るための58章―メラネシア・ポリネシア』（明石書店）2010年
■李成市『東アジア文化圏の形成』（山川出版）2000年
■李東一『北朝鮮の歴史教科書』（徳間書店）2003年
■ジョヴァンニ・アリギ（著）、中山智香子（監訳）『北京のアダム・スミス――21世紀の諸系譜』（作品社）2011年
■デイヴィッド・W・アンソニー（著）、東郷えりか（翻訳）『馬・車輪・言語（上・下）』（筑摩書房）2018年
■ベネディクト・アンダーソン（著）、白石隆、白石さや（翻訳）『想像の共同体―ナショナリズムの起源と流行』（書籍工房早山）2007年
■ポーラ・アンダーウッド（著）、星川淳（翻訳）『一万年の旅路 ネイティヴ・アメリカンの口承史』（翔泳社）1998年
■ニコラス・ウェイド（著）、山形浩生（翻訳）、守岡桜（翻訳）『人類のやっかいな遺産―遺伝子、人種、進化の歴史』（晶文社）2016年
■A・ガウアー（著）、矢島文夫、大城光正（翻訳）『文字の歴史』原書房、1987年
■カエサル（著）、近山金次（翻訳）『ガリア戦記』（岩波文庫）1990年
■マガリ・クメール（著）、ブリューノ・デュメジル（著）、大月康弘（翻訳）、小澤雄太郎（翻訳）『ヨーロッパとゲルマン部族国家』（文庫クセジュ）2019年
■グレゴリー・クラーク（著）、久保恵美子（翻訳）『10万年の世界経済史（上・下）』（日経BP社）2009年
■エリック・H・クライン（著）、安原和見（翻訳）『B.C.1177』（筑摩書房）2018年
■アーネスト・ゲルナー（著）、加藤節（監訳）『民族とナショナリズム』（岩波書店）2000年
■A・D・スミス（著）、巣山靖司（翻訳）、高城和義（翻訳）『ネイションとエスニシティ―歴史社会学的考察』（名古屋大学出版会）1999年
■ジョルジュ・セデス（著）、辛島昇（翻訳）、内田晶子（翻訳）、桜井由躬雄（翻訳）『インドシナ文明史』（みすず書房）1969年
■ジャレド・ダイアモンド（著）、小川敏子（翻訳）、川上純子（翻訳）『危機と人類（上）（下）』（日経ビジネス人文庫）2019年

■ジャレド・ダイアモンド（著、編集）、ジェイムズ・Ａ・ロビンソン（著、編集）、小坂恵理（翻訳）
『歴史は実験できるのか――自然実験が解き明かす人類史』（慶應義塾大学出版会）２０１８年
■タキトゥス（著）、国原吉之助（翻訳）『年代記』2巻（岩波文庫）１９８１年
■アーノルド・ジョーゼフ・トインビー（著）、桑原武夫（著）『図説歴史の研究1〜3』（学習研究社）１９７６年
■エマニュエル・トッド（著）、大野舞（翻訳）『第三次世界大戦はもう始まっている』（文春新書）２０２２年
■ルース・ドフリース（著）、小川敏子（翻訳）『食糧と人類―飢餓を克服した大増産の文明史』
（日本経済新聞出版社）２０１６年
■フランチェスカ・トリヴェッラート（著）、玉木俊明（翻訳）『世界をつくった貿易商人――地中海経済と交易ディアスポラ』
（ちくま学芸文庫）２０２２年
■伝ネンニウス、瀬谷幸男（翻訳）『ブリトン人の歴史―中世ラテン年代記』（論創社）２０１９年
■ユヴァル・ノア・ハラリ（著）、柴田裕之（翻訳）『サピエンス全史（上・下）文明の構造と人類の幸福』
（河出書房）２０１７年
■ウィリアム・Ｗ・ハロー（著）、岡田明子（翻訳）『起源―古代オリエント文明：西欧近代生活の背景』（青灯社）２０１５年
■サミュエル・ハンチントン（著）、鈴木主税（翻訳）『文明の衝突 上・下』（集英社文庫）２０１７年
■ニーアル・ファーガソン（著）、柴田裕之（翻訳）『大惨事（カタストロフィ）の人類史』（東洋経済新報社）２０２２年
■ニーアル・ファーガソン（著）、仙名紀（翻訳）『文明：西洋が覇権をとれた6つの真因』（勁草書房）２０１２年
■ブライアン・フェイガン（著）、東郷えりか（翻訳）『海を渡った人類の遥かな歴史』（河出書房）２０１３年
■リチャード・ベッセル（著）、大山晶（翻訳）『ナチスの戦争1918-1949―民族と人種の戦い』（中公新書）２０１５年
■ピーター・ベルウッド（著）、植木武（翻訳）、服部研二（翻訳）『太平洋―東南アジアとオセアニアの人類史』
（東京大学出版会）１９８９年
■ケネス・ポメランツ（著）、川北稔（翻訳）『大分岐―中国、ヨーロッパ、そして近代世界経済の形成』
（名古屋大学出版会）２０１５年
■マシュー・ホワイト（著）、住友進（翻訳）『殺戮の世界史：人類が犯した１００の大罪』（早川書房）２０１３年
■ウィリアム・Ｈ・マクニール（著）、増田義郎（翻訳）、佐々木昭夫（翻訳）『世界史（上・下）』（中公文庫）２００８年

■ニール・マクレガー（著）、東郷えりか（翻訳）『100のモノが語る世界の歴史〈1〉文明の誕生』（筑摩選書）2012年
■ニール・マクレガー（著）、東郷えりか（翻訳）『100のモノが語る世界の歴史〈2〉帝国の興亡』（筑摩選書）2012年
■マーク・マゾワー『バルカン―「ヨーロッパの火薬庫」の歴史』（中公新書）2017年
■アンガス・マディソン（著）、政治経済研究所（翻訳）『世界経済史概観 紀元1年〜2030年』（岩波書店）2015年
■チャールズ・C・マン（著）、布施由紀子（翻訳）『1493――世界を変えた大陸間の「交換」』（紀伊國屋書店）2016年
■ジャイルズ・ミルトン（著）、松浦伶（翻訳）『スパイス戦争――大航海時代の冒険者たち』（ちくま学芸文庫）2022年
■ポール・モーランド（著）、渡会圭子（翻訳）『人口で語る世界史』（文藝春秋）2019年
■デイヴィッド・ライク（著）、日向やよい（翻訳）『交雑する人類―古代DNAが解き明かす新サピエンス史』（NHK出版）2018年
■アダム・ラザフォード（著）、垂水雄二（翻訳）、篠田謙一（翻訳）『ゲノムが語る人類全史』（文藝春秋）2017年
■リチャード・ランガム（著）、依田卓巳（翻訳）『善と悪のパラドックス――ヒトの進化と〈自己家畜化〉の歴史』（NTT出版）2020年
■アンソニー・リード（著）、太田淳（翻訳）『世界史のなかの東南アジア〈上巻〉〈下巻〉―歴史を変える交差路』（名古屋大学出版会）2021年
■マッシモ・リヴィ‐バッチ（著）、速水融（翻訳）、斎藤修（翻訳）『人口の世界史』（東洋経済新報社）2014年
■マット・リドレー（著）、柴田裕之（翻訳）『繁栄――明日を切り拓くための人類10万年史（上・下）』（早川書房）2010年
■ジャン＝ポール・ルー（著）、杉山正明（監修）、田辺希久子（翻訳）『チンギス・カンとモンゴル帝国（「知の再発見」双書）』（創元社）2003年
■ユージン・ローガン（著）、白須英子（翻訳）『アラブ500年史（上・下）：オスマン帝国支配から「アラブ革命」まで』（白水社）2013年

索引

あ行

か行

さ行

た行

な行

は行

ま行

や行

ら行

わ行

宇山卓栄（うやま　たくえい）
1975年、大阪生まれ。慶應義塾大学経済学部卒業。代々木ゼミナール世界史科講師を務めたのち、著作家に。テレビ、ラジオ、雑誌、ネットなど各メディアで、時事問題を歴史の視点でわかりやすく解説。著書多数。主な著書に『民族と文明で読み解く大アジア史』(講談社)、『「民族」で読み解く世界史』『「王室」で読み解く世界史』『「宗教」で読み解く世界史』(以上、日本実業出版社)、『世界一おもしろい世界史の授業』(KADOKAWA)、『経済で読み解く世界史』『朝鮮属国史—中国が支配した2000年』(以上、扶桑社)、『世界史で読み解く「天皇ブランド」』(悟空出版)などがある。

世界「民族」全史
衝突と融合の人類5000年史

2023年1月20日　初版発行
2023年4月20日　第4刷発行

著　者　宇山卓栄
発行者　杉本淳一

発行所　株式会社日本実業出版社　東京都新宿区市谷本村町3−29 〒162-0845
編集部　☎03-3268-5651
営業部　☎03-3268-5161　振　替　00170-1-25349
https://www.njg.co.jp/

印　刷／堀内印刷　　製　本／若林製本

ISBN 978-4-534-05977-2　Printed in JAPAN